A SZÓCIKK

címszó — **dig** (dug,

szófajok elkülönítése

English
Manche csatorna ▼ *fn esz/tsz* angol *[ember, nyelv]* — a jelentések magyarázata

jelentésváltozatok elkülönítése

fundamental ▼ *mn* alapvető; lényegbevágó ▼ *fn* ~**s** alapismeretek — címszót helyettesítő tilde (hullámvonal)

azonos alakú, de más jelentésű szó (homonima) jelzése

husky[1] *mn* érdes [hang]

szófajjelölés

husky[2] *fn* eszkimó kutya

az angol szó vonzata

homage (to sy) tisztelgés (vki előtt) — a magyar szó vonzata

az angol szó rendhagyó többes száma

half ▼ *mn* fél ▼ *fn (tsz* halves) fél, vminek a fele, *sp* félidő — minősítés

utalás

halves → **half**

amerikai szóhasználat jelzése

launder *US* tisztít, mos

elhagyható elem — példa

lemon citrom(fa); ~ **tea** citromos tea

a vagylagosság jele

Londoner londoni [ember/lakos]

a rendhagyó ige jelzése

glad; be° ~ *(of sg)* örül (vminek)

MAGYAR–ANGOL
ANGOL–MAGYAR
ZSEBSZÓTÁR

HUNGARIAN–ENGLISH
ENGLISH–HUNGARIAN
POCKET DICTIONARY

AKADÉMIAI KIADÓ

MAGYAR
ANGOL

ANGOL
MAGYAR

ZSEBSZÓTÁR

HUNGARIAN–ENGLISH
ENGLISH–HUNGARIAN

POCKET DICTIONARY

AKADÉMIAI KIADÓ

Projektvezető szerkesztő
BERKÁNÉ DANESCH MARIANNE
Szerkesztők
NICHOLAS BODOCZKY, MIHÁLY ÁRPÁD, TÓTH ERZSÉBET
GRÁF ZOLTÁN BENEDEK, SZENTGYÖRGYI SZILÁRD
Lektorok
NICHOLAS BODOCZKY, TÓTH ERZSÉBET
Arculatterv
MOLNÁR ISTVÁN, KECSKÉS ZSOLT
Számítástechnikai munkatárs
GÁL ZOLTÁN
Borítóterv
ÉRDI JÚLIA
Termékmenedzser
KISS ZSUZSA
Tördelés
ÉLŐFEJ BT.
Nyomdai előállítás
Akadémiai Nyomda Kft., Martonvásár
Felelős vezető: UJVÁROSI LAJOS

ISBN 978 963 05 8117 2
Kiadja az Akadémiai Kiadó, Budapest
az 1795-ben alapított Magyar Könyvkiadók
és Könyvterjesztők Egyesülésének tagja
www.akademiaikiado.hu

Első kiadás: 2001
Második kiadás: 2004
Változatlan utánnyomás: 2010

A kiadásért felelős az Akadémiai Kiadó igazgatója
A szerkesztésért felelős: POMÁZI GYÖNGYI

Terjedelem: 27,25 (A/5) ív
Printed in Hungary

TARTALOM

ELŐSZÓ

Szótárunk az Akadémiai Kiadó folyamatosan fejlesztett és bővített nyelvi adatbázisából készült.

A szóanyag összeállításakor előre meghatározott irányt követve válogattunk a magyar és angol nyelv szókészletéből: az alapszókincset, vagyis a mai beszélt nyelv leggyakoribb szavait, kifejezéseit, szókapcsolatait tartottuk fontosnak, így tehát szakkifejezések, az irodalmi nyelv választékosabb szavai nem, vagy csak kis számban szerepelnek a szótárban.

Munkánk során a magyar anyanyelvű felhasználók igényeit tartottuk szem előtt.

A szótárban irányonként 12 000 címszó és több mint 30 000 jelentés található.

A 2001-ben külön kötetben megjelent zsebszótárak most a könnyebb kezelhetőség kedvéért egy kötetben jelennek meg.

Budapesten, 2004. június 29-én

SZÓTÁRHASZNÁLATI TUDNIVALÓK

A szókészlet

A szókészlet összeállításakor a mindennapi élet legfontosabb témaköreinek alapszókincsét dolgoztuk fel. Szótárunk tartalmazza például a legismertebb állatok, növények, anyagok, ételek, a fő testrészek, mértékegységek, színek nevét, földrajzi kifejezéseket, a sport, a zene alapvető szókincsét s az ezekkel kapcsolatos igéket. Nagyobb hangsúlyt fektettünk az utazással kapcsolatos szavak, kifejezések körére.

A szócikk felépítése

A szócikk vastag betűvel nyomtatott címszóval kezdődik. A címszavak sorrendje az ábécé rendjét követi, de a magyar címszavaknál nem teszünk különbséget *a* és *á*, *e* és *é*, *i* és *í*, *o* és *ó*, *ö* és *ő*, *u* és *ú*, valamint *ü* és *ű* között. Az azonos alakú, de különböző jelentésű szavakat (homonimákat) külön címszóként kezeljük és felső számmal jelöljük meg, pl.:

csap[1] *fn* tap
csap[2] *ige [üt]* strike°; *[dob]* throw°

A címszó szófaját csak abban az esetben adjuk meg, ha azonos alakhoz több szófaj társul. Szócikken belül ugyanazon alak eltérő szófajú jelentéseit fekete háromszög (▾) választja el egymástól, pl.:

dán ▾ *mn* Danish ▾ *fn [ember]* Dane; *[nyelv]* Danish

A szócikk szövegében a címszót hullámvonal, tilde (~) helyettesíti.

elkövet commit; **mindent ~** do° one's best

Angol rendhagyó alakok

A rendhagyó alakokat (melléknevek, határozószók középfokú és felsőfokú alakját, főnevek többes számát, igék múlt idejét és múlt idejű melléknévi igenevét) a címszó után zárójelben megadjuk.

well[1] *hsz* (*kfok* better, *ffok* best) jól

abide (abode, abode) lakik, tartózkodik (vhol)

A rendhagyó alakok címszóként is megtalálhatóak – utalással a szótári alakra.

abode → abide

A jelentés

A címszót angol nyelvi megfelelői követik. Ezek használati körének pontosítását segítik a minősítések (dőlt betűvel) és a magyarázatok (szögletes zárójelben dőlt betűvel, pl.:)

elzárás *[úté]* closing, blocking; *jog* custody

A szótárban használt minősítések és egyéb rövidítések listája hátul, a belső borítón található. Igék esetében az angol jelentések mondatbeli használatát megkönnyíti, hogy megadjuk vonzatukat, különösen, ha az eltér a magyartól, pl.:

emlékszik (*vkire/vmire*) remember (sy/sg)

A rendhagyó angol igéket felső köröcske (°) jelöli, ezek alakjait a Függelék tartalmazza. A rendhagyó főnevek többes számát a szócikkben megadjuk.

Több megfelelő felsorolása esetén vesszőt használunk, a pontosvessző nagyobb jelentéskülönbséget jelez.

Kifejezések

A szócikkben megtalálhatóak a címszóval alkotott leggyakoribb szókapcsolatok.

A magyar ábécé betűi

a (á)	gy	o (ó)	ü (ű)
b	h	ö (ő)	v
c	i (í)	p	w
cs	j	q	x
d	k	r	y
dz	l	s	z
dzs	ly	sz	zs
e (é)	m	t	
f	n	ty	
g	ny	u (ú)	

Az angol ábécé betűi

a	h	o	v
b	i	p	w
c	j	q	x
d	k	r	y
e	l	s	z
f	m	t	
g	n	u	

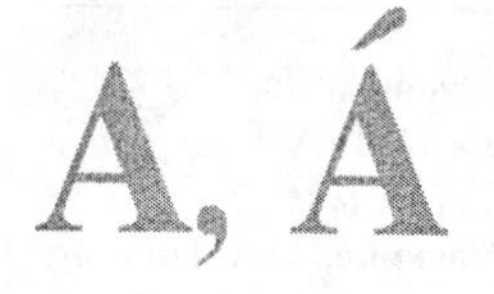

a the
abba into that
abbahagy stop (doing sg); *[végleg]* give° up
abban in that
abból from/of that
ABC-áruház supermarket
ábécé alphabet
ablak window
ablaktörlő windscreen-wiper
abortusz abortion
ábra illustration, figure
ábránd fancy, dream
ábrándozik (*vmiről*) dream (of sg)
ábrázol *[rajzzal]* represent; *[szóval]* describe
ábrázolás delineation; *[szóval]* description
abroncs *[hordón]* (barrel) hoop; *[keréken]* tyre
abrosz tablecloth
acél steel
ács carpenter
ad give°; *[rádió/tv]* broadcast°; *[színház]* be° on/playing
adag portion; *orv* dose
adagol portion/measure out; *[gépbe]* feed°
adás giving; *[rádió/tv]* broadcast(ing)
adásvételi szerződés contract of sale
adat data *esz/tsz*
adatbank data bank
adatbázis database
adatfeldolgozás data processing
adatgyűjtés collection of facts/data
adathordozó data carrier
adatlap data form/sheet
adatvédelem data protection

addig *[térben]* as far as that; *[időben]* till then, until then, meanwhile
adminisztráció administration
adó tax; *távk* radio station
adóbevallás tax return
adódik happen, come° about
adófizetés payment of taxes
adóhivatal tax/revenue office
adomány gift, donation
adományoz present, donate; *[kitüntetést]* award
adómentes tax-free
adós ▾ *mn* in debt *ut;* ~ **(vkinek vmivel)** owe (sy sg) ▾ *fn* debtor
adósság debt
adott given
adottság ability; *[körülmények]* conditions *tsz,* circumstances *tsz*
adózás taxation
adózik pay° tax(es)
advent Advent
áfa *röv* VAT, vat *[value added tax]*
áfamentes tevékenység exempt from VAT
áfás számla *kb.* invoice indicating the amount of VAT
afelől; ~ érdeklődött, hogy ... he inquired about/whether ...
afféle of that sort *ut*
áfonya blueberry
Afrika Africa
afrikai *mn, fn* African
ág *[gally]* branch; *[folyóé, tudományé]* branch; *[családé]* line (of descent)
agancs antlers *tsz*
ágaskodik *[ember]* stand° on tip-toe; *[ló]* rear
agg ▾ *mn* very old, aged ▾ *fn* old man (*tsz* men)
aggaszt worry
aggasztó worrying
agglegény bachelor
aggodalom anxiety, fear
aggódik *(vkiért/vmiért)*

worry (about sy/sg), be° anxious (for/about sy/sg)
agrár agrarian, agricultural
agresszív aggressive
agy brain
ágy bed
agyag clay
agyar tusk
ágyás (flower)bed
ágyaz make° the bed(s)
ágyék groin
ágynemű bedding, bedclothes *tsz*
agyondolgozza magát overwork, kill oneself with work
agyonlő shoot° sy dead
agyonüt strike° sy dead; **~i az időt** kill time
agyonver beat° sy to death
agyrázkódás concussion (of the brain)
ágyú cannon
agyvelő brain
ahány as many as
ahányszor as often as
ahelyett instead (of that)
ahhoz *[térben]* to that; *átv* for it/that
ahogy(an) *[mód]* as; *[időben]* as soon as
ahol where
ahonnan from where
ahova where; **~ mennek** the place they are going to
AIDS *röv* AIDS *[Acquired Immune Deficiency Syndrome]*
ajak lip
ajándék present, gift
ajándékoz (*vmit vkinek*) give° (sg to sy)
ajánl recommend; *[művet vkinek]* dedicate (to sy)
ajánlás recommendation; *[műé]* dedication
ajánlat offer
ajánlatos advisable
ajánlkozik (*vmire*) offer to do sg
ajánlott recommended; **~ levél** registered letter

ajtó door
ájulás fainting
ájult in a faint *ut*
akác acacia
akad *[megakad vmiben/vmin]* get° stuck/caught (in/on); *[rábukkan vkire/vmire]* happen (up)on sy/sg, come° across sy/sg
akadály *átv is* obstacle; *sp* obstacles *tsz*
akadályoz hinder
akadémia academy
akadozik *[gép]* work irregularly; **~ a folyamat** there are hiccups in the process
akar want (sg v. to do sg); *[szándékozik]* intend (to do sg)
akár ▾ *hsz [megengedés]* **~ meg is tarthatod** you may as well keep it ▾ *ksz [ha]* **~ hiszed, ~ nem** (whether you) believe it or not
akarat will
akaraterő will-power
akaratos self-willed, stubborn
akárhol anywhere; wherever
akárhonnan from anywhere; from wherever
akárhova anywhere; no matter where
akárki whoever; no matter who
akármelyik any; *[kettő közül]* either
akármennyi however much/many
akármi whatever; anything
akármikor (at) any time; whenever
akármilyen any; any kind of
akaszt hang° (up); *[kivégez]* hang
akasztó *[fogas]* coat hook; *[vállfa]* hanger
akasztófa gallows *esz/tsz*
akcentus accent
akció action; *[leértékelés]* sale

aki who
akkor then
akkora so large/great
akkord chord
akkumulátor battery
akna *bány* (mine) shaft; *kat* mine
akrobata acrobat
akt nude (figure)
akta document, file
aktatáska briefcase
aktív active
aktuális current, timely
akvárium aquarium (*tsz* -s v. -ria)
alá under
aláás undermine
alább lower down
alábbhagy lessen, diminish
alábbi following
alacsony low; *[termetről]* short, small
alagsor basement
alagút tunnel
aláhúz underline; *átv* stress
aláír sign
aláírás signature
alak shape, form; *nyelv* form; *[emberé]* figure; *[irodalmi mű szereplője]* character
alaki formal
alakít form, shape; *[színész]* play, act: *[vmit vmivé]* transform
alakul happen
alany subject
alap base; *[házé]* foundation; *[pénz]* funds *tsz;* *átv* basis (*tsz* bases), ground(s)
alapelv (basic/fundamental) principle
alapfizetés basic salary/wage
alapít establish, found
alapítvány foundation
alapos thorough; *[megalapozott]* well-founded
alapoz *épít* lay° the foundations (of); *[festő]* prime; *átv* (*vmire*) base (on sg)
alaprajz ground plan
alaptalan unfounded
alapterület area

alapul (*vmin*) be° founded/based (on sg)
alapvető basic, fundamental
álarc mask
alárendel (*vkinek/vminek*) subordinate (to sy/sg)
alárendelt subordinate
alátámaszt support, prop up
alátét pad
alatt *[térben]* under; *[időben]* in
alatta underneath, below
alattomos sly, sneaking
alázat humbleness, humility
alázatos humble
albán *mn, fn* Albanian
Albánia Albania
albérlet sublease, lodgings *tsz*
albérlő lodger
album album
alcím subtitle
áld bless
áldás blessing
áldott blessed; ~ **állapotban van** she is pregnant
áldoz *vall* sacrifice; *átv* (*vmire*) devote (to); *[pénzt vmire]* spend° (money) (on sg)
áldozat *vall, átv is* sacrifice; *[pl. bűntényé]* victim
áldozik *vall* receive the Holy Communion
alföld plain, lowland
algebra algebra
alig hardly, barely, scarcely
aligha hardly, scarcely
alighanem very likely, (most) probably
alighogy hardly, no sooner than
alj lower part, bottom
aljas base, vile
aljasság baseness, vileness
alkalmas (*vmire*) suitable (for sg)
alkalmatlan (*vmire*) un-

suitable (for sg); *[terhes/kényelmetlen]* inconvenient

alkalmaz apply, use (sg for sg); *[munkára]* employ

alkalmazás application; *[munkára]* employment

alkalmazkodik (*vmihez*) adjust (to sg); (*vkihez*) fit in (with sy)

alkalmazkodó supple, flexible

alkalmazott ▾ *mn* applied, employed, adapted ▾ *fn* employee

alkalmi occasional; ~ **vétel** (special) bargain; ~ **munka** casual work, by-work

alkalom occasion, *[lehetőség]* opportunity, chance

alkalomadtán when opportunity offers

alkat constitution, build

alkatrész piece, part

alkohol *vegy* spirit, alcohol; *[ital]* alcoholic drinks *tsz*

alkoholista alcoholic

alkoholmentes alcohol-free, nonalcoholic

alkony twilight

alkonyat twilight

alkonyodik night is falling

alkot *[létrehoz]* create; *[áll vmiből]* consist (of sg)

alkotás *[létrehozás]* creation; *[eredmény]* work

alkotmány constitution

alkotó ▾ *mn* creative ▾ *fn* creator, constructor

alku *[eredmény]* bargain; *[folyamat]* bargaining

alkuszik (*vkivel vmire*) bargain (with sy for sg)

áll[1] *fn* chin

áll[2] *ige* stand°; *[pl. gép]* be° at a standstill; (*vhova*) go° swhere; (*vmiből*) consist (of sg); **az ~ a levélben, hogy ...** the letter says/reads ...

állam state

államférfi statesman (*tsz* -men)
államfő head of state
államhatár (state) border
állami state
állampolgár citizen
állampolgárság nationality, citizenship
államvizsga state examination
állandó permanent, constant
állandóan permanently, constantly
állandósul become° permanent/stable
állapot condition, state (of affairs)
állapotos pregnant
állás *[folyamat]* stand(ing); *[foglalkozás]* job; *[helyzet]* state
álláspont viewpoint, point of view
állat animal
állateledel pet food
állati animal; *átv is* brute
állatkert zoo
állatorvos veterinary surgeon, vet
állatöv *csill* zodiac
álldogál loiter, stand° about
allergia allergy
állhatatos steady, steadfast
állít *[kijelent]* declare, claim, assert; *[helyez]* place, put°; *[igazít]* adjust
állítás claim, assertion
állítmány predicate
állítólag as stated, supposedly
álló standing; *[függőleges]* upright, vertical; *[nem mozgó]* fixed; *[nem működő]* out of action *ut;* (*vmiből*) consisting (of sg)
állóhely standing room
állomás station
állott stale
állóvíz standing/still water
állvány stand, rack; *[három lábú]* tripod
alma apple

almafa apple-tree
álmatlan sleepless
álmatlanság insomnia
álmélkodik (*vmin*) wonder (at sg)
álmodik (*vmiről/vkiről*) dream° (of/about sg/sy)
álmos sleepy
alól from beneath/under
álom dream
alperes defendant
alpesi Alpine
alpinista mountaineer
Alpok the Alps *tsz*
alsó ▾ *mn* bottom, lower ▾ *fn [fehérnemű]* underwear
alsónadrág (under)pants *tsz*
alszik sleep°
alt *[női]* contralto, *[férfi/fiú]* alto
által by, by means of
általában in general, generally, usually
általános general, common, universal; ~ **iskola** primary school
általánosít generalise
általánosság generality, universality
altat put°/lull (sy) to sleep; *orv* anaesthetise
áltat deceive, delude
altatás *orv* (general) anaesthesia
altató sleeping pill
altatószer sleeping pill
alternatív alternative
aludttej curdled milk
alufólia tinfoil
alul ▾ *hsz* (down) below, at the bottom ▾ *nu* under
alulírott undersigned
aluljáró *[gyalogosoknak]* subway; *[járműveknek]* underpass
alulmarad lose°, succumb
alumínium aluminium
alvás sleep
alváz frame; *[járműé]* chassis, undercarriage
ám ▾ *msz [nyomatékosítás]* well, really ▾ *ksz [de]* yet, though
amatőr amateur

ámbár (al)though
ambíció ambition
ambulancia *[rendelő]* outpatient department; *[rendelés]* outpatient treatment
amely which, that
amelyik which, that
amennyi as much/many as
Amerika America
amerikai *mn, fn* American; **A~ Egyesült Államok** United States of America (*röv* U.S.A., USA)
amerre where, in which direction
amerről from where, from which direction
ami[1] *fn biz* Yank
ami[2] *nm* which, that
amíg *[mialatt]* while, as long as; *[ameddig]* until, till
amikor when
amilyen such as; **~ gyorsan csak lehet** as quickly as possible
amint *[mód]* as; *[idő]* as soon as
ámít deceive, delude
amúgy *[olyan módon]* in that way/manner; *[egyébként]* otherwise
analfabéta illiterate
ananász pineapple
anélkül; ~, hogy ... without ...ing, without so much as ...
Anglia England
angol ▾ *mn* English ▾ *fn* *[férfi]* Englishman (*tsz* -men); *[nő]* Englishwoman (*tsz* -women); *[nyelv]* the English language, English
angolna eel
angyal angel
annak *[birtokos]* of that; **~ a levele, aki ...** the letter of the person who ...; **~ idején** at that time, in those days; *[részeshatározó]* to/for that; **~ a fiúnak küldted** you sent it to that boy

annál ▾ *nm* at/with that; **~ a tónál** at that lake ▾ *hsz* **minél gyorsabb, ~ jobb** the quicker the better
anorák anorak
antenna antenna, aerial
antibiotikum antibiotic
antikvárium second-hand bookshop
antilop antelope
anya mother; *[csavarhoz]* (screw) nut
anyag matter; *[textília, gyűjtemény, átv is]* material
anyagcsere metabolism
anyagi ▾ *mn* material; *[pénzügyi]* financial ▾ *fn* **~ak** material resources
anyai maternal, motherly
anyakönyvez register
anyakönyvvezető registrar
anyanyelv mother tongue, native language
anyaság maternity, motherhood
anyatej breast-milk, mother's milk
annyi so much/many
annyian so many
annyiféle so various, so many kinds of
annyiszor so many times
anyós mother-in-law (*tsz* mothers-in-law)
anyu Mum(my), Ma
apa father
apáca nun
apad *[áradás]* subside; *[folyó]* fall°; *[tenger]* ebb
apai paternal, fatherly
apály ebb(-tide)
apaság fatherhood, paternity
ápol *[beteget]* nurse; *[gondoz]* take° care of; *[kertet, barátságot]* cultivate
ápolás *[betegé]* nursing; *[gondozás]* care; *[kerté, barátságé]* cultivation
ápolatlan unkempt, neglected
ápoló ▾ *mn* *[beteget]*

nursing; *[kertet, barátságot]* cultivating ▾ *fn* nurse, *[állatoké]* keeper

ápolónő nurse

após father-in-law (*tsz* fathers-in-law)

apránként little by little; *[fokozatosan]* gradually

április April (*röv* Apr.)

aprít cut° (up), chop (up)

apró ▾ *mn* tiny, small ▾ *fn [pénz]* (small) change

apróhirdetés small ad, classified ad(vertisement)

aprópénz (small) change

apróság *[dolog, ügy]* trifle; *[gyerek]* tot

apu Dad(dy)

ár[1] *[árué]* price

ár[2] *[áradás]* inundation

arab ▾ *mn* Arabian ▾ *fn [ember]* Arab; *[nyelv]* Arabic

árad *[folyó]* rise°, flood

áradás rise; *[árvíz]* inundation

áradat tide, deluge

áradozik (*vmiről/vkiről*) sing° praises (of sg/sy)

árajánlat quotation, quote

áram *elektr* (electric) current

áramfogyasztás electricity consumption

áramlás flow, stream

áramlat current; *átv* trend

áramlik stream

áramszolgáltatás electricity supply

áramszünet power cut

arany ▾ *mn* gold, golden ▾ *fn* gold

arány proportion

aranyér *orv* piles *tsz*

aranyérem gold medal

aránylag relatively

aranyos *[bájos]* charming

arányos proportional

aranyoz gild

aránytalan disproportionate, ill-proportioned

áraszt *[sugároz]* radiate; *[fényt]* shed°

arat reap; *átv* **győzelmet ~** win°

aratás harvest(ing)
árboc mast
arc face
árcédula price-tag
arckép portrait
arculat image
áremelés raising/rise of prices
árengedmény discount, price reduction
árjegyzék price-list
árleszállítás cut in price(s), sale
árnyal shade; *átv is* tinge
árnyalat shade of colour
árnyalatnyi különbség slight difference
árnyas shady
árnyék shade, shadow
árnyékos shaded
árok ditch; *[kiásott]* trench
árpa barley
arra *[abba(n) az irányba(n)]* in that direction; *[vmire föl]* on(to) that
arrafelé *[arra]* in that direction; *[ott]* thereabouts
arról *[abból az irányból]* from that direction; *[vmiről le]* from/off that; *átv [vmiről]* of/about that
árt *[kárt okoz vminek/vkinek]* hurt°, harm (sg/sy)
ártalmas harmful
ártalmatlan harmless
ártalom harm
ártatlan innocent
áru merchandise, goods *tsz*
árucikk article
áruház (department) store
árul sell°
árulás *[elárulás]* betrayal; treachery
árulkodik (*vkire*) peach (on sy); (*vmiről*) reveal/betray (sg)
áruló ▾ *mn* traitorous, treacherous; *[pl. jelek]* telltale ▾ *fn* traitor
árusít sell°
áruszállítás transport (of goods)
árva ▾ *mn* orphaned ▾ *fn* orphan
árvácska pansy

árverés auction
árverez sell° by auction
árvíz inundation, (high) flood
ás dig°
ásatás excavation
ásít yawn
ásó spade
ásvány mineral
ásványvíz mineral water
ász ace
aszal dry
aszalt dried; ~ **szilva** prune(s)
aszály drought
aszerint accordingly, according to that
aszfalt asphalt
asszisztens assistant
asszony woman (*tsz* women); ~**om** Madam
asztal table
asztalitenisz table-tennis
asztalos joiner, carpenter
asztalterítő tablecloth
asztma asthma
át *[térben]* across, through, over, along; *[időben]* during, throughout
átad (*vmit vkinek*) hand sg over to sy; *[létesítményt]* (officially) open
átadás handing over; *[létesítményé]* opening
átalakít *[vmit vmivé változtat]* transform (sg into sg); *[átépít]* convert
átalakul turn (into), be° transformed (into), be° changed (into)
átalakulás transformation, change
átáll *[ellenlábashoz]* change sides; *[áttér vmiről vmi másra]* switch/change over (from sg to sg)
átél *[időszakot]* live/go° through; *átv* experience; *[szerepet]* live (one's part)
átenged (*vmit vkinek*) give° up (sg to sy); (*vkit vhol*) let° sy (pass) through

átépít reconstruct, rebuild°
átér (*vmin keresztül*) reach across; *[átjut vhova]* get° to, reach
átérez (*vmit*) be° conscious/aware (of sg); sympathise (with sy in sg), feel° (for sy)
átesik (*vmin*) fall° over sg; *átv* get° over sg
átfér *[tárgy]* will go through; *[élőlény]* can get through
átfog *[kézzel]* grasp; *átv is* span
átgondol consider, think° over
átgondolt well considered
áthallatszik can be heard (through sg)
áthelyez (*vmit/vkit vhova*) move (sg/sy swhere); *[pl. más munkakörbe]* move; *[időpontot]* put° off (till/until)
áthelyezés transfer, removal
áthidal bridge (over); *átv* surmount
áthoz *[tárgyat]* bring° over; *[magával]* bring° along; *[könyvelésben]* bring°/carry forward
áthúz pull through; pull across, draw° over; *[ágyat]* put° on fresh bed linen; *[szöveget töröl]* delete
átír *[szöveget módosít]* rewrite°; *[más írással]* transliterate; (*vmit vkire*) assign (sg to sy), transfer (sg to sy)
átjár (*vhova*) go° frequently over to; *[átitat vmit]* infiltrate
átjárás way through
átjáró passage(-way)
átjön come° through/over
átjut (*vmin*) get° across; get° through; (*vhova*) get° over (to)
átkapcsol (*vmire*) switch over (to); *[vkit vkihez telefonon]* put° sy

through/on (to sy); ~ **második sebességbe** change into second gear
átkarol embrace
átkel (*vmin*) get° across (sg); cross (sg)
átkelés crossing
átképez retrain
átkoz damn, curse
átküld send° over, forward
átlag average
átlagos average
átlagosan on average
Atlanti-óceán the Atlantic (Ocean)
atlasz atlas
átlát (*vhova*) see° across; *átv* (*vmin*) see° through sg; (*vmit*) understand°, comprehend
átlátszó transparent
átlép (*vmit*) step over/across (sg), cross (sg); *[meghalad]* exceed
atléta athlete
atlétatrikó vest
atlétika athletics
átló diagonal (line)
átmegy (*vhova*) go° over/across (to); (*vmin*) go° through/over/across; *átv [nehézségeken]* go°/be° through; ~ **a vizsgán** pass the exam(ination)
átmeneti transitional, temporary
átmenő transit
átmérő diameter
átnéz (*vmin*) look/peep through; *[szöveget]* look/go° through
átnyújt (*vmit vkinek*) hand (over) (sg to sy)
atom atom
atomerőmű nuclear/atomic power station
átölel embrace
átönt (*vmibe*) pour over (into)
átrak *[máshova]* rearrange, put° in another place; *[rakományt]* transfer
átrendez rearrange

átruház (*vkire*) transfer (sg to sy), assign (sg to sy)
átszáll (*vmi fölött*) fly° over; *[másik járműre]* (*vmi felé, vmire*) change (for, to)
átszámít convert (into)
átszervez reorganise
átszivárog *[folyadék]* ooze through; *[gáz]* filter through
átszúr pierce
áttekint look over, survey
áttekintés survey
áttekinthetetlen *[túl nagy]* vast; *[zavaros]* chaotic, confused
áttekinthető easy to survey, clear-cut
áttelepít *[embert]* resettle, remove
áttelepül (*vhova*) migrate (to), (re)move (to another place)
áttetsző semi-transparent
attól from that; ~ **fogva** from that time, since then
áttölt pour (sg) into another bottle/pot, etc.
áttör (*vmit/vmin*) break° through
áttörés *átv is* breakthrough
átugrik (*vmit/vmin*) jump (sg), spring (over sg); *[kihagy]* skip
átutal transfer, remit
átutalás transfer, remittance
átutazik (*vmin*) travel/pass through (sg)
átültet *orv is* transplant
átvált (*vmire*) exchange (for)
átvesz (*vmit vkitől*) take° over (sg from sy); *[szót más nyelvből]* borrow
átvészel *[bajt]* weather (one's difficulties)
átvétel taking over; *[szóé más nyelvből]* borrowing
átvisz (*vmit vmin*) take°/carry (sg) over/across (sg)
átvizsgál check, examine

átvonul (*vmin/vhol*) pass through
atya *vall is* father
atyai paternal
augusztus August (*röv* Aug.)
Ausztrália Australia
ausztráliai *mn, fn* Australian
Ausztria Austria
ausztriai *mn, fn* Austrian
autó car
autóbaleset car accident/crash
autóbusz bus; *[távolsági]* coach
autóbuszjegy bus/coach ticket
autogram autograph
autójavító *[műhely]* (car) repair shop
autókölcsönző car-rental firm
automata ▾ *mn* automatic ▾ *fn [pl. kávéautomata]* slot-machine
autómosó carwash
autonómia autonomy
autópálya motorway
autópályadíj toll
autós driver, motorist
autósmozi drive-in (cinema)
autóstop hitch-hike; **~pal utazik** hitch-hike
autóstopos hitch-hiker
autószerelő car mechanic
autóút *[útfajta]* semi-motorway; *[megtett út]* drive, motor tour; *[autózás]* motor tour
autóverseny motor/car race
avar fallen leaves *tsz*
avas rancid
avat *[emlékművet]* dedicate; (*vkit vmibe*) initiate (sy into sg); *[textíliát]* (pre)shrink°
avatás *[emlékműé]* dedication; (*vmibe*) initiation; *[textíliáé]* (pre)-shrinking
avval with that
az ▾ *névelő* the ▾ *nm* that (*tsz* those)

azalatt in the meantime, meanwhile
azáltal in that way, by that means
azaz namely, that is (to say)
azelőtt before that; *[korábban]* previously
azelőtti former
azért therefore; *[cél]* in order that/to
ázik *[esőben]* get° wet; *[folyadékban]* soak
aznap that day, the same day
azon on that
azonban however, yet
azonfelül moreover, in addition, besides
azonkívül besides, moreover
azonnal immediately, at once, instantly
azonnali immediate, instant
azonos (*vkivel/vmivel*) identical (with sy/sg), the same (as sy/sg)
azonosít (*vkivel/vmivel*) identify (with sy/sg)
azóta since then
aztán then, after that
áztat soak, wet through
azután afterwards, then, after that
azzal with that
Ázsia Asia
ázsiai *mn, fn* Asian

B

bab bean
báb *[kézre húzható]* (glove) puppet; *[zsinórral mozgatható]* marionette; *[rovaré]* pupa (*tsz* -as v. -ae)
baba *[játék]* doll; *[csecsemő]* baby
babakocsi pram; *[összecsukható]* pushchair
babér laurel; *átv* laurels *tsz,* glory
babérlevél bay leaf (*tsz* leaves)
babona superstition
babonás superstitious
bábszínház puppet theatre
bábu *ját* piece
bácsi *[nagybácsi]* uncle
bádog sheet metal
bagoly owl
bágyadt weak, tired
baj trouble, misery
báj charm
bajlódik (*vmivel*) take° trouble (with sg), bother (about sg)
bajnok champion
bajnokság championship
bajor *mn, fn* Bavarian
bajos problematic
bájos charming, lovely
bajusz moustache
bak *[állat]* buck; *[állvány]* trestle; *csill* **B~** Capricorn
bakancs boots *tsz*
baktat trudge
Baktérítő Tropic of Capricorn
baktérium bacterium (*tsz* -ria)
bal left
bál ball
Balaton Lake Balaton

baleset accident
baleset-biztosítás accident insurance
balett ballet
balettozik ballet dance
balkezes left-handed
ballag walk, trudge
ballépés *átv* blunder
bálna whale
baloldal *pol* left wing; the Left
baloldali *pol* ▾ *mn* left (-wing) ▾ *fn* left-winger
balta ax(e), hatchet
bambusz bamboo
bámészkodik stare (at sg), look (around)
bámul (*vmit*) gaze (at sg); *[csodál]* admire
bámulatos amazing, astonishing, surprising
bán regret, be° sorry (for sg)
banán banana
bánásmód treatment
bánat sorrow, grief
bánatos sad, sorrowful
banda *[zenészeké]* band; *[bűnözőké]* gang
bánik (*vkivel*) treat/handle (sy)
bank bank
bankár banker
bankautomata cash machine
bankett banquet
bankjegy banknote
bankkártya bank card, credit card
bánkódik (*vki/vmi miatt*) grieve (for sy/sg); sorrow (about/over sg)
bankszámla bank account
bánt *átv is* hurt°
bántalmaz injure, hurt°
bánya mine
bányász miner, mineworker
bár[1] *fn* nightclub
bár[2] ▾ *ksz [ugyan]* (al)though ▾ *hsz [óhaj]* if only
barack *[őszi]* peach; *[sárga]* apricot
bárány lamb
bárányhimlő chicken-pox

barát friend; *[lányé]* boyfriend; *[szerzetes]* monk
barátkozik (*vkivel*) make° friends (with sy)
barátnő friend; *[fiúé]* girlfriend
barátság friendship
barátságos *[személy]* friendly; *[szoba]* cosy
barátságtalan unfriendly, cheerless
bárcsak *[óhaj]* if only
bárhogy however, whatever way; anyhow
bárhol anywhere; wherever
bárhonnan from anywhere; from wherever
bárhova anywhere; no matter where
bariton baritone
bárka boat, vessel
bárki whoever; no matter who
barlang cave
bármelyik any
bármennyi however much/many
bármi whatever; anything
bármikor (at) any time; whenever
bármilyen any; any kind of; what(so)ever
barna brown
barokk baroque
barom *[szarvasmarha]* cattle
baromfi poultry *tsz*
bársony velvet
bástya *[váré]* bastion; *[sakk]* castle
basszus bass
bátor brave
bátorít encourage
bátorság courage, bravery
bátortalan timid
báty elder brother
batyu pack, bundle
bazár bazaar
be into, in
bead (*vmit*) give°/hand in (sg)
beadvány application
beáll (*vhova*) enter (sg);

[vhova csatlakozik] join (sg); *[elérkezik]* set° in

beállít (*vmit vhova*) put° sg in(to); *műsz* set°, adjust; *átv [vmilyennek feltüntet]* present

beállítás *műsz* setting

beavat (*vkit vmibe*) initiate (sy into sg); *[textíliát]* preshrink°

beavatkozás intervention; *orv* operation, (medical) treatment

beavatkozik (*vmibe*) intervene (in sg)

beáztat soak

bebizonyít prove

beborul *[ég]* cloud over, get° cloudy

bebújik climb/slip (in)

beburkol wrap, cover

bebútoroz furnish

becenév pet name, nickname

becéz [becenévvel] call by a nickname/pet name; [dédelget] (molly) coddle

Bécs Vienna

becsap *[pl. ajtót]* slam; *[rászed]* cheat

becsapódik *[pl. ajtó]* slam; *[téved]* be° cheated

becsatol *[csatot]* clasp; *[biztonsági övet]* fasten

becsavar *[csavart]* screw in; *[begöngyöl vmit vmibe]* roll up (sg in sg)

becsempész smuggle in

becsenget (*vhova*) ring° (for admission); okt **~tek** the bell has gone

becserél (*vmit vmire*) (ex)change (sg for sg)

becsíp (*vmit vhova*) pinch/catch° (sg in sg)

becslés estimation, estimate

becsomagol *[poggyászt]* pack one's bags; *[árut]* pack

becstelen dishonest

becsuk shut°, close; *[üzlet végleg]* close down

becsukódik close

becsül (vkit) esteem,

think° highly (of sy); *[felmér]* estimate, value
becsület honour
becsületes honest
bedob (*vmit vhova*) throw°/ cast° (sg in/into sg)
bedug (*vmit vmibe*) put° (sg in sg)
beépít (*vmit vmibe*) build° (sg in/into sg); *[területet]* build° up
beépített *[pl. bútor]* built-in; *[terület]* built-up
beér (*vhova*) arrive (at/ in); *[megelégszik* vmi-vel] be° content/satisfied (with sg)
beérik ripen
beesik fall° in
beesteledik get°/grow° dark
befagy freeze° in/over
befagyaszt *átv is* freeze°
befed cover (over)
befejez finish, end
befejezés finish(ing), end-(ing)
befejezetlen unfinished, incomplete
befejezett finished, accomplished
befejeződik end, come° to an end
befektet lay° in; *[ágyba]* put° to bed; *[pénzt]* invest
befektetés *[pénzé]* investment
befelé inward(s)
befér (*vmi vhova*) will/ can go in
befest paint; *[textíliát, hajat]* dye
befizet pay° in, pay° into sy's account
befizetés payment, paying in
befog *[szemet/fület]* stop; cover
befogad (*vhova*) receive into, admit to; *[szállást ad]* lodge into; *[tömeget helyiség]* accommodate
befogadóképesség capacity, accommodation

befolyás (*vmire*) influence (on sg)
befolyásol (*vmit/vkit*) influence (sg/sy); have an effect (on sg/sy)
befolyásolható susceptible to influence *ut*
befolyásos influential
befordul turn; ~ **jobbra/balra** turn right/left
befőtt preserved fruit
befőz *[eltesz]* bottle
befűt *[kályhába]* make° a fire in; *[szobában]* heat (up)
befűz *[cérnát]* thread (a needle); *[cipőfűzőt]* lace (shoes)
begombol button (up)
begombolkozik button (up) one's coat
begyakorol practise
begyógyul heal (up)
begyújt *[kályhába]* make° a fire; *[motort]* start
begyullad catch° fire; *biz [megijed]* get° scared
begyűjt gather (in)
behajlít bend° in
behajt *[ajtót]* half-close (the door); *[lapot]* fold over; *[jószágot]* drive° in; *[követelést]* collect (a debt); *[járművel vhova]* drive° in
behallatszik can be heard inside
behálóz *átv* (en)snare
behatol penetrate (into)
behív call in; *hiv* summon; *kat* call up
behívó *kat* call-up papers *tsz*
behord bring°/carry in; *[termést]* gather in
behorpad get° dented
behoz bring°/carry in; *gazd* import; *[pótol]* make° up for
behozatal *gazd* importation
behúz pull/draw° in; *[textíliával]* upholster
behűt refrigerate
beidéz *hiv* (*vkit*) summon (sy) to appear

beilleszkedik (*vmi vhova*) fit in; *[más környezetbe]* adapt (oneself) to
beilleszt fit in
beindít *[motort]* start (up); *[pl. tevékenységet]* launch, give° sg a start
beindul *[motor]* start; *[pl. tevékenység]* be° launched
beír (*vmit vmibe*) write° sg in/down
beiratkozás registration, enrolment
beiratkozik *[pl. egyetemre]* register (at), enrol (at/in)
beismer admit, confess
bejárat[1] *fn* entrance, entry
bejárat[2] *ige [új járművet]* run° in
bejegyez make° a note (of); *[pl. céget]* register
bejegyzés note; *[pl. cégé]* registration
bejelent *[vendéget]* announce; *hiv* report (to); *[pl. elvámolnivalót]* declare
bejelentés announcement; *hiv* registration, report(ing)
bejelentkezik *[repülőtéren]* check in
bejön come° in
bejut (*vhova*) get° in (to); (*vkihez*) gain admittance (to sy)
béka frog
bekanyarodik turn; jobbra/balra ~ **turn right/left**
bekap *[ételt]* bolt
bekapcsol *[pl. ruhát]* fasten; *[pl. rádiót]* switch/turn on; *[bevon vkit vmibe]* bring° (sy into sg)
bekapcsolódik (*vmibe*) join (in)
béke peace; *[nyugalom]* quiet, calmness
beképzelt self-important, conceited
bekeretez frame
bekerít *[kerítéssel]* enclose; *kat* encircle, surround

békés peaceful; *[nyugodt]* calm, quiet
békesség peace(fulness); *[nyugalom]* quiet
béketűrő patient, tolerant
bekezdés *[szövegben]* paragraph
bekopogtat knock (on the door)
beköltözik move in
beköszönt *[idő]* set° in, begin°
beköt bind°/tie up; *[sebet]* dress; *[könyvet]* bind°; *[hálózatba bekapcsol]* connect up (sg to)
bekötöz tie up/in; *[sebet]* dress
bekövetkezik occur, take° place, happen
beküld *[pl. pályázatot]* send° (in)
bél *orv* intestine(s), bowels *tsz; [ceruzáé]* lead
belát *[területet]* survey; *[megért]* see°, realise
belátás understanding
beláthatatlan boundless; *átv* unpredictable
belátható reasonable, conceivable
belátó *[megértő]* considerate
belázasodik run°/get° a temperature
bele into
beleakad (*vmibe*) get° caught (in sg); (*vkibe/vmibe*) come° across (sy/sg)
belebeszél *[telefonba]* speak° into (the receiver); *[közbeszól]* interrupt, break° into a conversation
belebonyolódik (*vmibe*) get° involved (in sg)
belebújik *[lyukba]* creep° into; *[ruhába]* slip into one's clothes
beleegyezés consent
beleegyezik (*vmibe*) consent/agree (to)
belefárad get° tired (of sg)

belefog (*vmibe*) start (sg), begin° (sg)
belefullad get° drowned in
belehal *[betegségbe]* die (of)
beleharap bite° into
belejön *[vmibe beletanul]* get° the hang (of sg)
belekapaszkodik (*vmibe*) cling° (to sg); (*vmibe/vkibe*) hang° on (to sg/sy)
belekarol (*vkibe*) take° sy's arm
belekever (*vmit vmibe*) mix (sg with sg); *átv* (*vkit vmibe*) involve (sy in sg)
belekezd (*vmibe*) start (...ing), begin° (to)
beleköt (*vmit vmibe*) bind° up (sg in sg); *átv* (*vkibe*) pick a quarrel (with sy)
bélel *[ruhát]* line
belelát (*vmibe*) see° (into/through sg); *átv* get° an insight (into)
bélelt *[ruha]* lined
belemegy (*vmibe*) go°/get° (into); *átv [beleegyezik vmibe]* consent (to)
belenéz (have° a) look into
belenyugszik (*vmibe*) resign oneself (to sg)
belep cover
belép *[bemegy vhova]* go°/come° in, enter (sg); *átv* (*vhova*) join (sg)
belépés entry, entrance
belépődíj entrance fee
belépőjegy (admission) ticket
belerúg (*vmibe/vkibe*) kick (sg/sy)
bélés *[ruháé]* lining
beleszeret (*vkibe*) fall° in love (with sy)
beleszól *[közbeszól]* interrupt, break° into a conversation; *[beleavatkozik]* intervene (in)
beletesz (*vmit vhova*) put° (sg in/into sg)

beletörődik (*vmibe*) resign oneself (to sg)
belevág *[vmibe pl. késsel]* cut° (into); *[villám vmibe]* strike° (sg); *[közbeszól]* interrupt (sy); *[vállalkozik]* take° on; *[beledob vmit vhova]* throw° (sg into sg)
belezavarodik get° confused
belföld inland
belföldi *mn, fn* native
belga *mn, fn* Belgian
Belgium Belgium
belgyógyász physician
belgyógyászat *[szakterület]* internal medicine; *[kórházi osztály]* medical ward
belpolitika internal politics/affairs *tsz*
belső ▾ *mn* internal, inner; *[bizalmas]* confidental, intimate ▾ *fn* the interior/inside (of sg); *[gumiabroncsé]* inner tube
belsőség *[mint étel: baromfié]* giblets *tsz;* *[más állaté]* pluck, harslet
bélszín sirloin, steak
belül within
belváros inner city, city centre
bélyeg *[postai]* (postage) stamp; *átv is [jel]* mark
bélyeggyűjtemény stamp-collection
bélyegző *[gumiból]* (rubber-)stamp; *[dátum]* date-stamp
bemegy go°/step in
bemelegít *sp is* warm up
bemenet entrance, entry; *műsz* input
bemond *[pl. rádióban]* announce; *[kártyában]* bid°
bemondó announcer
bemutat (*vkit vkinek*) introduce (sy to sy); *[színdarabot, filmet]* premiere
bemutatkozás introduction
bemutatkozik (*vkinek*) introduce oneself (to sy)

bemutató première
béna ▾ *mn* *[végtag]* paralysed ▾ *fn* cripple
benépesít *[emberekkel]* populate; *[állatokkal]* stock
benevez *[vki versenyre]* enter (for); (*vkit*) enter (sy)
benéz (have° a) look into; *biz* *[ellátogat vkihez]* look in (on sy)
benn inside, within
benne in it, inside it
bennfentes intimate, familiar; *átv* well-informed
bennszülött *mn, fn* native
benső inner
bensőséges close, intimate
bent inside, within
benzin petrol
benzinkút filling/petrol station
benyom (*vmit*) press/squeeze in
benyomás *átv* impression
benyújt hand/send° in, present; *[kérvényt]* put° in (an application)
beolt *orv* inoculate, vaccinate; *mezőg* *[fát]* (en)graft; *átv* (*vmit vkibe*) infuse/implant (sg in sy)
beoszt *[pénzt]* spread° out, *[takarékoskodik]* economise; *[időt]* organise; *[vkit munkakörbe]* assign (sy to)
beosztás *[folyamat, elrendezés]* arrangement; **jó a ház ~a** it is a well-arranged house
beönt pour in(to)
beperel (*vkit*) take° sy to court
bepillant (cast° a) glance into; *átv* obtain an insight (into)
bepillantás glimpse (of); *átv* insight (into)
bepiszkít make° (sg) dirty
bepiszkolódik get°/become° dirty

bér *[munkásé]* wage(s); *[használati díj]* rent; **~be ad** let°; **~be vesz** rent
berak put°/place in/into; *[hajat]* set°, wave
bérautó hired car
bereked lose° one's voice
berekeszt *[befejez]* close
bérel hire, rent
béremelés rise/increase in wages
berendez *[pl. szobát]* furnish; *[pl. műhelyt]* equip; *átv [életet]* arrange
berendezés *[folyamat]* furnishing; *[pl. szobában]* furniture; *[pl. műhelyben]* equipment
berendezkedik *[lakásban, házban]* furnish one's house; *átv [letelepedik]* settle down
bérház block of flats
bérlakás (rented) flat
bérlemény rented property
bérlet *[pl. színházba]* subscription; *[közlekedési]* season(-ticket)
bérlő *[lakásé]* renter
bérmentes post-free/paid
bérmentesít (*vmit*) pay° the postage (of sg)
berohan rush in/into
beront (*vhova*) rush in/into
berúg *[pl. ajtót]* kick in; *[gólt]* score; *[alkoholtól]* get° drunk
beruház invest
beruházás investment
besorol (*vkit vhova*) put° sy on a list, categorise; *[kocsival sávba]* get° into (lane)
besoroz *kat* enlist (sy)
besöpör sweep° in
besötétedik grow° dark
beszakad *[betörik]* break° in; *[pl. textília]* tear°
beszáll *[járműbe]* get° on(to)/in(to), *[repülőbe, hajóba]* board (the plane/ship); *átv [ügybe]* join in (sg)

beszállás getting in/on, boarding
beszállít transport (to)
beszállító *gazd* supplier
beszállókártya boarding card
beszámít (*vmit vmibe*) count (sg in sg); take° sg into account
beszámíthatatlan not accountable *ut; átv* irresponsible
beszámol (*vmiről*) give° an account (of sg), relate (sg)
beszámoló account, report
beszed *[összegyűjt]* collect; *[gyógyszert]* take°
beszéd speech
beszédes talkative; *[pl. kifejezés]* expressive
beszél (*vkivel*) speak° (to sy), talk (to sy)
beszélget talk
beszélgetés conversation; *[telefonon]* call; *[pl. állásra jelentkezővel]* interview
beszennyez make° (sg) dirty, soil
beszerez get°, obtain, purchase
beszerzés *[árué]* purchase
beszüntet stop
betakar cover up/over; *[ágyban]* tuck in
betakarít *mezőg* harvest
betakarózik cover oneself up
betanít (*vmit vkinek v. vkit vmire*) teach° (sg to sy v. sy sg)
betanul learn° (sg) by heart
beteg ▾ *mn* ill, sick ▾ *fn* *[páciens]* patient
betegállomány sick-list; **~ban van** be° on the sick-list
betegbiztosítás health insurance
beteges *[betegeskedő]* sickly; *átv [pl. hajlam]* perverse, pathological
betegeskedik be° sickly

betegség *[állapot]* illness, sickness; *[kór]* disease
betekintés *[pl. iratba]* inspection
beteljesedik be° fulfilled, come° true
betemet bury
betér (*vkihez*) drop in (on sy)
betesz (*vmibe*) put°/place (in/into sg); *[bankba]* deposit
betét *[banki, üvegé]* deposit; *[golyóstollba]* refill; *[egészségügyi]* sanitary/hygienic pad
betéti társaság deposit company
betétkönyv bank-book, passbook
betétszámla deposit account
betilt ban, prohibit
betiltás ban(ning), prohibition
betolakodik thrust oneself; *[hívatlan vendég]* gatecrash
beton concrete
betonoz concrete, place concrete
betölt *[megtölt]* fill; *[folyadékot]* pour in(to); *[hiányt]* fill (in); *[állást]* occupy (a job); *[filmet]* load (a camera); **~ötték 100. életévüket** they have turned 100
betöltetlen *[állás]* vacant
betör *[ablakot, lovat]* break° in; *[betörő]* burgle, break° in
betörés burglary, break-in
betörik break°, get°/be° broken
betörő burglar
betű letter; *inform [nyomtatott]* character
betűz[1] *[írást]* spell°
betűz[2] *[tűvel]* pin up; *[nap vhova]* shine° in
beugrat *[becsap]* take° sy in
beutazás *[területé]* tour (of); (*vhova*) entry (into)

beutazik *[területet]* tour; (*vhova*) enter

beül *[pl. fotelba]* sit° down (in); *[járműbe]* get° (in/on)

bevág *[bemetsz]* cut°; *[ajtót stb.]* slam; *[testrészt vmibe]* knock/bump sg against sg

beválik *[alkalmas]* prove (to be) good, work well; *[beigazolódik]* come° true

bevall confess, admit

bevált[1] *mn* tested; *[alkalmasnak bizonyult]* suitable, fit

bevált[2] *ige [pénzt más pénznemre]* (ex)change (for); *[ígéretet]* keep° (one's promise); *[reményeket]* fulfil (hopes)

bevándorló immigrant

bevándorol (*vhova*) immigrate (into)

bevásárlás shopping

bevásárlóközpont shopping centre

bevásárol do° the shopping, go° shopping

bever *[szöget]* drive°/hammer in; *[ablakot betör]* smash; *[testrészt vmibe]* knock/bump (sg against sg)

bevesz *[felvesz vkit]* admit (sy); *[pl. erődöt, gyógyszert is]* take°

bevet *[maggal]* sow° (with sg); *kat* put° into action

bevétel *[összeg]* income; *[erődé]* taking

bevetés *[maggal]* sowing (with seed); *kat* action

bevezet *[bekísér]* show° (in/into); *[ismeretekbe]* initiate (into); *[pl. villanyt]* install; *[pl. új eljárást]* introduce

bevezetés (*vkié vhova*) showing in; *[ismeretekbe]* initiation; *[könyvben]* introduction; *[pl. villanyé]* installation; *[pl. új eljárásé]* introduction

bevezető ▾ *mn* introductory ▾ *fn [könyvben]* introduction
bevisz (*vmit/vkit vhova*) take° in; *[csomagot]* carry in; *[rendőr]* take° into custody; *[út vhova]* lead° to
bevon *[pl. jogosítványt]* withdraw°; (*vmivel*) cover (with); (*vkit vmibe*) bring° sy in (on sg)
bevonul *kat* join up, join the army; *[hadsereg országba]* move in(to a country); *[pompával]* march in; *[börtönbe]* enter prison
bevonulás *kat* joining up; *[pompával]* entry
bezár (*vmit*) close; *[kulcscsal]* lock (up); *[pl. intézmény]* close
bezárkózik lock/shut° oneself in/up
Biblia the Bible
bíbor purple
bicikli bicycle, bike
biciklitúra cycling tour
biciklizik ride° a bicycle
bicska penknife (*tsz* -knives) *US* pocket knife (*tsz* knives)
bika bull
bikini bikini
bili *biz* potty
biliárd billiards *tsz*
biliárdozik play billiards
bilincs shackles *tsz; műsz* clamp
billeg seesaw
billentyű *[hangszereké, billentyűzeté]* key; *műsz, orv* valve
billentyűs hangszer keyboard instrument
billentyűzet *[zongoráé, számítógépé]* keyboard
billió billion
bimbó *[virágé]* bud; *[mell]* nipple
biológia biology
bír *[elbír]* be° able to (v. can) carry; *[kibír]* bear°; *[képes vmit megtenni]* be° able to do sg; *[rá-*

bír] persuade sy to do sg
bírál judge
bírálat *[elbírálás]* judgement; *[kritika]* criticism
birka *[állat]* sheep *esz/tsz; [hús]* mutton
birkózik wrestle
birkózó wrestler
bíró judge; *sp* referee
birodalom empire
bíróság court (of law); *[épület]* law courts
bírság fine
birsalma quince
birtok *[tulajdon] nyelv is* possession; *[földbirtok]* estate
birtokol have°, possess
birtokos ▾ *mn nyelv* genitive, possessive ▾ *fn [vagyoné]* owner
bisztró snack bar
bivaly buffalo
bíz (*vkire vmit*) trust (sy with sg)
bizakodik have° confidence in the future
bizakodó hopeful, optimistic
bizalmas ▾ *mn [pl. közlés]* confidential, private, secret ▾ *fn* intimate, confidant
bizalmatlan (*vki iránt*) distrustful (of sy)
bizalmatlanság distrust
bizalom confidence, trust, faith
bízik (*vmiben/vkiben*) trust (sg/sy)
bizony surely, certainly
bizonyít prove
bizonyíték proof
bizonyítvány *[hivatali]* certificate; *[iskolai]* school report
bizonytalan *[dolog]* uncertain, doubtful; *[ember]* irresolute
bizonyul (*vminek/vmilyennek*) prove to be ...
bizottság committee
biztat (*vmire*) encourage; (*vmivel*) allure; *[vigasztalva]* reassure

biztonság safety
biztonsági; ~ őr security guard; **~ öv** seat belt
biztonságos safe
biztos ▾ *mn [bizonyos]* sure, certain; *[biztonságos]* safe ▾ *fn pol* commissioner
biztosít make° sure; make° safe; (*vmit vkinek*) provide (sg for sy v. sy with sg); *[biztosítást köt vmire]* insure (sg against sg)
biztosítás insurance; **~t köt** take° out insurance
biztosíték *[garancia]* security; *műsz* fuse
biztosító insurance company
biztosítótű safety-pin
blokád blockade
blokk *[jegyzetnek]* (writing) pad; *[számla]* bill
blúz blouse
bocsánat pardon; **~ot kérek!** (I'm) sorry!
bocsánatkérés apology
bódé stall, stand
bódít daze
bódult dazed
bodza elder
bogáncs thistle
bogár insect
bogaras *[rigolyás]* crotchety
bogrács cauldron
bogyó berry
bohóc clown, fool
bohózat farce
bója buoy
bojler *[villany]* immersion heater; *[gáz]* (gas) heater
bojt tassel
bók compliment
boka ankle
bókol (*vkinek*) pay° sy a compliment
bokor bush
boksz *sp* boxing; *[rekesz]* box
bokszol box
bokszoló boxer
boldog happy, glad
boldogság happiness
boldogtalan unhappy

boldogul *[életben]* get° on; (*vmivel*) get° on (with sg)

bolgár *mn, fn* Bulgarian

bolha flea

bolhapiac flea market

bólint nod

bolond ▾ *mn* foolish, silly; *[őrült]* mad, crazy ▾ *fn* fool; *[elmebeteg]* madman (*tsz* -men)

bolondít (*vkit*) make° a fool (of sy)

bolondos *[vidám]* silly, ludicrous; *[kelekótya]* crazy, foolish

bolondság *[pl. beszéd]* nonsense; *[hóbort]* foolery

bolondul (*vmiért/vkiért*) be° crazy (about sg/sy)

bolt *[üzlet]* shop; *[üzletkötés]* deal, bargain

boltív arch(way), vault(ing)

boltozat vault(ing), arch

bolygat disturb

bolygó planet

bolyhos fluffy

bolyong wander (about), roam

bomba bomb

bombáz *kat* bomb; *átv* bombard

bombázás *kat* bombing; *átv* bombardment

bomlás disintegration, decay

bomlik *[részeire]* fall° apart, decay; *átv [pl. közösség]* break° up

bonbon bonbon

boncol *orv* dissect; *átv [kérdést]* analyse

boncolás dissection

bont *[részekre]* take° to pieces; *[felnyit]* open; *[épületet]* pull down

bonyodalom complication

bonyolult complicated

bor wine

borda *[emberi]* rib

bordásfal *sp* wall-bars *tsz*

borít *[takar vmivel]* cover (with); *[feldönt]* overturn

boríték envelope
borjú calf (*tsz* calves)
borogat *[vizes ruhával]* put° on a (cold) compress
borogatás *[vizes ruhával]* (cold) compress
borospohár wine-glass
borostás *[áll]* bristly, unshaven
borostyán *[kő]* amber; *növ* ivy
borotva *[késes]* razor; *[villany]* (electric) shaver
borotvahab shaving foam
borotvakrém shaving cream
borotvál shave°
borotválkozik shave°
borotvapenge razor blade
borozó tavern, wine bar
borravaló tip
bors pepper
borsó pea
borsos peppery, peppered; *biz* ~ **ár** steep price
borul *[felhősödik]* cloud over; (*vmire*) fall° on; (*vmibe*) fall°/overturn (into sg); *átv* **lángba** ~ burst° into flames
borult *[időjárás]* dull
borús *[időjárás]* dull; *átv [pl. hangulat]* gloomy
borvidék wine country
borz badger
borzad (*vmitől*) be° horrified/shocked (at sg), shudder (with horror) (at sg)
borzalmas terrible, horrible
borzalom horror, terror
borzas tousled
borzasztó terrible, horrible
borzong *átv is* (*vmitől*) shiver (with sg)
boszorkány witch
bosszankodik (*vmin*) be° annoyed/angry (with sg)
bosszant (*vki/vmi vkit*) annoy
bosszantó annoying, irritating
bosszú revenge

bosszúálló ▾ *mn* avenging ▾ *fn* revenger
bosszús angry, annoyed
bosszúság annoyance, anger
bot stick, staff
botlás stumbling, misstep; *átv* blunder
botlik misstep; (*vmibe*) stumble (on); *átv* blunder
botorkál *[fáradtan]* stagger/stumble along; *[sötétben]* grope one's way, grope about
botrány scandal
botrányos scandalous
bozót thicket
bő *[tág]* loose, roomy; *[bőséges]* rich
bőg *[sír]* cry; *[ordít]* bawl, roar; *[tehén]* low
bőgő *zene* double-bass
bögre mug
böjt fast(ing)
bök *[ujjal]* poke; *[szarvval]* butt
bőkezű generous
bölcs ▾ *mn* wise ▾ *fn* wise man (*tsz* men), sage
bölcsesség wisdom
bölcsész *[egyetemista]* humanities student
bölcső *átv is* cradle
bölcsőde crèche; *US* day nursery
bölény bison
bömböl bellow, roar; *[csecsemő]* howl
bőr skin; *[kikészített]* leather
bőrgyógyász dermatologist
bőrönd suitcase
börtön prison
bőség *[gazdagság]* abundance (of sg), wealth; *[pl. ruha mérete]* width
bőséges plenty, abundant
bővelkedik (*vmiben*) have° plenty (of sg)
bőven abundantly, plentifully
bővít enlarge, widen; *[pl.*

hatáskört] extend; *[kiegészít]* complete
bővül *[mérete]* widen, expand; *[mennyisége]* increase
brácsa viola
brekeg croak
bridzs bridge
briliáns brilliant
brit *mn, fn* British
bronz bronze
brummog growl
brutális brutal, fierce
bruttó gross (*röv* gr.); ~ **ár** gross price
buborék bubble
búcsú *[távozáskor]* (saying) goodbye, farewell; *[mulatság]* festival, fête; *[templomi]* patronal festival
búcsúzik (*vkitől*) say° goodbye (to sy)
búcsúztat (*vkit*) bid° farewell (to sy)
Budapest Budapest
budapesti of Budapest *ut,* Budapest
búg *[motor]* hum; *[zúg]* buzz
bugyi panties *tsz*
bújik *[elrejtőzik]* hide° (from); *[ruhába]* slip (into); (*vkihez/vmihez*) nestle up (to/against sy/sg)
bújócska hide-and-seek
bújócskázik play hide-and-seek
bújtat *[elrejt]* hide°; (*vmit vmibe*) put°/slip (sg into sg)
bukás fall; *[vizsgán, színházban]* failure; *pol* downfall
bukfenc somersault
bukik *[elesik]* fall°; *[iskolában vmiből]* fail (in)
bukósisak crash-helmet
bukta *kb.* jam-filled sweet roll
buktat *[vizsgán]* fail; *[víz alá]* duck
Bulgária Bulgaria
buli *biz [házibuli]* party
bunda fur-coat; *[állaté]* fur

burgonya potato (*tsz* -oes)
burkolat cover, wrapper; [*útburkolat*] road surface, pavement
bús sad
búsul (*vmi miatt*) be° grieved (about sg)
busz [*helyi*] bus; [*távolsági*] coach
buszmegálló bus stop
buszpályaudvar coach terminal
buta foolish, stupid
butaság stupidity; nonsense
butik boutique
bútor (a) piece of furniture
bútoroz furnish
bútorozott furnished
búvár diver
búvárkodik dive, do° diving; *átv* (*vmiben*) investigate (sg)
búza wheat
búzadara semolina
búzavirág cornflower
buzdít encourage (to do sg)
buzgalom zeal, eagerness
buzgó eager, keen
büdös stinking, smelly
büfé snack-bar; [*pl. színházban*] buffet; [*gyárban*] canteen
bükk beech(-tree); [*fája*] beech(-wood)
bűn *jog* crime; *átv, vall* sin
bűnös ▾ *mn jog* guilty, criminal; *átv* evil, wicked; *vall* sinful ▾ *fn jog* criminal; *vall* sinner
bűnözés crime
bűnöző criminal
büntet (*vmiért vmivel*) punish (for sg with sg); [*pénzbírsággal*] fine
büntetés punishment
bűnügy crime
bürokrácia bureaucracy, paperwork
bürokratikus bureaucratic
büszke (*vmire*) proud (of sg)

büszkélkedik (*vmivel*) be° proud (of sg); [*dicsekszik vmivel*] boast (of sg), parade

büszkeség pride

bűvész illusionist, conjurer

bűvös magic(al)

bűz foul smell, stink

bűzlik stink°

C

cáfol disprove, refute
cápa shark
CD *röv* CD *[compact disc]*
CD-lejátszó CD-player, compact disc player
cédula slip
cég company, firm
cégtábla name-board
cékla beetroot; *[saláta]* beetroot salad
cél *[szándék]* purpose, aim; *[végpont]* destination, end; *[célpont]* target, mark; *sp* home; **befut a ~ba** run° home
cella cell
cellux adhesive tape
céloz *[lőfegyverrel vmire]* (take°) aim (at sg); *átv* mean (sg), hint (at sg)
célpont target; *átv* aim, goal
Celsius-fok degree centigrade (*röv* °C)
célszerű suitable, expedient
céltábla target
céltalan purposeless, aimless
céltudatos purposeful, determined
célzás *[lőfegyverrel]* aiming; *átv* hint
cement cement
centiméter centimetre (*röv* cm)
centrifuga spin-dryer
centrum centre
ceremónia ceremony
cérna thread
ceruza pencil
ceruzabél lead
ceruzahegyező pencil sharpener
cet whale

cetli *biz* slip (of paper)
cibál tug at, pull about
cica puss(y), kitten
cici *tréf* boobs *tsz*
cifra fancy, ornamented; *pejor* flashy
cigány *mn, fn* Gypsy, Roma
cigaretta cigarette
cigarettázik smoke (a cigarette)
cigi *biz* cig(gy)
cikk *[újságban, áru]* article
cikkely paragraph (*röv* par)
cím *[postai]* address; *[rang; könyv, mű, dal címe]* title; *[cikké]* headline, heading
cimbalom cimbalom
címer coat of arms, arms *tsz*
címez (*vmit vkinek*) address/direct (sg to sy)
címke label
címlap title page
címzés address
címzett *[levélé]* addressee
cinege titmouse (*tsz* -mice)
cipel carry, drag
cipész shoemaker
cipó loaf (*tsz* loaves)
cipő shoes *tsz*
cipőbolt shoe shop
cipőfűző shoelaces *tsz*
cipőkrém shoe polish/cream
cipzár zip
cirkáló cruiser
cirkusz circus; *átv, biz* fuss, scene
citera zither
citrom lemon
citromos tea lemon tea
civakodik wrangle
civil *mn, fn* civilian
civilizáció civilisation
civilizált civilised
comb *[emberé]* thigh; *[állaté, mint étel]* leg
copf pigtail, plait
cölöp post, stake
cucc *biz* stuff, gear

cukor sugar
cukorbeteg diabetic
cukorka sweet *US* candy
cukorrépa sugar-beet
cukrász confectioner
cukrászda confectioner's (shop)
cukroz sugar, sweeten
cumi dummy
cumisüveg feeding bottle

CS

csábít (*vmire*) (al)lure (to sg)
csábítás allurement, temptation
csábító ▾ *mn* alluring, tempting ▾ *fn* *[férfi]* tempter, seducer; *[nő]* temptress, seductress
csak *[csupán]* only; *[bárcsak]* if only; **Miért? – ~!** Why? – (just) because!
csákány *[szerszám]* pick
csakhamar soon
csakugyan *[erősítés]* indeed; *[kételkedés]* is that so?
csal *[hűtlen vkihez]* cheat (on sy); *[pl. kártyában]* cheat (in/at sg), swindle
család family; *[uralkodói]* dynasty
családfő head of a/the family
családi family
családias familiar
családnév surname
családtag member of a/ the family
csalán *növ* nettle
csalás cheating, swindle
csaló cheat, swindler
csalódik (*vkiben/vmiben*) be° disappointed (in sy/ sg)
csalogány nightingale
csap[1] *fn* tap
csap[2] *ige* *[üt]* strike°; *[dob]* throw°
csáp feeler, palp(s)
csapadék rainfall
csapás *[ütés]* stroke; *kat* strike; *[szerencsétlenség]* calamity; *[ösvény]* path
csapat troop; *[kutatóké, sport]* team

csapda trap, snare
csapkod beat° about
csapóajtó *[pincelejáróé]* trap-door; *[lengő]* swing door
csapódik close, slam
csapolt sör draught beer, beer on the tap
csárda tavern, inn
csárdás *[vendéglős]* innkeeper; *[tánc]* csardas
csarnok hall
császár emperor
csat *[övön]* buckle; *[hajban]* hairgrip
csata *kat* battle; *átv* struggle
csatár *sp* forward
csatatér *átv is* battlefield
csatlakozás (*vkihez*) joining (sy); *[közlekedésben]* connection
csatlakozik (*vkihez/vmihez*) join (sy/sg)
csatol *[csattal felerősít]* buckle (up) sg; *[mellékel]* enclose; *[területet vhova]* annex (a territory) (to)
csatorna *tv is* channel; *[mesterséges]* canal
csattan clap, click
csattanás clap
csattog crack, clap; *[fülemüle]* warble; *[szárny]* flap
csavar ▾ *fn* screw, bolt ▾ *ige* twist, turn, wind; *[csavart]* screw (sg) in
csavargó tramp
csavarhúzó screwdriver
csavarodik (*vmire*) wind° itself (round)
csavarog wander, loaf
csavaroz screw up/on
csecsemő baby, infant
cseh *mn, fn* Czech
Csehország Czech Republic
csekély small, trifling
csekk cheque
csekkfüzet chequebook
csel trick, ruse; *sp* feint
cselekedet action, deed

cselekmény *[regényé]* plot; *jog* act, action
cselekszik (*vhogyan*) act; *[tesz vmit]* do°
cselekvés action, act
cseles *biz* tricky, wily
cselez *sp* dribble
cselezés *sp* dribbling
cselló cello
csembaló harpsichord
csemege *[étel]* delicacy; *átv* treat
csemete *[gyermek]* child (*tsz* children); *[fa]* sapling
csempe tile
csempész ▾ *fn* smuggler ▾ *ige* smuggle
csempéz tile, cover sg with tiles
csen filch
csend silence
csendélet still life (*tsz* lifes)
csendes quiet, still
Csendes-óceán Pacific Ocean
csendül tinkle, (re)sound
cseng ring°
csengés ring
csenget ring°
csengő bell
csepeg drip
csepp drop
cseppkő dripstone
cserbenhagy leave° sy in the lurch
csere (ex)change; *sp* substitution; *[a játékos]* substitute
cserebogár maybeetle
cserél change
cserép *[virágé]* (flower)-pot; *[tetőn]* tile
cserepes virág pot plant
cserépkályha (glazed) tile stove
cseresznye cherry
cseresznyefa cherry-tree
cserje shrub, bush
cserkész *[fiú]* (boy) scout; *[lány]* (girl) guide
csésze cup
csészealj saucer
cseveg chat
csevegés chat

csibe chick(en)
csicsereg twitter
csiga snail; *műsz* pulley
csigalépcső spiral stairs *tsz*
csigolya vertebra (*tsz* -ae)
csík stripe
csikk butt, (cigarette-)stub
csikó foal
csikorog creak, grate
csikós horseherd
csíkos striped
csillag *átv is* star; *[könyvben]* asterisk
csillagászat astronomy
csillagkép constellation
csillan gleam, flash
csillapít *[éhséget]* appease; *[szomjúságot]* quench; *[fájdalmat]* relieve; *[indulatot]* calm
csillapodik calm down, become° quiet/calm
csillár chandelier
csillog gleam, sparkle, shine°
csimpánz chimpanzee
csinál *[elkészít]* make°; *[tesz]* do°
csináltat have° sg made
csinos *[nő]* pretty; *[férfi]* handsome
csinosít make° prettier, tidy up
csíny trick
csíp *[fogóval, ujjal]* pinch; *[méh, csalán, füst]* sting°; *[bolha, szúnyog]* bite°
csipeget peck
csípés *[fogóval, ujjal]* pinch(ing); *[méhé, csaláné]* sting; *[bolháé, szúnyogé]* bite
csipesz tweeze, tweezers *tsz; [ruhaszárító]* clothes peg
csipke lace
csipog chirp, cheep
csípő hip
csípős *[étel, ital]* hot; *[hideg]* biting; *[megjegyzés]* biting, sharp
csíra germ
csírázik germinate

csirke chicken
csiszol *átv is* polish
csiszolt polished; *átv* refined
csitít hush, silence
csizma boots *tsz*
csobog splash
csoda wonder, marvel; *vall* miracle
csodál (*vkit/vmit*) admire (sy/sg); *[meglepődik vmin]* be° surprised (at sg), wonder (at)
csodálat (*vki/vmi iránt*) admiration (for sy/sg); *[meglepődés]* wonder
csodálatos wonderful, marvellous, great
csodálkozik be° surprised (at), wonder (at)
csodás marvellous
csodaszép exquisite, superb
csók kiss
csókol kiss
csokoládé chocolate
csókolózik kiss
csokor *[virág]* bunch (of flowers)
csokornyakkendő bow-tie
csomag package, parcel; *[kicsi]* packet; *[poggyász]* luggage; *pol* package
csomagküldő szolgálat mail order, *[a cég]* a mail-order company
csomagol pack (up)
csomagolás *[művelet]* pack(ag)ing, *[utazásra]* packing (up); *[burkolat]* cover, wrapper
csomagolópapír wrapping/packing paper, wrapper
csomagtartó *[autóban]* boot; *[vasúti kocsiban]* luggage rack
csomó *[fáé is]* knot; *biz [halom, mennyiség]* a lot of, loads of
csomópont junction
csomóz (*vmit*) knot (sg)

csónak boat
csónakázik row, boat
csonk stump
csonka *[törött]* broken; *[befejezetlen]* incomplete; *[hiányos]* defective
csont bone
csontos bony
csontváz skeleton
csoport group, team
csoportosít group, arrange, classify
csoportosul form a group
csoportosulás *[tömeg]* gathering
csorda herd
csorog flow, run°
csóvál *[fejet]* shake° (one's head); *[farkat]* wag (its tail)
cső tube; *[kézifegyveré]* barrel
csőd failure, bankruptcy
csökken decrease, go°/move down, reduce
csökkent ▾ *mn* reduced ▾ *ige* reduce
csökönyös obstinate
csöpög drip
csőr bill, beak
csörget clang, clatter; *[láncot]* rattle
csörgő rattle
csörög clang, clatter; *[telefon]* ring°
csörömpöl rattle
csőtörés burst pipe
csúcs *[hegyé]* peak, top; *[vminek a hegye]* point; *[tetőpont]* height; *sp* record
csúcsforgalom *[időszak]* the rush hours *tsz*
csúcsos pointed
csúcspont *[hegyé]* peak; *[pályáé]* zenith; *átv [folyamaté]* culmination
csúcstechnológia high tech(nology)
csúcsteljesítmény maximum output
csúf hideous, ugly
csúfol (*vkit*) mock (at sy), make° fun (of sy)
csúfolódik mock
csuk close

csuka pike
csuklás hiccup
csuklik hiccup, get° hiccups
csukló *[kézen]* wrist; *műsz* joint
csuklós busz articulated bus
csukódik close
csúnya ugly, hideous
csupa mere, all
csupán only, merely
csupasz *[meztelen]* naked; *[szőrtelen]* hairless
csurog flow, run°
csúszda slide
csúszik (*vki*) slide°; (*vmi*) be° slippery
csúszómászó *[féreg]* crawling insect; *[hüllő]* reptile; *pejor [ember]* toady
csúszós slippery
csúsztat (*vmit vmibe*) slip (sg into sg); *átv [elferdíti a tényeket]* distort the facts
csúzli (toy) catapult
csügged lose° heart, despair
csüggedt downhearted, discouraged
csülök hoof (*tsz* hooves); *[étel]* knuckle of ham
csütörtök Thursday
csütörtöki Thursday

D

dac defiance, spite
dacára in spite of, despite
dacol (*vmivel/vkivel*) defy (sg/sy)
dacos defiant, stubborn
dadog stammer, stutter
dagad swell°
dagadt (*vmiről*) swollen (with); *biz [kövér]* fatty
dagály flood tide
daganat *[külső]* swelling; *[belső]* tumour
dagaszt knead
dal song
dallam melody
dallamos melodious
dalol sing°
dáma lady; *[kártya]* queen; *[játék]* draughts *esz*
dán ▾ *mn* Danish ▾ *fn [ember]* Dane; *[nyelv]* Danish
Dánia Denmark
dara *[búza]* semolina; *[jeges csapadék]* sleet
darab piece (*röv* pc); *[színházi]* play; *zene* piece
darabol cut°/chop up
darál grind°
darált ground; **~ hús** minced meat
darázs wasp
daru *[gép, madár]* crane
datál date
datolya date
dátum date
de but
december December (*röv* Dec.)
deci *biz* decilitre (*röv* dl)
deciliter decilitre (*röv* dl)
dédanya great-grandmother
dédapa great-grandfather
dédunoka great-grandchild (*tsz* -children)

defekt *[járműnél]* puncture
dehogy oh no!
deka *biz* decagramme; öt ~ fifty grammes
dekagramm decagramme; öt ~ fifty grammes
dekoráció decoration
dekorál decorate
dél *[napszak]* noon *[égtáj]* south (*röv* S)
delegáció delegation
délelőtt ▾ *fn* morning ▾ *hsz* in the morning (*röv* a.m., am, AM)
delfin dolphin
déli *[napszak]* noon; *[égtáj]* south(ern)
délibáb mirage; *átv* castles in the air *tsz*
déligyümölcs tropical fruits *tsz*
Déli-sark South Pole
délkelet south-east (*röv* SE)
délkeleti south-east
délnyugat south-west (*röv* SW)
délnyugati south-western
délután ▾ *fn* afternoon ▾ *hsz* in the afternoon (*röv* p.m., pm, PM)
demokrácia democracy
demokrata ▾ *mn* democratic ▾ *fn* democrat
demokratikus democratic
denevér bat
dér (hoar)frost
derék[1] *mn* honest
derék[2] *fn* *[testrész, ruháé]* waist; *[vmi közepe]* middle
derékszög right angle
dereng *[hajnalodik]* dawn; *átv* begin° to see/realise
dermesztő stiffening, numbing
derű *[időjárás]* bright weather; *átv* serenity, optimism
derül *[idő]* clear up; (*vki*) cheer up
derűlátó optimistic
derült *[ég]* sunny, clear, bright
derűs cheerful
deszka board

desszert dessert
detektív detective
deviza foreign exchange/currency
dezodor deodorant
dia slide
diadal victory, triumph
diadalmas victorious, triumphant
diagnózis diagnosis (*tsz* diagnoses)
diák *[általános, középiskolás]* schoolboy, schoolgirl; *[főiskolás, egyetemista]* student
diákigazolvány student card
diavetítő slide projector
dicsekszik (*vmivel*) boast (with/about sg)
dicsér (*vkit/vmit vmiért*) praise sy/sg for sg
dicséret praise
dicsőít glorify
dicsőség glory, fame
didereg shiver
diéta diet
diétázik be° on a diet
digitális digital
díj *[jutalom]* prize; *[fizetendő összeg]* fee
díjaz *[jutalmaz vkit vmiért]* award (sy) a prize (for sg); *átv [értékel]* appreciate
díjkiosztás prize-giving/awards ceremony
díjszabás tariff
díjtalan free (of charge) *ut*
diktál dictate
diktatúra dictatorship
dinamikus dynamic
dinnye melon
dió nut
diploma (*vmiről*) degree (in sg)
diplomácia diplomacy
diplomás *mn, fn [egyetemi/főiskolai végzettségű]* professional
diplomata diplomat
diplomatatáska briefcase
direkt ▾ *mn* straight, direct ▾ *hsz [egyenesen]*

directly, straight; *[szándékosan]* on purpose
dísz decoration; *[pompa]* pomp
díszes decorative, ornamental
díszít decorate
díszítés decoration
diszkó disco
diszkoszvetés the discus
díszlet scenery
disznó pig
disznóhús pork
disznóság mean thing
disznósajt *kb.* brawn
dísznövény ornamental plant
dísztárgy ornament, figurine
dísztávirat *kb.* congratulatory telegram
díszterem (ceremonial) hall, banquet hall
dívány sofa, couch
divat fashion
divatáru *[férfi]* men's wear; *[női]* ladies' wear
divatbemutató fashion-show
divatjamúlt out of fashion *ut,* unfashionable
divatlap fashion magazine
divatos fashionable
divattervező fashion designer
dob[1] *fn műsz is* drum
dob[2] *ige* throw°
dobál throw°; *[széjjel]* scatter
dobás throw
dobban *[szív]* throb
dobhártya eardrum
dobog *[szív]* beat°; *[lábbal]* stamp (one's feet)
dobogó *[előadóé]* platform; *[színházi]* stage; *sp* winner's stand
dobókocka *ját* dice *esz/tsz*
dobol drum
dobos drummer
doboz *[kartonból]* box; *[fából]* case
dohányos smoker
dohányzik smoke

doktor *[cím]* doctor (*röv* Dr); *[orvos]* physician
dokumentáció documentation
dokumentumfilm documentary (film)
dolgozat *[tudományos/iskolai]* paper
dolgozik work
dolgozó employee; *[méh]* worker (bee)
dolgozószoba study
domb hill
dombormű relief
domborodik curve, bulge
domború convex
dombos hilly; *[vidék]* rolling
dombság rolling country
dominó domino (*tsz* dominoes); *[a játék]* dominoes *esz*
dominózik play dominoes
dongó bumblebee
dosszié file
döbbenetes horrifying, shocking
döf *[kést/tőrt vkibe/vmibe]* plunge a knife (*tsz* knives)/dagger (into sy/sg)
dög carrion
döglik die
döglött dead
dől *[esik]* fall°; *[hajlik]* lean° (to one side); *[eső]* pour
dőlt betű italics *tsz;* **~vel szedett** printed in italics *ut*
dönt *[felfordít]* turn over; *[csúcsot]* break°/beat° (the record); *[határoz]* decide
döntés decision
döntetlen ▾ *mn* undecided ▾ *fn* *[mérkőzés]* draw, drawn game, tie
döntő ▾ *mn* decisive, definitive ▾ *fn sp* final(s)
dörög *[ég]* thunder; *[ágyú]* boom
dörzsöl rub
drága *[sokba kerül]* expensive; *[nagy értékű]*

valuable, precious; *[kedves]* dear
drágakő precious stone
drágaság *[költségesség]* expensiveness; *[kincs]* treasure
drágul get° more expensive
dráma drama, play
drámai dramatic, tragic
drasztikus drastic
drog drug
drót wire
drótkerítés wire fence
drótkötélpálya cableway, ropeway
drukker *biz* fan
drukkol *[izgul]* be° in a (blue) funk; *biz* (*vkinek*) keep° one's fingers crossed (for sy)
duda *[hangszer]* bagpipes; *[gépjárműé]* horn
dudál *[zenél]* play the bagpipe(s); *[autódudával]* honk, hoot
dúdol hum
dug *[tesz vmit vmibe]* stick° (sg into sg); *[elrejt]* hide°
dugattyú piston
dugó *[palacké]* cork; *[közlekedésben]* (traffic) jam
dugóhúzó corkscrew
dulakodik (*vkivel*) grapple (with sy)
Duna Danube
Dunántúl Transdanubia
dupla double
dúr *mn, fn* major
durran explode
durva rough, rude
dús rich (in sg), abundant (in sg)
duzzad swell° (up), bulge (out)
dübörög rumble, rattle
düh rage, fury
dühít enrage, infuriate
dühöng (*vmi/vki miatt*) rage (against/at sg/sy)
dühös furious

DZS

dzseki jacket
dzsem jam
dzsessz jazz
dzsungel jungle

E, É

eb dog
ebbe into this
ebben in this
ebből from this
ebéd lunch
ebédel have° lunch
ebédlő dining-room
ebédszünet lunch-break
éber *átv* watchful
ebihal tadpole
ébred wake° (up)
ébreszt wake° (up); *[érzést]* (a)rouse
ébresztőóra alarm-clock
ecet vinegar
ecetes vinegary
ecset brush
ecsetel *orv* paint (with); *[leír]* describe
eddig *[időben]* (up) till now; *[térben]* up to this point
edény pot, (kitchen) utensil
édes *átv is* sweet
édesanya mother
édesapa father
édesít sweeten
édesítőszer sweetener
édesség sweet(s); *[mint fogás]* dessert
édesvíz freshwater
edz *átv is* harden; *sp* train; *[edző a sportolót]* coach
edzés *[acélé]* hardening; *sp* training
edzett *[ember]* fit
edző *sp* trainer, coach
edzőcipő trainers *tsz*
ég[1] *fn* sky; *[menny]* Heaven
ég[2] *ige* burn°, be° on fire; *[pl. gáz]* be° on; *[lángol]* be° on fire

égbolt sky
egér mouse (*tsz* mice); *inform* mouse (*tsz* mouses)
égés burning
egész ▾ *mn* whole; ~ **szám** whole number ▾ *fn* the whole
egészség (good) health; ~**ére!** *[iváskor]* cheers!, *[tüsszentéskor]* bless you!
egészségbiztosítás health insurance
egészséges healthy
egészségtelen unhealthy
egészségügy public health
éget burn°
éghajlat climate
égi celestial, heavenly
égitest celestial/heavenly body
égő ▾ *mn* burning ▾ *fn* *[villany]* (light) bulb
égöv zone
egres gooseberry
égtáj point of the compass
egy[1] *szn* one
egy[2] *névelő* a/an
egyágyas szoba single room
egyáltalán at all; ~ **nem** not at all, by no means
egyaránt equally, alike
egybeesik (*vmivel*) coincide (with sg)
egybehangzó unanimous
egyben *[egy darabban]* in one piece; *[egyúttal]* at the same time
egybeolvad merge, unite
egybevág (*vmivel*) coincide (with sg), agree (with sg)
egyéb other, else
egyébként *[másrészt]* otherwise; *[áttérés új témára]* by the way
egyedi *[tárgyra]* unique; *[személyre]* individual
egyedül *[csak]* solely; *[magában]* alone
egyedülálló *[személy]* unmarried; *[különleges]* unique, peerless

egy-egy; adj nekik ~ almát give them an apple each
egyelőre temporarily, for the time being; *[eddig]* so far
egyemeletes two-storey(ed)
egyén person, individual
egyenes ▾ *mn* straight ▾ *fn [vonal]* straight (line)
egyenetlen uneven
egyéni individual
egyéniség personality
egyenjogú having equal rights *ut*
egyenjogúság equality of rights, equal rights *tsz*, emancipation
egyenként one by one, one after the other
egyenleg balance
egyenlet equation
egyenletes even, steady, equal
Egyenlítő the Equator
egyenlő *(vmivel)* equal (to)
egyenlőség equality
egyenlőségjel equals sign
egyenlőtlen unequal
egyenrangú of equal rank *ut*, equal in rank *ut*
egyenruha uniform
egyensúly balance
egyensúlyoz (counter-) balance, stabilise
egyértelmű obvious, straightforward
egyes ▾ *mn [külön]* single; *[bizonyos]* certain ▾ *fn [szám]* (number) one; *[osztályzat] kb.* fail
egyesít unite, combine, join
egyesül unite, combine, join
egyesülés *[folyamat]* joining, uniting; *[eredmény]* union
egyesület society; *sp* club
egyesült united; **E~ Nemzetek Szervezete** United Nations (Organisation) *(röv* UN)
egyetem university

egyetemes universal
egyetemista student
egyetért (*vkivel vmiben*) agree (with sy about/on sg)
egyetértés agreement, understanding
egyetlen only
egyéves *[életkor]* one-year-old
egyezik (*vmivel*) agree/ correspond (with sg); equal (with sg)
egyezmény agreement
egyeztet *[összehangol]* harmonise; *[pl. adatokat egybevet]* (cross)check; *[időpontot]* agree (on a time)
egyezség agreement; compromise
egyfolytában all the time, without a break
egyforma identical
egyhangú *[unalmas]* monotonous; *[szavazás]* unanimous
egyharmad a/one third
egyhavi one month's
egyház church
egyházközség parish
egyhetes a/one week's
egyheti a/one week's
egyidős (of) the same age *ut*
egyik one (of)
Egyiptom Egypt
egyiptomi *mn, fn* Egyptian
egyirányú one-way
egyjegyű szám one-figure number, single digit
egy-két one or two
egyketted one half
egykor *[régen]* at one time; *[egy órakor]* at one (o'clock)
egykori former
egykorú (of) the same age *ut; [korabeli]* contemporary
egymás one another, each other
egynapos *[életkor]* (one-) day-old
egyoldalú one-sided; *gazd, pol* unilateral

egyórás one-hour
egyrészes one-piece/ part
egyrészt; ~ ..., másrészt ... on the one hand ... on the other (hand)...
egység *[alkotórész]* unit; *[egységesség]* unity
egységes unified, uniform
egységesít *[szabványosít]* standardise
egyszemélyes one-man
egyszer *[nem többször]* once; *[valaha]* once, at one time; *[jövőben]* some day
egyszeri *[egyszer történő]* one-off, single
egyszerre *[egyidőben]* simultaneously, at the same time
egyszerű simple; *[viselkedés]* unaffected
egyszerűsít simplify
egyszínű of the same colour *ut*
egyszobás lakás one-room flat
egyszóval in short/brief
egytálétel one-course meal/dish
együgyű simple(-minded)
együtt (*vkivel*) together (with sy)
együttérzés sympathy
együttes ▾ *mn* common, joint ▾ *fn zene* group, ensemble; *[könnyűzenei]* band
együttműködés co-operation
együttműködik (*vkivel*) co-operate (with)
éhes hungry
ehetetlen inedible
ehető edible
éhezik starve; *átv* (*vmire*) long (for sg)
ehhez to this
éhség hunger
éj night
éjfél midnight
éji night
éjjel ▾ *fn* night ▾ *hsz* at night
éjjeliszekrény bedside table

éjjel-nappal day and night
éjszaka ▾ *fn* night ▾ *hsz* at night
ejt *[leejt]* drop; *[hangot]* pronounce
ejtőernyő parachute
ék wedge
eke plough
ékes ornate, ornamented
ékesít ornament
ékezet diacritic(al mark), accent
ekkor then
ekkora this big
ékkő gem, precious stone
eközben in the mean time, meanwhile
ékszer jewel
ékszerész jeweller
el away
él[1] *fn [késé]* edge; *[szervezeté]* head of sg
él[2] *ige* live
elad sell°
eladás sale
eladó ▾ *mn* for sale *ut* ▾ *fn* seller; *[üzletben]* shop assistant
eladósodik run° into debt
elágazás *[közlekedésben]* junction
elágazik *[pl. fa]* branch out; *[út]* fork, branch (off)
elájul faint
elakad *[jármű]* break° down, *[forgalmi dugóban]* be° caught up in the traffic
eláll *[eltorlaszol]* block; *átv* (*vmitől*) give° up; *[étel]* keep°
elalszik go° to sleep; *[láng]* go° out
elaltat (*vkit*) put° sy to sleep; *orv* anaesthetise
eláraszt *[vízzel]* flood, overflow; *átv* swamp, shower (sg upon sy)
elárul (*vmit/vkit*) betray (sg/sy); *[felfed vmit]* reveal (sg)
elás bury
elavult out of date
elázik get° drenched
elbeszél relate, tell°

elbeszélés *[folyamat]* narration; *[novella]* (short) story
elbeszélget (*vkivel*) have° a conversation (with sy); *[állásra jelentkezővel]* have° an interview (with sy)
elbeszélő ▾ *mn* narrative ▾ *fn* narrator
elbír *[terhet]* be° able to carry; *átv* bear°, stand°
elbírál judge
elbírálás judgement
elbocsát *[állásból]* dismiss (from), discharge from); *[pl. foglyot]* set° free
elbúcsúzik (*vkitől*) say° goodbye (to sy)
elbúcsúztat (*vkit*) bid° farewell (to sy)
elbújik hide° (away); (*vki elől*) hide° (from sy)
elbűvöl charm
elcsábít (*vkit vhova*) lure (to); *[nőt]* seduce
elcsendesedik calm down; *[vihar]* subside
elcserél (*vmit vmiért/vmire*) exchange (sg for sg)
elcsúszik slip
eldob cast° away, throw° away/off; *[szemétbe]* throw° out
eldobható *[egyszer használatos]* disposable
eldől *[elesik]* fall° down; *átv [elválik]* be° decided
eldönt *[felborít]* upset°; *átv* settle, decide
eldug hide°
eldugul *[pl. cső]* get°/be° blocked (up)
elé in front of sy, before
elefánt elephant
elég[1] ▾ *mn* enough, sufficient ▾ *hsz* quite, fairly, rather
elég[2] *ige* burn° (away/up)
elegáns elegant, neat
elégedetlen dissatisfied, (with sg); discontented, (with sg)
elégedett satisfied (with), content(ed)

eléget burn°
elégséges ▾ *mn* enough, sufficient ▾ *fn [osztályzat] kb.* pass
elégtelen ▾ *mn* insufficient ▾ *fn [osztályzat] kb.* fail
elégtétel satisfaction
eleinte at first
eleje *[elülső rész]* front; *[kezdet]* beginning
elejt *[leejt]* drop; *[vadat]* kill
elektromos electric(al)
elektromosság electricity
elektronika electronics *esz*
elektronikus electronic
élelem food, provisions *tsz*
élelmes practical
élelmiszer food(stuffs *tsz*)
élelmiszer-áruház supermarket
élelmiszerbolt grocer's, grocery
elem element; *épít* unit; *elektr* battery
elemez analyse
elemi elementary, basic
elemlámpa torch *US* flashlight
elemzés analysis; *[vizsgálat]* examination
elénekel sing°
elenged *[elereszt]* let° go; *[enged vkit elmenni]* let° sy go, release
elengedhetetlen indispensable
élénk lively
elér *átv is* (*vkit/vmit/vhova*) reach; *[üldözve vkit]* catch° up (with sy); *[pl. buszt]* catch°
elered begin° to flow/run
elérhetetlen out of reach *ut; átv* inaccessible
éles *átv is* sharp
elesett ▾ *mn [egészségileg]* in poor health *ut* ▾ *fn [harcban]* fallen
elesik fall°; *[harcban]* be° killed
élesít *átv is* sharpen
éléskamra pantry

élesztő yeast
élet life (*tsz* lives)
életbiztosítás life insurance
életerő vitality
élethű lifelike, realistic
életkedv joy of life
életképes viable
életkor age
életlen blunt; *[fotó]* fuzzy, unfocused
életmentő ▾ *mn* life-saving ▾ *fn [személy]* lifesaver
életmód way of life, lifestyle
életrajz biography
életszínvonal standards of living *tsz,* living standards *tsz*
élettárs partner; *jog* common-law wife (*tsz* wives)/ husband
élettelen lifeless, dead
életveszély life-danger, mortal danger
életveszélyes life-threatening, perilous
eleven *[élő]* living, live; *[élénk]* vivid, lively
elévül become° out of date
elévült (out)dated
élez sharpen
elfárad (*vmitől/vmiben*) get° tired (of)
elfecsérel *[időt]* waste
elfelejt forget°
elfér fit
elfog catch°
elfogad accept
elfogadhatatlan unacceptable
elfogadható acceptable
elfoglal *kat is* take°; *[álláspontot]* take° up; *[állást]* hold°; *[vkit munka]* (sg) keeps sy busy
elfoglalt *[ember]* busy; *kat* occupied
elfoglaltság occupation
elfogulatlan unbias(s)ed, impartial
elfogult prejudiced, bias(s)ed
elfogy run° out, come° to an end

elfogyaszt *[megeszik]* eat°; *[felhasznál]* use up
elfojt *[tüzet]* extinguish; *[lázadást]* suppress; *[érzelmet]* stifle
elfordít turn away; *[figyelmet]* divert
elfordul turn away/aside; *átv* (*vkitől*) become° alienated/estranged (from sy); (*vmitől*) abandon (sg)
elfúj *[szél]* blow°/carry away; *[gyertyát]* blow° out
elfut run° away/off; *[menekül]* escape (from)
elgázol run° down/over
elgondol imagine; *[megfontol]* think° over, consider
elgondolás *[terv]* plan; *[eszme]* idea, concept(ion)
elgörbül bend°, get° crooked
elgurul roll away/off
elhagy leave°, abandon; **~ja a pályát** leave° one's profession
elhagyatott lonely; *[hely]* desolate
elhalad (*vki/vmi mellett*) pass (by)
elhalaszt delay, put° off
elhallatszik *[vki hangja]* reach, carry (as far as ...)
elhallgat *[elnémul]* stop talking/speaking; *[eltitkol vmit vki elől]* withhold (sg from sy), keep° back
elhalmoz (*vkit vmivel*) shower sy with sg
elhamarkodik be° overhasty
elhamarkodott overhasty, rash
elhangzik (*vhova*) be° heard/audible in; *[előadás]* be° delivered
elhanyagol neglect; *[figyelmen kívül hagy]* disregard
elhárít *[akadályt]* put° out of the way, clear away;

[veszélyt] avert (danger); *[támadást]* beat° off

elhasznál use up; *[elkoptat]* wear° out

elhasználódik be° used up; become° worn out

elhatalmasodik *[elterjed]* spread°; (*vkin vmi*) sg overcomes sy

elhatárol (de)limit; circumscribe; define

elhatároz decide (to v. that)

elhatározás decision, determination

elhelyez (*vhol/vhova*) place; *[pl. pénzt]* deposit; *[szállást ad]* accommodate (sy swhere)

elhelyezkedik settle; *[leül]* take° a seat; *[álláshoz jut]* find° employment

elhervad wither, fade (away)

elhibáz make° a mistake (in sg); *[pl. célt, lövést, lépést]* miss

elhíresztel spread° the news (of sg); make° public

elhisz believe

elhízik grow° fat, put° on (too much) weight

elhoz (*vmit vhonnan*) fetch (sg from); *[magával]* bring° along

elhunyt ▾ *mn* dead, deceased ▾ *fn* the deceased

elhurcol (*vmit*) drag away/off; *[vkit börtönbe]* carry off

elhúz (*vmit vhonnan*) draw°/drag away/off; *[időben]* drag/spin° out

elhúzódik (*vkitől*) draw° away (from sy); *[időben]* drag on

elhűl *átv* be° amazed/astonished

elidegenedik (*vkitől*) become° estranged/alienated (from sy)

eligazít (*vmit*) arrange, settle; (*vkit*) direct; *[út-*

baigazít] show the way to

eligazodik find° one's way; *átv* be° familiar (with)

elindít start; (*vkit*) send° sy on his/her way; *[küldeményt]* send° off

elindul start, depart; (*vki vhova*) set° out (for)

elintéz (*vmit*) arrange, settle

elismer admit; *[igazol]* recognise; *[értékel]* appreciate, acknowledge

elismerés appreciation, acknowledgement

elismert recognised, well-known

elismervény receipt

elítél condemn; *[bíró]* find° sy guilty (of sg), sentence (to)

elítélt ▾ *mn* convicted, condemned ▾ *fn* convict

eljár *[látogat]* go° frequently to; *[cselekszik]* proceed

eljárás procedure, measures *tsz; műsz* process, method

eljegyez (*vkit*) be° engaged (to sy)

eljegyzés engagement

eljegyzési gyűrű wedding ring

éljenez (*vkit*) cheer (sy)

eljön come°; (*vkiért/vmiért*) come° (for sy/sg)

eljut (*vhová*) get° to; *átv* (*vmire*) attain (sg)

elkanyarodik turn (off); *átv [tárgytól]* digress (from the subject)

elkap *átv is* catch°

elkényeztet pamper, spoil°

elképed be° taken aback

elképesztő amazing, stunning

elképzel fancy, imagine

elképzelés idea, plan

elképzelhetetlen unimaginable, unthinkable

elkér (*vkitől vmit*) ask (sy for sg); *[kölcsön]* borrow (sg from sy)

elkerül *[szándékosan]* avoid; *[véletlenül]* miss; *[forgalmas helyet]* bypass; (*vhonnan*) be° moved away (from)

elkerülhetetlen inevitable, unavoidable

elkeseredés despair

elkeseredett bitter, desperate

elkeseredik (*vmi miatt*) become° embittered, despair (about/over)

elkésik be° late (for sg)

elkészít do°, get° sg ready; *[ételt]* prepare

elkészül be° finished/done/ready

elkezd start, begin°

elkezdődik start, begin°

elkísér (*vkit*) go°/walk with; (*vkit vhova*) see° (sy to)

elkoboz confiscate

elkopik wear° out

elkölt *[pénzt vmire]* spend° (on sg)

elköltözik *[lakásból]* move (house/flat); (*vhonnan vhova*) move (from to); *[otthonról]* leave° home

elköszön (*vkitől*) take° leave (of), say° goodbye

elkötelez; ~i magát (*vmire*) pledge/bind° oneself to (do) sg

elkötelezett committed

elkötelezettség commitment

elkövet commit; **mindent ~** do° one's best

elküld send°; *[levelet]* post; (*vkit vmiért*) send° (sy for sg); (*vkit vhonnan*) send° away

elkülönít isolate, separate

ellát (*vmivel*) supply/provide (with sg); *[pl. beteget]* take° care (of sy); *[vmeddig lát]* see° (as far as)

ellátás (*vmivel*) supply; *[étkezés]* board

ellen against

ellenáll (*vminek*) resist (sg)

ellenállás *elektr is* resistance
ellenállhatatlan irresistible
ellenálló *pol, tört* resistance fighter
ellenállóképesség *átv is* resilience
ellene against (sg/sy)
ellenére in spite of, despite
ellenez be° against sg, oppose
ellenfél opponent, rival; *[ellenség]* enemy
ellenkezik *[szembeszáll]* resist (sg), conflict (with), disagree (with)
ellenkező ▾ *mn* contrary, opposite; *[ellenszegülő]* resisting ▾ *fn* the opposite/contrary (of sg)
ellenkezőleg on the contrary
ellenőr controller, inspector
ellenőriz check, verify
ellenőrzés check, control
ellenség enemy
ellenséges hostile, enemy
ellenségeskedik (*vkivel*) be° at odds (with sy)
ellenszegül (*vkinek/vminek*) resist (sy/sg)
ellenszenv (*vki/vmi iránt*) antipathy (to/towards/against sy/sg)
ellenszenves unpleasant
ellenszolgáltatás; ~ként (vmiért) in return (for sg); **(anyagi) ~ fejében** for money
ellentét *[ellenkező]* contrary, opposite; *[nézeteltérés]* conflict
ellentétes *[ellenkező]* contrasting, opposite; *[ellenséges]* conflicting, antagonistic
ellentmond (*vkinek*) contradict (sy), oppose (sy); (*vminek*) be° contrary (to sg)
ellentmondás contradiction; conflict

ellentmondásos controversial
ellentmondó contradictory; inconsistant
ellenvetés objection (to), protest (against)
ellenzék opposition
ellenzéki ▾ *mn* opposition ▾ *fn [képviselő]* member of the opposition
ellipszis ellipse
ellop (*vmit vkitől*) steal° (sg from sy)
elmagyaráz explain (sg at length), expound
elmarad *[esemény]* do° not happen/occur; *[előadás]* be° cancelled
elmaradott backward, undeveloped
elme mind
elmebeteg ▾ *mn* insane, psychotic ▾ *fn* mental patient, madman (*tsz* -men)
elmegy (*vhonnan*) go° away; (*vhova*) go° (to); (*vmiért*) go° (for); *[gyalog]* walk away
elmegyógyintézet mental hospital/home
elmélet theory
elméleti theoretical
elmélkedik (*vmin*) meditate (on sg), contemplate
elmenekül (*vmi elől*) run° away (from)
élmény experience
elmerül sink°; *átv* (*vmiben*) be° immersed/lost (in sg)
elmesél tell° (a story), relate
elmond *[elbeszél vkinek vmit]* tell° (sy sg); *[beszédet]* deliver (speech)
elmos *[edényt]* wash up; *[árvíz pl. házat]* sweep° away
elmosódott indistinct, faint, obscure
elmosogat wash up (the dishes)
elmosolyodik smile
elmozdít *[vmit helyéről]* move; *[vkit állásából]* discharge

elmozdul move
elmulaszt (*vmit*) fail (to do sg)
elmúlik [*idő*] pass; [*pl. betegség*] be° (all) over; [*fájdalom*] cease
elnapol put° off, postpone
elnémít silence; [*hangszórókat*] mute
elnémul become° silent/quiet
elnevez (*vkit vminek*) call (sy sg)
elnéz [*hosszan*] gaze (at); [*megbocsát*] overlook, forgive°
elnézés [*türelem*] lenience; [*tévedés*] mistake
elnéző indulgent, tolerant
elnök president; [*ülésen*] chairman (*tsz* -men)
elnöki presidential, of the president/chairman (*tsz* -men)
elnökség [*tisztség, testület*] presidency; [*helyiség*] office of president/chairman (*tsz* -men)
elnökválasztás presidential election
elnyom [*népet*] oppress; [*érzelmet*] repress, suppress
elolt [*pl. tüzet, cigarettát*] put° out
elolvad melt
elolvas read° (through/over)
eloszlat [*tömeget*] disperse; *átv* [*félelmet*] dissipate; [*félreértést, gyanút*] dispel
eloszlik [*tömeg*] disperse; [*kétség*] be° resolved; [*vkik között*] be° distributed/divided (among)
eloszt [*egészet részekre*] divide (into); [*vkik között*] divide (among); [*több dolgot vkik között*] distribute (among); *mat* (*vmennyivel*) divide (by)
élő living, live
előad [*színházban*] perform, act; [*egyetemen vmiről*] lecture (on)

előadás *[színházban]* performance; *[egyetemen]* paper, talk
előadó *[művész]* performer; *[egyetemi]* lecturer; *[referens]* official
előadóművész artist
előáll (*vmivel*) come° forward (with); *[kialakul]* come° into being
előállít produce; *[rendőrségen]* arrest
előbb *[korábban]* sooner, earlier; **~ ... aztán ...** first ... then ...
előcsarnok *[szállodáé]* lobby; *[színházban]* (entrance) hall
előd *[ős]* ancestor; *[munkaköri]* predecessor
előétel hors-d'oeuvre
előfizet (*vmire*) subscribe (to)
előfizetés subscription
előfizető subscriber
előfordul *[megesik]* happen
előhív (*vkit*) call out; *[fotónegatívot]* develop
előír prescribe
előírás prescription
előítélet prejudice
előjegyez *[színházjegyet]* book (in advance)
előjegyzés *[színházjegyé, szobáé]* (advance) booking
előjel *mat is* sign
előkelő illustrious, high-ranking
előkészít (*vkit/vmit vmire*) prepare (sy/sg for sg)
előkészület preparations
elöl ahead, in front
elől away from
előleg advance (payment)
élőlény living being
előléptetés promotion
elöljáró *nyelv* preposition
előny advantage
előnyös advantageous
előnytelen disadvantageous

előre *[térben]* forward(s); *[időben]* in advance
előrebocsát (*vmit*) mention sg at the outset
előreenged (*vkit*) allow sy to go (on) ahead/forward
előrehajol lean°/bend° forward
előrejelzés forecast
előrelátás foresight
előrelátó have° forsight *ut*
előresiet go° ahead
előrevisz carry forward/ahead
elősegít (*vmit*) promote, contribute (to)
élősködő parasite
előszezon pre-season
előszó preface, foreword
előszoba hall
először *[első alkalommal]* (for) the first time; *[eleinte]* (at) first
előtér foreground; *[lakásé]* entrance hall
előteremt (*vmit*) procure; (*vkit*) hunt out/up
előterjeszt submit; (*vkit vmire*) recommend (sy to sg)
előtt *[térben]* in front of; *[időben]* before
előtte in front of (v. before) (sg/sy)
elővesz (*vhonnan*) take°/bring° out (of)
elővétel advance booking
elővigyázatos careful
előz overtake°
előzékeny (*vki iránt*) obliging (to), attentive (to)
előzetes preliminary, previous
előzmény preliminaries *tsz*
előző previous
elpárolog evaporate
elpazarol waste
elpirul blush
elpusztít destroy; kill
elpusztul be° destroyed; die
elrabol (*vkitől vmit*) rob (sy of sg); *[embert]* kidnap

elragadó charming, delightful
elragadtatás ecstasy, rapture
elragadtatott ecstatic
elrak put° away; *[félre]* clear away
elrejt hide°, conceal
elrejtőzik hide° away
elrendel order
elrendez arrange; *[pl. ügyet]* settle
elreped crack
elrepül fly° away/off
elromlik go° bad/wrong; *[gép]* break° down
elront *[szerkezetet]* break°, put° out of order; **~otta a gyomrát** upset° one's stomach
elsajátít *[tudást]* learn°, acquire (the knowledge)
elsápad pale
elsimít smooth away/out; *átv* smooth over
első first (*számmal* 1st)
elsőbbség priority
elsőbbségadás kötelező! give way!
elsőrangú first-rate/class
elsősegély first aid
elsősorban primarily
elsüllyed sink°, go° down
elsüllyeszt sink°
elszakad *[kötél]* break°; *[textil]* tear°; (*vkitől*) separate (from sy)
elszakít *[kötelet]* break°; *[textilt]* tear°; (*vkit vkitől*) separate (sy from sy)
elszalad run° away/off
elszáll fly° away/off
elszállít (*vhová*) transport, convey
elszámol (*vmiről/vmivel*) account (for); (*vkivel*) settle accounts (with sy)
elszámolás *[folyamat]* settling/settlement of accounts; *[írásos]* accounts *tsz*
elszánt determined, desperate
elszárad dry, wither

elszédül get°/become° (suddenly) dizzy
elszegényedik become°/ grow° poor
elszigetelt isolated
elszív *[cigarettát]* smoke (a cigarette)
elszomorodik grieve, grow°/become° sad
elszór throw° about, scatter (about)
elszökik escape, run° away
eltakar cover (up)
eltalál (*vhova*) find° the way (to); *[fegyverrel]* hit° (the target/mark)
eltart *[időben]* last; *[gondoskodik]* keep°
eltartás support
eltávolít remove
eltávolodik *[térben]* move/ go° away/off; *átv* become° alienated
eltávozik leave°, go° away
eltelik (*vmivel*) get° full (of sg); *[idő]* pass
eltemet bury
eltép tear° (to pieces)
eltér differ
elterel *[állatot]* drive° away/off; *[forgalmat]* turn aside; *[figyelmet]* distract
eltérés difference
eltérít divert; *[repülőgépet]* hijack; *[figyelmet]* distract
elterjed spread°
elterjeszt spread°
eltérő (*vmitől*) different (from)
eltervez plan
eltesz *[helyére]* put° sg in its place; *[tartósít]* preserve
éltet keep° sy alive; *[megéljenez]* cheer
eltéved lose° one's way
eltéveszt *[pl. célt]* miss; *[összekever]* confuse
eltitkol keep° (sg) secret
eltol move/push away, shift
eltorzít deform
eltorzul become° deformed

eltökélt *[ember]* resolved, determined
eltölt *[időt]* pass
eltör break°
eltörik break°
eltöröl *[edényt]* dry; *[megszüntet]* abolish
eltúloz exaggerate
eltűnik disappear
eltűr tolerate
elutasít (*vmit*) refuse; (*vkit*) turn (sy) down
elutasítás (*vmié*) refusal; (*vkié*) turning down
elutazik (*vhonnan vhova*) leave° (sg for sg)
elültet *[növényt]* plant
elüt *[különbözik vmi vmitől]* differ (from); *[pl. labdát]* hit°; *[jármű]* hit°, run° down
elűz expel, drive° away
elv principle
elvág cut°
elvakít blind; *átv* delude
elválás parting; *[házassági]* divorce
elválaszt separate, part; *[bíró]* divorce; *[szót]* hyphen
elválasztás hyphening
elválaszthatatlan inseparable
elválasztójel hyphen
elválik separate; *[házasfél]* divorce (sy)
elvállal undertake°; *[megbízást]* accept
elvált divorced
elvámol levy duty on (sg)
elvámolnivaló; van ~ja? have you got anything to declare?
elvár (*vkitől vmit*) expect (sy to do sg)
elvarázsol (*vmit/vkit*) cast° a spell (over sg/sy); (*vkit vkivé/vmivé*) turn (sy into sy/sg)
elvégez *[megtesz]* do°; *[befejez, pl. tanulmányokat]* finish
elver (*vkit*) thrash; *[pl. pénzt]* squander

elvesz (*vmit vkitől*) take° sg away/off (from sy); *[feleségül]* marry
elvész be°/get° lost; *[kárba vész]* be° wasted
elveszett lost
elveszt lose°
elvetél miscarry
elvetemült depraved, wicked
élvez enjoy
elvezet (*vmi vhol*) go° past; (*vmit vhonnan*) lead° away
élvezet pleasure
élvezhetetlen unenjoyable
elvi of principle *ut*
elvisel bear°, tolerate
elviselhetetlen unbearable, intolerable
elviselhető tolerable
elvisz *[út vmi mellett]* pass by/near; *[fegyver]* carry; carry away/off; *[vki magával]* take° along
elvon (*vkitől vmit*) deprive (sy of sg); *[figyelmet]* distract (attention) (from)
elvonás *[megvonás]* withdrawal, deprivation
elvont abstract
elvonul *[pl. vihar]* pass; *[tömeg vhonnan]* withdraw°
elvörösödik turn red, blush
elzár (*vmit/vkit vhova*) lock up; *[pl. villanyt]* turn off; *[utat]* close; *[nyílást]* stop (up)
elzárás *[úté]* closing, blocking; *jog* custody
elzárkózik (*vhova*) lock oneself in; *átv* be° reserved
elzsibbad go° numb
e-mail e-mail
ember man (*tsz* men), person, human; *[általános alanyként]* one, people, you, we
emberi human
emberiség humanity
emberrablás kidnapping

emberrabló kidnapper
emberség humanity, benevolence
emberszabású majom anthropoid ape
embrió embryo
emel lift; *[pl. fizetést, árat]* raise
emelet storey
emeletes (-)storeyed; ~ **ágy** bunk-bed
emelkedik (*vhova*) rise° (to); *[út]* climb
emelkedő ▾ *mn* rising ▾ *fn [úté]* rise
emelő lever, lifter
emelvény stand, platform
emészt digest
emésztés digestion
emleget mention repeatedly
emlék *[tárgy]* souvenir; *[visszaemlékezés]* memory
emlékezet memory
emlékezetes memorable
emlékezik (*vkire/vmire*) remember (sy/sg)
emlékeztet *[figyelmeztet vkit vmire]* remind (sy that .../sy to do sg/sy of sg); *[felidéz vkiben vmit/vkit]* resemble sg/sy
emlékkönyv *[kézzel írt]* album; *[tudós tiszteletére]* memorial volume
emlékmű monument
emlékszik (*vkire/vmire*) remember (sy/sg)
említ mention
emlő breast; *[állaté]* udder
emlős *mn, fn* mammal
én ▾ *nm [személyes nm]* I; *[birt. jelzőként]* my ▾ *fn [vki énje]* self (*tsz* selves)
ének song; *[éneklés]* singing
énekel sing°
énekes singer
énekesmadár songbird
énekesnő (female) singer
énekkar chorus, choir
energia energy, power; *[emberi]* vitality, vigour
energikus energetic

enged (*vkinek/vminek*) give° way (to); (*vkinek vmit*) allow (sy to do sg), let° (sy do sg)

engedékeny indulgent, yielding

engedelmes obedient

engedelmeskedik (*vkinek*) obey (sy)

engedély permission; [*pl. vezetői*] licence

engedélyez permit, allow

engedmény [*vitában*] concession; *gazd* discount

engem me

ennek [*birtokos*] of this; [*részeshatározó*] to/for this

ennél [*hely*] at this/that; [*középfok mellett*] than this/that

ennivaló food

enyém mine

enyhe mild

enyhít [*fájdalmat*] ease

enyhítő *jog is* mitigating

enyhül [*fájdalom*] abate

enyhülés [*fájdalomé*] abatement; [*időé*] thaw

ennyi so much/many; ~ **az egész** that's all/it

ép [*egészséges*] healthy; [*egész*] whole

epe bile

eper strawberry

épít build°; *átv* (*vmire*) build° (up)on

építész architect; [*építési vállalkozó*] (general) builder

építészet architecture

építészmérnök architect

építkezés building, construction

építkezik build°

építőanyag building material

epizód incident, episode

éppen just

épül (*vmi*) be° built/constructed; *átv* (*vmire*) be° founded/based on

épület building

ér[1] *fn* [*véredény*] blood-vessel; [*bányában*] vein;

[falevélen] rib; *[patak]* brook(let); *[kábelé]* heart
ér² *ige (jut vhová)* get° to; (*vmeddig*) reach (sg); *[vmihez ér]* touch (sg); *[értéket]* be° worth (sg)
érc ore
erdei wood, forest
érdek interest
érdekel be° interested (in sg)
érdekelt interested, concerned
érdekeltség *[állapot]* interest; *[vállalat]* concern
érdekes interesting
érdeklődés *[figyelem]* interest; *[tudakozódás]* inquiry
érdeklődik (*vmi iránt*) take° interest (in sg); *[tudakozódik vmi után]* inquire (about)
érdeklődő ▾ *mn* inquiring ▾ *fn* inquirer
Erdély Transylvania
erdélyi *mn, fn* Transylvanian
érdem merit
érdemel deserve, be° worthy (of)
érdemes (*vmire*) worthy of ... *ut*
érdes rough; *[hang]* harsh
erdész forester
erdő wood; forest
ered *[folyó]* have° its source (in); *[időben]* date from; *átv* (*vmiből*) derive (from)
eredet *[folyóé]* source; *átv* origin
eredeti original
eredetileg originally
eredetiség originality
eredmény result
eredményes fruitful, successful
eredményez result (in)
eredménytelen fruitless, unsuccessful
erélyes forceful, energetic(al)
érem medal
erény virtue

eresz eaves *tsz*
ereszkedik descend
ereszt (*vhová, vhonnan*) let° go/pass
éretlen unripe; *átv* immature
érett ripe; *átv* mature
érettségi ▾ *mn* ~ **bizonyítvány** certificate of baccalaureate ▾ *fn* baccalaureate
érettségizik take° the baccalaureate
érez feel°
érik ripen
érint touch; [*érzelmileg*] concern
érintetlen untouched; [*egész*] whole
érintkezés contact
érintkezik be° in contact (with sy); (*vkivel*) communicate (with sy)
erjed ferment
erkély balcony; [*színházban*] circle
erkélyülés dress-circle seat
érkezés arrival
érkezik (*vhova*) arrive (in v. [*kisebb helyre*] at)
erkölcs morals *tsz*
erkölcsi moral
érlel ripen
érme coin
ernyő [*eső ellen*] umbrella; [*nap ellen*] parasol; [*lámpáé*] shade
erő power, strength
erőd fortress
erőfeszítés effort, endeavour
erőlködik make° every effort (to do sg); exert oneself (to)
erőltet (*vmit vkire*) force (sg on sy); [*vmi elvégzését*] insist on (sg); [*vmely szervét*] strain
erőmű power station
erős strong, powerful; [*étel*] hot
erősít strengthen; (*vmit vmihez*) fasten (to)
erősítés strengthening; (*vmihez*) fastening (to)
erősítő ▾ *mn* strengthen-

ing ▼ *fn* *[szer]* tonic; *műsz* amplifier
erősödik get°/become° stronger
erősség *[erő]* strength; *[erőd]* fort(ification)
erőszak violence, force
erőszakos violent
erőtlen weak, faint
erre *[vmire rá]* on this; *[ezt illetően]* concerning/about this; *[irány]* this way
errefelé *[irány]* in this direction; *[vhol itt]* hereabouts
erről *[vmiről le]* from/off this; *[irány]* from this direction; *átv* (*vmiről*) about this
erszény purse
ért understand°; (*vmihez*) be° skilled (in sg)
érte for sy/sg; *[érdekében]* for sy's sake; *[miatta]* on sy's account
érték value; *[eszmei]* worth; *[vagyontárgy]* valuables *tsz*
értékel *[felbecsül]* estimate, value; *[megbecsül]* appreciate
értékes valuable
értékesít sell°; *átv* make° use of
értekezlet meeting
értékpapír securities *tsz*
értéktárgy valuables *tsz*
értéktelen worthless
értelem *[ész]* intelligence; *[jelentés]* meaning, sense
értelmes intelligent
értelmetlen *[beszéd]* unintelligible, meaningless, senseless
értelmez interpret, explain
értelmi intellectual
értelmiség the intellectuals *tsz*
értelmiségi *mn, fn* intellectual
értesít (*vmiről vkit*) no-

tify (sy of sg), inform (sy of sg)
értesítés notification
értesül (*vmiről*) be° informed (of sg)
értesülés information *esz/tsz*, news *esz/tsz*
érthetetlen incomprehensible
érthető comprehensible
érv argument
érvel argue
érvelés argumentation
érvényes valid
érvényesít [*érvényre juttat*] enforce; [*érvényessé tesz*] validate
érvényesül (*vki*) succeed, make° one's way; [*vki akarata*] prevail; [*pl. szín*] be° effective
érvénytelen invalid
érverés pulse
érzék sense
érzékel perceive
érzékeny (*vmire*) sensitive (to)
érzéketlen [*testileg*] insensible (to); [*lelkileg*] insensitive (to)
érzéketlenség [*testi*] insensibility; [*lelki*] insensitiveness
érzéki [*érzékekkel kapcsolatos*] sensuous; [*buja*] sensual, lewd
érzékszerv organ of sense
érzelem sentiment
érzelgős sentimental, soppy
érzelmes sentimental
érzés feeling; [*benyomás*] impression
érzéstelenít *orv* anaesthetise
érzéstelenítés *orv* [*folyamat*] anaesthetisation
és and
esedékes due
esély chance
esélyes ▾ *mn* having a (good) chance *ut* ▾ *fn* probable winner
esélytelen having no chance *ut*
esemény event

esernyő umbrella
esés fall; *[áré]* drop
eset case, event; *[ügy]* affair
esetleg perhaps, possibly
esetleges possible, accidental
esetlen awkward
esik fall°; *[pl. időpont vmire]* fall° on; *[eső]* rain; **(vkinek vmi) rosszul ~** hurt° sy's feelings, hurt° sy
esket *[házasulókat]* marry
eskü oath
esküszik (*vkire/vmire*) swear° (by/on)
esküvő wedding
esküvői torta wedding cake
eső ▾ *mn* falling ▾ *fn* rain
esőkabát raincoat
esős rainy
est evening
este ▾ *fn* evening ▾ *hsz* in the evening
estefelé towards evening
esteledik it is getting dark
estély (evening) party
estélyi ruha evening dress
ész reason
észak North (*röv* N)
északi northern
Északi-sark North Pole
északkelet north-east (*röv* NE)
északkeleti north-east(ern)
északnyugat north-west (*röv* NW)
északnyugati north-west(ern)
eszes bright, clever
eszik eat°, have° one's meal
eszkimó Inuit
eszköz instrument; *átv* means *esz/tsz;* **anyagi ~ök** resources, means
észlel observe, perceive
eszme idea, concept
eszmecsere exchange of views
eszméletlen *[ájult]* un-

conscious; *biz [döbbenetes]* fantastic
eszmény ideal
észrevesz notice, observe
észrevétel observation; *[megjegyzés]* comment, remark
ésszerű reasonable, rational
észt *mn, fn* Estonian
esztendő year
Észtország Estonia
étel food, meal
etet (*vkit*) give° sy sg (to eat); *[állatot is]* feed°
étkészlet dinner set
étkezés meal
étkezik eat°, have° a meal
étkező eating-house; *[üzemi]* canteen; *[iskolai]* dining hall
étlap menu
étolaj cooking oil
étterem restaurant
étvágy appetite
Európa Europe
európai *mn, fn* European; **E~ Unió** European Union (*röv* EU)
év year
évad season
evés eating
éves ... years old *ut;* **tíz ~ korában** at the age of ten
evez row
evező ▾ *mn* rowing ▾ *fn* *[aki evez]* oarsman (*tsz* -men); *[eszköz]* oar
évezred millennium
évfolyam *[folyóiraté]* volume (*röv* vol.); *okt* class
évforduló anniversary
évjárat *[boré]* vintage; *[személyek]* generation
evőeszközök cutlery *esz*
evőkanál tablespoon (*röv* tbsp)
évszak season
évszám date
évszázad century
évtized decade
expedíció expedition
export exports *tsz,* exportation
exportál export

expresszvonat express (train)
ez this (*tsz* these)
ezalatt *[időben]* meanwhile, in the meantime
ezen ▾ *hsz* (*vmin*) at/on this ▾ *nm [ez]* this (*tsz* these)
ezenkívül in addition, besides
ezennel hereby, herewith
ezentúl from now on, henceforth
ezer (a/one) thousand
ezért for this; *[ok]* therefore; *[cél]* for this (purpose)
ezred *kat* regiment; *[rész]* thousandth part
ezredes colonel (*röv* Col.)
ezrelék (one) thousandth
ezután *[ezentúl]* from now on, henceforth
ezüst silver
ezzel with this; *[időben]* on this

F

fa tree; *[anyag]* wood
faág branch
fácán pheasant
faggat interrogate (closely)
fagy ▾ *fn* frost ▾ *ige* freeze°
fagyálló ▾ *mn* frost-resistant/proof ▾ *fn* *[folyadék]* antifreeze
fagyaszt freeze°
fagyasztóláda (chest) freezer
fagyasztott frozen
fagylalt ice-cream
fagylaltozó *[helyiség]* ice-bar
fagyos *[idő]* frosty; *átv* *[tekintet]* chilling
fagyöngy mistletoe
fagypont freezing-point
faház cabin; *[lakóház]* wooden house
fahéj *[fűszer]* cinnamon
faj *biol* species *esz/tsz;* **az emberi ~** the human race; *[válfaj]* type
fáj hurt°; *[vkinek vmi lelkileg]* pain (sy)
fájdalmas painful; grievous
fájdalom *[testi]* pain; *[lelki]* grief
fájdalomcsillapító painkiller
fájl file
fajta sort; *biol* variety; *[jelzőként]* of the ... kind/type *ut*
fakad *[forrás]* spring° (from); *átv* (*vmiből*) spring°/arise° (from)
fakanál wooden spoon
fáklya torch
fakó pale, faded
fakul fade
fakultatív optional

fal[1] *fn* wall
fal[2] *ige* devour
falánk greedy
falat mouthful
falaz put° up a wall (v. the walls)
falevél leaf (*tsz* leaves)
falfestmény wall-painting, mural
faliújság notice-board
falu village
falubeli villager
falusi ▾ *mn* village ▾ *fn* villager
falusias rural
fánk doughnut
fantasztikus fantastic, incredible
fantázia imagination
fanyar tart; *átv [pl. mosoly]* wry
far *[emberé]* bottom; *[hajóé]* stern
fárad *[lankad]* get° tired; *[fáradozik vmivel]* take° pains (to do sg)
fáradozik (*vmivel*) take° pains (to do sg)
fáradság *[fáradozás]* pains *tsz,* trouble, effort
fáradt exhausted, tired
fáradtság exhaustion, tiredness
farag *[fát, szobrot]* carve; *[követ]* hew
fáraó pharaoh
fáraszt exhaust, tire
fárasztó exhausting, tiring
farkas wolf (*tsz* wolves)
farm farm
farmer farmer; *[nadrág]* jeans *tsz*
farok tail
farol *[hátrafele halad]* reverse; *[jármű megcsúszik]* skid
farsang carnival (time)
fasor avenue
fásult (*vmi iránt*) indifferent (to)
faszén charcoal
fatörzs (tree-)trunk
fátyol veil
favágó *[erdőn]* woodman (*tsz* -men); *[tűzifáé]* woodcutter

fax fax
faxol fax
fazék pot
fazekas potter
fázik be°/feel° cold
fazon cut
február February (*röv* Feb.)
fecseg chatter
fecske swallow
fecskendő *orv* (hypodermic) syringe; *[tűzoltóké]* (fire-)hose
fed *(vmivel)* cover (with sg); *[tetőt]* put° a roof on
feddhetetlen irreproachable, blameless
fedél *[dobozé, edényé]* lid; *[könyvé]* cover; *[házé]* roof
fedélzet deck
fedetlen *[testrész]* uncovered, naked; *[ház]* roofless
fedett covered; *[ház]* roofed; ~ **uszoda** indoor (swimming-)pool
fedez *kat, gazd* cover
fedezék entrenchment
fedezet *gazd* security; *kat* cover
fedő cover; *[edényen]* lid
fegyelem discipline
fegyelmez discipline, keep° under discipline
fegyelmezetlen undisciplined
fegyelmezett disciplined
fegyver weapon
fegyveres armed
fegyverkezés military preparations *tsz*
fehér white
fehérbor white wine
fehérje protein; *[tojásé]* white of egg
fehérnemű underwear
Fehéroroszország White Russia, B(y)elorussia
fej[1] *fn átv is* head; **~be vág (vkit)** knock sy on the head; **~ben tart (vmit)** keep° sg in mind; **fel a ~jel!** cheer up!; **~ vagy írás** heads

or tails; **(vminek) a ~ében** in return (for sg)

fej² *ige [tehenet]* milk

fejedelem (ruling) prince

fejel *[labdát]* head (the ball)

fejenállás head-stand

fejes ▾ *mn* **~ káposzta** cabbage; **~ vonalzó** T-square ▾ *fn [futballban, fejesugrás]* header; **~t ugrik** take° a header

fejezet chapter (*röv* chap.)

fejfájás headache

fejhallgató headphone(s) *US* headset

fejleszt develop; *[pl. áramot]* generate

fejletlen undeveloped, underdeveloped

fejlett *[testileg]* fully/well developed

fejlődés development, evolution; progress

fejlődik develop

fejpánt headband

fejsze axe

fejt *[varrást]* undo°; *[babot]* shell; *[rejtvényt]* solve (puzzle); *[követ]* quarry

fejtörő puzzle

fék *[járműé]* brake; *átv* obstacle

fekete ▾ *mn* black ▾ *fn [kávé]* black coffee; *[ember, szín]* black

feketepiac black market

feketerigó blackbird

fékez put° on the brakes; *átv [indulatot]* bridle

fekszik lie

féktelen wild

fekvés lying; *[vidéké]* situation

fekvőhely bed

fel up

fél¹ *fn* half (of sg) (*tsz* halves); *[rész, oldal]* side, part; *[ügyfél] gazd* customer; *[perben]* party

fél² *ige* (*vmitől/vkitől*) be° afraid (of sg/sy); fear sg/sy

felad *[kézzel vmit]* hand/pass sg up; *[levelet]* post; *[várat]* surrender; *átv [pl. reményt]* give° up

feladat task; *okt* exercise(s)

feladó *[pl. levélé]* sender

felajánl (*vkinek vmit*) offer (sg to sy v. sy sg)

felakaszt (*vmit vmire*) hang° up (*múlt idő* hung up) (on); *[embert]* hang (*múlt idő* hanged)

feláldoz sacrifice, devote

feláll (*vmire*) get°/stand° up (on sg)

félállás part-time job

felállít stand° sg upright; *[sátrat]* set° up; *[gépet]* install; *[intézményt]* found; *[rekordot]* set° (up)

felaprít cut° up

félárú *[pl. jegy]* half-price (ticket)

felás dig° (up)

felavat *[új tagot]* initiate; *[pl. épületet]* inaugurate

felbecsül estimate; appraise

felbecsülhetetlen inestimable, priceless

félbehagy leave°/break° off

félbemarad be° broken off

félbeszakad be° broken off, be° stopped suddenly

félbeszakít *[pl. beszédet]* interrupt

felbomlik *[pl. varrás]* come° apart; *[házasság]* break up; *[szervezet]* dissolve

felbont *[kinyit]* open; *[részeire]* break° down; *[szerződést]* cancel

felborít knock over; *átv [pl. tervet]* upset°

felborul turn over; *[pl. terv]* be° upset

felbosszant make° (sy) angry

felbukkan (*vki/vmi*) appear (suddenly)
félcipő shoes *tsz*
felcsendül be° heard
felcsillan gleam, flash
feldarabol cut° into pieces; *átv* divide up
felderít *[felvidít]* cheer (up); *[tisztáz]* clear up; *[felkutat]* find° out
felderítő ▾ *mn* exploratory ▾ *fn* scout
felderül *[felvidul]* cheer up
feldíszít decorate
feldob foss
feldolgoz *[iparban]* process; *[hulladékot]* recycle
feldől fall° over
feldönt knock over
feldúl *[végigpusztít]* ravage; *[boldogságot]* destroy
feldúlt *[ország]* ravaged; *[lelkileg]* (very) upset
feldühít make° (sy) angry
felé *[térben]* towards; *[környékén]* near; *[időben]* towards
felébred *[alvásból]* wake° up; *[vágy]* awaken
felébreszt *[alvásból]* wake° (up); *átv* arouse
feledékeny forgetful
felejt forget°
felejthetetlen unforgettable
felekezet denomination
felel answer; *[felelős vkiért/vmiért]* be° responsible (for sy/sg)
félelem fear (of sg)
felélénkít revive, vivify
felelet answer
félelmetes fearful, frightening, formidable
felelős ▾ *mn* (*vmiért vkinek*) responsible (for sg to sy) ▾ *fn* person in charge (of sg)
felelősség responsibility (for sg)
felelőtlen irresponsible
felemás *[páros tárgy]* odd
felemel *[magasra]* lift (up); *[pl. árat]* raise
felemelkedik *átv is* rise°; *[repülőgép]* take° off

félénk shy
felépít *[megépít]* build°; *átv* build° up
felépül *[megépül]* be° built/completed; *[meggyógyul]* recover
feleség wife (*tsz* wives)
felesel answer back
felesleg surplus; *[maradék]* residue
felesleges *[több]* superfluous
felett above; *[vmin túl/át]* over; **~e áll (vminek)** *átv* be° above sg
felettes superior
félév *okt* semester, term
felez halve
felfal eat° up, devour
felfedez *[vmi újat]* discover; *[észrevesz]* detect, notice
felfedezés *[vmi újé]* discovery; *[észrevétel]* revelation
felfedező discoverer
felfelé upwards; *[dombon]* uphill; *[folyón]* upstream
felfigyel (*vmire/vkire*) take notice of sg/sy
felfog *[megért]* grasp, comprehend
felfogás *[felfogóképesség]* grasp; *[vélemény]* opinion
felfoghatatlan incomprehensible
felfordít turn over
felfordul turn over; **(vmitől) ~ a gyomra** (sg) makes his/her stomach turn
felfordulás *[zűrzavar]* confusion; *[pl. lakásban]* mess
felforr (come° to the) boil
felforral boil (up)
felfrissít refresh; *[felújít]* renew; *[készletet]* restock; *[nyelvtudást]* brush up
felfrissül be°/feel° refreshed

felfúj *átv is* inflate
felfüggeszt *[tárgyat]* hang°/ hook up; *[állásából]* suspend; *[pl. eljárást]* stay
félgömb hemisphere; **déli ~** southern hemisphere; **északi ~** northern hemisphere
felgyújt set° fire (to sg); *[lámpát]* turn/switch on (the light)
felháborító outrageous
felháborodás indignation
felháborodik (*vmin/vmi miatt*) be° indignant (at sg)
felhajt *[járművel]* drive° up; *[szélét vminek]* turn up
felhajtás *[ruhaszegélyé]* hem; *biz [hűhó]* fuss
felhangzik (re)sound
felharsan sound
felhasznál *[elhasznál]* use up; *[alkalmaz]* use
felhatalmaz (*vkit vmire*) empower/authorise sy to do sg
felhatalmazás *[feljogosítás]* authorization; *jog [meghatalmazás]* authority
felhív (*vkit vhova*) call for sy to come up; *[telefonon]* ring° sy (up); *[felszólít vmire]* call upon (sy to do sg)
felhívás *[felkérés, felszólítás]* summons; *[hirdetmény]* warning, notice
félhold half-moon
félhomály semi-darkness, twilight
felhoz *átv is* bring° up
felhő cloud
felhőkarcoló skyscraper
felhős cloudy
felhőtlen cloudless, clear
felhúz *[magasba húz]* draw°/pull up; *[ruhát]* put° on; *[pl. órát]* wind° up
felidéz recall, evoke
félidő *sp* half (*tsz* halves)
félig partly
felingerel stir up, irritate

felír *[feljegyez]* write° down; *[gyógyszert vmire]* prescribe (for sg)

felirat *[síron, szobron]* inscription; *[filmen]* (sub) titles *tsz; [csomagon]* label

feliratos *[film]* subtitled

felismer (*vmit/vkit vmiről*) recognise (sg/sy by sg); *[rájön vmire]* realise (sg)

felismerés recognition

felismerhetetlen unrecognisable

felizgat excite; *[szexuálisan]* turn (sy) on

feljebb higher (up)

feljegyez note (down)

feljegyzés *[jegyzet]* note, memo

feljelent (*vkit*) report (sy)

feljelentés reporting

feljön (*vki vhova*) come° (up) to; *[nap, hold]* rise°; *[csillag]* come° out; *[felszínre]* come° to the surface

feljut (*vhova*) manage to reach sg

felkap *[tárgyat vhonnan]* snatch (up); *[ruhadarabot]* put° on hastily

felkapaszkodik (*vhova/vmire*) climb (up)

felkarol *[ügyet]* espouse, promote; (*vkit*) back (up), support

felkavar *átv is* stir up

felkel *[fekvő/ülő]* get° up; *[égitest]* rise°; *[nép]* rise° (up)

felkér (*vkit vmire*) ask/request (sy to do sg)

felkeres (*vkit*) visit (sy), call on sy

felkérés request

félkész semi-finished, semi-manufactured

felkészít *sp is* coach (sy for sg)

felkészül (*vmire*) prepare (for sg)

felkiált cry out

felkiáltójel exclamation mark

felkínál offer
félkör semicircle
felköt tie up
felkutat search (for sy/sg); *[kinyomoz]* track sy/sg down; *[új területet]* explore
fellángol flame up, burst° into flames
fellázad (*vki/vmi ellen*) rebel/rise° (against sy/sg)
fellebbez (*vhova*) appeal to
fellélegzik breathe (freely) again
fellendít *átv* promote, advance
fellendül *átv* prosper, flourish
fellép (*vmire*) step up (onto sg); *átv [színpadon]* play, perform
fellépés *átv [pl. színpadon]* appearance; *[viselkedés]* behaviour
felmegy (*vhová/vmin*) go° up; *[pl. függöny, ár]* rise°; *[láz]* go° up
felmelegít warm up, heat
felmelegszik warm up
felment (*vmi alól*) exempt (sy from sg); *[eskü alól]* release/free sy (from his oath); *[pl. állásból]* dismiss; *[vádlottat]* acquit of sg
felmér measure; *[földterületet]* survey; *[tudást]* test; *átv* size up
felmérés *[területé]* surveying; *[vizsgálat]* survey
felmerül *[víz alól]* come° to the surface; *átv is* emerge; arise°
felmond *[leckét]* recite (one's lessons); *[bérlőnek, munkavállalónak]* give° sy notice to leave/quit; *[szerződést]* cacel
felmondás *[leckéé]* reciting; *[bérlőnek, munkavállalónak]* notice (to leave/to quit)
felmos *[padlót]* wash up, mop up

felmutat *átv is* show°
felnagyít *[pl. fényképet]* enlarge; *átv* exaggerate
félnapi half a day's
félnapos half a day's; *[pl. állás]* half-time, part-time
felnevel bring° up
felnő (*vki*) grow° up; *átv [pl. feladathoz]* rise° (to)
felnőtt ▾ *mn* grown-up ▾ *fn* adult
felnőttkor adult age
felold *[folyadékban]* dissolve; (*vkit vmi alól*) exempt (sy from sg); *[tilalmat]* lift
feloldódik *[folyadékban]* melt°, dissolve; *átv* relax
felolvas *[hangosan]* read° (out); *[előadást]* read° a paper
felolvaszt melt°
félóra half an hour, half-hour
feloszlat *[testületet]* dissolve; *[csoportosulást]* disperse
feloszlik *[testület]* dissolve; *[részekre]* be° divided (into)
feloszt *[vmit részekre]* divide (into); *[vkik között]* distribute (among); *[osztályoz]* classify
felől *[vhonnan]* from; (*vkiről/vmiről*) about
felöltöztet dress; *átv* clothe (sy)
felöltözik dress, get° dressed, put° on one's clothes
félpanzió half-board
felperes plaintiff
felpróbál try on
felragaszt stick° on
felrak (*vmire*) put° up/ on; *[szállítmányt járműre]* load (sg on sg); *[egymásra]* pile/heap up
felráz shake° up; *[vkit álmából]* shake° sy (out of one's sleep); *átv* stir up
félre aside
félreáll *[útból]* step aside; *átv is* get° out of the way

félreállít set° aside; *átv is* put° out of the way
félrebeszél rave, be° delirious
félreért misunderstand°
félreértés misunderstanding
félreeső out-of-the-way
félreismer misjudge
félrelép *[ellép]* step aside; *[rosszul lép]* misstep; *[házasságot tör]* be° unfaithful
félrelök push aside
félretesz *[pénzt is]* put° away/aside; *[munkát]* lay° aside
félrevezet mislead°
felriad wake° up with a start
felrobban explode, blow° up
felrobbant explode, blow° up
felrúg kick over; *[pl. szabályt]* disregard (the regulations)
felruház *[ruhával ellát]* clothe; *átv (vkit vmivel)* invest (sy with sg)
felség majesty
felséges *[pompás]* splendid
felsorol list, enumerate
felsorolás *[cselekvés]* enumeration; *[lista]* list
felső upper, higher
felsőbb higher
felsőbbrendű superior
felsőfokú; ~ nyelvvizsga advanced-level language examination; **~ végzettség** university degree
felsőoktatás higher/tertiary education
felszabadít set° free, liberate
felszabadul get° free, be° liberated; *átv [megkönnyebbül]* be° relieved
felszáll fly° up; *[vonatra]* get° (into/on/onto); *[lóra]* mount (a horse); *[köd]* lift
felszámít (*vkinek vmit*) charge (sy for sg)

felszámol *[céget]* wind° up; *[jelenséget]* do° away with; (*vkinek vmit*) charge (sy for sg)
felszárad dry° (up)
felszed pick/take° up
felszeletel slice (up)
felszerel *[üzembe helyez]* install; *[készlettel]* supply/provide with
felszerelés *[folyamat]* equipping; *[üzembehelyezés]* installation; *[tárgyak]* accessories *tsz*
félsziget peninsula
felszín surface
felszínes superficial; *[sekélyes]* shallow
felszólal *[pl. gyűlésen]* rise° to speak
felszólalás speech
felszolgál *[ételt]* serve (up)
felszólít (*vmire*) call upon (sy to do sg)
felszólítás call
felszólító mód imperative
félt (*vkit*) be° concerned (for/about sy), fear (for sy)
feltalál *[felfedez]* invent; **~ja magát** quickly find° one's feet
feltaláló inventor
feltámad *[életre kel]* rise° again, rise° from the dead; *[szél]* get° up, rise°
feltámadás *vall* Resurrection
feltámaszt *[életre kelt]* raise from the dead; *[alátámaszt]* prop up
feltár open up; *[régész]* excavate; *átv [helyzetet]* reveal (one's heart to sy); *[szívét vki előtt]* open
feltart *[magasba]* hold° up; *[akadályoz vkit vmiben]* keep° (sy from sg)
feltartóztat *[akadályoz vkit vmiben]* keep° (sy from sg); *[útonálló]* hold° up
feltárul open (wide); *[pl. ajtó]* fly° open; *[rejtély]* come° to light

félteke hemisphere; **déli ~** southern hemisphere; **északi ~** northern hemisphere

féltékeny (*vkire/vmire*) jealous (of sy/sg)

féltékenység jealousy

feltesz (*vmit vhová*) [*ételt főni is*] put° (sg on); **~ egy kérdést (vkinek)** ask sy a question, put° a question (to sy); [*feltételez*] suppose; *ját* stake (on)

feltétel condition, term

feltételes conditional; **~ mód** conditional

feltételez [*feltesz*] suppose; (*vkiről vmit*) suppose sy (to be) sg

feltételezés supposition

feltétlen absolute, unconditional

feltéve; ~, hogy ... provided/supposing/on condition that ...

feltevés [*feltételezés*] supposition; [*pl. kérdésé*] putting (of the question)

feltölt [*folyadékkal*] fill (up); [*akkumulátort*] (re)charge (battery); *inform* upload

feltöltődik *elektr* charge (up)

feltör [*erővel kinyit*] break° open; [*diót*] crack; [*feldörzsöl*] chafe; [*víz*] rush/well up; *átv* (*vki*) forge ahead

feltöröl wipe/mop up

feltúr dig° up; [*végigkutat*] turn everything upside down

feltűnés [*felbukkanás*] appearance (of sg); [*szenzáció*] sensation

feltűnik [*megjelenik*] appear; *átv* [*feltűnést kelt*] strike° the eye

feltűnő conspicuous

feltüntet [*írásban stb.*] indicate; (*vhol/vmin*) make° sg appear (as)

felugrik [*magasba*] jump/spring° up; (*vkihez*) drop in (on sy)

felújít renew, revive
felújítás renovation, revival
félúton midway, half-way
felügyel (*vkire/vmire*) look after, watch over, supervise
felügyelet supervision, control
felügyelő superintendent; *[rendőrfelügyelő]* (police) inspector
felül[1] *hsz, nu* above, over
felül[2] *ige* sit° up; *[lóra]* get° on
felülbírál revise, re-examine
felület surface
felületes superficial
felüljáró overpass, flyover
felülmúl (*vkit vmiben*) surpass (sy in sg)
felülvizsgál revise, check up; *[gépet]* examine
felvág cut° up/open
felvágott *[hideg]* (slices of) cold meat
felvált *[pénzt]* change (a banknote); (*vkit*) take° the place of
felváltva by turns
felvesz *[fölemel]* take°/pick up; *[ruhát]* put° on; *[pénzt bankban]* draw°; *[munkahelyre]* take° on; *[adatokat]* take° down; *[egyetemre]* admit; **(vkivel) ~i a kapcsolatot** get° in touch (with sy)
felvétel *[munkahelyre]* employment; *[egyetemre]* admission; *[pénzé számláról]* withdrawal; *[fénykép]* photograph; *[film]* shooting; *[hangfelvétel]* recording
felvételi ▾ *mn* **~ beszélgetés** interview (with) ▾ *fn* *[vizsga]* entrance examination
felvidít cheer (up)
felvilágosít (*vkit vmiről*) inform (sy about sg)
felvilágosítás *[tájékoztatás]* information

felvonás *szính* act
felvonul march
felvonulás *[ünnepélyes]* procession; *[tüntetés]* demonstration
felzaklat upset°
felzárkózik (*vkihez*) catch° up (with sy)
felzúdul flare up, get° into a rage
felzúdulás indignation, outcry
fém metal
fenék *[emberé is]* bottom
feneketlen bottomless; *átv* fathomless
fenn above, up; *[emeleten]* upstairs
fennakad *[beleakad]* get° caught; *[megakad vmin]* stop
fennakadás *[közlekedésben]* traffic jam
fennáll exist
fennmarad *[nem szűnik meg]* survive; *[nem fogy el]* remain
fennsík plateau
fenntart *[helyet]* reserve; *[pl. kapcsolatot]* maintain
fenntartás *[családé]* keeping; *[pl. kapcsolaté, intézményé]* maintenance; *[kikötés]* condition, reservation
fenség *[cím]* Highness
fenséges majestic
fent above, up; *[emeleten]* upstairs
fenti above; *[fent említett]* the above(-mentioned)
fény light; *átv* splendour
fenyeget (*vkit vmivel*) threaten (sy with sg)
fenyegetés threat
fenyegető threatening; *[veszély]* impending
fényes shining; *átv* splendid
fényesít polish
fénykép photo(graph)
fényképész photographer
fényképez (*vkit/vmit*) take°

a photo(graph) (of sy/sg), photograph
fényképezőgép camera
fénykor golden/heyday age
fénylik shine°
fénymásol (*vmit*) make° a photocopy (of sg)
fénymásolat photocopy
fénymásoló *[gép]* (photo)-copier
fenyő pine (tree), fir (tree)
fenyőfa pine (tree), fir (tree); *[anyag]* pine-(wood)
fényszóró *[autón]* head-light(s)
fényűző luxurious
fér (*vmibe*) fit into sg
fércel baste
ferde leaning (to one side), slanting, inclined
féreg worm; *átv* creep
férfi man (*tsz* men); *[jelzőként]* male
férfias manly
férj husband; **~hez megy (vkihez)** get° married (to sy)
fertőtlenít disinfect
fertőtlenítőszer disinfec-tant
fertőz infect, be° infec-tious
fertőzés infection
fertőző infectious
fest paint
festék paint; *[arcra]* make-up
festés-mázolás decora-tion
festészet painting
festmény picture, painting
festő *[művész]* artist, painter; *[szobafestő]* house-painter
fésű comb
fésül comb
fésülködik do°/comb one's hair
fészek nest
feszélyez embarrass
fészer shed
feszes *[ruha]* tight; *[kö-tél]* taut; *[tartás]* upright
fesztelen relaxed, unin-hibited

feszült stretched; *átv* tense
feszültség *[feszült állapot]* tension, strained relations; *elektr* voltage
fiatal ▾ *mn* young ▾ *fn* young person, youth
fiatalember young man (*tsz* men)
fiatalkor youth
fiatalkorú youthful, juvenile
fiatalos youthful
fiatalság *[életkor]* youth; *[állapot]* youthfulness; *[fiatalok]* young people *tsz*
ficánkol *[ló]* prance, frisk; *[hal]* splash about; *átv [vidáman]* frisk about
fickó fellow, guy, bloke
figura figure; *[sakkban]* (chess-)piece
figyel listen; (*vkit*) watch (sy); (*vmire*) follow sg with attention
figyelem attention
figyelmes attentive; *[udvarias]* thoughtful
figyelmetlen inattentive; *[nem udvarias]* inconsiderate
figyelmeztet (*vkit vmire*) call/draw° sy's attention to sg; *[eszébe juttat]* remind (sy of sg v. to do sg)
figyelmeztetés warning, notice; reminder
filctoll felt-tip (pen)
filé fillet
film film; *[mozifilm]* picture, movie
filmrendező director
filmsztár film star
filmvetítés screening
filter filter
filteres tea tea bag
finanszíroz finance; *[támogat]* sponsor
finn ▾ *mn* Finnish ▾ *fn* *[ember]* Finn; *[nyelv]* Finnish
Finnország Finland
finom fine; *[kifinomult]* refined; *[tapintatos]* tactful

finomság fineness; *[ízlésé]* refinedness; *[étel]* delicacy

fintor grimace

finnyás fastidious, picky

fiók drawer; *[pl. banké]* branch

firkál scribble

fiú (young) boy; *[vki fia]* son; *[lány fiúja]* boyfriend

fiútestvér brother

fivér brother

fizet pay°; *átv is* (*vmiért*) pay° for sg; *[pl. étteremben]* **~ek!** the bill, please!

fizetés *[cselekvés]* payment; *[illetmény]* salary, wages *tsz*

fizetésemelés rise (of/in salary)

fizetési; ~ kedvezmény discount; **~ feltételek** terms of payment; **~ részlet** instalment

fizetésképtelen insolvent

fizetőkapu *[autópályán]* toll gate

fizika physics *esz*

flopi floppy disk

flotta fleet

foci soccer

focista soccer player

focizik play soccer

fodor *[ruhán]* frill; *[vizen]* ripple

fodrász hairdresser

fodrásznő woman hairdresser (*tsz* women hairdressers)

fodrászüzlet hairdresser's (salon)

fodros frilled; *[víz]* ripply; *[felhő]* fleecy

fog[1] *fn* *[tárgyaké is]* tooth (*tsz* teeth); **fáj a ~a** have° (a) toothache

fog[2] *ige [tart]* hold°; *[megragad]* take°, grasp; *[állatot]* catch°; *[pl. tévéadást]* get°; (*vmibe/vmihez*) begin° to do (sg), take° up (sg)

fog[3] *segédige* will/shall, be° going to

fogad *[pl. vendéget]* receive; *[elfogad]* accept; (*vkivel vmiben*) bet° (sy sg); **örökbe ~** adopt (sy); **(vkinek) szót ~** be° obedient (to sy)

fogadalom oath, pledge

fogadás *[vendéglátás]* reception; *[pl. pénzben]* bet

fogadó inn; *[pl. szerencsejátékban]* punter

fogadóóra consulting hours *tsz*

fogadós innkeeper

fogadtatás welcome

fogalmaz compose, draft

fogalmazás *[folyamat]* drafting; *[szöveg]* draft, composition

fogalom idea; *fil* concept

fogamzásgátló contraceptive

fogantyú handle; *[járművön]* strap

fogas[1] *[kabátnak]* coatrack; *[fogaskerekű vasút]* cogwheel railway

fogas[2] *[hal]* zander

fogás *[étel]* course; *[ravaszság]* trick; *[vmi tapintása]* touch

fogaskerék cogwheel

fogaskerekű *[vasút]* cogwheel railway

fogászat *[rendelő]* dental surgery/clinic

fogászati dental

fogat carriage, coach

fogékony (*vmire*) sensitive (to sg)

fogfájás toothache

fogkefe toothbrush

fogkrém toothpaste

foglal *[lefoglal]* seize; **helyet ~** take° a seat; **magában ~** include

foglalat *elektr* socket; *[drágakőé]* setting

foglalkozás occupation; *[tevékenység]* activity

foglalkozik be° occupied/engaged in (doing) sg; *[írás vmivel]* treat (sg);

[tanulmányoz vmit] study (sg); *[érdeklődik vmi iránt]* be° interested (in sg)

foglalkoztat *[dolgozót]* give° employment/work (to sy); (*vkit vmi*) be° concerned (about sg)

foglaló *[pénz]* deposit, advance payment

foglalt *[pl. hely]* occupied; *[személy]* engaged, busy

fogó *[kombinált ~, lapos~]* wrench, spanner; *[harapó~]* pincers *tsz*

fogócska a game of tag/tig

fogócskázik play tag/tig

fogózkodik (*vkibe/vmibe*) hold° (on)to

fogoly[1] prisoner; *[jelzőként is]* captive

fogoly[2] *[madár]* (grey) partridge

fogorvos dentist

fogpiszkáló toothpick

fogság captivity

fogy lessen; *[áru]* sell°; *[súlyt veszít]* lose° weight; *[hold]* wane

fogyaszt *[elhasznál]* use up; *[eszik/iszik]* consume

fogyasztás consumption; *[soványítás]* slimming

fogyasztó consumer

fogyasztói; ~ társadalom consumer society; **~ ár** consumer price

fogyatékos *[hiányos]* deficient; *[beteg]* handicapped, disabled

fogyatékosság *[hiányosság]* insufficiency; *orv is* deficiency

fogyókúra slimming diet

fojt *[torkát szorítva]* choke; *[fullaszt]* suffocate

fok *[létráé]* rung; *[hegyé]* peak; *[hőmérsékleté]* degree; *[fejlődési]* phase

fóka seal

fokhagyma garlic

fokoz *[sebességet]* increase; *[termelékenységet]* improve (productivity)

fokozatos gradual

fokozódik increase, intensify

fólia *[pl. írásvetítőhöz]* transparency; *[fém]* foil; *[műanyag]* clingfilm

folt *átv is [paca, szennyezés]* stain; *[ruhára varrt]* patch

foltos *átv is [nem tiszta]* stained; *[ruha]* patched

foltoz patch

folyadék liquid

folyamat process

folyamatos continuous

folyékony fluid, liquid; *[beszéd]* fluent

folyékonyan; ~ beszél angolul speak° fluent English

folyik flow; *[lebonyolódik, megy]* go° on

folyó ▾ *mn* **~ év** this year, current year; **~ víz** *[csapból]* running water ▾ *fn* river

folyóirat periodical, journal

folyópart (river-)bank

folyósít *[pénzt]* make° payable; *[összeget készpénzben]* pay° out (in cash)

folyosó corridor

folyószámla *[bankban]* bank/current account

folyóvíz running water; river-water

folyóvölgy river valley

folytat *[tovább csinál]* continue, go° on, carry on; *[meghosszabbít]* extend; *[vmilyen életmódot]* live/lead° (a life)

folytatás continuation; *[pl. filmsorozat rész]* instalment, serial part

folytatódik continue, go° on

folyton always, all the time

fon *[fonalat]* spin° (yarn); *[kötelet]* twist (rope); *[kosarat]* weave° (basket); *[hajat]* braid (hair)

fonák *sp [ütés]* backhand (stroke)

fonal yarn; *átv* thread
fontos important, significant, essential
fonnyadt withered
fordít *[vmilyen irányba]* turn (round); *[vmit egyik nyelvről egy másikra]* translate (sg from sg into sg); *[pénzt vmire]* spend° (on sg); *[pl. figyelmet vmire]* direct (attention) (to sg); **~s!** please turn over (*röv* P.T.O.)
fordítás *[vmilyen irányba]* turning (round); *[más nyelvre]* translation
fordított ▾ *mn* reversed; *[nyelvből]* translated (from) ▾ *fn* **~ja (vminek)** the opposite/reverse (of sg)
fordítva inversely; on the contrary
fordul *[vmilyen irányba]* turn (round); (*vkihez*) turn (to sy); (*vki ellen*) turn/rise° (against sy); **jóra ~** take° a happy turn
fordulat *[tengelyé]* revolution; *átv* (sudden) change; *[beszédben]* phrase
forduló *[fordulópont]* turning point; *[lépcsőn]* landing; *sp* round
forgács *[fa]* shavings *tsz*
forgalmas busy
forgalmi; ~ adó purchase tax; **~ dugó** traffic jam
forgalom traffic; *gazd* turnover
forgás turning round
forgat turn (round); *[filmet]* shoot°; **(vmit) ~ a fejében** *[vmit tervez]* have° sg in mind
forint *[magyar]* forint (*röv* ft, HUF); *[holland]* guilder
forma *átv is* shape; **F~ I** Formula I
formál *átv is* form
formás well-shaped

formaság formality
formátlan shapeless
forog *[körbe]* turn (round); *[pl. hír, könyv]* circulate; *[társaságban]* move (in society); **veszélyben ~** be° in danger
forr be° on the boil; *[bor]* ferment
forrad *[seb]* heal over; *[csont]* knit°
forradalom revolution
forradás *[sebhely]* scar
forral boil; *átv [gonoszságot]* hatch (a plot)
forrás boiling; *[boré]* fermentation; *[víz előtörése]* spring; *[pl. híré, kutatásé]* source(s)
forraszt solder
forrasztás soldering
forráz pour boiling water (on sg)
forró (very) hot; *[vágy]* ardent; **~ égöv** torrid zone, the tropics *tsz*
forrong be° in revolt
forróság hotness; *[láz]* (high) temperature
fórum forum
fosztogat loot
fotel armchair
fotó photo
fő[1] *mn [lényeges, fontos]* principal, main
fő[2] *fn [fej]* head; *[személy]* person
fő[3] *ige [étel, ital]* boil; *átv [hőségben vki]* swelter; **~ a fejem** sg gives me a headache, *biz* I've been worrying my head off
főállás full-time job
főállású professional
főbejárat front door, main entrance
főbérlő tenant
főhős protagonist, hero
főiskola college
főiskolás student
főként mainly, particularly
föl[1] *fn [tejé]* the top of the milk
föl[2] *hsz* up

föld *[a Föld]* the Earth; *[felszín, talaj]* ground, earth; *[szárazföld]* (dry) land; *[birtok]* land
földalatti ▾ *mn [illegális]* underground, illegal ▾ *fn [vasút]* the underground (railway)
földgáz natural gas
földgolyó (the) globe
földgömb (the) globe
földi ▾ *mn* ground; *[evilági]* earthly ▾ *fn* fellow-countryman (*tsz* -men)/ townsman (*tsz* -men)
földieper strawberry
földigiliszta (earth)worm
földimogyoró peanut
Földközi-tenger the Mediterranean (Sea)
földművelés agriculture
földműves agricultural worker
földrajz geography
földrengés earthquake
földrész continent
földszint *[házban]* ground floor; *szính* (front) stalls *tsz*
földszintes single-storey
fölé over
főleg mainly, particularly
fölény superiority
fölösleg surplus; *[maradék]* residue
fölösleges *[több]* superfluous
fölött above; *[vmin túl/ át]* over; *átv* **~e áll (vminek)** be° above sg
főnév noun (*röv* n.)
főnök principal, head (of department)
főnöknő principal, head (of department); *[főapáca]* mother superior
főnyeremény top/first prize; *átv* stroke of luck
főorvos *[kórházi]* head physician
főpincér head waiter
fösvény ▾ *mn* avaricious, miserly ▾ *fn* miser
főszereplő protagonist

főtt *[pl. hús]* cooked, boiled
főúr *[főnemes]* aristocrat, noble(man *tsz* men); *[főpincér]* headwaiter
főváros capital
fővárosi of the capital *ut*
főz cook; *[rendszeresen]* do° the cooking; *[pálinkát]* distil
főzelék vegetable (dish)
frakk tailcoat
francia ▾ *mn* French ▾ *fn [ember]* Frenchman (*tsz* -men); *[nyelv]* French
franciaágy double bed
Franciaország France
freskó fresco, mural
friss *[pl. levegő, zöldség]* fresh; *[hír]* recent; *[testileg]* energetic
frissít *[vkit pl. ital]* refresh
frissítő ▾ *mn* refreshing ▾ *fn* ~**k** *[étel, ital]* refreshments
frizura hair-style
front *[katonai]* front(line); *[meteorológiai]* front
frontális összeütközés head-on collision
frottír terry (cloth), towelling
fröccs (wine) spritzer
fröccsen splash
fröcsköl splash
frufru fringe
fúj *[szél]* blow°; *[hangszert]* blow°
fukar miserly
fullad *[nem kap levegőt]* be° suffocating/choking; *[vízbe]* be°/get° drowned
fulladás *[levegőhiánytól]* suffocation; *[vízben]* drowning
fullánk sting
fullasztó suffocating
funkció function
fúr drill
furcsáll find° sg unusal/odd/strange
furcsaság *[különösség]* strangeness; *[furcsa dolog]* curiosity

fúró *[villany~]* drill
furulya recorder
fut run°; *[menekül vki/vmi elől]* escape (from)
futam *sp* heat; *[lóversenyen]* race
futár *[küldönc]* messenger
futás run(ning); *sp* running
futball (Association) football; *biz* soccer
futballista football player
futballozik play football
futkos run° about
futó ▾ *mn* running; *[futólagos]* superficial; *inform [program]* active ▾ *fn sp* runner; *[sakkban]* bishop
futólag cursorily, incidentally
fuvar *[szállítóeszköz, szállítás]* transport, carriage; *[szállítmány]* freight, load
fuvaroz transport, carry
fuvarozás transportation, carriage
fuvarozó ▾ *mn* carrying ▾ *fn* shipping agent, carrier
fúvós hangszer wind instrument
fű grass
füge fig
függ *[lóg vmiről]* hang° (down) (from); *átv* (*vkitől/vmitől*) depend on sy/sg
függelék *[karácsonyfára]* Christmas decorations *tsz; [könyvben]* appendix (*tsz* appendixes v. appendices)
független (*vmitől/vkitől*) independent (of sg/sy); **F~ Államok Közössége** Commonwealth of Independent States (*röv* CIS)
függetlenség independence
függőágy hammock
függőleges perpendicular; *[keresztrejtvényben]* down

függöny *[sötétítő/színházi is]* curtain
függővasút cable-railway
függvény *mat* function
fül ear; *[fogantyú]* handle; *[könyv borítóján]* blurb
fülbevaló ear ring
fülcimpa earlobe
fülel listen attentively
fülemüle nightingale
fülhallgató earphone(s)
fülke *[hajón]* cabin; *[vonaton]* compartment; *[telefon~]* phone booth/box
fülledt stifling, stuffy
füllent tell° a fib
fül-orr-gégészet *[osztály]* ear, nose, and throat ward
fűnyíró lawn mower
fürdet (*vkit*) bath (sy)
fürdik take°/have° a bath
fürdő bath; *[intézmény]* public baths *tsz;* *[gyógy~]* thermal bath(s)
fürdőkád bath
fürdőköpeny bathrobe
fürdőnadrág swimming trunks *tsz*
fürdőruha bathing suit
fürdőszoba bath(room)
fűrész saw
fűrészel saw° (off/up)
fürge quick, nimble
fürt *[szőlő]* bunch (of grapes); *[haj]* lock (of hair)
füst smoke
füstöl *[pl. kémény]* give° off smoke; *[dohányzik]* smoke; *[húst]* smoke
füstölt *[hús]* smoked
füstszűrős cigaretta filter-tipped cigarette
fűszál blade/leaf of grass (*tsz* leaves)
fűszer spice
fűszeres ▾ *mn [étel, átv történet is]* spicy ▾ *fn [kereskedő]* grocer
fűszerez *[ételt]* season; *átv* spice
fűt *[szobát]* heat; *[kazánt]* stoke (up)

fűtés heating; *[kazánéj]* stoking

fűtőtest radiator

fütty whistle

fütyül whistle; *[madár]* pipe, sing°

füves grassy

fűz[1] *fn [fa]* willow; *[fája]* willow (wood)

fűz[2] *ige [könyvet]* stitch; (*vmihez vmit*) attach (sg to sg); *[tűbe]* thread (needle)

füzet exercise/copy-book; *[könyvecske]* booklet; *[folyóiratszám]* number

fűzfa willow; *[fája]* willow (wood)

G

gabona grain
gála gala
galamb pigeon
galéria gallery
gallér collar
galuska dumplings *tsz*
gally twig
gallyaz prune
gáncs trip
gáncsol trip sy (up); *átv* thwart sy's plans
garancia guarantee, warranty
garantál *átv is* guarantee, warrant
garat *[torokban]* pharynx (*tsz* pharynges v. -nxes)
garázda ruffianly
garázdálkodik go°/be° on the rampage, ravage
garázs garage
garbó polo-neck (sweater/jumper)
garnitúra set
garzonlakás flatlet
gát *[védgát, töltés]* dike, dyke; *[akadály]* impediment; *sp* hurdle
gátfutás *sp* hurdles *tsz*, hurdle race
gátlás *[akadály]* hindrance; *[pszichológia]* inhibition
gátlásos inhibited
gátlástalan unscrupulous
gátol (*vmit*) hinder (sg); (*vkit vmiben*) throw° an obstacle in sy's way
gatya *biz* (under)pants *tsz*
gaz[1] *mn* villainous
gaz[2] *fn [gyom]* weed
gáz gas
gázcsap gas-tap
gazda farmer; *[tulajdonos]* owner

gazdag ▾ *mn [ember]* rich, wealthy; (*vmiben*) rich/abounding (in sg); *[bőséges]* abundant ▾ *fn* **a ~ok** the rich/wealthy
gazdagít make° rich, enrich
gazdagodik become°/grow° rich/wealthy
gazdagság *[vagyon]* wealth; *[bőség]* richness, abundance
gazdálkodás farming
gazdálkodik *[gazdaságot vezet]* run° a farm; **jól ~ik (vmivel)** manage sg well
gazdálkodó ▾ *mn* economic ▾ *fn* farmer
gazdaság *[közgazdaság]* economy; *[birtok]* farm
gazdasági economic; *[pénzügyeket intéző]* financial
gazdaságos economical, profitable
gazdaságpolitika economic policy
gazdaságtalan uneconomical, unprofitable
gazdasszony housewife (*tsz* -wives); *[házvezetőnő]* housekeeper
gazdátlan *[állat]* stray, ownerless; *[tulajdon]* unclaimed
gazella gazelle
gazember villain
gázfűtés gas heating
gazol weed
gázol *[vízben]* wade; *[autóval elüt vkit]* run° over/down (sy)
gázolaj diesel oil
gázóra gas meter
gázpalack gas container
gázpedál accelerator (pedal)
gázszámla gas bill
gaztett villainy, outrage
gáztűzhely gas cooker
gázvezeték gas piping (v. pipes *tsz*)
gége larynx (*tsz* larynges v. -nxes)
gégészet laryngology

gejzír geyser
gemkapocs paper-clip
gén gene
generáció generation
generátor generator
genetika genetics *esz*
gengszter gangster
genny pus
gennyes purulent
gennyesedik become° full of pus, suppurate
geometria geometry
gép machine
gépel type
gépeltérítés hijack
gépeltérítő hijacker
gépesít mechanise
gépesített mechanised
gépész mechanic, operator; *[hajón]* engineer
gépészmérnök mechanical engineer (*röv* M.E.)
gépezet *átv is* machinery
gépgyár engine/machine factory
gépház engine room
gépi mechanical; *[géppel készült]* machine-made
gépies automatic, mechanical; *[nem tudatos]* unconscious
gépírás *[tevékenység]* typewriting; *[szöveg]* typescript
gépjármű (motor) vehicle
gépjárműadó motor vehicle tax
gépjárművezető driver
gépkocsi (motor) car
géplakatos engine fitter
géppisztoly *[félautomata]* submachine-gun; *[automata]* machine gun
géppuska heavy machine-gun
géprablás hijack
géprabló hijacker
gépselyem sewing silk, machine-twist
gépsonka boned ham, pressed ham
gépterem machine room
gereblye rake
gereblyéz rake
gerely *[fegyver]* spear; *sp* javelin

gerelyhajítás *sp* (throwing the) javelin
gerenda *sp is* beam
gerezd *[gyümölcsé]* slice; *[narancsé]* segment; *[fokhagymáé]* clove
gerinc *[testrész]* spine; *[hegyé]* ridge; *átv [tartás]* backbone
gerinces ▾ *mn [állat]* vertebrate; *átv* steadfast, firm ▾ *fn áll* vertebrate
gerincoszlop spinal/vertebral column
gerinctelen ▾ *mn [állat]* invertebrate; *átv* spineless ▾ *fn áll* invertebrate
gerincvelő spinal marrow/cord
gerjed *[elektromos áram]* be° induced/generated; *átv* **haragra ~ (vki ellen)** become°/get° angry (with sy)
gerjeszt *[elektromos áramot]* induce, generate; *[tüzet]* kindle; *[hőt]* heat; *átv* **haragra ~** make° sy angry
gerle turtle-dove
gesztenye *[szelíd termése]* (sweet/Spanish) chestnut; *[vad termése]* conker
gesztenyebarna chestnut(-coloured/brown)
gesztenyefa chestnut (tree); *[vad]* horse chestnut
gesztenyepüré chestnut puree
gesztikulál gesture, gesticulate
gesztus *átv is* gesture
géz (antiseptic) gauze
giccs kitsch
giccses kitschy
gida *[kecske]* kid; *[őz]* fawn
giliszta *[földi]* earthworm; *[bélben]* (tape)-worm
gimnasztika gymnastics *esz*
gimnazista *kb.* secondary-school boy/girl

gimnázium secondary school
gipsz *[természetes]* gypsum; *[égetett]* plaster (of Paris); *orv [rögzítő kötés]* plaster-bandage
gipszel plaster, cover with plaster; *orv [végtagot]* put° (a limb) in plaster
gipszkötés plastering, plaster-bandage
gitár guitar
gitározik play the guitar
gitt putty
globális global
globalizáció globalisation
góc *[pl. betegségé]* focus; *[idegeké]* plexus
gól goal; **~t lő** score/kick a goal
golf golf
golfjátékos golf player
golfozik play golf
góllövő (goal-)scorer
gólya *áll* stork; *[elsőéves]* fresher
golyó ball; *[puskába]* bullet
golyóstoll ballpoint (pen), biro
gomb *[ruhán, csengőgomb]* button; *[ajtón, fiókon]* knob
gomba mushroom; *orv is* fungus (*tsz* -gi v. -uses)
gombás *[étel]* with mushrooms *ut*
gombászik gather mushrooms
gomblyuk buttonhole
gombóc dumpling
gombol button (up)
gombolyag ball
gombolyít wind° into a ball
gombostű pin
gomolyog *[füst]* wreathe
gond *[nehézség]* difficulty, trouble; *[aggódás]* concern, worry
gondatlan negligent, careless
gondatlanság negligence, carelessness
gondnok *[intézményé]*

warden; *[örökségé]* administrator

gondnokság *[gondnoki hivatal]* warden's office; *[intézményé]* board of trustees

gondol think°; (*vmire/vkire*) think° (of/about sg/sy)

gondolat thought, idea

gondolatjel dash

gondolatmenet chain/sequence of ideas

gondolkodás *[tevékenység]* thinking; *[gondolkodásmód]* way of thinking; ~ **nélkül** without hesitation

gondolkodási idő time to think

gondolkodásmód way of thinking

gondolkodik (*vmiről/vmin*) think° (of/about)

gondolkodó ▾ *mn* thinking ▾ *fn* thinker; *[filozófus]* philosopher

gondos careful, precise

gondoskodik (*vmiről/vkiről*) take° care (of sg/sy), look (after sg/sy)

gondoz (*vkit*) look (after sy), take° care (of sy); *[beteget]* nurse

gondozatlan untidy

gondtalan carefree, lighthearted; *[élet]* cloudless

gondviselés providence; *[gondozás]* care; *[kiskorú gyermeké]* custody

gonosz evil

gonoszság evil; *[tett]* evil/wicked deed

gordonka (violon)cello

goromba rough

gorombáskodik (*vkivel*) be° rude/offensive (to sy)

gótikus Gothic

gödör pit

gőg arrogance, pride

gőgös arrogant, proud

gömb ball; sphere; *földr* globe

gömbölyödik become°/get° round

gömbölyű round; *[emberről]* stout
Göncölszekér the Great Bear *US* the Big Dipper
göndör curly
göndörít curl
göndörödik curl
göngyöl roll (up)
göngyöleg *[csomagolóanyag]* wrapping
görbe ▼ *mn* curved ▼ *fn mat* curve
görbít bend°
görbül curve
görcs *[izomé]* cramp; *[fában]* knot
görcsoldó analgesic, antispasmodic
görcsöl get°/have° cramp
görcsös *[fa]* gnarled, knotty; *orv* spasmodic; *[gátlásos]* inhibited
gördeszka skateboard
gördeszkázik skateboard, ride° on a skateboard
gördít roll, wheel
gördül roll (along)
gördülékeny smooth, fluent
görény polecat
görget roll, wheel
görkorcsolya rollerskates *tsz; [egysoros]* rollerblade
görkorcsolyázik rollerskate
görnyed bow, bend°
görnyedt bowed, bent
görög *mn, fn* Greek
görögdinnye watermelon
görögkeleti (Greek) Orthodox
Görögország Greece
göröngyös uneven, bumpy
gőz vapour; *[hajtóerő]* steam
gőzfürdő Turkish/steam bath
gőzgép steam-engine
gőzhajó steamer
gőzmozdony steam engine
gőzöl *[gőzölög]* steam; *[textíliát]* hot-press; *[ételt]* steam

gőzölög steam

gőzös ▾ *mn* steamy ▾ *fn* *[mozdony]* steam engine, locomotive; *[hajó]* steamer

grafika *műv* graphic arts *tsz;* *[egyes kép]* graphic work; *inform* *[rajz]* graphics *esz/tsz;* *nyomd* artwork

grafikon diagram, chart, graph

grafikus ▾ *mn* graphic ▾ *fn* *[művész]* graphic artist

gramm gramme

gránátalma pomegranate

gránit granite

gratulál (*vkinek vmihez*) congratulate (sy on sg); **~ok!** congratulations!

grépfrút grapefruit

grillcsirke grilled chicken

grillez grill

grimasz grimace

gríz semolina

Grönland Greenland

grönlandi ▾ *mn* Greenlandic ▾ *fn* Greenlander

grúz *mn, fn* Georgian

Grúzia Georgia

gubancos *[haj, szőr]* shaggy

guggol crouch

gúla pyramid

gulya herd (of cattle)

gulyás *[ember]* herdsman (*tsz* -men); *[étel]* (Hungarian) goulash

gulyásleves goulash soup

gumi rubber; *[gumiabroncs]* (rubber) tyre; *[óvszer]* rubber; **~t használ** wear rubbers

gumiabroncs (rubber) tyre

gumicsizma gumboots *tsz,* rubber boots *tsz*

gumikesztyű rubber gloves *tsz*

gumimatrac air mattress; *[strandon]* inflatable (beach) mattress

gúnár gander

gúny mockery, ridicule
gúnynév nickname
gúnyol mock, make° fun (of sy)
gúnyolódik be° sarcastic
gúnyos sarcastic, ironi-c(al)
gurít roll
gurul roll; **dühbe ~** lose° one's temper
gusztus taste
gusztusos appetising
gusztustalan disgusting, repulsive

GY

gyakori frequent
gyakorlás practice
gyakorlat *[feladat]* exercise
gyakorlati practical
gyakorlatias practical
gyakorlatlan inexperienced
gyakorlatozik *kat* drill
gyakorló *[vmilyen szakmát folytató]* practising; *[szakmai gyakorlatot végző]* training
gyakorlott experienced, trained, skilled
gyakorol practise; *[befolyást vkire/vmire]* exert (influence on sy/sg)
gyakran often, frequently
gyaláz abuse, slander
gyalázat shame
gyalázatos *[szégyenletes]* disgraceful, shameful; *[szörnyű]* outrageous, monstrous
gyalog ▾ *hsz* on foot; ~ **megy** walk ▾ *fn [sakkban]* pawn
gyalogátkelőhely zebra crossing *US* crosswalk
gyalogol go° on foot, walk
gyalogos pedestrian; *kat* foot-soldier
gyalogság *kat* infantry
gyalogtúra walking tour
gyalogút footpath; *[megtett út]* walk
gyalu plane; *[konyhai szeletelő]* slicer
gyalul plane; *[pl. zöldséget]* slice
gyám *jog [gyermeké]* (legal) guardian; *[támasz]* support, prop
gyámolít support

gyámoltalan helpless
gyámság *jog* guardianship
gyanakszik (*vkire/vmire*) suspect (sy), be°/feel° suspicious about/of sy/sg
gyanakvó suspicious
gyanít suspect, presume
gyanta resin; *zene [vonóra]* rosin
gyantáz resin; *zene [vonót]* rosin
gyanú suspicion
gyanús *[ügy]* shady; *[ember]* shifty
gyanúsít (*vkit vmivel*) suspect (sy of sg)
gyanúsított suspect
gyanútlan unsuspecting
gyapjú wool; *[jelzőként]* woollen
gyapjúszövet woollen cloth
gyapot *[jelzőként is]* cotton
gyár factory
gyarapít increase, multiply
gyarapodik increase, grow°; *[testsúly]* put° on weight
gyári *[áru]* factory-made
gyarmat colony, settlement
gyarmatosít colonise
gyárt manufacture
gyártás manufacture
gyártmány product
gyász mourning
gyászol (*vkit*) mourn (for sy)
gyászos *[bánatos]* mournful, sorrowful; *[szegényes]* wretched, miserable
gyáva ▾ *mn* cowardly ▾ *fn* coward
gyávaság cowardice
gyékény *[növény]* bulrush; *[fonat]* mat(ting)
gyémánt diamond
gyenge ▾ *mn* weak; *[erőtlen]* feeble; *[törékeny]* frail ▾ *fn [aminek nem tud vki ellenállni]* weakness (for)
gyengéd tender, gentle

gyengédség tenderness
gyengélkedik be° unwell
gyengeség weakness
gyengít weaken; *[lelkileg]* enervate
gyengül weaken
gyep lawn, grass
gyeplő reins *tsz*
gyér scanty; *[növényzet]* straggling; *[haj]* thin
gyerekes childish
gyer(m)ek child (*tsz* children); *[lány]* daughter; *[fiú]* son
gyermekbetegség children's illness
gyermekcipőben jár *átv* be° in its infancy
gyermeki child's
gyermekjegy children's ticket
gyermekkocsi pram; *[összecsukható]* pushchair
gyermekkor childhood
gyermekláncfű dandelion
gyermekotthon home for children
gyermekszoba nursery, child's/children's room
gyermektartás maintenance (of children)
gyermektartásdíj child support
gyermektelen childless
gyertya candle; *[autóban]* spark plug
gyertyatartó candlestick
gyík lizard
gyilkol murder, kill
gyilkos ▾ *mn* murderous; ~ **iram** killing pace; ~ **tekintet** withering look ▾ *fn* murderer, killer
gyilkosság murder
gyógyfürdő *[hely]* spa; *[víz]* thermal bath
gyógyhatás curative effect/power
gyógyhatású medicinal
gyógyintézet hospital, health resort, sanatorium
gyógyít cure; *átv is [sebet]* heal
gyógyíthatatlan *[beteg-*

ség, beteg] incurable, untreatable
gyógyítható curable, treatable
gyógykezelés (medical) treatment
gyógymód cure, therapy
gyógynövény medicinal plant/herb
gyógyszer medicine; *átv* remedy
gyógyszerész pharmacist, chemist
gyógyszertár pharmacy
gyógytorna physiotherapy
gyógyul (*vmiből*) be° recovering (from sg); *[seb]* be° healing (up)
gyógyvíz medicinal water(s), mineral waters *tsz*
gyom weed
gyomlál weed
gyomor stomach
gyomorbaj stomach complaint/disease
gyomorrontás indigestion
gyónás confession
gyors ▾ *mn* quick; *[hirtelen]* sudden; *[munka, vonat, futó]* fast ▾ *fn* *[vonat]* fast/express train; *[úszásnem]* (front) crawl (stroke), *[versenyszám]* freestyle (swimming)
gyorsaság speed, quickness
gyorsétterem fast-food restaurant
gyorsfagyasztott quick-frozen
gyorsforraló *[elektromos]* electric kettle
gyorshajtás speeding-(writing)
gyorsírás shorthand
gyorsít speed up, increase the speed (of)
gyorsjárat *[busz]* express bus/coach service
gyorsul quicken, gather speed
gyorsulás acceleration
gyorsúszás *[úszásnem]* (front) crawl (stroke),

[versenyszám] freestyle (swimming)
gyorsvasút rapid transit railway
gyorsvonat fast/express train
gyökér root; *[petrezselyemé]* parsley root
gyökeres *átv* radical
gyökerezik (*vmiben*) be° rooted (in sg)
gyömbér ginger
gyömöszöl stuff, press
gyöngy *átv is* pearl
gyöngysor string of pearls, pearls *tsz*
gyöngyvirág lily of the valley
gyönyör *[érzés]* pleasure; *átv* delight
gyönyörködik (*vmiben*) take° delight (in sg)
gyönyörködtet delight (sy)
gyönyörű beautiful, wonderful, magnificent
gyönyörűség beauty, delightfulness; *[élvezet]* pleasure, delight
gyötör *[testileg]* torture; *[belsőleg]* worry, tease
gyötrelem *[testi]* suffering, pain; *[lelki]* worry, misery
gyötrelmes *[testileg]* painful, tormenting; *[lelkileg]* anxious, anguished
gyötrődik *[lelkileg]* worry, suffer torments
győz gain a victory; *sp is* win°; *átv [munkát]* manage to do
győzelem victory, triumph; *sp is* win
győztes ▾ *mn* victorious; *sp* winning ▾ *fn* victor; winner
gyufa match
gyufásdoboz matchbox
gyújt *[tüzet, cigarettát]* light°; **gyufát ~** strike° a light/match; **villanyt ~** switch on the light; *[motor]* spark
gyújtás *[tűzé]* lighting; *[motorban]* ignition, sparking

gyújtogat set° (sg) on fire
gyújtogató arsonist, fire-raiser
gyúlékony inflammable
gyullad catch°/take° fire
gyulladás *orv* inflammation
gyúr *[pl. tésztát]* knead; *[masszőr]* massage
gyurma plasticine, kneading and modelling paste
gyűjt gather; *[pl. adatokat]* collect; *[vmire pénzt]* save (for sg)
gyűjtemény collection
gyűjtő collector
gyülekezet *vall* congregation
gyülekezik gather (together)
gyűlés meeting, gathering, assembly
gyűlésezik hold° a meeting
gyűlik *[tömeg]* assemble; *[pénz]* be° accumulating
gyűlöl (*vmit/vkit*) hate (sg/sy)
gyűlölet hate, hatred
gyűlöletes hateful, odious
gyűlölködik be° full of hatred
gyümölcs fruit; *átv (vmié)* fruit(s)
gyümölcsfa fruit tree
gyümölcsíz (fruit) jam
gyümölcslé (fruit) juice
gyümölcsös fruit garden
gyümölcsözik *átv* bear° fruit
gyümölcsöző fruitful
gyümölcstorta fruit cake
gyűr crumple
gyűrhetetlen crease-resistant/proof
gyűrődés crease
gyűrődik crease
gyűrött *[textília]* crumpled, creased; *[arc]* worn, tired
gyűrű ring; *műsz* hoop; *sp* rings *tsz;* **(külső) ~** *[város körül]* ring road
gyűrűsujj ring/third-finger
gyűszű thimble

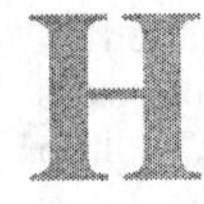

ha if

hab foam; *[söré]* froth; *[szappané]* lather; *[tejszíné]* whipped (cream); *[tojásfehérjéé]* beaten (egg white)

habar stir

habár (al)though

habfürdő bubble bath

háborgat bother, disturb

háborítatlan peaceful, undisturbed

háborog (*vki*) grumble; *[tenger]* be° stormy

háború war

háborús of war *ut,* war (-time); ~ **bűnös** war criminal

háborúskodik *[háborúzik vki ellen]* wage war (on/ against); *átv [viszálykodik vkivel]* quarrel (with sy)

habos foamy; *[sütemény]* cream (cake); ~ **kávé** coffee with whipped cream

habozik hesitate (about (doing) sg)

habzik *[szappan]* lather; *[sör]* froth

habzóbor sparkling wine

habzsol *átv is* devour

hacsak if only

had *[sereg]* troops *tsz,* army; *[háború]* war

hadar gabble

hadd menjek! let me go!

hadi war, military

hadkötelezettség compulsory military service

hadnagy second lieutenant (*röv* 2nd Lt.)

hadsereg army

hágcsó ladder

hágó (mountain) pass

hagy *[enged]* let°, allow; *[hagyományoz vkire vmit]* leave°/bequeath (sg to sy v. sy sg)

hagyaték bequest, legacy

hagyma *[vörös~]* onion; *[más növényé]* bulb

hagyomány tradition

hagyományos traditional

haj hair

háj *[emberé]* fat; *[sertésé]* lard

hajadon unmarried; *[űrlapon]* single

hájas fat, obese

hajbalzsam (hair) conditioner

hajcsat hairgrip

hajcsavaró hair-curler

hajfesték hair-dye

hajfestés (hair) dyeing

hajít throw°

hajkefe hair brush

hajlakk hairspray

hajlam (*vmire*) inclination (to sg); *[betegségre]* susceptibility (to sg)

hajlamos *ált* (*vmire*) inclined/susceptible (to sg); *[betegségre]* susceptible (to sg)

hajlandó (*vmire*) willing/ready to do sg

hajlás bend

hajlék shelter; *[otthon]* home

hajlékony *átv is* flexible

hajléktalan ▾ *mn* homeless ▾ *fn* a homeless person

hajlik bend°; *átv* (*vmire*) incline (to sg)

hajlít bend°

hajlott bent, crooked

hajnal dawn

hajnalodik dawn

hajó *[nagyobb]* ship; *[kisebb]* boat; *[templomé]* nave

hajóállomás landing place

hajol bend° (down)

hajós seaman (*tsz* -men), sailor

hajóskapitány captain

hajótörés shipwreck; **~t**

szenved be° shipwrecked
hajótörött shipwrecked
hajóút voyage
hajózás sailing, shipping
hajózik sail
hajrá *sp* sprint; *[biztatás]* go! (go!)
hajrázik *sp* sprint
hajsza (*vmi után*) hunt (after sg)
hajszál (single) hair
hajszárító hair dryer
hajszol hunt after
hajt *[járművet vezet, állatot terel]* drive°; *[hajlít]* bend°; *[papírt]* fold; *[növény]* sprout (up)
hajtás *[járműé, állaté]* driving; *[papíré]* fold; *[növényé]* sprout
hajthatatlan *átv* firm, unyielding
hajtóerő *átv is* driving force
hajtogat *[összehajt]* fold; *[ismétel]* keep° repeating
hajtómű engine
hajtű hairpin
hajviselet hairdo
hal[1] *fn* fish *esz/tsz* (*halfajták* fishes); *csill* **Halak** Pisces
hal[2] *ige* die
hál sleep°; (*vkivel*) sleep° (with sy)
hála gratitude
halad go°, make° way; *átv* advance, progress
haladás *átv is* advance, progress
haladék respite; *[adósnak]* extension
haladéktalanul immediately
haladó ▾ *mn [jármű]* proceeding (along); *[tanfolyam szintje]* advanced ▾ *fn [tanuló]* advanced student
halál death
halálbüntetés capital punishment
haláleset death
halálfej death's-head

halálhír news/word of sy's death
hálálkodik express one's gratitude
halálos mortal
halandó *mn, fn* mortal
halánték temple
hálás (*vkinek vmiért*) grateful (to sy for sg)
halastó fish pond
halász fisher(man *tsz* -men)
halászat *[tevékenység]* fishing; *[üzem]* fishery
halászik (*vmire*) fish (for sg)
halászlé fish soup
halaszt postpone, put° off
halasztás *[vizsgáé]* postponement; *[adósnak]* extension, respite
halaszthatatlan urgent, pressing
hálátlan ungrateful (towards sy for sg)
haldoklik be° dying
halétel fish (dish)
halhatatlan immortal, eternal
halk *[hang]* low, soft
hall[1] *fn [helyiség]* hall
hall[2] *ige* hear°; (*vmiről/vkiről*) hear° (of)
hallás hearing
hallatlan unheard-of; *[hihetetlen]* incredible
hallatszik be° heard/audible
hallgat (*vmit/vkit, vkire*) listen (to sg/sy); *[vki egyetemi előadásait vmiről]* attend (the lectures) (of sy on sg); *[nem beszél]* keep°/be° silent
hallgatag silent, taciturn
hallgatás *[pl. rádióé]* listening (to); *[szótlanság]* silence
hallgató ▾ *mn [szótlan]* silent; (*vmit*) listening to *ut* ▾ *fn [rádióé]* listener; *[egyetemi/főiskolai]* student
hallgatózik eavesdrop
hallgatóság audience
hallókészülék hearing aid
hallótávolság earshot

halmaz heap; *mat* set
halmoz heap/pile (up)
háló net; *[hálószoba]* bedroom
halogat keep° putting off, keep° postponing
halogatás postponement
hálóing nightdress, nightie
hálókocsi sleeper, sleeping-car
halom *[domb]* hill; *[tárgyakból]* pile, heap
hálószoba bedroom
hálótárs bedfellow
hálóterem dormitory
halott ▾ *mn* dead ▾ *fn* a dead person
hálóvendég overnight guest
hálózat network
hálózsák sleeping bag
halvány pale; *átv* faint
hályog *orv [szürke]* cataract; *[zöld]* glaucoma
hamar soon, in no time
hamarjában hastily, in haste, right away
hamarosan soon, shortly
hamburger hamburger
hamis false
hamisít falsify
hamisítás forging, forgery
hamisítatlan unadulterated
hamisítvány forgery, imitation
hamisság falseness, falsehood; *[megbízhatatlanság]* duplicity
hámlik peel
hámoz *[burgonyát]* peel; *[gyümölcsöt]* skin
hamu ash
hamutartó ashtray
hamvas bloomy; *[arc]* blooming
hamvaszt cremate
hamvasztás cremation
hamvazószerda Ash Wednesday
hanem but; **nemcsak ..., ~ ... is** both ... and ..., not only ... but also ...
hang sound; *[modor]* tone

hangadó *átv* influential, dominant, leading
hangár hangar
hangerő volume
hangerősség loudness
hangfal speaker
hangjáték radio play
hangjegy (musical) note
hanglemez record
hangos loud
hangosbemondó loudspeaker
hangoskodik be° noisy
hangoztat declare, emphasise
hangposta *távk* voice mail
hangsúlyoz *átv is* stress, emphasise
hangszer (musical) instrument
hangszóró (loud-) speaker
hangtalan soundless
hangulat mood, spirit(s); *[pl. helyé]* atmosphere
hangverseny concert
hangzik *átv is* sound
hangya ant
hánt *[fakérget]* strip, peel
hány[1] *nm* how many?; **~ éves vagy?** how old are you?; **~ óra van?** what's the time?
hány[2] *ige* vomit; *[szór]* throw°
hányad part, proportion (of)
hányadik which?; **~a van?** what's the date?
hányadszor how many times?
hanyag negligent, careless
hányan how many (people)?
hányas what number?; *[méret]* what size?
hanyatlás decline, decadence
hanyatlik *[esik/süllyed]* sink° to the ground; *átv* decline
hanyatló declining
hányatott élet life of vicissitudes (*tsz* lives), life of ups and downs (*tsz* lives)

hanyatt on one's back
hányinger nausea; **~e van** feel° sick/nauseate
hánykolódik *[ágyban]* toss about; *[hajó a vízen]* be° tossed (about)
hányódik *[hajó a vízen]* be° tossed (about)
hányszor how many times?
harag anger, irritation, rage
haragos angry
haragszik (*vkire vmi miatt*) be° angry (with sy at/about sg)
harang (church) bell
harangszó ringing, sound/toll(ing) of bells
harangvirág bluebell
harap bite°
harapás *[cselekvés]* biting; *[nyoma, falat]* bite
harapnivaló food, something to eat
harapófogó pincers *tsz*
harapós biting, snappish; *[kutya]* vicious; **H~ kutya!** Beware of the dog!
harc *átv is* battle
harcias aggressive
harcképtelen disabled
harckocsi tank
harcol *átv is* (*vki/vmi ellen/vkivel/vmiért*) fight° (against sy/sg/with sy/for sg)
harcos ▾ *mn [harci]* fighting; *[harcias]* bellicose ▾ *fn* warrior, soldier
harcsa catfish
hardver hardware
hárfa harp
hárfázik play the harp
harisnya pair of stockings
harisnyanadrág tights *tsz*
hárít *[ütést]* parry; *[felelősséget vkire]* shift (the responsibility onto sy); *[költségeket vkire]* charge (the expenses to sy)
harkály woodpecker
harmad third (part)

harmadik third (*szám-mal* 3rd)
harmadikos *[tanuló]* third-form pupil, pupil in the third form
harmadszor [felsorolásban] third(ly); [harmadszorra] for the third time
hárman three (people); **mi/ti/ők ~** the three of us/you/them
hármas ▾ *mn [számú]* (the number) three; *[három részes]* threefold; **~ busz** bus number three ▾ *fn [osztályzat]* satisfactory
harmat dew
harmatos dewy
harminc thirty
harmonika *[tangó~]* (piano) accordion; *[száj~]* harmonica, mouth organ
három three; **délután ~kor** at 3 (o'clock) (p.m.)
háromágyas szoba triple (bed)room
háromjegyű szám three-figure/digit number
háromkerekű three-wheeled; **~ bicikli** tricycle
háromlábú three-legged, tripod(al)
háromnegyed three-quarters; **~ hét** a quarter to seven
háromszobás three-room
háromszor three times
háromszori three times repeated *ut*
háromszög triangle
hárs lime/linden-tree
harsan sound
hársfa lime/linden-tree
harsog resound, blare
harsona trombone
hártya film, membrane
hárul (*vkire*) fall° to the share/lot of sy
has belly, stomach; *orv* abdomen

hasáb *[fa]* log; *[pl. újságban]* column
hasábburgonya fried potato(es), chips *tsz*
hasad burst°; *[kő]* split°; *[textília]* tear°
hasadék split; *[hegyben]* (mountain) gorge
hasal lie° on one's stomach
hasfájás stomach-ache
hashajtó *mn, fn* laxative
hasít cleave°
hasmenés diarrhoea
hasonlat comparison; *[szólás]* simile
hasonlít (*vmihez/vkihez*) resemble sg/sy; (*vmit/vkit vmihez/vkihez*) compare sg/sy to sg/sy
hasonló (*vmihez/vkihez*) similar (to sg/sy)
hasonlóképpen in the same way, similarly
hasonlóság similarity, likeness
használ (*vmi vkinek*) help; (*vmit/vkit*) use, make° use (of)
használat use, usage
használati of use *ut;* ~ **útmutató** instructions for use *tsz,* users' instructions *tsz*
használhatatlan useless
használható useable
használt used; *[árucikk]* second-hand
hasznos useful
hasznosít (*vmit*) make use (of sg)
haszon benefit, advantage; *[nyereség]* profit
haszontalan useless
hasztalan ▾ *mn* useless ▾ *hsz* in vain
hat[1] *szn* six
hat[2] *ige [pl. gyógyszer]* act; *átv* (*vmi vkire*) impress/affect sy
hát[1] *fn [testrész]* back; *[visszája]* reverse
hát[2] *msz [nos]* well
hatalmas *[nagyméretű]* very large; *[nagy hatalmú]* powerful
hatalmi of power *ut*

hatalom power
hatály *jog is* force, effect; **január 1-jei hatállyal** with effect from 1(st) January
határ *[országé]* border, frontier; [területé] boundary; *átv* limit
határállomás frontier/border station
határátkelőhely (frontier) crossing point
határidő deadline
határidőnapló date calendar
határidős with a time limit *ut*
határol border
határoz (*vmiről*) decide (on sg v. to do sg)
határozat decision
határozatlan indefinite; *[jellem]* indecisive, hesitant
határozott definite; *[jellem]* determined
határőr frontier/border guard
határőrség frontier/border-guards *tsz*
határsáv frontier zone
határtalan *átv is* boundless, unlimited
határvidék frontier zone
hatás effect, influence; *[pl. vegyi]* action
hatáskör competence, (sphere of) authority
hatásos effective; *[beszéd]* powerful; *[megjelenés]* impressive
hatástalan ineffective
hatékony efficient, powerful
hátgerinc backbone, spine
hátha supposing
hátizsák rucksack, backpack
hátlap back, reverse side
hatóanyag agent
hatod sixth
hatodik sixth
hatodikos *[tanuló]* sixth-form pupil
hatol *[vmibe, vmi mélyébe]* penetrate (into sg)

hatos *[számú]* (the number/figure) six; *[hat részes]* sixfold; **~ busz** bus number six
hatóság authority
hatósági of the authorities *ut*
hátra back(wards)
hátrafelé back(wards)
hátrafordul turn round; *[hátranéz]* look back/behind
hátrahagy leave° (sg) behind; *[örökségül vmit vkinek]* leave°/bequeath (sg to sy/sy sg)
hátrál (*vki*) back away; *[tömeg]* recede; *[jármű]* reverse; *[hadsereg]* retreat
hátralék arrears *tsz;* **~ban van (vmivel)** be° in arrears (with sg)
hátralevő remaining
hátráltat hinder, obstruct
hátranéz look back/behind
hátrány disadvantage
hátrányos disadvantageous
hátsó back(-); *átv* **~ gondolat** ulterior motive
hatszor six times
háttámla *[széké]* back
háttér *átv is* background
hátul at the back, behind
hátúszás backstroke (swimming)
hatvan sixty
hátvéd *kat* rear-guard; *sp* back
hattyú swan
havas snowy; **~ eső** sleet
havazás snowfall
havazik snow
havi monthly
havibérlet monthly season ticket
havonként every month, monthly
havonta every month, monthly
ház house; *[csigáé]* shell
haza ▼ *fn* native land, home(-land) ▼ *hsz* home
hazaérkezik return/come° home
hazafelé homewards

hazafi patriot
hazai national, home
hazajön come° home
hazakísér see°/take° sy home
hazamegy go° home
házas married
házasodik get° married
házaspár (married) couple
házasság marriage
házassági marriage(-)
házasságkötés *[intézmény]* marriage; *[esemény]* wedding
házastárs spouse, one's wife/husband
hazatalál find° one's way home
hazatér return/come° home
hazátlan homeless, exiled
hazavisz (*vmit/vkit*) take° sg/sy home; (*vmit*) carry sg home
házi household, home-; ~ **feladat** homework
háziállat domestic animal
házias domestic
háziasszony *[otthon]* housewife (*tsz* -wives); *[vendégfogadáskor]* hostess
házibuli party
házigazda *[otthon]* master/man (*tsz* men) of the house; *[vendégfogadáskor]* host
házilag készített homemade
házinyúl domestic rabbit
háziorvos family doctor
házirend rules of the house *tsz*
házsor row of houses
házszám street-number, house number
háztartás household; *[tevékenység]* house-keeping
háztartási domestic, household
háztető roof
háztömb block (of houses)
háztulajdonos house-owner

hazudik lie, tell° a lie
hazug *[személy]* lying; *[nem igaz]* mendacious
hazugság lie
házvezetőnő housekeeper
házsártos quarrelsome, cross-grained
heg scar
hegedű violin
hegedül play the violin
hegeszt weld
hegy *földr* mountain; *[kisebb]* hill; *[pl. késé, ceruzáé]* point
hegycsúcs peak (of mountain), summit
hegyes *[vidék]* mountainous; *[tárgy]* pointed
hegyez *[ceruzát]* sharpen; *átv* **~i a fülét** prick up one's ears
hegyi mountain(-)
hegymászás mountaineering
hegymászó mountaineer
hegyoldal mountainside, slope
hegység mountains *tsz,* mountain-range/-chain
hegyvidék mountainous region, hilly country
héj *[gyümölcsé, zöldségé]* skin
héja hawk, kite
hektár hectare (*röv* ha)
helikopter helicopter
hely place, room; *[színhely]* spot; *[állás]* position
helybeli local
helybenhagy confirm, approve
helycsere change of place
helyenként here and there
helyes *[helytálló]* right; *[nő]* pretty
helyesbít correct
helyesel (*vmit*) approve (of sg), agree (on/to sg)
helyesírás spelling, orthography
helyeslés approval
helyett instead (of sg)

helyettes deputy
helyettesít (*vmit vmivel*) substitute (sg for sg), (*vkit*) substitute (for sy)
helyettesítés (*vmié vmivel*) substitution (of sg by/with sg)
helyez (*vmit vhova*) place; *[vkit munkakörbe]* appoint (sy to)
helyezkedik (*vhol*) occupy a position; **(vmilyen) álláspontra ~** take° a (point of) view, take° the view (that …)
helyfoglalás reservation (of a seat)
helyi local
helyiség room
helyjegy reserved seat (ticket); **~et vált** book a (reserved) seat
helyreáll be° restored; *[pl. egészség]* recover
helyreállít restore
helyrehoz repair, restore; *[jóvátesz]* put° sg right
helyrehozhatatlan irremediable, irreparable
helyreigazít adjust; *átv* rectify
helyrejön get° better, recover
helység village
helyszín locality, spot
helytáll hold°/stand° one's ground
helytálló reliable, correct
helytelen *[téves]* incorrect; *[illetlen]* improper
helyzet position, situation
henger cylinder
hengerel *műsz* roll
hentes butcher
herceg prince
here *[méh, átv ember is]* drone; *[testrész]* testicles *tsz*
hering herring
hermelin ermine
hernyó worm, caterpillar
hervad wither, fade
hervadt *átv is* faded, wilted
hét[1] *fn* week

hét[2] *szn* seven
heted seventh
hetedik seventh
hetedikes *[tanuló]* seventh-form pupil, pupil in the seventh form
hetedszer for the seventh time
heten seven (people)
hetenként weekly
hetes *[számú]* (the number) seven; ~ **busz** bus number seven; **öt** ~ five weeks old
hétfő Monday
heti weekly
hetibérlet weekly season ticket
hetilap weekly (paper)
hétköznap ▾ *fn* weekday ▾ *hsz* on weekdays *tsz*
hétköznapi weekday-; *átv* everyday
hétszer seven times
hétvége weekend; ~**én** at the weekend *US* on the weekend
hetven seventy
hév *átv is* heat
HÉV *röv* suburban/local railway
hever lie°
heverészik be° lying
heverő *[bútor]* couch
heves *[pl. fájdalom]* violent; *[ember, természet]* passionate, hot-tempered; *[harc]* fierce; *[vita]* heated
hévíz thermal water
hiába in vain
hiábavaló useless, in vain
hiány want (of sg), lack; *[költségvetésben]* deficit
hiánycikk *kb.* article in short supply
hiányol (*vmit/vkit*) miss (sg/sy)
hiányos incomplete, defective
hiányosság imperfection, deficiency; ~**ok** shortcomings
hiánytalan complete, whole
hiányzik *[nincs]* be° mis-

sing/wanting; *[nincs jelen]* be° absent

hiba *[tévedés]* mistake, error; *[jelleme is]* fault; *[tökéletlenség]* defect

hibás (*vmi*) defective; (*vki*) guilty; *[testileg]* deformed; *[nyelvtanilag]* ungrammatical

hibátlan faultless, perfect; *[számolás]* exact; *[nyelvtanilag]* correct

hibázik make° a mistake, commit an error

hibáztat (*vkit vmiért*) blame (sy for doing sg)

híd bridge

hideg cold

hidrogén hydrogen

hiéna hyena

hifitorony hi-fi tower

híg thin, weak; *[pl. méz]* running

higany mercury

higgadt sober

higiénia hygiene

higiénikus hygienic

hígít *[pl. festéket vmivel]* thin (with sg)

hihetetlen incredible, unbelievable

hihető credible, believable

híja lack/want (of sg)

hím male

himlő smallpox

hímnem *biol* male sex; *nyelv* masculine (gender)

hímnemű *biol* male; *nyelv* masculine

himnusz *[országé]* national anthem; *irod, vall* hymn

hínár *[édesvízi]* reed-grass; *[tengeri]* seaweed; *átv* tangle

hint spread; *[folyadékot]* sprinkle; *[virágot]* scatter

hinta swing; *[mérleghinta]* seesaw

hintaágy garden swing *US* glider

hintázik swing°; *[mérleghintán]* seesaw

hintó carriage, coach

hintőpor talc, talcum powder

hír (*vmiről*) news *esz/tsz* (of sg), information *esz; [hírnév]* reputation, fame

híradástechnika telecommunications *esz*

híradó *[tv-műsor]* (TV) news *esz; [pl. társaságé]* newsletter

hirdet *[hírül ad]* announce; *[újságban]* advertise; *[pl. eszmét]* advocate

hirdetés *[tevékenység]* advertising; *[szöveg]* advertisement; *[apró~]* (small) ad

hirdető advertiser

hirdetőoszlop advertising pillar

hirdetőtábla notice board

híres (*vmiről*) famous (for sg), well-known (for sg)

híresztel spread° a report (of sg)

hírhedt ill-famed

hírközlés *műsz* (tele)communication; *[pl. rádióban]* news service

hírlap (news)paper

hírnév reputation, fame

hírnök herald, messenger

hirtelen ▾ *mn* sudden; *[mozdulat]* quick (movement); *[ember]* hasty; ~ **haragú** short/quick-tempered ▾ *hsz* suddenly, all at once

hírügynökség news agency

hisz *vall is* believe; (*vmit/vmiben*) believe ((in) sg); (*vkinek*) believe (sy)

hiszékeny naive, credulous

hiszen *[minthogy]* for, as; *[dehát]* but

hisztérikus hysteric(al)

hit belief (in sg), trust; *[vallásos is]* faith

hiteget feed° sy with promises, string° sy along

hitel credit; **~t érdemlő** trustworthy, credible
hitelbank credit bank
hiteles authentic, trustworthy; *[hitelesített]* authenticated
hitelesít authenticate
hitelez give (sg) on credit, credit sy with a sum
hitelező creditor
hitelintézet credit bank
hitelkártya credit card
hitelképes credit-worthy, trustworthy
hitelkeret credit limit
hittan *[elmélet]* theology; *[tantárgy]* religion, Bible class
hitvány *[rossz]* worthless; *[aljas]* base
hitves spouse
hiú vain
hiúz lynx
hív[1] *fn* (*vkié/vmié*) follower, adherent (of sy sg); *vall* **a ~ek** the congregation
hív[2] *ige* (*vkit vhova*) call (sy to); *[nevez vkit vminek]* call (sy sg); *[telefonon vkit]* ring° sy (up)
hívat send° for sy
hivatal office; *[állás]* position
hivatali official
hivatalnok clerk, (state) official
hivatalos official
hivatás *[szakma]* profession; *[elhivatottság vmi iránt]* calling (to sg), vocation (to sg)
hivatásos professional
hivatkozás (*vmire*) reference (to sg)
hivatkozik (*vmire*) refer (to sg); (*vkire*) mention (sy)
hívatlan uninvited
hívószám telephone number
hívő believer
hízeleg (*vkinek*) flatter sy, butter sy up
hízik gain weight

hó[1] snow; **esik a ~** it is snowing
hó[2] *[hónap]* month
hóakadály snowdrift
hobbi hobby
hód beaver
hódít *[területet]* conquer; **tért ~** *[eszme]* gain ground, spread°
hódítás conquest
hódító conqueror
hódol (*vkinek*) pay° homage (to sy); *[szenvedélynek]* have° a passion (for sg)
hódolat homage, respect, reverence
hódoló ▾ *mn* respectful ▾ *fn* admirer, follower
hóember snowman (*tsz* -men)
hóesés snowfall
hófehér snow-white
hógolyó snowball
hógolyózik snowball, play snowballs
hogy[1] *hsz [hogyan]* how
hogy[2] ▾ *ksz* that ▾ *hsz [azért, ~]* in order to/that
hogyan how
hogyhogy how come?
hogyishívják *biz* what's-her/his/its-name, what-d'you-call-her/him/it
hogyisne certainly not
hogyne of course, sure
hóhér executioner
hokedli kitchen stool
hoki (ice) hockey
hokizik play (ice) hockey
hókotró snowplough
hol where?
hólánc snow-chain, tyre chain
hold[1] moon; **H~** the Moon
hold[2] *[mértékegység]* Hungarian acre *[0.57 hectares or 1.42 English acres]*
holdfogyatkozás lunar eclipse
holdvilág moonlight
holland ▾ *mn* Dutch ▾ *fn [ember]* Dutch(wo)man (*tsz* -(wo)men), Netherlander

Hollandia The Netherlands *tsz*
hollét whereabouts
holló raven
holmi things *tsz*
holnap ▾ *fn* the next day ▾ *hsz* tomorrow
holnapi tomorrow's
holnapután the day after tomorrow
holott (al)though
holt dead
holtpont deadlock, standstill
holttest corpse, dead body
holtverseny dead heat, tie
hólyag *[szerv]* bladder; *[bőrön]* blister
homály *átv is* obscurity; *[esti]* twilight
homályos dim; *átv is* obscure
homlok forehead
homlokzat front
homok sand
homokos[1] *mn* sandy
homokos[2] *mn, fn biz [homoszexuális]* gay
homokozó sandpit
homokzsák sandbag
homorú hollow, concave
hónalj armpit
hónap month
hónapos; hat ~ six months old
honfoglalás conquest
honi native
honlap *inform* home page
honnan *[irány, hely]* from where?
honos *[pl. növény, állat vhol]* native (to), indigenous (to)
honosít (*vkit*) naturalise; *[pl. diplomát]* have° accepted/registered
hontalan ▾ *mn* homeless ▾ *fn [hazátlan]* displaced person (*röv* D.P.)
honvágy homesickness
honvéd home guard
honvédelem national defence, home-defence
honvédség (Hungarian) Army
hópehely snowflake

hord *[cipel]* carry; *[pl. cipőt]* wear°
hordágy stretcher
hordalék alluvium, wash
hordár porter, carrier
hordó *[fából, fémből]* barrel
hordoz carry; *átv [terhet]* bear°
hordozható portable
horgász angler
horgászbot fishing rod
horgászik (*vmire*) angle/fish (for sg)
horgol crochet
horgony anchor
horgonyoz be°/lie° at anchor
horizont horizon
horkol snore
hormon hormone
horog hook
horoszkóp horoscope
horpadás dent
horrorfilm horror film
horvát *mn, fn* Croatian
Horvátország Croatia
horzsol graze
horzsolás graze
hossz *[úszásban is]* length
hosszában lengthwise, longwise; **teljes ~** at full length
hosszabbít lengthen; *[időben]* prolong; *sp* extend the time
hosszabbítás lengthening; *[időben]* prolongation; *sp* extra time
hosszabbító *[vezeték]* extension wire
hosszabbodik grow°/get° longer
hosszadalmas lengthy; *[untató]* wearisome, tiresome
hosszan long
hosszmérték linear measure
hosszú long
hosszúnadrág long trousers *tsz*
hosszúság length; *földr* longitude
hótaposó snow boots *tsz*
hotel hotel

hova where?, which direction?
hóvihar blizzard, snowstorm
hóvirág snowdrop
hoz bring°; *[eredményez]* bring° in; *[elmegy érte]* fetch
hozam output; *gazd* profit
hozat send° for, order
hozomány dowry
hozzá to/towards sy
hozzáad (*vmihez vmit*) add (sg to sg); (**vkihez**) **~ja a lányát** marry one's daughter (off) (to sy)
hozzáállás attitude/approach (to sg)
hozzábújik (*vkihez*) nestle/snuggle close/up (to sy)
hozzácsatol (*vmit vmihez*) fasten/attach (sg to sg); *[területet]* annex (sg to sg)
hozzáér (*vmihez*) touch (sg)
hozzáértő competent
hozzáfér (*vmihez*) reach (sg)
hozzáférhetetlen *átv is* inaccessible
hozzáférhető accessible; *[ember]* approachable
hozzáfog (*vmihez*) start/begin° (to do sg), set° about sg
hozzáfűz (*vmit vmihez*) tie (sg on sg); *[megjegyzést]* add
hozzáillő fitting, suitable
hozzájárul (*vmihez*) contribute (to sg); *[beleegyezik]* assent
hozzájárulás (*vmihez*) contribution (to sg); *[beleegyezés]* assent
hozzájut *[időt talál vmire]* find° time (for sg v. to do sg); *átv [megszerez]* get° (hold of) (sg)
hozzálát (*vmihez*) start (sg v. to do sg), begin° (sg v. to do sg)
hozzámegy *[feleségül vkihez]* marry (sy)
hozzányúl (*vmihez*) touch (sg)

hozzászokik (*vmihez*) get° accustomed/used (to sg)
hozzászól (*vmihez*) comment (on sg), speak° (on a subject), remark
hozzászólás *[ülésen]* remarks *tsz*
hozzászóló speaker
hozzátartozik (*vmihez*) belong (to sg), be° part (of sg)
hozzátartozó relative
hozzátesz (*vmihez vmit*) add (sg to sg)
hozzávaló ▾ *mn [hozzáillő]* fitting, suitable ▾ *fn [kellékek]* accessories *tsz; [ételhez]* ingredients *tsz*
hozzávetőleg approximately, about
hő heat
hőálló heatproof, heat-resistant
hőemelkedés *orv* slight fever/temperature; **~e van** have° a temperature
hőerőmű power station
hőforrás source of heat
hölgy lady
hőmérő thermometer
hőmérséklet temperature
hőmérséklet-csökkenés decrease in temperature
hőmérséklet-emelkedés rise of/in temperature
hömpölyög roll on/along; *átv [tömeg]* flow
hörcsög hamster
hörghurut bronchitis
hős hero
hőség (great) heat
hősi heroic
hősies heroic
hősiesség heroism
hősnő heroine
hőstett heroic deed
hősugárzó radiator, heater
hőszigetelő ▾ *mn* (heat-) insulating ▾ *fn* heat insulator
húg younger sister
húgy urine
hull fall° (off); *[könny]* flow; **~ a hó** it is snow-

ing; ~ **a haja** his hair is falling out
hulla dead body, corpse
hulladék waste (material); *[szemét]* litter
hullám wave
hullámcsat hairgrip
hullámhossz wavelength
hullámos *[haj]* wavy
hullámsáv waveband
hullámvasút roller coaster
hullámzik *[enyhén]* ripple; *[erősen]* surge; *[ingadozik]* fluctuate
hullat *[leejt]* drop; *[pl. vért, levelet]* shed°; *[pl. szőrt]* lose°
hullik fall° (off); *[könny]* flow; ~ **a hó** it is snowing; ~ **a haja** his hair is falling out
humanista humanist
humanitás humanity
humor humour
humorérzék sense of humour
humorista humorist
humoros humorous
huncut waggish, impish
húr string
hurcol drag
hurka *[étel] kb.* sausage (made of chitterlings)
hurok noose
húros string(ed); ~ **hangszer** string(ed) instrument
hurrá hurray!
hurut catarrh
hús *[élő]* flesh; *[ételnek]* meat; *[gyümölcsé]* pulp
húsbolt butcher's (shop)
húsdaráló mincer
húsleves meat-soup
húsos fleshy, meaty
húsvét Easter
húsvéthétfő Easter Monday
húsvéti Easter
húsvétvasárnap Easter Sunday
húsz twenty
huszár hussar; *[sakkban]* knight
húszas ▼ *mn* twenty; *[számú]* (the number)

twenty ▾ *fn [érme, bankjegy]* twenty-forint coin, twenty-pound note

húszéves twenty-year-old

húz draw°, pull; *[vonszol]* drag

huzal wire

huzat draught; *[bútoré]* cover

huzatos draughty

húzódik *[időben]* drag on, take° a long time; *[térben]* extend to/over

hű (*vmihez/vkihez*) faithful (to sy/sg), loyal (to sy/sg)

hűl cool

hüllő reptile

hülye ▾ *mn* stupid, idiotic ▾ *fn* idiot, imbecile

hülyeség idiocy, nonsense

hűs cool

hűség faithfulness; loyalty

hűséges faithful, loyal

hűsít refresh

hűsítő cooling, refreshing

hűsöl rest in a cool place, rest in the shade

hűt cool

hűtlen unfaithful

hűtő *[járműé]* radiator; *[fridzsider]* refrigerator

hűtőfolyadék coolant

hűtőgép refrigerator

hűtőház cold store

hűtőpult (display-type food) freezer

hűtőszekrény refrigerator

hűtőtáska freezer bag

hüvely *[kardé]* sheath; *[növényé]* legume; *[női]* vagina

hüvelyk *[ujj]* thumb; *[mértékegység]* inch *[= 2.54 cm]*

hüvelykujj thumb

hűvös *[idő, kellemesen]* cool, fresh; *[kellemetlenül]* chilly

I, Í

ibolya violet
idáig *[térben]* as far as here; *[időben]* up to now, so far
ide here, to this place
idead (*vmit vkinek*) give° (sg to sy v. sy sg)
ideális ideal
idébb further this way
ideg nerve
idegbeteg neuropathic
idegen ▾ *mn [ismeretlen]* strange, unfamiliar; *[külföldi]* foreign ▾ *fn [ismeretlen]* stranger; *[külföldi]* foreigner
idegenforgalom tourism
idegennyelv-oktatás (foreign-)language teaching
idegenvezető guide
ideges edgy, nervous; *[nyugtalan]* anxious
idegesít trouble, irritate
idegesítő irritating
idegeskedik be° edgy/nervous
idegesség nervousness
ideggyógyász neurologist, nerve specialist
idei this year's, of this year *ut*
ideiglenes temporary, transitory
idejében in (good) time
idejön come° here
idén this year
idenéz look here
idény season
ide-oda here and there
idéz (*vmit/vkit/vmiből/vkitől*) quote (sg/sy/from sg/from sy); *[hatóság]* summon

idézés *[szövegé]* quoting; *[hatósági]* summoning; *[irat]* summons (*tsz* -ses)
idézet quotation (from)
idézőjel quotation marks *tsz*
idomít *[állatot]* train; *[vadat]* tame; *[igazít vmihez]* adapt/adjust (to sg)
idő time; **mennyi az ~?** what's the time?; **közép-európai ~** Central European Time (*röv* CET); *nyelv* tense; *[időjárás]* weather
időjárás weather
időjárás-jelentés weather report
időközben meanwhile
időnként from time to time
időpont time, date
idős old
időszak period, term
időszámítás *[a rendszer]* time; **nyári ~** summer time; **~ előtt (i. e.)** *röv* BC, B.C. (before Christ); **~unk szerint (i. sz.)** *röv* AD, A.D. (anno Domini)
időszerű timely
időtartam period, length of time
időtöltés pastime, hobby
időváltozás change of weather
időzik (*vkinél/vhol*) stay (with sy/at/in)
ifi *sp* junior
ifjabb younger; junior (*röv* Jnr., Jr.) *ut*
ifjú ▾ *mn* young; junior (*röv* Jnr., Jr.) *ut* ▾ *fn* young man (*tsz* men)
ifjúkor youth
ifjúkori of youth *ut*
ifjúság youth
ifjúsági junior
igaz true
igazán really, indeed
igazgat *[pl. céget]* manage, direct; *[ruhát]* adjust
igazgatás *[pl. cégé]* management, direction

igazgató manager, director; *[iskoláé]* headmaster, *[nő]* headmistress
igazgatóhelyettes deputy /assistant manager; *[iskoláé]* deputy headmaster, *[nő]* headmistress
igazgatónő directress; *[iskoláé]* headmistress
igazgatóság *[pozíció]* directorship, managership; *[testület]* board of directors, management; *[iroda]* director's/manager's office
igazgyöngy pearl
igazi true, genuine, real
igazít put° (sg) right
igazol *[tettet]* justify; *[állítást]* prove°, verify; *[személyazonosságot]* prove° one's identity; *[irattal]* certify, certificate; *[sportolót]* register; *[egyesülethez]* be° transferred to
igazolás *[tetté]* justification; *[személyazonosságé]* proof of one's identity; *[irattal]* certification; *[az irat]* certificate
igazolatlan uncertified
igazoltat carry out an identity check
igazolvány certificate; *[személyazonossági ~]* identity card (*röv* ID)
igazság truth
igazságos just, fair
igazságszolgáltatás jurisdiction, administration of justice
igazságtalan unjust, unfair
igazságtalanság injustice, unfairness
igazságügy justice
ige verb; *vall* the Word
igen yes
igény (*vmire*) claim (to sg), demand (on sg); *[elvárás, követelmény]* expectations *tsz,* demand
igényel demand, require

igényes demanding, fastidious

igénylő ▾ *mn* (*vmit*) requiring/demanding *ut* ▾ *fn* claimant

igénytelen *[egyszerű]* simple, plain; *[silány]* slipshod; *[küllemről]* slovenly

ígér promise

ígéret promise

így ▾ *hsz* so ▾ *ksz* so, thus

igyekezet endeavour, effort

igyekszik *[szorgalmas]* work hard; *[vmit megtenni]* do° one's best (to do sg), make° an effort (to do sg)

iható drinkable

íj bow

ijedség fright, fear

ijedt frightened

ijedtség fright, fear

ijesztő frightening, frigtful

iker twin; *csill* **Ikrek** Twins, Gemini

ikerház semidetached (house)

ikertestvér twin brother/ sister

ikon *inform is* icon

ikra roe (of fish), caviar

iktat *[iratot]* register, file; **törvénybe ~** enact

illat fragrance, scent

illatos fragrant

illatosít scent

illatszer perfume, scent

illatszerbolt chemist's (shop), perfumery

illem (good) manners *tsz*

illendő proper, decent

illet (*vmi vkit*) belong (to sy); *[vonatkozik vmire/ vkire]* concern (sg/sy)

illeték *[kisebb]* dues *tsz*; *[nagyobb]* duty

illetékes competent, responsible; **ebben nem vagyok ~** that is beyond my competence

illetlen improper, ill-mannered

illető ▾ *mn [szóban forgó]* in question *ut; [vkire/vmire vonatkozó]* concerning (sy/sg) ▾ *fn [személy]* the person in question

illetőleg ▾ *hsz [vkire/vmire vonatkozólag]* concerning (sy/sg) ▾ *ksz* ... respectively (*röv* resp.)

illetve or rather

illik (*vmibe/vhova*) *[pl. alkatrész],* fit (into); *[illendő]* be° proper; (*vmihez vmi*) go° well (with sg)

ilyen such a(n), of this kind *ut,* so

ilyenféle of this sort *ut,* of this kind *ut*

ilyenformán *[így]* in this way; *[tehát]* thus

ilyenkor at such a time; *[ilyen esetben]* in such cases

ilyesmi such a thing, of the kind *ut*

ima prayer

imád adore; *vall is* worship

imádat adoration, worship

imádkozik pray

íme voilà

import *[tevékenység]* import(ation); *[áru]* import(s)

importál import

importáru import(s)

ín tendon, sinew

inas[1] *mn* tendinous

inas[2] *fn [háziszolga]* valet

inda creeper

incidens incident

index index (*tsz* indices); *[irányjelző]* indicator

indexel indicate

India India

indiai *mn, fn* Indian

indián *mn, fn* (American) Indian

indigó indigo

indít *[járművet]* start (up); *[űrhajót]* launch; *sp [versenyen]* give° the starting signal

indítás *[járműé]* starting; *[űrhajóé]* launching

indíték motive, reason

indítvány proposal, motion
indok reason, motive
indoklás *[magyarázat]* explanation
indokol explain, account (for sg)
indokolatlan unjustified
indokolt justified
indonéz *mn, fn* Indonesian
Indonézia Indonesia
indul *[gép]* start; *[repülő]* take° off; *[vonat, busz]* depart; (*vhonnan/vhova*) leave° (from/for)
indulás *[gépé]* start; *[repülőé]* takeoff; *[vonaté, buszé]* departure; *[kiírás repülőtéren, pályaudvaron]* departures *tsz*
indulási of departure *ut,* departure
indulat temper, emotion
induló ▾ *mn* starting, departing, leaving ▾ *fn zene* march
infláció inflation
influenza influenza, *biz* flu
influenzás have° flu
információ information *esz/tsz*
informatika informatics *esz,* information science
infrastruktúra infrastructure
ing shirt
inga pendulum
ingadozás fluctuation
ingadozik *[vmilyen értékek között]* fluctuate (between ... and ...)
ingajárat shuttle(-service)
ingatag *[tárgy]* unstable; *[személy]* hesitant
ingatlan real estate
ingatlanközvetítő (real) estate agency
ingázik commute
inger stimulus (*tsz* -li)
ingerel stimulate; *[bosszant]* tease, irritate
ingerült irritated
ingujj (shirt-)sleeve
ingyen free (of charge)

injekció injection
inkább rather; would rather, prefer (to)
innen from here
innivaló drink, something to drink
inog be° unsteady
ínség poverty, want
ínséges poverty-stricken, miserable
int signal; *[figyelmeztet]* warn
integet wave
intelem warning
intelligens intelligent
interjú interview
intéz *[ügyeket]* manage; *[elrendez]* arrange
intézet institute
intézkedés measure(s)
intézkedik take° measures /steps
intézmény institution
intő warning
inzulin insulin
íny gum
ínyenc gourmet
ipar industry; *[mesterség]* trade
iparcikk (industrial) product
ipari industrial
iparkodik *[szorgalmas]* work hard; *[vmit megtenni]* do° one's best (to do sg)
iparművészet industrial design, arts and crafts *tsz*
iparos *[kis~]* craftsman (*tsz* -men); *[nagy~]* industrialist
iparosítás industrialisation
ír[1] ▾ *mn* Irish ▾ *fn [férfi]* Irishman (*tsz* -men); *[nő]* Irish woman (*tsz* women); *[nyelv]* Irish
ír[2] *fn* balm
ír[3] *ige* write°
Irak Iraq
iraki *mn, fn* Iraqi
iram speed, pace
Irán Iran
iráni *mn, fn* Iranian

iránt *átv is* towards
iránta towards her/him
irány direction, course
irányít *[céget]* manage, direct; *műsz [vezérel]* control
irányítás direction, management, control
irányítószám postal code
irányított guided, controlled
irányjelző indicator
iránytű compass
irányul (*vmire*) be° aimed (at sg)
irányzat tendency
írás writing; *[rendszer]* script, alphabet
írásbeli ▾ *mn* written, in writing *ut* ▾ *fn [dolgozat]* composition; *[vizsga]* written examination, test-paper
írásbelizik (*vmiből*) sit° (for) a written examination (on/in sg)
írásjegy character
írásjel punctuation mark
írástudatlan illiterate
irat *[okmány]* document; *[személyes papírok]* sy's papers *tsz*
íratlan unwritten
irattár archives *tsz*
irattárca wallet
irattáska briefcase
irgalmas merciful
irgalmatlan merciless
irgalmaz (*vkinek*) be° merciful (to sy)
irgalom *[könyörület]* mercy, compassion; *[kegyelem]* pardon
irigy (*vkire/vmire*) envious (of sy/sg)
irigyel (*vkit/vmit*) envy (sy/sg)
irigykedik (*vkire/vmire*) be° envious/jealous (of sy/sg)
irigység envy
írnok clerk
író writer
íróasztal (writing) desk
iroda office
irodaház office building

irodalmi literary
irodalom literature
írógép typewriter
írónő woman writer (*tsz* women writers)
Írország Ireland
írószerek stationery *esz*
írott written
irt destroy, exterminate; *[gyomot]* get° rid of (weeds); *[mészárol]* slaughter, butcher
is too, also
iskola *átv is* school
iskolaigazgató headmaster, *[nő]* headmistress
iskolaköteles schoolable
iskolás ▾ *mn* school(-), of school *ut* ▾ *fn [tanuló]* schoolboy, schoolgirl
iskolatárs schoolmate
iskolatáska schoolbag, (school) satchel
ismer (*vkit/vmit*) know° (sy/sg)
ismeret knowledge
ismeretes (well-)known
ismeretlen ▾ *mn* (*vki számára*) unknown (to sy) ▾ *fn mat* unknown (quantity)
ismeretség acquaintance
ismerkedik (*vkivel/vmivel*) get° to know (sy/sg)
ismerős ▾ *mn* (*vki számára*) known (to sy); *[hang]* familiar (voice) ▾ *fn* acquaintance
ismert (well-)known, famous, popular
ismertet (*vmit vkivel*) make° sg known (to sy)
ismét once more, again
ismétel repeat
ismételt repeated
ismétlés repetition; *[műsoré]* rerun
ismétlődik be° repeated, happen again
istálló *[lóé]* stable(s); *[marháé]* cowshed
isten Isten god, God; ~ **éltessen sokáig!** many happy returns of the day!

isteni divine; *[remek]* superb
istentisztelet service
iszap mud
iszapos muddy
iszik drink°
iszlám Islam
ital drink
italautomata drink vending machine
italbolt *[kocsma]* pub(lic house), bar
itat (*vkit vmivel*) give° sy sg to drink; *[állatot]* water
ítél *[bíróságon vkit vmire]* sentence (sy to sg); (*vmit vmilyennek*) consider, think°
ítélet *[bírói]* judgement, sentence; *[vélemény]* opinion
ítélkezik judge; (*vki fölött*) pass judgement (on sy)
ítélőképesség (power of) judgement, sound judgement
itt here
ittas drunk
itteni of this place *ut*, here *ut*
itthon (here) at home
itt-ott here and there
ív *[vonal]* curve; *[boltozat]* arch; *[pl. papírlap]* sheet
ivás drink(ing)
ível arch, curve
ivóvíz drinking water
íz taste, flavour
izé what's-it('s name), thingie
ízelítő sample
ízes delicious, tasty; *[lekváros]* with jam *ut*
ízesít flavour
ízetlen *[ízléstelen]* tasteless
izgalmas exciting, thrilling
izgalom excitement; *[aggodalom]* anxiety
izgat *[érzéket]* excite; *[zavaróan]* excite, disturb; *[tömeget]* stir (up)
izgató exciting
izgatott excited

izgul *[aggódik]* be° excited/anxious
Izland Iceland
izlandi ▼ *mn* Icelandic ▼ *fn [ember]* Icelander; *[nyelv]* Icelandic
ízlel taste
ízlés *[érzékelés]* sense of taste; *átv* taste
ízléses tasteful; *[pl. öltözködés]* neat, elegant
ízléstelen tasteless
ízletes delicious, tasty
ízlik taste good; (*vkinek vmi*) sy likes sg
izmos muscular
izom muscle
Izrael Israel
izraeli *mn, fn* Israeli
íztelen tasteless; *átv [semmilyen]* dull, flat
ízület joint
ízületi of the joints *ut*
izzad sweat, perspire
izzadság sweat
izzadt sweaty
izzik glow; *[fehéren/vörösen]* be° white/red-hot
izzó ▼ *mn* glowing ▼ *fn* (light) bulb

J

jacht yacht
jácint hyacinth
jaguár jaguar
jaj ow!, ouch!; *[csodálkozás]* ~ **de szép!** how beautiful!
jajgat lament, wail
január January (*röv* Jan.)
jár go° (about); **busszal ~** go° by bus; **gyalog ~** go° on foot, walk; *[iskolába]* go° to school, attend school; *[egyetemre]* study at (a) university; **még nem ~tunk Oxfordban** we have not been to Oxford yet; *[vmilyen ruhában]* wear° sg; *biz* (*vki vkivel*) go° out (with sy); *[jármű]* run°
járás *[tevékenység]* going, walking; *[gépé]* running, working; *[óráé]* movement; *[égitesteké]* course
járat ▾ *fn [hajóé]* line; *[buszé]* service; *[repülőé]* flight ▾ *ige [közlekedtet]* run°
járatlan *[út]* untrodden (path); *[ember]* (*vmiben*) inexperienced (in sg) *ut*, unfamiliar (with sg) *ut*
járda pavement
járdasziget (traffic) island
járhatatlan *[út]* impassable; *átv* impracticable
járható *[út]* passable; *átv* practicable
jármű vehicle
járóka playpen; *[kerekes]* baby-walker
járókelő passer-by (*tsz* passers-by)

jártas (*vmiben*) be° at home (with sg)
jártasság skill
járul (*vki elé*) appear (before sy); (*vmihez vmi*) add (to sg)
járulék [*amit vkinek fizetnek*] allowance; [*amit vki fizet*] contribution
járvány epidemic
járványos epidemic
játék play, game; [*játékszer*] toy; [*szerencsejáték*] gambling; [*színdarab*] play
játékautomata game machine
játékbolt toyshop
játékfilm feature film
játékos ▾ *mn* playful ▾ *fn sp* player; [*szerencsejátékban*] gambler
játékszabály rules of play *tsz*
játékszer toy
játékvezető [*csapatjátékokban*] referee; [*vetélkedőkben*] quizmaster
játszadozik (*vmivel*) play (with sg)
játszik play; [*szerencsejátékot*] gamble; [*előadóművész*] perform; [*színész szerepet*] act
játszma *átv is* game
játszódik take° place (in)
játszótárs playmate
játszótér playground
java [*nagyobb/jobbik része vminek*] the greater/better part (of sg); [*üdve*] good, benefit; *sp* **4:2 az UTE ~ra** four-two (4-2) to UTE
javában at its height
javaslat proposal, proposition
javasol propose, suggest
javít repair, mend; *átv* improve; [*hibát*] correct; [*tanár dolgozatot*] mark (an exercise v. a test)
javítás repairs *tsz*, mending; *átv* improvement; [*hibáé*] correction

javíthatatlan irreparable; *[ember]* incorrigible
javítóműhely garage, repair shop
javul improve, get° better; *[beteg]* be° getting better
javulás improvement
jázmin jasmine
jég ice; *[jégeső]* hail; **~be hűtött** ice-cooled, iced
jégcsap icicle
jeges iced; *átv* chilly
jegeskávé iced coffee
jegesmedve polar bear
jégeső hail
Jeges-tenger Arctic Ocean
jéghegy iceberg
jéghideg *átv is* ice-cold, icy
jégkocka ice cube
jégkorong ice hockey; *[a korong]* puck
jégkorszak glacial period, ice age
jégkrém ice cream
jégpálya ice rink
jégtánc ice dancing
jégvirág frost(work)
jegy ticket; **~et kezel/ érvényesít** validate a ticket; *[ismertetőjel]* (distinguishing) mark; *[asztrológiában]* sign (of the zodiac); *[iskolában]* mark
jegyautomata ticket machine
jegyellenőr ticket inspector
jegyelővétel advance booking
jegyes *[nő]* fiancée; *[férfi]* fiancé
jegyespár engaged couple
jegyez *[jegyzetel vmit]* make°/take° notes (of sg); *[részvényt]* subscribe (for shares)
jegygyűrű *[esküvő előtt]* engagement ring; *[után]* wedding ring
jegyiroda booking/ticket office
jegykezelő ▾ *mn [közlekedési eszközön]* **~ gép**

ticket punch; ~ **pult** *[repülőtéren]* check-in desk, *[átszállóké]* transfer (check-in) desk ▾ *fn* *[repülőtéren]* check-in agent
jegypénztár ticket office
jegyszedő *[színházban]* usher; *[nő]* usherette
jegyzék list; *[diplomáciai]* (diplomatic) note
jegyzés *[részvényé]* subscription (for shares)
jegyzet note; *[egyetemi]* lecture notes *tsz*
jegyzetfüzet notebook
jegyzettömb memo pad
jegyző notary; *[városé]* town clerk; *[bíróságon]* clerk (of the Court)
jegyzőkönyv *[pl. tárgyaláson]* minutes *tsz*
jegyzőkönyvvezető keeper/writer of the minutes, minutes secretary
jel sign, mark; *[betegségé]* symptom; *[vmire figyelmeztető]* signal; *[vmire utaló]* indication
jelen ▾ *mn* present; *nyelv* ~ **idő** present tense ▾ *fn* (the) present ▾ *hsz* ~ **van** be° present
jelenet scene
jelenleg now, at present
jelenlegi present
jelenlét presence
jelenlevő ▾ *mn* present *ut* ▾ *fn* person present
jelenség phenomenon (*tsz* -mena)
jelent (*vkinek vmit*) report (sg to sy), notify (sy of sg); *[vmi jelentése van]* mean°
jelentékeny significant, important
jelentéktelen insignificant, unimportant
jelentés *[beszámoló vmiről]* report (on sg); *[pl. szóé]* meaning, sense
jelentkezés (*vkié vhol*) registering (for sg); *[repülőtéren]* check-in;

(*vmire*) application (for sg); *[állásra]* applying (for a job); *[betegségé]* manifestation

jelentkezési; ~ lap application form; **~ határidő** *[pl. pályázatra]* closing date; *[repülőtéren]* check-in time

jelentkezik (*vmire*) apply (for sg), hand in one's application (for sg); *[állásra]* apply (for a job); *[iskolai órán]* put° up one's hand; *[vmi felbukkan, felmerül]* appear, emerge

jelentkező ▾ *mn [felbukkanó]* appearing, emerging ▾ *fn* applicant, candidate

jelentős significant, important

jelentőség significance, importance

jeles ▾ *mn* excellent, eminent, illustrious ▾ *fn [osztályzat]* very good (mark)

jelez signal, give° signals; *[mutat]* indicate; *[jobbra/balra kanyarodást]* indicate right/left

jelige motto, slogan

jelkép symbol

jelképez symbolise

jelleg character, nature

jellegzetes characteristic, typical

jellem character, personality

jellemes of strong character *ut*

jellemez (*vkit*) characterise (sy); *[jellegzetes vonás vkit]* sg is characteristic (of sy)

jellemzés description of character, characterisation; *[munkavállalóról]* reference

jellemző ▾ *mn* (*vkire*) characteristic/typical (of sy) ▾ *fn* characteristic, feature

jelmagyarázat signs and abbreviations *tsz; [térképé]* legend

jelmez costume; *[jelmezbálban]* fancy dress
jelöl (*vmit vmivel*) mark (sg with sg); *[vkit vmilyen pozícióra]* nominate (sy for sg), propose (sy as sg)
jelölés *[a jel]* mark; *[tevékenység]* marking; *[pl. pozícióra]* nomination
jelölt ▼ *mn* marked ▼ *fn [pl. pozícióra]* candidate (for sg)
jelszó *[pártė]* slogan; *kat, inform* password
jelvény badge
jelzés *[a jel]* mark, label; *[tevékenység]* marking; *[jeladás]* signalling
jelzet *[könyvtári könyvé]* shelf mark; *[levéltári anyagé]* reference; *[kéziraté]* signiture
jelző *nyelv* attribute
jelzőlámpa traffic lights *tsz*
jelzőszám index number
jelzőtábla road/traffic sign; *[tájékoztató]* information signs *tsz; [veszélyre figyelmeztető]* warning signs *tsz*
jérce pullet
Jézus Jesus
jó ▼ *mn* good; *[vmire való]* **ez mire ~?** what's this (good) for?; *[érvényes]* valid; *[helyeslés]* (all) right, O.K., okay ▼ *fn* good; **~ban van (vkivel)** be° on good terms (with sy); *[osztályzat]* good
jóakarat benevolence, goodwill
jóakaratú benevolent, well-disposed
jóakaró well-wisher, benefactor
jobb[1] *mn [a jó középfoka]* (*vminél*) better (than)
jobb[2] *mn, fn [pl. oldal]* right; *pol* the Right
jobbkezes right-handed
jobboldal *pol* the Right
jobboldali *pol* ▼ *mn*

right(-wing), rightist ▼ *fn* right-winger
jobbulás getting better; **~t kívánok!** get better (soon)!
jócskán considerably
jód iodine
jog *[rendszer, tudomány]* law; (*vmihez*) right (to sg)
jóga yoga
jogar sceptre
jogász *[ügyvéd]* lawyer; *[joghallgató]* law student
joghurt yog(h)urt
jogi legal
jogos lawful; **~ igény** just claim; **~ panasz** justified complaint
jogosít (*vmire*) entitle (to sg)
jogosítvány licence; *[járművezetői]* driving licence
jogosult (*vmire*) entitled (to sg) *ut*
jogszabály rule, law
jogszerű legal, lawful
jogtalan illegal, unlawful; **~ követelés** unjust claim
jóhiszemű *[személy]* honest, well-meaning; *[tett]* well-meant/intentioned
jóindulatú *[ember]* friendly, well-meaning
jóízű delicious, tasty
jókedvű jolly, cheerful
jóképű handsome, good-looking
jókor in (good) time
jól well; **~ áll (vkinek vmi)** sg suits (sy); **~ jár (vmivel/vkivel)** be° lucky (with sg/sy); **~ van** be° well; **~ ismert** well-known
jólelkű kind, kindhearted
jólesik (*vkinek vmi*) be° pleased (by sg)
jóleső pleasing, pleasant
jólét welfare; *[bőség]* abundance
jóléti welfare

jóllakik have° enough
jóllehet (al)though
jómódú well-off, well-to-do
jórészt mainly, chiefly, for the most part
jós prophet, soothsayer
jóság goodness, charity
jóságos good, charitable
jóslat prophecy, soothsaying
jósnő prophetess
jósol prophesy, foretell°
jószág domestic animals *tsz,* cattle *tsz*
jószívű warmhearted, generous
jótáll (*vkiért*) stand° surety (for sy); (*vmiért*) guarantee (sg)
jótállás surety, guarantee
jótékony *[bőkezű]* charitable, generous
jóváhagy *[pl. tervet]* approve (sg); *[pl. kinevezést]* confirm (sg)
jóváhagyás approval; *[pl. kinevezésé]* confirmation
jóváír (*vkinek vmit*) enter sg to sy's credit
jóval *[sokkal]* much, far
jóvátehetetlen irreparable, irredeemable
jóvátesz *[sérelmet]* remedy; *[okozott kárt]* compensate (for sg)
jóvátétel *[sérelemé]* reparation; *pol [békekötés után]* reparations *tsz*
józan *[nem iszik]* temperate; *[nem részeg]* sober; *[higgadt]* sober, rational, sound
józanság *[mértékletesség]* soberness; *[józan gondolkodás]* soundness
jön come°; *[érkezik]* arrive; *[következik vki/vmi után]* come° (after sy/sg); *[ered/származik vhonnan]* come° (from swhere); (*vkiért/vmiért*) come° (for sy/sg); *átv* **gyerünk (már)!** come on!

jövedelem *[magánszemélyé]* income; *[vállalaté]* receipts *tsz;* *[állami]* revenue

jövedelemadó income tax

jövedelmez be° profitable; *[vmilyen összeget]* yield an income, bring° in; **a befektetés 500 000 Ft-ot ~ett** the investment yielded 500,000 fts

jövedelmező *[üzlet]* profitable, paying

jövendő the future

jövetel coming, arrival

jövevény newcomer

jövő ▾ *mn* (*vhonnan*) coming (from) *ut;* *[jövőbeli]* future; *nyelv* **~ idő** future tense ▾ *fn* (the) future

jugoszláv *mn, fn* Yugoslav

Jugoszlávia Yugoslavia

juh *[élő]* sheep *esz/tsz;* *[húsa]* mutton

juharfa *[élő]* maple(-tree); *[anyaga]* maple(-wood)

juhász shepherd

juhtúró ewe's cottage cheese

július July (*röv* Jul.)

június June (*röv* Jun.)

Jupiter Jupiter

jut *[vhova]* get° (to), arrive (at); (*vmihez*) get° (at sg), obtain (sg); *átv* (*vmire*) *[pl. vmilyen eredményre]* arrive (at sg); (*vkinek vmi*) fall° to the share (of sy); **(vkinek vmi) az eszébe ~** sg comes to one's mind, sg occurs to sy

jutalék *[fizetésen felül]* premium, bonus; *[közvetítőé]* percentage, commission

jutalmaz reward; *[díjjal]* award sg the/a prize

jutalom *[teljesítményért]* reward; *[pályadíj]* award, prize; *[pl. többletmunkáért]* premium, bonus

jutányos reasonable (price)
juttat (*vkit vhova*) bring°/ get° sy to; (*vkit vmihez*) let° sy get sg

juttatás *[anyagi]* allowance; *[hozzásegítés vmihez]* assignment; **szociális ~ok** social benefits

K

kába dazed
kabaré stand-up comedy
kabát coat
kábel cable
kábeltévé cable TV
kabin *[pl. hajón]* cabin; *[pl. uszodában]* (changing) cubicle
kábítószer narcotic, drug
kacag laugh (heartily)
kacat junk
kacsa duck
kacsint wink
kacskaringós winding
kád bath
kagyló *[állat]* shellfish; *[~héj]* (cockle-)shell; *[fül~]* concha; *[telefon~]* receiver; *[mosdó~]* washbasin
kajak kayak
kajakozik kayak, paddle a kayak
kajszi(barack) apricot
kaka pooh
kakál pooh
kakaó *növ* cacao; *[por, ital]* cocoa
kakas cock
kaki pooh
kakil pooh
kaktusz cactus (*tsz* -es v. cacti)
kakukk cuckoo
kakukkfű thyme
kalács *kb.* milk loaf (*tsz* loaves)
kaland adventure
kalandos adventurous
kalap hat
kalapács *sp is* hammer
kalapácsvetés throwing the hammer, the hammer
kalapácsvető hammer-thrower

kalapál hammer; *[szív]* pound
kalász ear (of wheat, etc.)
kalauz *[pl. buszon]* conductor; *[vonaton]* ticket-inspector; *[aki eligazít]* guide; *[útikönyv]* guide(book)
kalauzol guide
kalitka cage
kalória calorie
kálvinista ▾ *mn* Calvinistic ▾ *fn* Calvinist
kályha stove
kamasz adolescent, teenager
kamaszkor adolescence
kamat interest
kamatmentes interest-free
kamatozik pay° interest
kamera camera
kamilla camomile
kamion (articulated) lorry *US* truck
kampány campaign
kampó crook, hook
kamra *[éléskamra]* larder; *[pl. zsilipé]* chamber; *[szívé]* ventricle
kan male (animal)
kanál spoon
kanalaz *[kanállal eszik]* eat° with a spoon, spoon
kanapé couch, sofa
kanári canary
kanász swineherd
kancellár chancellor
kancsal cross-eyed
kancsó jug
kandalló fireplace
kandúr tomcat
kánikula heatwave
kanna can; *[teáé]* (tea)-pot
kantár bridle
kántor cantor
kanyar bend, turn
kanyargós winding, zig-zag(ging)
kanyaró measles *esz/tsz*
kanyarodik turn; **balra/ jobbra ~** turn left/right
kanyarog wind°, zigzag
kanyon canyon
kap *[pl. levelet]* get°, re-

ceive; *[betegséget]* catch°; *[szerez]* get°, obtain
kapa hoe
kapál hoe (*jelen idejű igenév* hoeing)
kapar scratch
kapaszkodik (*vmire*) climb up (on); (*vmibe*) grasp (sg), hang° on (to)
kapcsol connect
kapcsolás connecting
kapcsolat *[személyes]* connection; *[dolgoké]* link
kapcsolatos connected (with) *ut*
kapcsoló switch
kapcsolódik (*vmihez*) be° connected (with/to)
kapcsológomb switch, knob
kapható obtainable
kapitalista *mn, fn* capitalist
kapitány *sp is* captain
kapocs hook; *átv [szellemi]* tie
kápolna chapel
kapor dill
kapós *biz [áru]* be° selling like hot cakes; (*vki*) popular
káposzta cabbage
káprázik *átv is* be° dazzled
kaptár (bee)hive
kapu gate; *sp* goal
kapubejárat doorway
kapucni hood
kapufa *sp* (goal-)post
kapukulcs (latch)key
kapus *sp* goalkeeper; *[portás]* gate/door-keeper
kaputelefon entryphone
kapzsi greedy, avaricious
kar[1] *[gépé is]* arm
kar[2] *[egyetemi]* faculty; *[kórus]* choir
kár damage; **de ~!** what a pity!
karácsony Christmas (*röv* Xmas)
karácsonyest Christmas Eve
karácsonyfa Christmas tree
karácsonyi Christmas; **kellemes ~ ünnepeket**

(**kívánok**)! (I wish you a) merry Christmas!
karaj *[sertés]* (pork) chop
karakter *[jellem]* character; *[jellegzetesség]* characteristic, feature; *inform* character
karalábé kohlrabi
karambol (road) accident, collision
karambolozik have° an accident, collide
karamell caramel
karamella toffee
karát carat
karate karate
karátos -carat
karbantart maintain
karbantartás maintenance
kárbejelentés damage claim
karburátor carburettor
karcol scrape, scratch
karcsú slim
kard sword; *sp [kardvívás]* fencing
kardigán cardigan
kardvirág gladiolus
karéj *[kenyér]* slice (of bread)
karfa *[bútoré]* armrest; *[lépcsőé]* banister
kárfelvétel assessment of damages
karfiol cauliflower
kárhoztat *[hibáztat]* blame; (*vkit vmire*) condemn (sy to sg); **~va van** (**vmire**) be° doomed (to sg)
karika ring; *[játék, abroncs]* hoop; *[kör]* circle
karikagyűrű *[jegyeseké]* engagement ring; *[házasoké]* wedding ring
karikás ringed; **~ a szeme** have° rings round one's eyes
karikatúra caricature, cartoon
karkötő bracelet
karmester conductor
karmol claw
karnevál carnival
karnis pelmet; *[függönyrúd]* curtain-rod

karó stake, post
káró *[kártyaszín]* diamond
károg *[varjú]* croak
karom claw
káromkodás swearing, cursing; *[szövege]* swearword, curse
káromkodik swear°, curse
karonfogva (*vkivel*) arm in arm (with sy)
karóra wrist watch
káros (*vmire*) harmful (to sg); injurious (to sg)
karosszék armchair
károsult injured/damaged person; *[elemi csapásé]* victim of a disaster
karosszéria bodywork
Kárpát-medence Carpathian basin
Kárpátok the Carpathians
kárpitos upholsterer
kárpótlás compensation (given for sg)
kárpótol (*vkit vmiért*) compensate (sy for sg)
karrier career
kártalanít (*vkit vmiért*) pay° damages (to sy for sg)
kártékony harmful, damaging
kártérítés compensation
kártevő *[állat]* pest
karton *[papír]* cardboard; *[doboz]* carton; *[textília]* cotton
kártya *[játék is]* card
kártyázik play cards
karzat *[színházi]* gallery
kása porridge *US* mush
kastély mansion (house); *[várkastély]* castle, château
kasza scythe
kaszál *[füvet]* mow; *átv* scythe
kaszinó club
kassza *[boltban]* cash desk; *[szupermarketban]* checkout; *[pl. színházban]* box office
katalizátor *[járműben]* catalytic converter, *biz* cat

katasztrófa catastrophe, disaster

katedra *[egyetemi]* chair; *[iskolai dobogó]* platform

katedrális cathedral

kategória category

katicabogár ladybird

katolikus Catholic (*röv* C., Cath.)

katona soldier

katonai military (*röv* mil., milit.)

katonás soldierly

katonaság the army, armed forces *tsz*

katonatiszt (army) officer

kátrány tar

kattint click

kátyú pothole

kavar stir

kávé coffee

kávédaráló coffee grinder

kávéfőző (coffee) percolator

kávéház coffee house, café

kávéscsésze coffee cup

kávéskanál teaspoon

kávézik have°/drink° (a) coffee

kaviár caviar

kavics pebble

kazal rick

kazán boiler

kazetta cassette

kazettás magnó cassette recorder

kecses graceful

kecske goat

kecskegida kid

kedd Tuesday

kedv *[hangulat]* mood; *[öröm]* pleasure

kedvel like

kedvenc favourite

kedves ▾ *mn* dear; *[bájos]* lovely; *[nyájas]* kind ▾ *fn* *[nő]* sweetheart; **~em** my dear, darling

kedvesség kindness

kedvez (*vki vkinek*) favour (sy); (*vmi vminek/vkinek*) be° favourable (to sg/sy)

kedvezmény *[engedmény]* allowance, discount; *[előny]* advantage
kedvezményes preferential, discount
kedvező favourable, advantageous
kedvezőtlen unfavourable, disadvantageous
kedvtelés *[öröm]* pleasure; *[hobbi]* hobby
kefe brush
kefél brush
kegy favour, benevolence
kegyelem *jog* mercy; *vall* grace
kegyelmi kérvény plea for mercy, clemency plea
kegyetlen (*vkihez*) cruel (to sy), brutal (to sy)
kegyetlenség cruelty, brutality
kehely bowl
kéj pleasure
kék blue
keksz biscuit
kel *[égitest is, tészta is]* rise°; *[magról kihajt]* shoot°; **~t május 4-én** dated 4 May (*kimondva* the fourth of May)
kelbimbó Brussels sprouts *tsz*
kelet *[égtáj]* East (*röv* E)
keleti eastern
keletkezik come° into being
kelkáposzta savoy cabbage
kell *[vmi szükséges]* be° needed; (*vmi vmihez*) be° necessary/required (for sg); *[vmit tenni]* must (do sg)
kellemes pleasant
kellemetlen unpleasant
kellemetlenség *[tulajdonság]* unpleasantness; *[gond]* trouble
kellő proper
kelt wake° (up)
kelt tészta raised dough/pie
keltez date

keltezés date
kém spy
kemence *[péké]* oven; *[fazekasé]* stove; *[olvasztó]* furnace
kemény hard, stiff; *átv* severe, hard
kémény chimney; *[pl. hajóé]* funnel
kémia chemistry
kemping campsite, camping site
kempingezik camp
ken (*vmit vmivel*) smear (sg with sg)
kén sulphur
kender hemp
kendő shawl; *[törlő]* duster
kenőcs cream, ointment
kenu canoe
kényelem comfort
kényelmes (*vmi*) comfortable, cosy; (*vki*) comfort-loving
kényelmetlen uncomfortable; *[kellemetlen]* awkward
kenyér bread
kenyérpirító toaster
kényes *[érzékeny]* delicate; *[válogatós]* refined
kényszer pressure, force
kényszerít (*vkit vmit tenni*) force (sy to do sg)
kényszerül (*vmire*) be° forced (to do sg)
kénytelen *[vmit tenni]* be° obliged/forced (to do sg)
kép *átv is* picture; *szính [jelenet]* scene; *[költői]* image
képernyő (television/TV) screen
képes[1] *[illusztrált]* with pictures *ut,* illustrated; *[képletes]* figurative
képes[2] *[vmit tenni]* be° able (to do sg)
képesít (*vkit vmire*) qualify (sy for sg)
képesítés qualification
képeslap *[levelezőlap]* (picture) postcard; *[újság]* (illustrated) magazine

képesség ability
képest (*vmihez*) compared (to/with sg)
képez *[oktat]* train, instruct; *[alkot]* form, constitute
képkeret (picture) frame
képlékeny pliable
képlet formula (*tsz* -las v. -lae)
képmutató ▾ *mn* hypocritical ▾ *fn* hypocrite
képtár picture/art gallery
képtelen (*vmire*) inable (to do sg); *[lehetetlen]* impossible
képtelenség incapability; *[lehetetlenség]* impossibility
képvisel (*vkit*) represent (sy)
képviselet representation; *gazd* agency
képviselő representative, delegate; **önkormányzati ~** councillor; **országgyűlési ~** Member of Parliament (*röv* MP *tsz* MPs); *US* representative, congress(wo)man (*tsz* -(wo)men)
képzel imagine
képzelet imagination, fantasy
képzeletbeli imaginary
képzelődik be° seeing things
képzés *[oktatás]* training, instruction; *[alkotás]* forming
képzett educated
képzettség *[szellemi]* education; *[szakmai]* qualification
képződik form, develop
képzőművészet the fine arts *tsz*
kér (*vmit*) ask for (sg); (*vkitől vmit*) ask sy for sg; (*vkit tenni vmit*) ask/request sy to do sg; *[kínálásra]* **igen, ~ek** yes, please; **(köszönöm,) nem ~ek** no, thank you; **~em** *[legyen szíves]* please

kerámia ceramics *esz,* pottery; *[tárgy]* a piece of pottery
kérdés question; **(vminek) a ~e** a question/ matter of sg
kérdéses *[szóban forgó]* in question *ut; [eldöntetlen]* problematical
kérdez (*vkitől vmit*) ask (sy sg); (*vkiről/vmiről, vki/ vmi után*) inquire (about/ after sy/sg)
kérdő inquiring
kérdőív questionnaire
kérdőjel question mark
kéreg *[fáé]* bark
kéreget beg
kerek round
kerék wheel
kerékbilincs (wheel) clamp *US* (Denver) boot; **~et tesz fel** clamp *US* boot
kerékpár bicycle
kerékpáros cyclist
kerékpározik cycle
kerékpárút cycle path/ road
kérelem *[kérés]* request; *[kérvény]* application
keres (*vmit/vkit*) look for (sg/sy); *[pénzt]* earn
kérés request
kereset *[megélhetés]* living; *[fizetés]* salary; *[jövedelem]* earnings *tsz,* income
kereskedelem commerce, trade
kereskedelmi commercial
kereskedik trade
kereskedő *[boltos]* tradesman (*tsz* -men); *[üzletember]* merchant
kereslet demand
kereső *fényk* viewfinder; *[kenyér~]* (wage) earner
kereszt cross
keresztanya godmother
keresztapa godfather
keresztbe across, crosswise

keresztben across, crosswise

keresztel christen, baptise; **Máriának ~ték** she was christened Mary

keresztelő christening (ceremony), baptism

keresztény *mn, fn* Christian

kereszténység Christianity

keresztez cross; *mezőg [növényt]* hybridise; *[állatot]* cross(breed°)

kereszteződés *[út~, városban]* crossing, junction; *[országúton]* crossroads *tsz*

keresztgyermek godchild (*tsz* -children); *[fiú]* godson; *[lány]* goddaughter

keresztmetszet cross section

keresztnév Christian/first name *US* given name

keresztrejtvény crossword (puzzle)

keresztszülők godparents

keresztül *[térben]* across, through; *[időben]* during, for

keresztülnéz (*vmin*) look through (sg)

keresztyén *mn, fn* Christian

keresztyénség Christianity

keret frame

kerget chase

kering *[pl. vér]* circulate; *[bolygó vmi körül]* revolve (round sg)

keringés *[pl. véré]* circulation; *[bolygóé]* revolution

keringő waltz

keringőzik waltz

kerít get°, obtain

kerítés fence

kérkedik talk big; (*vmivel*) boast (of sg)

kérlel entreat, beg

kérő suitor

kert garden

kertes with a garden *ut*

kertész gardener
kertészet *[szakterület]* gardening; *[kert]* garden
kerül (*vhova*) get° somewhere, come° to; *[pénzbe]* cost°; *[időbe]* take°; (*vmit/vkit*) avoid, keep° away (from sg/sy)
kerület *[körvonal]* outline; *[pl. városé]* district
kerülő detour; **~t tesz** make° a detour *US* detour
kérvény application; **(vkihez vmiért) ~t nyújt be** make°/submit an application (to sy for sg)
kés knife (*tsz* knives)
késedelem delay
kései late
keselyű vulture
keserű bitter
késés delay
késik (*vki*) be° late; *[óra]* be° slow
keskeny narrow
késő *[elkésett]* late; **már ~** it is too late
később later (on)
kész ready, finished; *[vmire, vmit megtenni]* be° ready/prepared (to do sg), be° prepared (for sg)
készétel *[élelmiszerboltban]* ready-to-eat food/meal; *[étteremben]* dish
készít make°, produce
készlet *[áruból]* store, stock; *[összetartozó tárgyak]* set; *[szerszám~]* kit
készpénz cash
készpénzfizetés cash payment
kesztyű glove(s)
kesztyűtartó *[járműben]* glove compartment/box
készül (*vmi vmiből*) be° made/composed (of sg); *[előkészületeket tesz vmire]* make° (oneself) ready (for sg); (*vmit tenni*) be° going to do sg
készülék machine, set
készülődik (*vmire*) prepare (oneself) (for sg)

készültség standby
két two
kétágyas szoba double bedroom
kételkedik (*vmiben*) doubt (sg)
kétértelmű ambiguous
kétes doubtful
kétezer two thousand
kétféle of two (different) kinds/sorts *ut*
kétharmad two-thirds *tsz*
kéthetes *[időtartam]* two weeks'; *[életkor]* two weeks old *ut*, two-week-old
kétjegyű; **~ szám** two-digit number; **~ betű** digraph
ketrec cage
kétrészes two-piece
kétség doubt; **(vkit) ~be ejt** drive° sy to despair
kétségbeesés despair
kétségbeesett desperate
kétségbeesik lose° heart, despair
kétségtelenül undoubtedly, no doubt
kétszemélyes for two (people) *ut*; **~ ágy** double bed
kétszer twice
kétszersült biscuit
kétszobás with two rooms *ut*, two-room(ed)
kettéágazik bifurcate, fork
ketted one half
ketten (in) two; **mi/ti/ők ~** the two of us/you/them
kettéoszt halve
kettes ▼ *mn* **~ szám** number two; **~ busz** bus number two ▼ *fn* *[szám]* number two/2
kettétör break° in two/half
kettévág cut° in(to) two
kettő two; **mind a ~** both; **~kor** at two (o'clock)
kettős ▼ *mn* *[kétszeres]* double, twofold ▼ *fn* *zene* duet

kettőspont colon
ketyeg tick
kever mix; *[kártyát]* shuffle; *átv* (*vkit vmibe*) involve (sy in sg)
keverék mixture; *[pl. kávéé]* blend
kevés few *[tsz főnévvel]*; little
kevésbé (the) less; **egyre ~** less and less
kéz hand; **kezébe vesz (vkit/vmit)** take° (sy/sg) into one's hands; **~en fog (vkit)** take° (sy) by the hand; **~en fogva** hand in hand; **kezet fog (vkivel)** shake° hands (with sy)
kézbesít (*vkinek vmit*) hand (sg to sy), deliver (sg to sy)
kézbesítő *[postás]* postman (*tsz* -men); *[pl. cégé]* messenger
kezd (*vmit/vmihez/vmibe*) begin°/start (sg v. to do sg)
kezdeményez start (sg), initiate (sg)
kezdeményezés initiative
kezdés start, beginning
kezdeti initial
kezdő beginner
kezdődik begin°, start; *[ered vhonnan]* originate (from/in)
kezel *[vkit vhogyan]* treat (sy); *[pl. beteget vmi ellen]* treat (sy for sg); *[pl. gépet]* handle; *[pl. pénzt]* be° in charge of
kezelés *[betegé]* therapy, treatment; *[gépé]* handling
kezes ▼ *mn [szelíd]* tame ▼ *fn [pénzé]* guarantor
kezeskedik (*vmiért*) guarantee (sg)
kézfej hand
kézfogás handshake
kézi manual, hand-
kézifék handbrake
kézikönyv manual, handbook

kézilabda handball
kézilabdázik play handball
kézimunka *[tevékenység]* needlework; *[a tárgy]* (a piece of) needlework
kézipoggyász hand luggage
kézírás (hand)writing
kézirat manuscript
kézműipar (handi)craft(s)
kézműves craftsman (*tsz* -men)
kéztörlő hand-towel
kézügyesség manual skill
kézzelfogható *[kézenfekvő]* evident; *[konkrét]* tangible
ki[1] *nm* who?; **~é?** whose?; **~ért?** for whom?; **~hez?** to whom?; **~nek?** to/for whom?; **~t?** whom?; **~től?** from whom?; **~vel?** with whom?
ki[2] *hsz* out, outwards
kiabál shout, cry
kiábrándul (*vkiből/vmiből*) be° disappointed (in sy/sg)
kiad (*vhonnan vmit*) give° sg out; *[kézből vmit]* part (with sg); *[pénzt]* spend°; *[pl. lakást]* let°; *[parancsot]* give°, issue; *[jegyet, okmányt, rendeletet]* issue; *[sajtóterméket]* publish, issue
kiadás *[költség]* expenses *tsz; [pl. lakásé]* letting (out); *[jegyé, okmányé, rendeleté]* issue; *[sajtóterméké]* publication, issue
kiadatlan unpublished
kiadó ▼ *mn* to (be) let *ut* ▼ *fn* publisher, publishers *esz*
kiadós abundant, plentiful
kiadvány publication
kialakul form, take° shape
kiáll (*vhová*) go°/stand° out; *[vhonnan előjön]* step out/forward; *[pl. sorból]* leave (the queue); (*vmi vmiből*) stand°/stick° out; (*vki-

vel) stand° up (to sy); (*vmiért/vkiért vmi/vki mellett*) fight° (for sg/sy); [*kibír vmit*] endure, stand°

kiállít (*vhová*) put°/place out; [*kiállításon*] exhibit; [*pl. okiratot*] make° out; *sp* [*játékból kizár*] send° off, exclude

kiállítás [*művészeti*] exhibition; [*pl. okiraté*] issue; *sp* [*játékosé*] send(ing)-off

kiállítóterem showroom, gallery

kiált cry (out), shout; (*vmiért*) cry/shout (for sg)

kiáltás cry, shout

kiárusítás selling out/off

kibékít (*vkit vkivel*) reconcile (sy with sy)

kibékül (*vkivel*) be° reconciled (with sy)

kibékülés reconciliation

kibérel hire (out); [*autót, lakást*] rent

kibír bear°, endure, stand°

kibírhatatlan intolerable, unbearable

kibocsát send° out; [*pl. hőt*] emit; [*pl. fényt*] radiate; [*bankjegyet, rendeletet*] issue

kibont [*csomagot, levelet*] open; [*pl. csomót*] untie; [*hajat*] let° down

kicsavar [*csavart*] unscrew; [*vizes ruhát*] wring° (out); [*pl. narancsot*] squeeze

kicserél (*vmit vmire*) exchange (sg for sg); [*újra*] replace (sg with/by sg)

kicsi ▾ *mn* little, small; [*alacsony*] short ▾ *fn* [*gyerek*] little one/boy/girl

kicsoda who?

kicsomagol unpack

kicsúszik [*kézből*] slip (out); ~ **a száján** slip from one's lips/mouth

kiderít find° out, clear up

kiderül *[idő]* clear up; *[kitudódik]* turn out; **~t, hogy ...** it turned out that ..., it transpired that ...
kidob (*vmit*) throw° out (sg); (*vkit vhonnan*) throw° sy out (of swhere)
kidől *[fa]* fall°; *[kiborul]* be° spilt
kidönt *[fát]* fell; *[kiborít]* spill°
kiég burn° out
kiegészít complete
kiegészítő additional, supplementary
kiegyenesedik straighten (out)
kiegyenesít straighten (out)
kiegyenlít *sp is* equalise; *[számlát]* settle
kiegyensúlyozott (well-)-balanced
kiejt *[kezéből]* drop; *[szót]* pronounce
kiejtés pronunciation
kielégít satisfy; *[kívánságot]* fulfil
kiemel (*vhonnan, vmiből*) take°/lift sg out (of sg); *[több közül]* pick (out); *[hangsúlyoz]* emphasise, stress
kiemelkedik (*vhonnan, vmiből*) rise° (from), emerge (from); *[kitűnik]* excel, distinguish oneself
kiemelkedő *[kiugró]* projecting; *[kiváló]* excellent
kienged (*vkit*) let° (sy) out; (*vmit*) emit
kiesik (*vhonnan, vmiből*) *sp is* fall°/drop out (of sg)
kifejez *[szavakkal]* express; *[megjelenít]* represent, symbolise
kifejezés expression
kifejező expressive
kifejleszt develop
kifejlett mature, fully developed
kifejt *[varrást]* undo°; *[pl. borsót]* hull; *[erőt]*

exercise, exert; *[magyaráz]* expound, explain

kifelé out(wards)

kifest *[pl. szobát]* paint; *[arcot]* make° up; *[kiszínez]* colour

kifizet pay° (up/out)

kifizetődik it pays (its way); **nem fizetődik ki** it does not pay

kifizetődő paying; **nem ~** it does not pay

kifli *kb.* croissant

kifog *[vízből]* take° out, fish; *[halat]* catch°

kifogás *[ellenvetés]* objection; *[mentség]* excuse

kifogásol (*vmit*) object (to sg)

kifogástalan unobjectionable; *[hibátlan]* faultless

kifogy *[elfogy]* come° to an end; (*vmiből*) be° out (of sg)

kifúj blow° out; **~ja az orrát** blow° one's nose

kifutópálya *[repülőtéren]* runway

kigombol unbutton

kigondol think° up; *[tervet]* work/think° out (a plan)

kígyó snake

kigyullad *[pl. lámpa]* light° up, be° lit; *[tüzet fog]* catch° fire

kihagy *[mellőz]* omit, leave° out; *[lehetőséget]* miss (a chance); *[kimarad]* miss

kihajol (*vmin*) lean° out (of)

kihal *[család]* die out; *[pl. állatfaj]* be° extinct

kihallgat *[beszélgetést]* overhear° (a conversation); *[rendőrségen]* interrogate

kihallgatás *[rendőrségen]* interrogation; *[magas rangú személynél]* audience

kihasznál (*vmit*) exploit, útilise; **(vmit) jól ~** make° the most (of sg); **~ja a lehetőséget** take°

the opportunity; *pejor* (*vkit*) take° advantage (of sy)

kihegyez sharpen

kihever *[bajt]* get° over; *[betegséget]* recover (from an illness)

kihirdet proclaim, announce

kihív (*vkit vhová*) call out/to; *[harcra]* challenge

kihívás challenge

kihívó provocative

kihoz (*vhonnan*) bring°/ get° out

kihúz (*vhonnan*) pull/ draw° out; *[töröl]* strike° out, delete; *[pl. sorsjegyet]* draw°

kihűl cool, get° cool

kiirt wipe out; *[pl. népet]* exterminate, commit genocide

kiismer (*vkit/vmit*) come° to know (sy/sg) thoroughly; **~i magát** (*vhol*) find°/know° one's way about/around

kijárat way out, exit

kijavít *[hibát, szöveget]* correct; *[helyesbít]* put° sg right

kijelent declare, state

kijelentés declaration, statement

kijelöl *[helyet]* designate, mark out; *[időt]* fix, appoint

kijelző display

kijön (*vhonnan*) come° out (of); *átv* (*vkivel*) get° on well with sy; **~ a gyakorlatból** be° out of practice

kikap (*vmit vhonnan*) snatch (sg out of sg); *sp* *[vereséget szenved]* be° defeated/beaten; *[megszidják vmiért]* be° told off (for sg)

kikapcsol *[kiold]* unfasten, undo°; *[készüléket]* switch/turn off

kikapcsolódás recreation, relaxation

kikapcsolódik *[kioldódik]* come° undone; *[készülék]* be° switched off (automatically); *[pihen]* relax

kiképez (*vkit vmire*) train (sy for sg), qualify (sy for sg); *[alakít]* shape, form

kiképzés training

kikér (*vmit*) ask (for sg); *[vkit cégtől]* ask for sy's transfer

kikérdez *[pl. rendőr]* question

kikeres *[egy szót a szótárban]* look up (a word in the dictionary)

kiköt *[hajó]* moor; *[megköt]* (*vmit vmihez*) tie (sg to sg); *[feltételt szab]* stipulate

kikötés *[feltétel]* stipulation

kikötő *[nagyobb, tengeri]* harbour, port; *[kisebb]* (landing-)pier

kiküld (*vhonnan*) send° out (of)

kilátás (*vhonnan*) view; **az ablakból ~ nyílik a tóra** the window looks out on the lake; *átv [távlati]* outlook, prospect(s) (for sg)

kilátástalan without prospects *ut*

kilátó lookout tower

kilátszik (*vhonnan*) stick out (of sg)

kilenc nine

kilenced ninth

kilences ▾ *mn [számú]* number nine; **~ busz** bus number nine ▾ *fn [számjegy]* number nine

kilencven ninety

kilép (*vhonnan*) step/come° out; *átv [tisztségből]* resign (from sg), leave° (sg); *inform [hálózatból]* log off/out

kilépés *átv* (*vmiből*) withdrawal; *inform [hálózatból]* log-out

kilincs door handle; *[kerek]* (door) knob
kiló kilo
kilóg (*vmi vhonnan*) hang° out
kilogramm kilogram(me) (*röv* kg)
kilométer kilometre (*röv* km)
kilométeróra speedometer
kilő (*vmiből*) shoot° out (of sg); *[rakétát]* launch
kilök push/cast° out
kilyukad *[kopástól]* wear° through
kilyukaszt perforate
kimagaslik *[kiemelkedik]* stand° out; *átv* be° eminent
kimagasló *átv is* outstanding
kimarad (*vki vmiből*) *[akarattal]* stay out/away; *[kihagyták]* be° left out
kimászik (*vhonnan/vmiből*) climb/crawl out (of sg); *átv* get° out (of sg)
kimegy (*vhonnan*) go°/get° out (of), leave° (sg); *[pl. állomásra vki elé]* meet° sy (at the station)
kímél take° care of; **nem ~i a fáradságot** spare no pains
kímélet forbearance, consideration
kíméletes (*vkivel*) considerate (towards sy)
kíméletlen (*vkivel*) inconsiderate (to/towards sy)
kimenő day off, leave; *kat* permission
kimerít *[tartalékot]* exhaust; *[kifáraszt]* wear° out
kimerítő *[alapos]* exhaustive, thorough; *[fárasztó]* tiring, exhausting
kimerül *[elfárad]* get° exhausted; *[elfogy]* be° used up
kimerült tired, exhausted
kimerültség exhaustion
kimond *[szót]* pronounce,

utter; *[kijelent]* state; *[véleményt]* express
kimos *[ruhát]* wash
kimozdul move
kimutat show°, reveal
kimutatás *[jelentés]* report; *[elszámolás]* account
kín pain, torment
Kína China
kínai *mn, fn* Chinese
kínál (*vkit vmivel*) offer (sy sg v. sg to sy); *[árut]* offer (sg) for sale
kínálat *gazd* supply
kincs treasure
kincsesbánya *átv* goldmine
kincstár *[állami]* treasury
kinevet (*vkit*) laugh (at sy)
kinevez (*vkit vminek*) appoint (sy sg v. sy to be sg)
kinevezés appointment
kinéz (*vmin/vhol*) look out (of sg); **jól néz ki** look well/fine
kinn outside, outdoors
kínos *[fájdalmas]* painful; *[kellemetlen]* unpleasant, embarrassing
kínoz torture
kint outside, outdoors
kinyílik open; *[virág]* blossom
kinyit open; *[boltot]* open (up); *[borosüveget]* crack (a bottle); *[zárat]* unlock; *[csapot]* turn on; *[készüléket]* switch/turn on
kinyomoz trace, hunt down
kinyomtat print
kinyújt *[pl. kezét]* stretch/reach out; (*vmit vhonnan*) hand (sg) out
kinyújtózik stretch (out)
kioktat (*vkit vmire*) instruct (sy in sg), brief (sy on sg); *[megleckéztet]* lecture (sy on/about sg)
kiolvad melt
kioszk stand, kiosk
kioszt *[szétoszt]* distribute, give° out
kiöblít rinse (out)
kiöltözik dress up

kiömlik run°/pour out
kiönt *[vizet stb.]* pour out; *[folyó]* overflow
kipakol unpack
kiplakátoz put° up a bill
kiporol dust
kipróbál try
kipukkad burst°
kipusztul die out
kirabol burgle, rob
kiragad *[kitép]* tear°/pull out; *[találomra]* pick (out) (at random)
kiragaszt *[plakátot]* post/stick° (up)
kirak (*vmit vmiből*) take° (sg out of sg); *[árut pl. kocsiból]* unload (the car); *[bemutatásra]* display
kirakat shop window
kirakós játék jigsaw puzzle
király king
királyi royal, regal
királyné queen (consort)
királynő *[sakkban is]* queen
királyság kingdom
kirándul (*vhova*) go° on an excursion (to); *[természetbe]* hike
kirándulás excursion
kirándulóhely beauty spot, tourist spot
kirendeltség branch office/agency
kirohan (*vhonnan*) run°/dash out; (*vki ellen*) run° sy down
kirúg (*vmit/vkit*) kick out (sg/sy)
kis little, small; *[alacsony]* short
kisajátít *[hatóság]* expropriate; *átv* *[magának vmit]* monopolise
kisasszony miss
kisbaba baby
kisebbség minority
kisegít (*vkit vmiből/vhonnan*) help (sy out of sg); (*vkit vmivel*) help (sy out with sg); *[vkit munkájában]* help (sy) (in her/his work)
kiselejtez throw°/cast aside

kísér (*vkit*) go° (with sy); (*vmit vmi*) follow; *[pl. zongorán]* accompany (at/on the piano)
kíséret (*vkié*) train, followers *tsz; [pl. katonai]* escort; *[zenei]* accompaniment
kísérlet *[próbálkozás vmire]* attempt (at sg); *[tudományos]* experiment
kísérleti experimental
kísérő *[társ]* companion
kisfiú little boy
kisgyerek small/little child (*tsz* children)
kisiklik (*vmiből/vhonnan*) slip (out of sg); *[vonat]* be°/get° derailed
kisipar small(-scale) industry
kisiparos crafts(wo)man, (*tsz* -(wo)men)
kiskanál teaspoon
kiskereskedelem retail trade
kiskereskedés small/retail shop
kiskereskedő retailer
kiskorú ▼ *mn* under-age *ut* ▼ *fn* minor
kislány little girl
kiskutya puppy
kismama mother-to-be, young mother
kismutató hour hand
kisorsol draw°
kisöpör sweep° out
kissé a bit, a little (bit)
kistányér dessert plate
kisujj little finger
kisüt *[nap]* begin° to shine; *[tésztafélét]* bake; *[húsfélét olajban]* fry; *[roston]* grill; *(sütőben)* roast
kisváros small town
kiszab *[ruhát]* cut° out; *[határidőt]* set° (a deadline); *[büntetést vkire]* impose (a fine on sy)
kiszabadít liberate, set° free; *[állatot]* release; *[megment]* rescue
kiszabadul get° free; *(vhonnan)* get° out/away

(from); *[megmenekül]* escape

kiszakad tear°

kiszalad (*vhonnan*) run°/dash (out of sg); **~ a száján** slip from one's lips/mouth

kiszáll *[járműből, vhol]* get° off/out (at); *[pl. üzletből]* get° (out of sg)

kiszámít count, calculate

kiszámíthatatlan *[pl. következmény]* unforeseeable; *[személy]* unpredictable

kiszámol count, calculate; *[pénzt]* count out (money)

kiszárad *[pl. tó]* dry up; *[fa]* die

kiszáradt dry

kiszed (*vhonnan/vmiből*) take° out (of swhere)

kiszellőztet air

kiszolgál (*vkit*) serve (sy); *[étteremben]* wait on

kiszolgálás service, serving

kitakarít *[pl. szobát]* clean up, do° (the room)

kitalál (*vhonnan*) find° one's way out (from v. of swhere); *[eltalál]* guess; *[pl. történetet]* invent (a story)

kitart *[állhatatos]* be° persistent; (*vmi mellett*) insist (on sg)

kitartás persistence

kitartó persistent, firm

kiterjed *[terület, vmeddig* extend (to/over); (*vmire*) cover/include (sg)

kitermel *[ásványt]* mine, exploit; *[fát]* lumber

kitesz put° out(side); *[állásból]* turn out; (*vkit vminek*) expose (sy to sg)

kitisztít clean (out)

kitölt *[űrlapot]* fill in (a form)

kitöm stuff

kitör *[pl. háború, vihar, járvány]* break° out

kitörés *[pl. háborúé, viharé, járványé]* outbreak

kitörik break° (off/out)
kitöröl *[pl. edényt]* wipe (out); *[írást]* erase
kitűnik (*vmiben*) excel (in/at sg)
kitűnő excellent
kitüntetés medal, decoration
kitűz *[jelvényt]* pin on/up; *[időpontot]* fix, appoint; *[pl. célt, feladatot]* set° (oneself a target/task)
kitűző badge, pin
kiutasít (*vkit vhonnan*) order/turn (sy out of)
kiutazik *[külföldre]* go° abroad
kiürít empty; *[helyiséget]* vacate; *[települést pl. természeti csapás miatt]* evacuate
kiüt *[bokszban]* knock out
kiütés *[bokszban]* knockout (*röv* K.O.); *[bőrön]* rash
kivág *[pl. késsel]* cut° (sg) out; *[fát]* fell
kivágás *[ruháé]* neckline
kiválaszt select, choose°
kiváló eminent, outstanding, excellent; (*vmiben*) good (at sg)
kiválogat select
kiváltság privilege
kíván (*vmit*) wish/want (sg); (*vkinek vmit*) wish (sy sg)
kívánatos desirable
kíváncsi curious
kíváncsiság curiosity
kivándorló *mn, fn* emigrant
kívánság wish, desire
kivár *[pl. alkalmat]* wait (for) (the opportunity)
kivasal iron
kivégez execute
kivégzés execution
kivesz[1] (*vmiből vmit*) take° (sg out of sg); *[eltávolít]* remove; *[könyvtárból könyvet]* take°/check out
kivesz[2] *[pl. állatfaj]* be° extinct

kivétel exception; **(vmi/vki) ~ével** with the exception (of sg/sy), except (for sg/sy); **~ nélkül** without exception

kivételes exceptional, extraordinary

kivételesen *[különlegesen]* exceptionally; *[ez egyszer]* just this once

kivéve except

kivezet *[út vhova]* lead° (swhere); (*vkit vhova*) see°/lead° (sy) out

kivilágít light° (up)

kivilágítás lighting

kivisz *[út vhonnan]* lead° (out of); (*vmit/vkit*) carry/take° (sg/sy) out; *[mosószer piszkot]* take° out

kivitel *[árué külföldre]* export; *[műé]* execution

kivitelez carry out, execute

kivitelezés *[folyamat]* making; *[megvalósítás]* carrying out

kivizsgál (*vmit*) examine; *orv* (*vkit*) check up

kivizsgálás examination; *orv* checkup

kivon *mat* subtract; **~ a forgalomból** withdraw° from circulation

kivonás *mat* subtraction; *[forgalomból]* withdrawal

kivonul *[tömeg vhova]* turn out; (*vhonnan*) withdraw° from

kivonulás *[ünnepi]* march; (*vhonnan*) withdrawal

kívül ▾ *hsz [kinn]* outside ▾ *nu [hely]* outside (of); *[vmi/vki kivételével]* except sg/sy, apart from sg/sy; *[vmin/vkin felül]* beside(s)

kívülálló stranger

kizár *[pl. ajtón]* lock out; *[pl. szervezetből]* exclude; *[vminek a lehetőségét]* rule out (sg)

kizárólag exclusively, alone

kizárólagos exclusive, absolute
kizárt (*vmiből*) excluded (from sg) *ut;* **ez ~!** (it is) impossible!
klarinét clarinet
klasszikus ▾ *mn* classical; *[mintaszerű]* classic ▾ *fn* classic
kliens client; *gazd* customer
klíma *[éghajlat]* climate; *[készülék]* air conditioner
klinika university/teaching hospital; **sebészeti ~** department of surgery
klub club
kóbor vagrant, strolling; **~ kutya** stray dog
koccan (*vmihez*) knock (against sg)
koccanás *[autóké]* bump
koccint clink (glasses); **~ (vki) egészségére** drink° sy's health
kocka *mat* cube; *[játékhoz]* dice *esz/tsz*
kockacukor sugar lump/cube
kockás squared, checked; **~ papír** graph paper
kockázat risk, hazard
kockázatos risky, hazardous
kockáztat (*vmit*) risk (sg)
kocog jog
kócos tousled
kócsag heron
kocsi car; *[vasúti]* carriage
kocsikázik take° a drive
kocsma pub, inn, tavern
kocsonya cold pork in aspic
kód code; *inform* **~ot feltör** decipher, decrypt
kódex codex (*tsz* codices)
kohászat metallurgy
kohó furnace
koktél cocktail
kókuszdió coconut
kóla Coke
kolbász sausage
koldul beg

koldus beggar
kolléga colleague
kollégium *[diákszállás]* students' hostel; *[testület]* board
kolostor monastery
kombájn combine (harvester)
kombiné slip
komédia comedy
komfort comfort, convenience
komikus ▾ *mn* comical, humorous ▾ *fn* comedian
kommentál (*vmit*) comment (on sg)
kommentár (*vmihez*) commentary (on sg)
kommunikáció communication
komód chest of drawers
komoly serious; *[jelentős]* considerable
komolytalan unserious; *[ígéret]* hollow
komp ferry(boat)
kompetens competent, responsible
komplikáció *orv is* complication
kompót *[friss]* stewed fruit; *[eltett]* bottled fruit
kompromisszum compromise, concession
komputer computer
koncentrál (*vmire*) concentrate (on sg)
koncert concert
kondíció (physical) condition
kondicionálóterem gym
konferencia conference, meeting
konfliktus conflict
kongresszus congress, convention
konkrét concrete
konnektor *[dugó]* plug; *[aljzat]* socket
konok stubborn, obstinate
konstelláció constellation
kontaktlencse contact lens
kontinens continent

konty bun
konzerv tinned food *US* canned food
konzervatív *mn, fn* conservative
konzervdoboz tin *US* can
konzervnyitó tin opener *US* can opener
konzul consul
konzulátus consulate
konyak cognac
konyha kitchen; *[főzésmód]* cuisine
konyhafelszerelés kitchen utensils *tsz,* kitchen equipment
konyhakész oven-ready
konyharuha dish-cloth
kopasz bald, hairless
kopaszodik go°/become° bald
kopik wear° out/off
koplal *[szándékosan]* diet; *[nincs mit ennie]* starve
kopó *[kutya]* hound
kopog *[ajtón]* knock (at the door)
kopoltyú gill
koponya skull; *átv* head
koporsó coffin
kopott (*vmi*) worn; *átv [vki megjelenése]* shabby
koppan knock, strike°
koptat wear° out/down
kor age
kora early
korábban *[előbb]* earlier; *[azelőtt]* previously
korábbi former, previous
korabeli contemporary
korai early; *[idő előtti]* premature
korall coral
korán early
koraszülés premature birth
koraszülött premature baby
korbács lash
korcsolya skate(s)
korcsolyázik skate
kordbársony nadrág cords *tsz*
korhadt decayed, rotten
korhatár age limit
kórház hospital

kórházi hospital
korlát bar; *átv* limit; *sp* parallel bars *tsz*
korlátlan boundless; *[mennyiség]* unrestricted; *[lehetőség]* unlimited
korlátolt *[korlátozott]* limited; ~ **felelősségű társaság** limited liability company (*röv* Ltd.); *[szellemileg]* narrow-minded
korlátoz restrict, set° limits (to)
korlátozott limited, restricted
kormány steering wheel; *pol* government
kormányfő prime minister
kormányos steersman (*tsz* -men)
kormányoz *[pl. autót]* steer; *pol* govern
kormánypárt government/governing party
kormányzó ▾ *mn* ruling, governing ▾ *fn* governor
korog rumble
korom soot
korona crown
korong disc; *[hoki]* puck; *[fazekasé]* potter's wheel
kóros pathological, morbid
korosztály age group/bracket
korpa *[őrlési termék]* bran; *[fejbőrön]* dandruff
korrepetálás tutoring, coaching
korsó jug
korszak period, era
korszerű up-to-date, modern
korszerűsít modernise
korszerűtlen out-of-date
kortárs contemporary
kórterem (hospital) ward
korty *[kicsi]* sip; *[nagy]* gulp
kortyol sip
kórus choir
kos ram; *csill* **K~** Aries
kosár basket
kosárlabda basketball

kóstol try, taste
kosz dirt
koszorú wreath
koszorúz lay° a wreath
koszorúzás wreath-laying (ceremony)
koszos dirty
koszt food; ~ **és kvártély** board and lodging
kosztüm suit; *[korabeli viselet]* costume
kotrógép excavator
kotta music; **~t olvas** read music
kovács (black)smith
kozmetika cosmetics *tsz*
kozmetikus beautician
kő *orv is* stone
kőbánya quarry
köbcentiméter cubic centimetre (*röv* cc)
köbméter cubic metre (*röv* cu. m.)
köbtartalom cubic capacity, volume
köd *[ritka]* mist; *[sűrű]* fog
ködös misty; *átv is* foggy
köhög cough
köhögés cough
kölcsön ▾ *mn* on loan *ut*, borrowed ▾ *fn* loan ▾ *hsz* on loan; **elvihetem ezt ~?** may I borrow that/it
kölcsönad (*vkinek vmit*) lend° (sg to sy v. sy sg)
kölcsönkér (*vkitől vmit*) borrow (sg from sy)
kölcsönös mutual
kölcsönöz (*vkinek vmit*) lend° (sg to sy v. sy sg); (*vkitől vmit*) borrow (sg from sy)
kölcsönzés (*vkinek*) lending; (*vkitől*) borrowing; *[könyvtárból]* loan
kölcsönző *[vállalat]* hire service
köldök navel
kölni eau de cologne, perfume
költ[1] *[ébreszt]* wake° (up)
költ[2] *[madár]* brood; *[fiókákat]* hatch
költ[3] *[verset]* write° (a poem); *[pl. mesét]* invent, make° up

költ[4] *[pénzt]* (*vmire*) spend° (on sg)
költemény poem
költészet poetry
költő poet
költőpénz pocket money
költözés move; *[madáré]* migration
költözik (*vhova*) move (to); *[madár]* migrate
költözködik move (house)
költöző madár migratory bird
költség expense(s)
költséges expensive
kölyök *[állaté]* young (of an animal); *[macskáé]* kitten; *[kutyáé]* pup(py); *[gyerek]* kid
köménymag caraway seed
kőműves bricklayer, builder
köntös dressing gown *US* bathrobe
könny tear
könnyed easy
könnyelmű rash, lightheaded
könnyelműség rashness
könnyezik shed° tears
könnyít *[terhen]* lighten; *átv* (*vmin*) make° (sg) easier; *[fájdalmon]* ease
könnyítés ease, relief
könnyű light; *átv* easy
könyök elbow
könyököl lean° on one's elbows; *átv* elbow
könyörög (*vmiért*) beg (for sg)
könyörtelen merciless, pitiless
könyv book; *[kötet]* volume; *gazd* **üzleti ~ek** books of account *tsz*
könyvel *gazd* keep° the books; enter sg into the books
könyvelés *[tevékenység]* bookkeeping; *[osztály]* bookkeeping/accounts department
könyvelő bookkeeper
könyvesbolt bookshop
könyvespolc bookshelf (*tsz* -shelves)

könyvkiadó publisher, publishing house
könyvszekrény bookcase
könyvtár library
kőolaj (crude) oil
köp spit°
köpeny cloak, gown; *[autó-gumi]* tyre
kör *átv is* circle; *[verseny-pályán]* lap; *földr* **hosz-szúsági ~** (line of) longitude; **szélességi ~** (line of) latitude
kőr *[kártyaszín]* heart
körcikk sector
köré (a)round
köret trimmings *tsz*
körforgalom roundabout *US* traffic circle
körhinta merry-go-round
körív arc
körlevél circular
környék *[település körül]* environs *tsz;* **a ~en** in the neighbourhood
környezet environment
környezetvédelem en-vironmental protection
köröm *[emberé]* (finger)-nail; *[állaté]* claw
körömkefe nailbrush
körömlakk nail polish
köröz circle; *[rendőrség vkit]* issue a warrant for the arrest of sy
körözés circling; *[rend-őrségi]* warrant (for sy's arrest)
körte pear; *[égő]* (light) bulb
körtér circus
körút boulevard (*röv* blvd.); *[utazás]* tour, trip, round trip
körutazás round trip
körül *[térben]* (a)round; *[időben]* (at) about; *[megközelítőleg]* about, approximately
körülbelül about, ap-proximately (*röv* ap-prox.)
körülmény *jog* circum-stance; **~ek** circum-stances, conditions
körülnéz look (a)round

körülötte (a)round/about her/him/it
körültekintő cautious, circumspect
körülvesz surround
körvonal outline; *átv [vázlat]* sketch
körzet area, zone; *[igazgatási]* district
körző compasses *tsz*
kőszikla rock
köszön (*vkinek*) greet (sy); (*vkinek vmit*) thank (sy for sg); **~öm!** thank you!, thanks!
köszönés greeting
köszönet thanks *tsz*
köszönt greet; *[vkit vmilyen ünnepi alkalomból]* congratulate (sy on sg)
köszörül grind°; **~i a torkát** clear one's throat
köt *[megköt]* tie (*múlt idő* tied, *jelen idejű igenév* tying), bind°; *[pulóvert]* knit°; *[könyvet]* bind°; **barátságot ~ (vkivel)** make° friends (with sy)
köteg bundle, bunch
kötél rope, cord
kötelék tie; *[érzelmi]* ties *tsz*
köteles obligatory; **~ megtenni (vmit)** be° obliged/bound to do (sg)
kötelesség duty, task, obligation
kötelez (*vmire*) oblige
kötelezettség obligation
kötelező obligatory
kötélpálya cable railway
kötéltáncos tightrope walker
kötény apron
kötés binding; *[kézimunka]* knitting; *műsz* bond; *[sílécen]* bindings *tsz*
kötet volume (*röv* vol.)
kötetlen informal
kötődik (*vkihez*) be° attached (to sy)
kötőjel hyphen

kötőszó conjunction
kötött *[össze~]* tied; *[kézimunka]* knitted
kötőtű (knitting) needle
kötöz tie (up); *[sebet]* dress
kötszer dressing, bandage
kövér *[ember]* fat, stout
köves stony
követ[1] *fn* ambassador
követ[2] *ige* (*vkit*) follow (sy); *[sorrendben]* succeed
követel (*vmit vkitől*) demand (sg from sy)
követelmény requirement
következetes consistent
következetlen inconsistent
következik *[sorrendben]* follow; (*vmi vmiből*) result (from)
következmény consequence
következő ▾ *mn* following, next ▾ *fn* the following, the next
következtében (*vminek*) in consequence of sg, because of sg
következtet (*vmiből vmire*) deduce (sg from sg)
követő follower
követség *[nagykövetség]* embassy
köz *[tér]* distance; *[idő]* interval; *[kis utca]* close; **(vmihez) ~e van** have° to do (with sg); **nincs ~e (vmihez)** have° nothing to do (with sg)
közalkalmazott civil servant
közbejön occur, happen, come° up
közbelép intervene, step in
közben ▾ *hsz [egyidejűleg]* meanwhile; *[térben]* in between ▾ *nu [idő]* during
közbeszól interrupt (sy), cut° in
közbiztonság public order/security
közé *[kettő ~]* in be-

tween; *[sok ~]* among(st)
közel near; *[csaknem]* nearly
közeledik (*vmihez*) approach (sg)
közélet public life
közelgő coming, approaching
közeli near; **a ~ napokban** in the near future; **~ rokon** close relatives
közelít (*vmihez*) approach (sg)
közép (*vmié*) the middle (of sg)
közepes ▾ *mn [átlagos]* mean; *[minőség]* medium ▾ *fn* **~ alatt** below average
Közép-Európa Central Europe
közép-európai Central European
középhullám middle wave
középiskola secondary school
középkor Middle Ages *tsz*
középkori medi(a)eval
középkorú middle-aged
középpont centre
középső central
közérdek public/general interest
közérthető clear, easy to understand *ut*
közérzet general state of health
kőzet rock
közgazdasági economic
közgazdaságtan economics *esz*
közgazdász economist
közigazgatás (public) administration
közismert well-known
közjegyző notary (public)
közkedvelt popular
közlegény common soldier
közlekedés traffic
közlekedési traffic; **~ eszköz** means of transport *tsz;* **~ lámpa** traf-

fic lights *tsz;* ~ **tábla** traffic sign
közlekedik go°; *[menetrend szerint jár]* run°
közlemény communication
közmondás proverb
közoktatás general/public education
közöl *[pl. hírt vkivel]* tell° (sy), report; *[közzétesz]* publish
közömbös (*vki/vmi iránt*) indifferent (to sy/sg)
közönség audience, the public
közönséges *[mindennapi]* general; *pejor* vulgar
közöny indifference
közös common
közösség community; *vall* fellowship
között *[kettő ~]* between; *[sok ~]* among
központ centre
központi central
központozás punctuation
közrefog surround
közreműködik (*vmiben*) take° part (in sg)
község village
közt *[kettő ~]* between; *[sok ~]* among; **magunk/magatok/maguk ~** between/among ourselves/yourselves/themselves
köztársaság republic
köztársasági of the republic *ut*
közte between; **köztünk** between you and me, among us
közterület public place/property
köztisztaság public hygiene/sanitation
köztiszteletben áll be° highly respected
köztisztviselő public/civil servant
közút public road
közúti road
közül from (among)
közvélemény public opinion

közvetett indirect
közvetít *[ügyben]* mediate; *[pl. rádión]* broadcast°
közvetítés *[ügyben]* mediation; *[rádió, televízió]* broadcast
közvetítő ▾ *mn [ügyben]* mediatory ▾ *fn* mediator
közvetlen direct; *[viselkedés]* informal
közzétesz publish
kráter crater
krém cream
kréta chalk
krimi thriller, crime story/film
kripta burial vault
kristály crystal
kristálycukor granulated sugar
Krisztus Christ; **Jézus ~** Jesus Christ; **~ előtt** before Christ (*röv* BC, B.C.); **~ után** anno Domini (*röv* AD, A.D.)
kritika *[szóbeli/írott]* criticism; *[írott]* critique
kritikus ▾ *mn* critical ▾ *fn* critic
kritizál criticise
krokodil crocodile
krumpli potato (*tsz* -es)
kudarc failure
kugli tenpin bowling
kuglóf *kb.* ring cake
kuka rubbish bin
kukac *[giliszta]* worm; *inform [e-mail címben]* at
kukacos maggoty; *átv* fussy
kukorica maize *US* corn; **főtt ~** sweetcorn; *[csöves]* corn on the cob; **pattogatott ~** popcorn
kukoricacső maize-ear
kukoricapehely cornflakes *tsz*
kukta cook's/kitchen boy; *[edény]* pressure cooker
kulacs flask
kulcs *átv is* key
kulcscsomó bunch of keys
kulcscsont collarbone
kulcslyuk keyhole

kullancs tick
kultúra culture
kulturális cultural
kunyhó hut, hovel
kúp cone
kupa cup
kupak cap
kupé compartment
kupola dome
kúra cure, treatment
kúrál cure, treat
kurta short
kúszik creep°
kút well; *[benzin~]* filling/petrol station *US* gas station
kutat (*vmi után*) look for (sg); *[pl. fiókban]* search through; *[tudományosan vmilyen témában]* (do°) research (on/into sg)
kutatás (*vmi/vki után*) search (for sg/sy); *[tudományos, vmilyen témában]* research (on/ into sg)
kutató researcher, research worker
kutya dog
kutyaeledel dog food
küld send°
küldemény parcel
küldött delegate
küldöttség delegation
külföld foreign countries/lands *tsz;* **~re/ön** abroad; **~ről** from abroad
külföldi ▾ *mn* foreign, from abroad *ut* ▾ *fn* foreigner
külkereskedelem international/foreign trade
küllő spoke
külön ▾ *mn [különálló]* separate ▾ *hsz [elválasztva]* separately; *[egyedül]* by itself; *[kizárólag]* (e)specially
különben besides, moreover; *[másként]* otherwise
különbözet difference

különbözik (*vmitől vmiben*) differ (from sg in sg)
különböző [*eltérő*] different; [*többféle*] various
különbség difference
különféle various [*utána tsz*]
különjárat [*busz*] special bus/coach (service); [*felirat buszon*] private
különleges special
különlegesség speciality
különóra private lesson
különös [*furcsa*] strange, odd; [*különleges*] special
különösen [*furcsán*] oddly; [*főként*] in particular
külpolitika foreign affairs *tsz*, foreign policy
külső ▾ *mn* exterior ▾ *fn* [*küllem*] (outward) appearance; [*vmi külső része*] the outside/exterior (of sg); [*felszín*] surface
külügyek foreign affairs
külváros suburb
kürt horn
küszöb *pszich is* threshold
küzd (*vmiért*) struggle (for sg), fight° (for sg)
küzdelem struggle, fight
küzdősportok combat sports
kvarc quartz

L

láb *[lábszár]* leg; *[lábfej]* foot (*tsz* feet); *[tartó]* rest
lábadozik be° recovering, recuperate
lábas pot, pan
labda ball
labdajáték ball game
labdarúgás football, soccer
labdarúgó football player
labdázik play (at/with a) ball
lábfej foot (*tsz* feet)
lábjegyzet footnote
lábnyom footprint
laboratórium laboratory
lábszár leg
lábtörlő doormat
lábujj toe
láda box, chest
lágy soft, tender
lágyék groin
lakás flat, apartment
lakáscsere changing flats
lakat padlock
lakatos *[záraké]* locksmith; *[gépeké]* mechanic
lakbér rent
lakberendezés *[bútorzat]* furnishings *tsz*, furniture; *[munka]* interior design
lakberendező interior designer
lakcím (home) address
lakhely permanent address/residence
lakik *[otthonában]* live, *hiv* reside, *[átmenetileg vhol]* stay (at/in)
lakk varnish, lacquer
lakkoz varnish, lacquer
lakó *[házé]* resident, oc-

cupant; *[bérlő]* tenant; *[területé]* inhabitant
lakodalom wedding party/banquet
lakóház house
lakóhely permanent address/residence
lakókocsi caravan
lakónegyed residential district/area
lakos resident, inhabitant
lakosság population, inhabitants *tsz*
lakosztály suite
lakótárs room mate
lakótelep housing estate
laktanya barrack(s), garrison
lám *[íme]* (you) see!; ~, ~! well well!
lámpa lamp; *[járművön]* light(s); *[forgalmi]* traffic lights *tsz*
lánc *[ékszer, üzleteké]* chain
landol land
láng flame; **~ra lobban** catch° fire
lángol be° aflame/ablaze, blaze
langyos *átv is* lukewarm
lant lute
lány girl; *[vkinek a lánya]* daughter
lap *[sima felület]* (flat) surface; *[pl. fémből]* plate; *[darab papír]* sheet; *[könyvé]* page (*röv* p.); *[levelezőlap]* (post)card; *[hírlap]* (news)paper; *[kártyalap]* card
láp marsh, bog
lapát shovel; *[evező]* oar
lapátol shovel; *[evez]* paddle
lapít flatten
lapos *átv is* flat
lapostányér dinner plate
lapoz turn the/a page
lárma clamour
lármás clamorous, noisy
lárva larva
lásd see; **~ a 4. oldalon** see p. 4
lassan slowly; *[hamarosan]* soon

lassít slow (down)
lassú slow
lassul slow down
lát see°; **jól/rosszul ~** have° good/bad eyes; *[ért]* **~od?** see?; *[vmilyennek tart]* think°, find°; **jónak ~** think° fit; **munkához ~** set° to work; **szívesen ~ (vkit)** welcome (sy)
látás sight; **első ~ra** at first sight; **~ból ismer** know° by sight
láthatár horizon
láthatatlan invisible
látható visible
latin *mn, fn* Latin
látnivaló sight, place of interests
látogat (*vkit*) visit (sy); *[gyakran felkeres vkit]* frequent (sy)
látogatás visit; *[kórházban]* visiting hours
látogató visitor
látóhatár horizon
látótávolság range of vision; **~on belül** within view/eyeshot
látszat appearance
látszerész optician
látszik *[látható]* can be seen; appear, seem, look; **úgy ~, elkéstünk** we seem to be late; **fáradtnak ~** she looks tired
látszólag apparently
látvány sight; *[tájé]* scenery
látványos spectacular
láva lava
lavina avalanche
láz temperature, fever; **magas ~a van** have° a high temperature; *[izgalom]* thrill, fever; *[divat]* craze
laza *átv is* loose; *[könnyed]* easy-going
lázad (*vki/vmi ellen*) revolt (against)
lázadás revolt
lázadó ▾ *mn* rebellious ▾ *fn* rebel

lázas have° a temperature/fever; *[kapkodó]* feverish
lázcsillapító antipyretic
lazít *[pl. kötést]* loosen; *[pihen]* relax
lazítás relaxing
lázít incite sy to revolt/rebel
lázmérő thermometer
le down, *[lefelé]* downwards
lé *[folyadék]* liquid; *[gyümölcslé]* juice
lead *[nyújt]* hand down; *[benyújt]* hand in, submit; *[labdát]* pass; *[súlyt]* lose° (weight); **~tam hat kilót** I've lost six kilos
leáll *[megáll]* stop; *[gép]* stop, break° down
leállít *[földre]* stand° sg on the floor; *[megállít]* stop; *[abbahagyat]* cancel, call off
leány girl; *[vkinek a lánya]* daughter
leánykori név maiden name
lebarnul tan
lebecsül underestimate
lebeg *[vízen]* float, drift; *[levegőben]* hover
lebeszél (*vkit vmiről*) talk sy out of (doing) sg
lebont pull/knock down
lebonyolít arrange
leborotvál shave off
leborul tumble down; (*vki előtt*) fall° on one's knees (before sy)
lebukik *[víz alá]* duck, plunge; *[bűnös]* get° caught, be° found out
léc lath
lecke homework; *átv* lesson
lecsap *[lerak]* slap/slam down; (*vmire*) pounce (on sg); *[rendőrség vkire]* crack down (on sy)
lecsavar (*vmit vmiről*) unscrew (sg off sg); *[leteker]* unroll; *[fűtést]* turn down

lecserél replace
lecsillapodik calm down
lecsuk close; *[börtönbe]* lock up
lecsúszik slide°/glide/slip down; *[szánkón]* coast down
ledob throw° down
leég *[pl. ház]* burn° down; *[bőr]* become° sunburnt
leejt drop
leendő future
leenged lower; *[elenged]* allow sy to go down; *[árat]* reduce
leereszkedik *[kötélen]* let° oneself down; *[köd]* descend, fall°; *átv* (*vki-hez*) condescend (to sy)
leereszt let° down, lower; *[ruhát]* let° down; *[gu-mi]* deflate, go° flat
leértékel *[pénzt]* de-value; *[árut]* cut°/ reduce the price (of sg)
leesik fall° (down/off); ~ **az álla** one's jaw drops
lefékez brake, slow down
lefekszik lie° down; *[alud-ni]* go° to bed; (*vkivel*) go° to bed (with sy)
lefektet lay°/put° down; *[gyereket]* put° to bed; *[leír]* put° into writing
lefelé down(wards)
lefényképez photograph, take° a picture/photo (of sy/sg)
lefest *[festő]* paint; *[leír]* describe
lefog hold°/keep° down; *[bűnözőt]* arrest
lefoglal *[pl. helyet]* book (in advance); *[ingat-lant]* seize
lefogy lose° weight
lefolyik flow (down); (*vmi vhogy*) go°
lefolyó plug-hole
lefordít; ~ (vmit) angolról franciára translate sg from English into French
leforráz *[vízzel]* scald; *átv* **~ta a hír** he was devas-tated/dumb-founded by the news

legalább(is) at least
legális legal
legel graze
legelő pasture
legelső (the very) first
legeltet *[állatot]* graze; **~i a szemét (vmin)** feast one's eyes (on sg)
legenda legend
legendás legendary
legény young man (*tsz* men)
legénység men *tsz*, ranks *tsz*; *[járműé]* crew
légfék air brake(s)
legfeljebb *[maximum]* at most
léggömb balloon
léghajó airship
léghűtés air-cooling (system)
légi air; **~ forgalom** air transport/traffic; **~ úton** by air
légikikötő airport
légikisasszony stewardess
légiposta air mail
légitársaság airline
legjobb best; **~ lesz, ha most elmész** you had better go now
legkevesebb least
légkondicionálás air-conditioning
légkondicionáló air conditioner
légkondicionált air-conditioned
légkör *átv is* atmosphere
legközelebb *[térben vmihez]* nearest (to sg); *[időben]* next (time)
légmentes airtight
légnyomás (atmospheric) pressure; *[robbanáskor]* blast
legtöbb most; **a ~ ember** most people
legtöbbször most often
legutóbb last time
légvonal; ~ban 6 kilométer 6 kilometres as the crow flies
légzés breathing
légy (house) fly

legyengül grow°/become° weak(er)
legyez fan
legyező fan
legyint wave one's hand
legyőz *[ellenfelet]* defeat, beat°; *[felülkerekedik vmin]* overcome° (sg)
lehagy *átv is [megelőz]* outstrip; *[lefelejt]* leave° out/off
lehajol bend°/bow down
lehalkít *[rádiót]* turn down; **~ja a hangját** lower one's voice
lehel breathe
lehelet breath
lehet *[lehetséges]* be° possible; **~, hogy ott van** she may be there; *[szabad]* **~ egy kérdésem?** may I have a question?; *[bárcsak]* **~ne figyelmesebb is** I wish he was more considerate; *[képes]* **hogy ~sz ilyen durva?** how can you be so rude?
lehetetlen *[nem lehetséges]* impossible; *[képtelen]* impossible, absurd
lehetőleg if possible
lehetőség possibility
lehetséges possible
lehoz bring° down
lehull fall° (down)
lehűl cool down
lehűt *átv is* cool
leigáz subjugate
leír write°/put° down; *[elmesél]* describe; *[könyvelésben]* write° off
leírás *[ábrázolás]* description
lejár (*vhova*) come°/go° (regularly/frequently) down (to); *[leesik]* come° off; *[határidő]* expire
lejárat[1] *fn* (*vhova*) way down; *[igazolványé]* expiry
lejárat[2] *ige* discredit (sy)
lejön (*vhonnan*) come° down; (*vmi vmiről*) come° off
lejt slope

lejtő slope
lejtős sloping
lék leak
lekapcsol *[lámpát, gépet]* turn off; (*vmit vmiről*) unbuckle
leküzd overcome° (sg)
lekvár jam
lelátó grandstand
lélegzet breath
lélegzik breathe
lélek soul; **a lelke mélyén** in one's heart of heart; *[lelkiismeret]* **nyugodt ~kel** in good conscience
lelép (*vki vhonnan*) step down/off; *[meglép]* skip off
leleplez *[szobrot]* unveil; *[összeesküvést]* expose, reveal; *[embert]* expose, unmask
lelet *[régészeti]* find; *[orvosi]* (laboratory) findings *tsz,* (laboratory) report
lelkes enthusiastic
lelkesedés enthusiasm
lelkesedik (*vkiért/vmiért*) be° enthusiastic (for sy/sg)
lelkész *[katolikus, anglikán]* parson; *[református]* minister
lelki mental
lelkiállapot state/frame of mind
lelkiismeret conscience
lelkiismeretes conscientious
lelkiismeret-furdalás bad conscience, remorse
lelkiismeretlen unconscientious
lelő shoot° (down)
lelök push off
leltár *[jegyzék]* inventory; *[leltározás]* stocktaking
leltároz inventory
lemarad *[többiektől]* drop/fall° behind; *[pl. buszról]* miss (sg)
lemaradás; **~a van (vmiben)** be° behind (in/with sg)

lemásol copy; *[utánoz]* imitate
lemegy (*vhova*) go° down; **~ a láza** one's temperature goes down; *[Nap]* go° down
lemér measure; *[mérlegen]* weigh
lemez *[fém]* plate; *[hanglemez]* record; *inform* disk
lemezjátszó record player
lemezmeghajtó *inform* disk drive
lemond (*vmiről*) give° sg up; *[vmiről vki javára]* renounce sg in sy's favour; *[tisztségről]* resign (from); *[rendelést]* cancel
lemos wash (down)
len flax *esz*
lencse *növ* lentil; *[üveg]* lens
lendít swing°
lendül swing°
lendület impetus; *[emberé]* energy, dynamism
lenéz *[fentről vkire/vmire]* look down (at/on sy/sg); (*vkit*) look down (on sy)
leng *[ide-oda]* swing°; *[zászló]* fly°
lengőajtó swing(ing) door
lengyel ▾ *mn* Polish ▾ *fn* *[ember]* Pole; *[nyelv]* Polish
Lengyelország Poland
lenn down (below), beneath, *[földszinten]* downstairs
lenni be°
lent down (below), beneath, *[földszinten]* downstairs
lény creature, (living) being
lényeg essence, substance; **a történet ~e** the gist of the story
lényeges important
lényegtelen unimportant
lenyel *átv is* swallow
lenyír *[hajat]* cut (off); *[füvet]* mow

lenyűgöző fascinating
leolvas read
lép[1] *fn [szerv]* spleen
lép[2] *fn [méhé]* honeycomb
lép[3] *ige* step; *[társasjátékban, sakkban]* move
lépcső stairs *tsz, [lépcsőfok]* step, stair
lépcsőház staircase
lépcsőzetes stepped; *[fokozatos]* gradual
lepecsétel stamp; *[pecsétviasszal]* seal (up)
lepedő sheet
lépés (foot)step; **~ről ~re** step by step; *átv is* **~t tart (vkivel/vmivel)** keep° up/pace (with sy/sg); **~eket tesz** take° steps/measures; *[társasjátékban, sakkban]* move
lepke butterfly
lépked pace
leragaszt seal
lerajzol draw°
lerak *[letesz]* put°/lay° down; **~ja (vminek) az alapjait** lay° the foundations (of sg); *[petéket]* lay°; **vizsgát ~** pass an examination
lerakódik settle, be° deposited
leráz (*vmit*) shake° down/off; (*vkit*) shake° sy off, get° rid of sy; *[elhárít]* brush off
lerohan (*vhova*) run°/rush (down); *[országot]* overrun
lerombol destroy, demolish
lerövidít *[szöveget]* cut°, abridge
les ▾ *fn* ambush; **~ben áll** lie° in ambush; *sp* offside; **~en van** be° offside ▾ *ige* **~i az alkalmat** watch for an opportunity; (*vkire*) lie° in wait (for sy)
leselkedik (*vkire*) be° on the watch/lookout (for sy); (*vki után*) spy (on sy)

lesül get° tanned; *[hús]* get° burnt

lesüllyed sink°; *[erkölcsileg]* decline, degenerate

lesz *[történni fog]* will be; *[vmivé válik]* become° sg; *[birtokába jut]* will have; **gyereke ~** she's going to have a baby

leszakad *[gomb]* come° off; *[építmény]* collapse, give° way

leszakít *[virágot]* pick, pluck

leszáll *[madár]* settle; *[repülőgép]* land; *[járműről]* get° off

leszállás *[repülőgépé]* landing; *[járműről]* getting off

leszállít *[járműről vkit]* make°/force (sy) to get down/off; *[árakat]* reduce; *[árut]* deliver

leszállópálya runway

leszámol (*vkivel*) get° even (with sy); *[előítéletekkel]* get° rid of (one's prejudices)

leszármazott descendant

leszed (*vmit vmiről*) remove (sg from sg), take°/pick sg off (from) sg; *[virágot]* pick, pluck; *[gyümölcsöt]* pick, harvest

leszerel remove; (*vmit vmiről*) strip (sg off sg); *sp* check; *[hadseregből]* demobilise

leszokik (*vmiről*) give° sg up, quit (sg)

lét existence, being

letagad deny

letartóztat arrest

letelepedik *[lakóhelyre]* settle (down); *[kényelembe helyezi magát]* make° oneself comfortable

letelik *[határidő]* expire; *[eltelik]* pass; **letelt az idő** the time is up

letép tear°/rip off/away; *[virágot]* pluck, pick

létére; gyerek ~ for a child
létesít create, establish
létesítmény *[intézmény]* establishment; *[beruházás]* (construction) project
létesül be° established
letesz put°/set°/lay° down; *[megőrzésre]* deposit; *[vizsgát]* pass
letét deposit
létezik exist, be°; **az nem ~!** that's impossible!
létfenntartás subsistence
létfontosságú vital
letöröl wipe sg (down/off); *[felvételt]* erase; *inform* delete
létra ladder
létrehoz create
létrejön come° into being, be° created
létszám number
lett *mn, fn* Latvian
Lettország Latvia
leül sit° down; *[büntetést]* do° one's time
leültet *[székre]* seat; *[börtönbe]* put° away
leüt (*vkit*) knock down; (*vmit*) knock/strike° off; *[billentyűt]* hit°, press
levág cut° (off); *[végtagot]* amputate; *[állatot]* slaughter; *[utat]* take° a short cut
levált replace
levegő air; *átv* atmosphere
levél *[fán]* leaf (*tsz* leaves); *[írott]* letter
levelez (*vkivel*) correspond (with sy)
levelezés correspondence
levelező ▾ *mn* **~ tanfolyam** correspondence course ▾ *fn* correspondent
levelezőlap postcard
levélpapír writing paper
levéltár archives *tsz*
levéltárca wallet
lever *[vmit a földbe]* drive° sg into the earth; *[véletlenül]* knock off

levert depressed
leves soup
levesestányér soup plate
levesz (*vmit vhonnan*) take°/get° down; *[ruhát]* take° off
levetkőzik undress
levisz carry/take° down; (*vkit vhova*) take° sy (down) to
levizsgázik pass one's exams
levon deduct
levonás deduction
lexikon encyclopaedia
lezár close
lézer laser
lezuhan fall°/tumble down; *[repülőgép]* crash
lezuhanyozik take° a shower
lezser casual
liba *átv is* goose
libegő chair-lift
liberális *mn, fn* liberal
lift lift *US* elevator
liget grove, park
liheg pant
lila violet
liliom lily
limonádé lemonade
lista list
liszt flour
liter litre
litván *mn, fn* Lithuanian
Litvánia Lithuania
ló horse; *[sakkban]* knight
lobog *[tűz]* flame; *[zászló]* wave
lobogó flag, banner
locsol water
locsolókanna watering can
locsolókocsi watering cart
lóerő horsepower
lóg hang°
logika logic
logikus logical
lóhere clover
lom junk
lomb foliage
lombik test-tube
lombos leafy
lomtalanítás cleanup
lop steal°; *átv* **~ja a na-**

pot idle (away one's time)
lopás theft
lottó lottery
lottószelvény lottery ticket
lovag knight
lovaglás riding
lovagol ride (a horse)
lovarda riding school
lovas ▾ *mn* equestrian; ~ **rendőr** mounted policeman (*tsz* -men); ~ **kocsi** horse and carriage ▾ *fn* rider
lóverseny horse race
lő *[labdát is]* shoot°
lőfegyver gun
lök push
lökés push; *átv* impetus
lökhárító bumper
lőpor gunpowder
lőszer ammunition
lövedék projectile, missile
lövés shot
lövész rifleman (*tsz* -men)
lövészet musketry; *sp* shooting
lövöldözés gunfight
lúdtalpbetét arch-support, arch cushions *tsz*
luftballon balloon
lúg lye
lugas *[pihenőhely]* bower; *[növénynek]* trellis
lusta lazy
lustálkodik idle
lutheránus *mn, fn* Lutheran
luxus luxury

LY

lyuk hole
lyukacsos porous
lyukas; ~ a zoknija there's a whole in his sock
lyukaszt make° a hole (in sg)

M

ma today
macska cat
madár bird
madárijesztő *átv is* scarecrow
madzag string
mag seed; *[központi rész]* core; *[ondó]* semen; **(vminek) a ~va** *[lényege]* the gist (of sg)
maga ▼ *visszaható nm* **gyötri ~t** torments himself/herself; **nézz ~dra!** look at yourself; **csak ~mban bízom** I only trust myself; **magunk közt szólva** between ourselves, between you and me; **jól viselték magukat** they behaved themselves *személyes nm [ön]* you; **~ a király** the king himself *birtokos nm* your ▼ *hsz* **~m kell megcsináljam** I have to do it myself/alone
magabiztos (self-)confident
magánélet private life
magánember individual
magánhangzó vowel
magánszemély individual, private person
magántulajdon private property
magánügy private affair/matter
magánvállalkozó (private) entrepreneur
magány solitude, loneliness
magányos lonely; *[különálló]* isolated
magas *[fal, hang]* high; *[ember]* tall

magaslat height
magasság height; *[tengerszint feletti]* altitude
magasugrás high-jump
magasztal praise (highly)
magatartás *[viselkedés]* behaviour; *[magaviselet]* conduct
magáz be° on formal terms (with sy)
magazin magazine
máglya bonfire; *[kivégzéshez]* the stake
mágnes magnet
magnó tape-recorder
magnós rádió radio cassette recorder
magol cram
magzat embryo
magyar *mn, fn* Hungarian
magyaráz explain
magyarázkodik find°/offer excuses
magyarázat explanation
Magyarország Hungary
magyaros (typically) Hungarian
mai today's; *[jelenlegi]* present-day; *[kortárs]* contemporary; *[korszerű]* up-to-date, modern
máj liver
majális picnic
majd later, then; ~ **felhívlak** I'll call you later
majdnem almost, nearly
majom monkey; *átv is* ape
majonéz mayonnaise
majoranna marjoram
május May
mák *[a növény]* poppy; *[a magja]* poppy-seed
makacs stubborn, obstinate; *[betegség]* persistent
makk *[termés]* acorn
malac piglet
málna raspberry
malom mill; *ját* nine men's morris
mama mum(my), mama
mámor intoxication; *[szesztől]* drunkenness; *[örömtől]* rapture

mamut mammoth
manapság nowadays, these days
mancs paw
mandarin *[gyümölcs]* tangerine, mandarin; *[kínai tisztviselő]* mandarin
mandula almond; *[szerv]* tonsil
mánia mania
mankó crutch
manzárdszoba attic room
mappa folder
mar *[állat]* bite; *[sav]* bite; *[csíp]* burn
már already; **jártál ~ itt?** have you ever been here?; **mondtam ~, hogy ...?** have I told you yet that ...?; **~ nincs ott** she's no longer there
marad remain, stay; (*vmennyi*) be° left; (*vmi vkire*) be° left (to sy); **ez délutánra ~** this will have to wait till the afternoon; **ez köztünk ~** this is between you and me
maradandó lasting
maradék remainder, the rest; *[étel]* leftover(s); *[jelzőként]* remaining
marasztal ask sy to stay
marcipán marzipan
március March
margaréta daisy
margarin margarine
margó margin
marha cattle; *[ember]* idiot, blockhead
marhahús beef
marhaság rubbish
máris *[azonnal]* at once; *[már most]* already
márka *[típus]* make, brand; *[pénz]* mark
markol grasp
marok (hollow/palm of the) hand
Mars Mars
márt dip, dunk
mártás sauce
mártogat dip, dunk
márvány marble

más ▼ *mn* different, other ▼ *fn* **kiköpött ~a (vkinek)** the spitting image (of sy) ▼ *nm [másvalaki]* somebody/someone else; *[másvalami]* something else
másfajta different, another/different kind/sort of …
másfél one and a half; **~nap** a day and a half
másfelé somewhere else, in some other direction
másféle different, another/different kind/sort of …
máshogyan differently, in another way
máshol elsewhere
máshonnan from elsewhere
máshova elsewhere
másik the other, another
másképpen differently, in another way
máskor *[más alkalommal]* another time, on another occasion; *[legközelebb]* next time
másnap the next day; **(vminek) a ~ján** on the day following sg
masni ribbon
második second (*számmal* 2nd)
másodosztály second class
másodosztályú second-class
másodperc second
másodpercmutató second hand
másodpilóta co-pilot
másodrangú *[minőségben]* second-rate; *[nem fontos]* non-essential
másodszor *[második alkalommal]* (for) the second time; *[másodsorban]* secondly
másol copy
másolat copy
másológép copier
másrészt on the other hand

mássalhangzó consonant
mászik climb; *[kúszik]* crawl, creep
maszk mask
mászóka *[játszótéri]* climbing frame *US* jungle gym
masszíroz massage
matematika mathematics *esz*
matematikai mathematical
matrac mattress
matrica sticker
matróz sailor
matt[1] *mn* dull
matt[2] *fn [sakkban]* checkmate
maximális maximum
maximum maximum
máz glaze
mázol paint
mázsa 100 kilos
mazsola raisin, currant
mechanikus mechanical
meccs match
mecset mosque
medál medal(lion)
meddig *[térben]* how far?; *[időben]* (for) how long?, till when?
medence *[úszásra]* (swimming) pool; *[mélyedés]* basin; *[csont]* pelvis
mediterrán Mediterranean
medúza jellyfish
medve bear
még still; **ma ~ nem láttam** I haven't seen him yet; **~ egyszer** again, once more/again; **mit láttál ~?** what else did you see?
megad (*vkinek vmit*) grant sy sg; *[visszafizet]* repay° sy; *[adatot]* give°, supply; **~ja magát** surrender
megajándékoz (*vkit vmivel*) present sy with sg
megakad get° stuck; **~ a torkán** stick in one's throat

megakadályoz (*vkit vmiben*) prevent/keep° sy from (doing) sg
megalakít form, organise
megalakul be° formed/established
megalapít found
megalapoz establish
megalapozott; jól ~ well-founded, well-established
megaláz humiliate
megalázó humiliating
megáld bless
megalkuvó compromising
megáll stop, come° to a halt/stop; *[helyesnek bizonyul]* hold° water; **~ja a helyét** cope (with sg), hold° one's own (in sg); **alig tudja ~ni, hogy ne ...** can hardly resist doing sg
megállapít *[kiderít]* establish; *[kimutat]* find°; *[kijelent]* state
megállapodás agreement
megállapodik (*vkivel vmiben*) agree (with sy on sg)
megállít stop; *[félbeszakít]* interrupt
megálló stop
megbán regret, be sorry for
megbánt hurt, offend
megbecsül *[értékel]* appreciate, value; *[felbecsül]* estimate; **~i magát** behave oneself/properly
megbeszél talk over; *[időpontot]* arrange
megbeszélés talk, discussion; **~ alapján** by appointment
megbetegszik fall° ill, become° sick
megbíz (*vkit vmivel*) charge (sy with sg)
megbízás assignment, commission
megbízhatatlan unreliable
megbízható reliable

megbízik (*vkiben/vmiben*) trust (in sy/sg)
megbízó client
megbizonyosodik (*vmiről*) make° sure/certain (of sg)
megbízott representative, agent
megbocsát (*vkinek vmit*) forgive° (sy sg/sy for doing sg)
megbocsáthatatlan unforgivable
megbolondul go° mad/ crazy
megborotválkozik shave°
megbosszul (*vmit vkin*) take° revenge (on sy for sg), revenge/avenge oneself (on sy)
megbotlik stumble
megbotránkozik (*vmin*) be° scandalised/outraged (by sg)
megbukik fail
megbüntet punish; *[bírsággal]* fine
megcímez address
megcsal cheat on
megcsinál *[elkészít]* make°, get° sg ready; *[elvégez]* do°; *[megjavít]* repair
megcsíp *[ember]* pinch; *[rovar, fagy]* bite
megcsodál admire
megcsókol kiss
megdagad swell (up)
megdicsér (*vkit vmiért*) praise (sy for sg)
megdöbben (*vmitől*) be° shocked/astonished (at sg)
megdöbbentő shocking, astonishing
megdönt *[hatalmat]* overthrow°; *[elméletet]* refute; *[rekordot]* beat°
megebédel have° lunch
megegyezés agreement
megegyezik *[megállapodik vkivel vmiben]* agree (with sy on sg); *[azonos vmivel]* be° identical (with sg)
megelégedés content(ment)

megelégszik (*vmivel*) be° content/satisfied (with sg)
megélhetés living
megelőz *[veszélyt]* prevent; *[időben]* precede; *[jármű]* overtake°; *[felülmúl]* surpass; *[fontosságban]* take°/have° precedence over
megemészt digest
megenged (*vkinek vmit*) allow/permit (sy sg); *[lehetővé tesz]* admit/ allow (of sg)
megengedett legal, legitimate
megér *[él vmeddig]* live to see; *[értékre]* be° worth
megérdemel deserve
megérint touch (lightly)
megérkezik arrive (at/in)
megerőltet strain
megerőltető demanding, exhausting
megerősít strengthen; *[hírt]* confirm
megerősödik grow°/get° stronger
megért understand°
megértő sympathetic
megfagy freeze
megfájdul begin° to hurt/ ache
megfázás cold, flu
megfejt solve; *[kódot]* break°; *[titkot]* unravel
megfejtés solution
megfeledkezik (*vkiről/ vmiről*) forget° (about) (sy/sg)
megfelel (*vmire*) be° suitable (for sg)
megfelelő suitable, adequate
megfésülködik comb one's hair
megfigyel observe; *[észrevesz]* notice
megfog take°, take° hold of; *[elkap]* catch°; *[festék]* stain
megfogad *[megígér]* promise (to do sg); **~ja vki tanácsát** take° sy's advice

megfogalmaz word, formulate
megfontol consider, think° over
megfontolt *[ember]* prudent; *[tett]* well-considered
megfordul turn (round); *[visszafordul]* turn back; **sokat ~ vhol** go° somewhere a lot; **~ a fejében** it occurs to her/him, it crossed her/his mind
megfő cook
megfőz cook
megfullad suffocate; *[vízben]* drown
megfürdik have° a bath
meggazdagodik get° rich
meggondol *[megfontol]* think° over, consider; **~ja magát** change one's mind
meggondolatlan rash
meggyógyít cure
meggyógyul get° well, recover; *[seb]* heal (up)
meggyőz (*vkit vmiről*) convince/persuade (sy of sg)
meggyőző convincing
meggyőződés conviction
meggyőződik (*vmiről*) make° sure (of sg)
meggyújt light°
meggyullad catch° fire
meghagy (*vmilyennek*) leave; (*vkinek vmit*) set° sg aside for sy, keep° (sg for sy); *[otthagy]* leave° sg behind; **meg kell hagyni, hogy ...** it must be granted that ...
meghajlik bend°
meghajol bow
meghal die
meghall hear°; *[véletlenül]* overhear°
meghallgat listen (to sy/sg); *[végighallgat]* hear° out; *[kérést]* grant; *[előadóművészt]* audition
megharagszik (*vkire*) get° angry (with sy)

meghatalmaz (*vkit vmire*) authorise (sy to do sg)
meghatalmazás authorisation
meghatároz *[megmér]* determine; *[osztályoz]* classify; *[definiál]* define; *[befolyásol]* determine, influence; *[előír]* fix, settle
meghatározás *[felmérés]* determination; *[definíció]* definition; *[osztályozás]* classification
megható moving, touching
meghatódik be° moved/touched
megházasodik get° married
meghibásodik go° wrong, break° down
meghirdet announce; **pályázatot ~** announce a competition (for)
meghitt intimate
meghiúsul fail, fall° through
meghív invite
meghívás invitation
meghívó invitation (card)
meghízik get° fat, put° on weight
meghódít *[területet]* conquer; (*vkit*) win° sy over
meghosszabbít *[tárgyat]* lengthen; *[időt]* extend
meghoz bring°; *[ítéletet]* pass
megigazít adjust
megígér (*vkinek vmit*) promise (sy sg v. sy that …)
megijed become°/get° frightened
megindokol (*vmit*) give° reasons (for sg)
megindul *[elkezdődik]* begin°; *[gép]* start
megint again
megír write°
megirigyel (*vmit*) grow°/become° envious (of sg)
mégis yet, nevertheless
megismer *[ismereteket*

szerez vmiről] learn° (about sg); *[megismerkedik vkivel]* get°/become° acquainted (with sy); *[felismer]* recognise

megismerkedik (*vkivel*) meet° (sy), make° sy's acquaintance

megismétlődik occur again, be° repeated

megizzad sweat

megjavít repair, mend

megjegyez *[kijelent]* remark; **~tem az arcát** I'll remember her/his face, I made a mental note of her/his face

megjegyzés remark

megjelenés appearance

megjelenik appear

megjelöl mark; *[kijelöl]* fix, settle

megjön arrive

megjutalmaz reward

megkap get°; *[betegséget]* catch°, get°

megkedvel come°/begin° to like

megken *[kenyeret vmivel]* spread° sg on the bread; *[gépet]* lubricate; *[lefizet]* grease sy's palm

megkér (*vkit vmire*) ask/request (sy to do sg); **~i vki kezét** propose (to sy)

megkérdez (*vkitől vmit*) ask (sy sg)

megkeres try to find; *[szótárban]* look up (sg in the dictionary); *[felkeres]* contact; *[pénzt]* earn, make°

megkezd begin°, start

megkezdődik begin°, start

megkínál (*vkit vmivel*) offer (sy sg)

megkísérel (*vmit megtenni*) attempt (to do sg)

megkíván start desiring; *[elvár vmit vkitől]* require (sg of sy); *[vmi megkövetel vmit]* demand

megkockáztat (*vmit*) risk (sg), run° the risk (of sg)

megkóstol taste
megkönnyebbül feel° relieved
megköszön thank
megköt tie; *[kötőtűvel]* knit; **~i a szerződést** sign the contract; *[beton]* set°
megkövetel demand; *[szükségessé tesz]* require
megközelít approach; *[minőségre]* come° near (to sg); *[problémát]* approach
megközelítőleg approximately (*röv* approx.)
megkülönböztet (*vmit vmitől*) distinguish (sg from sg)
meglát catch° sight (of sy/sg), notice; **majd ~juk!** we'll see
meglátogat visit
meglehetősen rather, quite
meglep (*vkit vmivel*) surprise (sy with sg); *[rajtakap]* take° sy by surprise
meglepetés surprise; *[ajándék]* present
meglepő surprising
meglepődik be° surprised
meglevő existing, *[rendelkezésre álló]* available
megmagyaráz explain
megmarad be° left; *[vmilyen állapotban]* remain; (*vmi mellett*) stick°/keep° (to sg)
megmelegít warm (up)
megmenekül escape
megment save, rescue
megmér measure; *[vki lázát]* take° sy's temperature; *[súlyt]* weigh
megmond (*vkinek vmit*) tell° (sy sg)
megmos wash
megmosakszik wash
megmozdul move, stir
megmutat show°
megnevettet make° sy laugh
megnevez name; *[pon-*

tosít] specify; *[megjelöl]* fix
megnéz (*vmit*) look (at sg), have°/take° a look (at sg); *[filmet]* see°
megnő grow°; *[megnövekszik]* increase
megnősül marry
megnyer win°
megnyílik open
megnyit open
megnyitó *mn, fn* opening
megnyom *[gombot]* press, push; *[hangsúlyoz]* stress, emphasise
megnyugszik calm down, relax
megnyugtat (*vkit vmi felől*) reassure (sy about sg)
megold solve
megoldás solution
megoszt *[több ember közt]* divide (sg among people); (*vmit vkivel*) share (sg with sy)
megóv protect; *[döntést]* protest against
megöl kill; **~i az unalom** be° bored to death
megölel embrace
megöntöz water
megöregszik grow° old
megőriz preserve, keep°
megőrül go° mad
megőszül get°/turn grey
megpályáz (*vmit*) apply (for sg)
megparancsol order
megpillant catch° sight of, notice
megpirít brown
megpofoz slap sy in the face, box sy's ears
megpróbál try
megpuhul soften, grow soft
megpuszil give° sy a peck/kiss
megrág chew; *[rágcsáló vmit]* nibble (at sg); **jól ~ja a dolgot** chew (on sg), ruminate (about/over sg)
megragad seize, grasp; *[kihasznál]* use; **~ egy**

lehetőséget seize an opportunity; (*vmihez*) stick°
megragaszt glue, stick°
megrak load; **~ja a tüzet** make° a fire
megrándít *[pl. a bokáját]* sprain
megránt jerk, tug (at sg)
megráz shake°; *[lelkileg]* shock
megrázkódtatás shock
megreggelizik have° breakfast
megrémít frighten
megrémül (*vmitől*) be° frightened (by sg)
megrendel *[árut]* order; *[jegyet]* book
megrendelés order
megrendelő customer
megrendez arrange, organise; *[színre visz]* direct
megromlik *[étel]* go° off/bad; *[rosszabb lesz]* get°/become° worse, deteriorate
megrongál damage, vandalise
megrúg kick
megsajnál (*vkit*) take° pity (on sy)
megsebesít wound, injure
megsebesül be° wounded/injured
megsemmisít *[elpusztít]* destroy, annihilate; *[érvénytelenít]* annul, invalidate
megsemmisül be° destroyed/annihilated
megsért *[testileg, szóban]* hurt°; *[csak szóban]* offend; *[törvényt]* break°
megsértődik (*vmin*) be° offended (by sg)
megsérül *[megsebesül]* get° injured; *[megrongálódik]* become°/get° damaged
megsóz salt
megsúg (*vkinek vmit*) whisper (sg) in sy's ear
megsüketül go°/become° deaf
megsül *[hús]* roast;

[tészta] get° baked; *[olajban]* be° fried
megsüt *[húst]* roast; *[tésztát]* bake; *[olajban]* fry
megszabadít (*vkit vmitől*) free/relieve (sy from sg)
megszabadul (*vmitől/vkitől*) get° rid (of sg/sy)
megszagol (*vmit*) smell° (sg)
megszakad be° interrupted; *[összeköttetés]* be° cut off
megszakít break°, interrupt; *[összeköttetést]* cut° off; *[kapcsolatot]* break° off
megszáll (*vhol*) stay (at sg); *[katonaság]* occupy, invade
megszámol count
megszárad dry
megszárít dry
megszavaz (*vmit*) vote (for sg); *[indítványt]* adopt
megszégyenít humiliate
megszégyenül be° humiliated
megszeret (*vkit/vmit*) come° to like (sy/sg), become° fond (of sy/sg)
megszerez get°, obtain
megszervez organise
megszigorít tighten
megszilárdít consolidate, confirm
megszokik (*vmit*) get°/become° used/accustomed (to sg)
megszólal start speaking
megszólít approach
megszomjazik grow° thirsty
megszökik escape
megszöktet (*vkit*) help sy to escape
megszületik be° born; *[létrejön]* come° into being
megszűnik come° to an end; *[fájdalom]* wear° away; *[pl. üzlet]* close down
megszüntet stop; *[fájdalmat]* ease, relieve

megtagad refuse (sg v. to do sg); (*vkit*) disown
megtakarít save
megtalál find°, discover
megtámad attack
megtanít teach°
megtanul learn°
megtart *[magának]* keep°; *[előadást]* give°; *[ígéretet]* keep°
megtekint inspect, view
megterít lay° the table
megtérít *[hitre]* convert (to); *[költségeket]* refund, reinburse; *[kárt]* pay° (for sg)
megtervez *[terveit elkészíti]* design; *[eltervez]* plan
megtestesít embody
megtesz (*vmit*) do° (sg); *[utat]* cover
megtéveszt mislead°
megtévesztő misleading
megtilt forbid°
megtisztel (*vkit vmivel*) honour (sy with sg)
megtisztelő flattering
megtiszteltetés honour
megtold lengthen
megtölt *[poharat]* fill (up); *[töltelékkel]* stuff; *[fegyvert]* load
megtöröl wipe
megtörténik happen, occur
megtud come°/get° to know, learn°
megújít renew
megújul be° renewed/refreshed; *[újjászületik]* revive
megun get° bored with
megüt strike°, hit°
megvádol (*vkit vmivel*) charge (sy of sg)
megvadul (*vmitől*) get° wild (with sg)
megvág cut°
megválaszt (*vkit vminek*) elect (sy (as) sg v. to be sg); (*vmit*) choose° (sg)
megvalósít realise, implement
megvalósul be° realised; *[pl. álom]* come° true

megvált *[jegyet]* buy°; *[pénzzel]* redeem; *[vallásban]* redeem
megváltozik change, alter
megváltoztat change, alter
megvár (*vkit*) wait (for sy); *[pl. állomáson]* meet° sy at the station, etc.
megvarr sew°
megvásárol buy°
megvéd defend
megver beat° (up); *[ellenfelet]* defeat
megvesz buy°
megveszteget bribe
megvesztegetés bribery
megvet *[lenéz]* despise; **~i az ágyát** make° one's bed; **~i vminek az alapját** lay° the foundations (of sg)
megvetés contempt
megvigasztal console, comfort
megvigasztalódik be° consoled/comforted
megvilágít light° (up); *átv* illuminate
megvisel try, wear° out
megvitat discuss
megvizsgál examine
megvon (*vkitől vmit*) deprive (sy of sg)
megzavar disturb, *[félbeszakít]* interrupt
megzavarodik *[összezavarodik]* get° confused
megy go°; *[működik, jár]* work; *[illik]* **~ a cipő a zoknimhoz?** do my shoes match my socks?; *[műsoron van]* be° on
megye county
meggy sour cherry, morello (cherry)
méh[1] *[állat]* (honey-)bee
méh[2] *[szerv]* womb
mekkora how large/big?
meleg ▾ *mn átv is* warm; *[homoszexuális]* gay ▾ *fn* **~em van** I am hot; *[homoszexuális]* gay
melegít warm (up)
melegítő tracksuit *US* sweat suit
melegítőalsó trackbot-

toms *tsz US* sweat pants *tsz*
melegítőfelső tracktop *US* sweat shirt
melegpadló warm flooring
melegszik warm up
mell breast, bosom, *[mellkas]* chest
mellbimbó nipple
mellé next to, beside
mellék *[környék]* surroundings, environs; *[telefon]* **115-ös ~** extension 115
mellékel attach, *[iratot]* enclose
mellékes subsidiary
mellékhelyiség lavatory, toilet
melléklet *[újságé]* supplement; *[levélhez]* enclosure
melléknév adjective
mellékutca side street
mellény *[férfi]* waistcoat *US* vest; *[női]* bodice
mellett beside, next to, by; *[vmin felül]* in addition to
mellette next to/beside him/her/it; *átv* **minden ~ szól** he has everything in his favour; **~ szavaz** vote for sy
mellkas chest
mellől from beside
mellső anterior
melltartó brassiere, bra
mellúszás breast-stroke
méltányol appreciate
méltányos *[igazságos]* fair; *[ár]* reasonable
méltatlan (*vmire*) be° unworthy/undeserving (of sg); (*vkihez*) be° beneath one's dignity; *[igazságtalan]* unfair
méltó (*vmire*) be° worthy/deserving (of sg); (*vkihez*) be° worthy (of sy); *[büntetés, jutalom]* just
méltóság dignity; *[személy]* dignitary
méltóságteljes dignified
mély deep

mélyhegedű viola
mélyhűtő *[hűtőszekrényben]* freezing compartment; *[önálló]* freezer
melyik which (one)?
mélység depth
mélytányér soap plate
memória memory
menedék shelter, refuge
menedzser manager
menekül flee°, fly°
ménes stud (farm)
menet ▾ *fn* *[vonulás]* march; *[csavaron]* thread; *sp* round; ~ **közben** on the way ▾ *hsz* **hazafelé** ~ on the/ one's way home
menetel march
menetidő journey time
menetirány direction
menetjegy ticket
menetrend timetable; *[rendezvényé]* programme
menettérti jegy return (ticket)
menstruál menstruate, have° one's period
ment *[megment]* rescue, save; *[igazol]* justify
menta mint
mentegetőzik make° excuses
mentén along sg
mentes (*vmitől*) free (from sg); (*vmi alól/vmitől*) exempt (from sg)
mentesít (*vkit vmi alól*) exempt (sy from sg)
mentesül (*vmi alól*) be° exempted (from sg)
mentő ▾ *mn* life-saving ▾ *fn* **a ~k** ambulance
mentőautó ambulance
mentőcsónak lifeboat
mentőmellény life-jacket
mentőöv life-belt
mentség excuse
menü *[étlap]* menu; *[ételek sorrendje]* set menu; *inform* menu
meny daughter-in-law (*tsz* daughters-in-law)
menyasszony fiancée
menny heaven
mennydörgés thunder

mennydörög thunder
mennyei heavenly
mennyezet ceiling
mennyi *[megszámlálható főnévvel]* how many?; *[megszámlálhatatlan főnévvel]* how much?
mennyiség quantity
mennyország heaven
mer[1] *[merít]* scoop
mer[2] *[merészel]* dare (to do sg)
mér measure; *[súlyt]* weigh; *[földet]* survey; *[időt, sebességet]* clock
meredek *[emelkedő]* rise; *[lejtő]* steep
méreg poison; *[bosszúság]* annoyance, vexation
merénylet; ~et követ el vki ellen make° an attempt on sy's life
merénylő assailant
mérés measuring; *[súlyé]* weighing; *[földé]* survey
merész bold
merészel dare (to do sg)
méret size; *[mérték]* scale, proportion
merev stiff; *[testrész]* numb; *[tekintet]* fixed; *[hajthatatlan]* inflexible, rigid
mérföld mile
mérgelődik be° angry/irritated
mérges poisonous; *[kígyó, pók]* venomous; *[dühös]* angry, cross
mérgez poison
mérgezés poisoning
merít *[belemerít]* (*vmibe*) dip (into sg); (*vmiből*) take° (from sg); *átv* (*vmiből*) take°/derive (sg from sg)
mérkőzés match
Merkur Mercury
mérleg scales *tsz; [számviteli]* balance (sheet); *csill* **M~** Libra
mérlegel *átv is* weigh
mérleghinta see-saw
mérnök engineer
merőkanál ladle

merőleges *mn, fn* perpendicular
mérőműszer measuring instrument
mérőszalag (measuring) tape
merre *[hol?]* where?; *[hová?]* which way?, where?
merről from where?, where ... from?
mérsékel moderate; *[árat]* reduce
mérsékelt moderate; *[éghajlat]* temperate
mert because, as
mértan geometry
mértani test geometric solid
mérték *[mértékegység]* measure(ment); *[határ]* **~kel** with moderation; **~ nélkül** immoderately, to excess; **bizonyos ~ben** to a certain degree/extent
mértéktelen immoderate; *[evésben, ivásban]* intemperate
mértéktartó moderate, temperate
merül *[vízbe]* dive, submerge; **álomba ~** fall° asleep; **gondolataiba ~ve** deep in thought
merülőforraló immersion heater
mese tale, story
mesekönyv story book
mesél *[mesét mond]* tell° a tale/story; *[elbeszél]* tell°
mesés fabulous
mesterség trade
mesterséges artificial
mész lime
mészáros butcher
meszel whitewash
mészkő limestone
messze far; *[kimagaslóan]* by far
messzeség distance
messzire far
messziről from afar
metélőhagyma chive(s)
meteorológia meteorology

méter metre
metró (the) underground *US* subway
metszet *[szelet]* cut, section; *[művészi]* engraving
metszőolló pruning shears *tsz*
mez strip
méz honey
mezei field, meadow
mézeshetek honeymoon *esz*
mézeskalács honeycake, gingerbread
mezítláb barefoot
mező field
mezőgazdaság agriculture
meztelen *átv is* naked; **a ~ igazság** the naked truth
mi¹ *[személyes nm]* we; *[birtokos jelzőként]* our
mi² *[kérdőszó]* what?; *[van/nincs után]* **nincs ~t tenni** nothing to be done; **van ~t enned?** have you got anything to eat?
mialatt while
miatt *[következtében]* because of; *[érdekében]* for the sake of
micsoda *[kérdés]* what (on earth)?; *[meglepődve]* what?, what do you mean?; *[felkiáltásban]* what a(n) ...
mielőtt before
miénk ours
miért why?
míg *[mialatt]* while, as long as; *[ameddig]* until, till; *[ellenben]* while
mikor ▾ *hsz [kérdő]* when?; *[vonatkozó]* when ▾ *ksz [hiszen]* since; *[ha]* when
miközben while
mikrofon microphone
mikrohullámú sütő microwave oven
mikroszkóp microscope
milliárd billion
milliméter millimetre (*röv* mm)

millió million
milliomos millionaire
milyen *[kérdő]* what?, how?; *[felkiáltásként]* how
mind ▾ *nm [valamennyi]* all ▾ *hsz [középfokkal]* **~ többen és többen** more and more
mindegy (it is) all the same
mindegyik each
minden every; *[minden egyes]* each; **ez ~?** is this all?; **~t megpróbált** she tried everything
mindenáron at any price
mindenekelőtt first of all
mindenesetre in any case
mindenféle all sorts/kinds of
mindenható ▾ *mn* almighty ▾ *fn* **a M~** the Almighty, God Almighty
mindenhol everywhere
mindenképp(en) in any case
mindenki everybody, everyone
mindennap every day
mindennapos everyday
mindenütt everywhere
mindig always; **még ~** still
mindjárt soon, in a minute
mindkét both
mindössze merely, altogether
minek *[mi célból?]* why?, what for?
minél; **~ előbb** as soon as possible; **~ előbb, annál jobb** the sooner the better
minimális minimum
minimum ▾ *fn* minimum ▾ *hsz* at the least
miniszoknya mini(skirt)
miniszter minister
miniszterelnök prime minister
minisztérium ministry
minőség quality; **miniszteri ~ében** in his capacity of minister

minősít qualify; *[besorol]* classify
minősítés classification; *[tudományos]* degree
mint ▾ *ksz* **fehér, ~ a fal** white as a sheet; **olyan, ~ az anyja** she's like her mother; **szebb, ~ a másik** more beautiful than the other ▾ *hsz* **~ már említettem** as I have already mentioned
minta *[modell]* model; *[mintázat]* pattern; *(vmiből)* sample
mintás patterned
mintha as if/though
mínusz ▾ *mn* minus ▾ *fn [hiány]* deficit; **~ban van** be° in the red
mióta *[kérdő]* since when?; *[amióta]* since
mirelit (deep-)frozen
mirigy gland
mise mass
mitesszer blackhead
mobiltelefon mobile phone
mocsár marsh
mód manner, method; *[lehetőség]* possibility; **~jával** moderately; *nyelv* mood; *[étel]* **Pékné ~ra** à la Pékné, Pékné style
modell model
modern modern
modor *[viselkedés]* manners *tsz; [stílus]* manner
módosít modify, alter
módosítás modification, change
módszer method
mogyoró hazelnut, peanut
moha moss
mohó greedy
mókus squirrel
molekula molecule
moll *mn, fn* minor
molnár miller
móló pier
moly moth
monarchia monarchy
mond say°; *[említ]* mention; **ne ~d!** really?, you mean it?; **mit akarsz**

ezzel ~ani? what do you mean by this?; *[nyilvánít]* call, claim; **beszédet ~** make°/deliver/ give° a speech; **az nekem semmit sem ~** this means/says nothing to me
mondanivaló message; **nincs semmi ~ja** have° nothing to say
mondat sentence
monitor monitor
monoton monotonous
morog *[állat]* growl; *[ember]* (*vmi miatt*) grumble (at/over/about sg)
morzsa (bread)crumbs *tsz; [darabka]* morsel
mos wash
mosakszik wash, have° a wash; *[mentegetőzik]* make° excuses
mosás wash(ing)
mosdó lavatory, toilet
mosdókagyló washbasin
mosoda laundry
mosogat wash up the dishes, do° the washing-up
mosogatás washing-up
mosogató sink
mosogatógép dishwasher
mosogatószer dish-washing liquid
mosógép washing-machine
mosoly smile
mosolyog (*vmin/vkin, vkire*) smile (at sg/sy, at/ upon sy)
mosómedve raccoon
mosópor washing powder, detergent
mosószer detergent
most now
mostohaanya stepmother
mostohaapa stepfather
mostohagyerek stepchild (*tsz* -children)
mostohatestvér *[lány]* stepsister; *[fiú]* stepbrother
moszat seaweed

motor motor, engine; *[motorkerékpár]* motorcycle, motorbike
motorcsónak motor boat
motorkerékpár motorcycle, motorbike
motorkerékpáros motorcyclist
motoros ▾ *mn* motor(driven) ▾ *fn* motorcycle rider, biker
motorozik ride° a motorcycle
motoz (*vkit*) search (sy)
mozaik mosaic
mozdít move
mozdony engine
mozdonyvezető engine-driver *US* engineer
mozdul stir
mozdulat movement
mozdulatlan motionless
mozgalmas eventful
mozgalom movement
mozgás movement; *[testedzés]* exercise
mozgáskorlátozott *mn, fn* disabled, physically handicapped
mozgássérült *mn, fn* disabled, physically handicapped
mozgólépcső escalator
mozgósít mobilise
mozi cinema *US* movie
mozijegy cinema ticket *US* movie ticket
moziműsor cinema programme *US* movie program
mozog move; *[sportol]* exercise; *[kilazult]* have° come loose
mozsár mortar
mozsártörő pounder
mögé behind
mögött behind
mulandó fleeting, transitory
mulaszt *[elesik tőle]* miss; *[távol marad]* be° absent (from); *[nem teljesít]* neglect
mulat *[szórakozik]* have°

a good time, have° fun; *[vigad]* carouse; **nagyot ~** paint the town red; *[derül vmin]* be° amused (at/by sg), laugh (at sg)

mulató night club, nightspot

mulatság amusement, entertainment

mulatságos amusing

múlik *[idő]* pass; **húsz éves múlt** be° past twenty; *[szűnik]* cease, abate; (*vkin/vmin*) depend (on sy/sg)

múlt ▾ *mn* past; *nyelv* **~ idő** past tense ▾ *fn* (the) past

multiplex mozi multiplex cinema, multiplex

múlva; 20 perc ~ in twenty minutes

munka work; *[állás]* job, employment; *[feladat]* task; *[mű]* work

munkaadó employer

munkaasztal workbench, worktable

munkaerő *[munkabírás]* working capacity; *[munkások]* workforce; *[munkavállaló]* worker, employee

munkafüzet workbook

munkahely place of work/ employment; *[állás]* employment; **van ~e** have° a job, be° employed

munkakör job, duty

munkáltató employer

munkanap working day

munkanélküli ▾ *mn* unemployed ▾ *fn* **a ~ek** the unemployed *esz*

munkanélküliség unemployment

munkapad workbench

munkás worker

munkaszünet holiday

munkatárs colleague

munkavállaló employee

munkaviszony employmeny

muskátli geranium

must must

mustár mustard
muszáj *[vkinek vmit tenni]* must° (do sg), have° (to do sg); ~ **elmenned hozzá** you have to visit her/him; ~**ból** out of necessity
mutat (*vmire/vkire*) point (at/to sg/sy); *[megmutat]* show°; *[kifejez]* show°, reflect; *[jelez,]* show°, indicate; *[műszer]* read°; **jól** ~ look good/nice; *[színlel]* pretend
mutatkozik *[vki megjelenik]* show° up, appear; *[jelentkezik]* turn up, appear; *[vmilyennek látszik]* look, appear
mutató *[óráé]* hand; *[könyvben]* index
mutatós attractive, decorative
mutatóujj forefinger, index finger
múzeum museum
muzsika music
mű work, opus; *[létesítmény]* works *tsz;* **egy pillanat** ~**ve volt** it happened in an instant; **ez az ő** ~**vük** this is their doing
műalkotás work of art
műanyag *mn, fn* plastic
műemlék historic building
műfaj genre
műfogsor set of false/artificial teeth, denture
műgyűjtő art collector
műhely *átv is* workshop; *[autójavító]* garage
műhold satellite
műholdas satellite
műjég(pálya) (skating) rink
működik work, function, operate; **hogyan** ~? how does it work?; *[ember vmiként]* work as
működtet operate
műsor programme
műsorfüzet programme (guide)

műsorvezető *[rádió, tv]* presenter
műszak shift
műszaki technological
műszál synthetic fibre
műszer instrument
műszerész mechanic
műszerfal dashboard
műterem studio
műtét (surgical) operation
műtő operating theatre/ room
műtrágya artificial fertiliser
műugrás (springboard) diving
műugró (springboard) diver
művel *[tesz]* do°; *[földet]* cultivate; *[tudományt]* study
művelet operation; *[pénzügyi]* transaction
műveletlen uneducated
művelődés education
művelt educated
műveltség education; *[civilizáció]* civilisation
művész artist
művészet art
művész artistic
müzli muesli

N

na *[biztatólag]* come on!; **~ és?** so what?
nád reed
nadrág (a pair of) trousers *tsz US* pants *tsz*
nadrágtartó braces *tsz*
nagy ▾ *mn [nagyméretű]* big, large; *[jelentős]* great ▾ *fn [felnőttek]* **a ~ok** the grown-ups; *[vmi zöme]* **vmi ~ja** the greater part (of sg), the bulk (of sg); **~ra tart (vkit)** have° a high opinion (of sy), think° highly (of sy)
nagyanya grandmother
nagyapa grandfather
nagybetű capital letter
nagybácsi uncle
nagybőgő double bass
Nagy-Britannia Great Britain
nagyfeszültség high voltage
nagyító magnifying glass
nagyjából by and large
nagyképű conceited, self-important
nagykereskedés wholesale warehouse/store
nagykorú; ~ lesz come° of age; **~ személy** major
nagykövet ambassador
nagykövetség embassy
nagylelkű generous
nagymama grandma(ma)
Nagymedve *csill* the Great Bear *US* the Big Dipper
nagymértékben to a great extent
nagymértékű considerable
nagymutató minute hand

nagynéni aunt
nagyon *[mn-vel, hsz-val]* very; *[igével]* very much
nagypapa grand-dad
nagyravágyó ambitious
nagyrészt *[nagyobb részben]* largely, mostly; *[rendszerint]* as a rule
nagyság largeness; *[szellemi]* greatness; *[méret]* size; *[fontosság]* significance; *[személyiség]* notability
nagyszabású large-scale
nagyszerű great, wonderful
nagyszülők grandparents
nagyvállalat *[ipari]* big/large industrial enterprise
nagyváros city
nagyvonalú generous
naiv naive
nála (*vkinél/vkivel/vhol*) with him/her etc.; *[birtokában]* on him; *[összehasonlításnál]* than he/him
nap day; **jó ~ot!** hello, good morning/afternoon; *[napsütés]* sun(shine); **N~** Sun
napelem solar cell
napernyő parasol
napfogyatkozás solar eclipse
naphosszat all day long
napi daily
napijegy day ticket
napilap daily
napirend agenda
napkelte sunrise
napközben in the daytime
napközi (otthon) day-nursery, day-care centre
naplemente sunset
napló diary
napnyugta sunset
napolaj suntan lotion
naponta daily
napos *[korú]* … days old *ut; [x napig tartó]* x-day, lasting x days *ut; [napsütötte]* sunny
napozik sunbathe

nappal ▾ *fn* day(time) ▾ *hsz* by day
nappali ▾ *mn* day-; ~ **műszak** day shift ▾ *fn* sitting/living-room
napraforgó sunflower
naprakész up-to-date
naprendszer solar system
napsütés sunshine
napszak part of the day
napszemüveg sunglasses *tsz*
napszúrás sunstroke
naptár calendar
narancs orange
narancsdzsem marmalade
narancslé orange juice
narancssárga orange
nassol nosh
nászút honeymoon
nátha (common) cold
náthás have° a cold
ne *[felszólításban]* don't; **jaj, ~!** oh no!; *[kérdésben]* **~ igyunk valamit?** why don't we have a drink?
-né Mrs …
nebáncsvirág touch-me-not
nedv moisture
nedves wet
nedvesség *[tulajdonság]* wetness; *[pára]* moisture
nefelejcs forget-me-not
negatív negative
negatívum the negative side
négy four
negyed ▾ *fn* quarter; *[városrész]* district ▾ *szn* (a) quarter (of)
negyedév quarter
negyedik fourth (*szám-mal* 4th)
negyedóra a quarter of an hour
negyedrész quarter
négyen; mi/ti/ők ~ the four of us/you/them
négyes ▾ *mn* *[számú]* (the number) four; ~ **busz** bus number four; ~ **fogat** four-horse carriage, four-in-hand ▾ *fn zene* quartet

négykézláb on all fours
négylábú four-legged
négyszemélyes *[autó]* four-seater
négyszemközt in private
négyszer four times
négyszög quadrilateral, *[derékszögű]* rectangle
negyven forty
négyzet square
négyzetméter square metre (*röv* sq m)
néha sometimes
néhány some, a few
néhányan some/a few (of us/you/them)
néhányszor a few times
nehéz heavy; *[bonyolult]* difficult
nehézipar heavy industry
nehézség heaviness; *[bonyolultság]* difficulty
neheztel (*vkire vmiért*) bear°/have° a grudge (against sy for sg)
nehogy lest
nejlonzacskó plastic bag/carrier
neki *[számára]* (to/for) her/him/it; *[birtoklás]* ~ **van** she/he has, she/he has (v. she's/he's) got
nekidől (*vminek*) lean°/rest (against sg)
nekifutás run-up; *átv* **első ~ra** at the first go
nekilát (*vminek*) set° about (doing) sg
nekimegy *[nekiütközik]* knock/run°/bang (into/against sg); *[megtámad]* attack
nekitámaszkodik (*vminek*) lean°/rest (against sg)
nekivág (*vmit vminek*) hurl/dash/fling° (sg against sg); *[útnak]* set° out on; (*vminek*) set° about (doing) sg
nélkül without
nélkülöz *[híjával van]* lack, be° in need (of sg); *[megvan vmi nélkül]* do° without; *[hiányol]* miss; *[ínséget szenved]* live/be° in want

nélkülözhetetlen indispensable

nem[1] *fn [nő, férfi]* sex; *[rendszertani kategória]* genus; **a maga ~ében** of its kind; *nyelv* gender

nem[2] ▼ *hsz* no; not ▼ *fn* **~et mond** say no, refuse

néma dumb; *[hangtalan]* mute

nemcsak not only

nemdohányzó ▼ *mn* non-smoking ▼ *fn* non-smoker

némelyik some

nemes ▼ *mn átv is* noble ▼ *fn* noble(man) (*tsz* -men)

német *mn, fn* German

Németország Germany

nemi *[szexuális]* sexual; *[nemmel kapcsolatos]* gender

némileg to a certain extent

nemrég recently

nemsoká(ra) soon

nemz *[ember]* beget°; *[állat]* sire

nemzedék generation

nemzet nation

nemzeti national

nemzetiség *[hovatartozás]* nationality; *[kisebbség]* (national/ethnic) minority

nemzetközi international

néni aunt(y)

neonfény neon light

nép people (*tsz* peoples); **az egyszerű ~** common people; **a falu ~e** villagers *tsz*

népdal folk-song

népes populous

népesség population

népi people's

népies rustic

népművészet folk art

néprajz ethnography

népsűrűség density of population

népszámlálás (national) census

népszavazás referendum

népszerű popular
népszerűség popularity
népszerűtlen unpopular
néptelen *[kihalt]* deserted; *[gyéren lakott]* underpopulated
Neptunusz Neptune
népviselet national/traditional costume/dress
nettó net
név name; *[hírnév]* renown
nevel *[gyermeket]* bring° up; *[állatot]* rear
nevelés *[gyermeké]* upbringing; *[iskolában stb.]* education; *[állaté]* breeding
nevelő ▾ *mn* educational ▾ *fn* educator
névelő article
nevelőszülők foster parents
neves famous
nevet laugh
nevetés laughter
nevetséges ridiculous
nevez (*vkit vminek*) call/name (sy sg); *[benevez]* enter
nevezés entry
nevezetes notable
nevezetességek places of interest, sights
névjegy (business) card
névmás pronoun
névnap nameday
névrokon namesake
névsor list (of names)
névtábla name-plate
névtelen anonymous; *[ismeretlen]* unknown
néz *(vmit/vkit/vmire/vkire)* look (at sg/sy); *[mozgó/zajló dolgot, tévét]* watch; *[nyílik vmire]* look out (on sg)
nézelődik look around
nézet view, opinion
nézeteltérés difference of opinion
néző ▾ *mn* **utcára ~ ablakok** windows looking onto the street ▾ *fn* viewer, spectator
nézőpont point of view

nézőtér auditorium
nincs *[nem létezik]* there is no(t); ~ **ott** it is not there; ~ **pénzem** I have no money; ~ **meg a kulcs** I can't find the key
nitrogén nitrogen
normális normal
norvég *mn, fn* Norwegian
Norvégia Norway
nosztalgia nostalgia
nóta song
notesz notebook
novella short story
november November (*röv* Nov.)
nő[1] *fn* woman (*tsz* women)
nő[2] *ige [élő dolog]* grow°; *[gyarapodik]* increase, grow°
nőgyógyász gynaecologist
nőgyógyászat gynaecology
női women's, female; ~ **kalap** women's hat; ~ **hang** female voice
nőies *[nő]* womanly; *[férfi]* effeminate
nőnem feminine (gender)
nőnemű feminine
nős married
nőstény female
nősül get° married
nőszirom iris
nőtlen unmarried
növekedés growth
növekedik *[élő dolog]* grow°; *[gyarapodik]* increase, grow°
növel increase
növény plant
növényi plant, vegetable
nővér *[ápoló is]* sister
növeszt grow°
nukleáris nuclear
nulla zero, nil

NY

nyáj flock
nyak neck
nyakkendő tie
nyaklánc necklace
nyakörv collar
nyal lick
nyál saliva, spit
nyálka mucus
nyalogat lick
nyalóka lollipop
nyár[1] *[évszak]* summer
nyár[2] *[nyárfa]* poplar
nyaral spend° the summer holiday somewhere, be° on holiday *US* vacation
nyaralás summer holiday(s) *US* vacation
nyaraló *[épület]* weekend/holiday house; *[személy]* holiday-maker
nyaralóhely holiday resort
nyári summer ~ **menetrend** summer timetable
nyárs spit
nyel swallow
nyél handle
nyelv *[szerv, cipőé]* tongue; *[a médium]* language; *[írásműé]* style
nyelvészet linquistics *esz*
nyelvi linguistic
nyelviskola language school
nyelvkönyv coursebook
nyelvoktatás language teaching
nyelvóra language lesson
nyelvtan grammar
nyelvtanár language teacher
nyelvtanfolyam language course
nyelvtanulás language learning/acquisition
nyelvterület linguistic area

nyelvtudás foreign language skills
nyelvvizsga language exam
nyer win°; *[megkap]* get°; *[haszna van vmiből]* profit/gain (by/from sg); **időt ~** gain time
nyereg saddle
nyeremény prize
nyereség profit; *átv* gain
nyereséges profitable
nyergel saddle
nyerít neigh
nyers *[anyag, étel]* raw; *[ember]* rough, coarse
nyersanyag raw material
nyertes ▾ *mn* winning ▾ *fn* winner
nyikorog creak
nyíl arrow
Nyilas *csill* the Archer, Saggitarius
nyílás opening
nyilatkozat declaration
nyilatkozik make° a statement/declaration
nyílik open
nyílt open
nyilván evidently, obviously
nyilvános public
nyilvánosság publicity, the public
nyilvántart (*vmit*) keep° a record (of sg)
nyilvántartás *[tevékenység]* recording; *[iratok]* records *tsz*
nyilvánvaló evident, obvious
nyír[1] *fn* birch(tree)
nyír[2] *ige* *[hajat]* cut°; *[birkát]* shear°; *[füvet]* mow
nyit open; *[nyitottá válik]* open up
nyitány overture
nyitás opening
nyitott open
nyitva open
nyitvatartási idő office/opening/business hours *tsz*
nyolc eight
nyolcad eighth

nyolcadik eighth
nyolcas ▾ *mn [számú]* number eight ▾ *fn [számjegy]* the figure/ number eight; **felszáll a ~ra** take° a number eight tram
nyolcórás eight-hour
nyolcvan eighty
nyolcszor eight times
nyom ▾ *fn* trace ▾ *ige átv is* press; *[súlyban]* weigh; *[nyomtat]* print
nyomás pressure; *[nyomtatás]* printing; *biz* ~! get a move on!
nyomaszt distress, weigh heavily on one's mind
nyomasztó depressing
nyomda printing house, *[kisebb]* print shop
nyomdász printer
nyomógomb push button
nyomor poverty, destitution
nyomorék ▾ *mn* crippled ▾ *fn* cripple
nyomorog live in poverty, be° destitute
nyomoz investigate
nyomozás investigation
nyomozó detective
nyomtalan traceless
nyomtat print
nyomtatás printing
nyomtató printer
nyomtatott *[szöveg]* printed; ~ **áramkör** printed circuit
nyomtatvány *[postai küldeményként]* printed matter; *[űrlap]* form
nyög groan
nyugágy deck-chair
nyugalom *[mozdulatlanság]* rest; *[béke]* peace, calm; *[önuralom]* composure; *[nyugállomány]* retirement
nyugat west (*röv* W.)
nyugati west(ern)
nyugdíj (retirement v. old-age) pension
nyugdíjas pensioner

nyugdíjaz pension off
nyugodt calm, peaceful
nyugszik *[pihen]* lie°; *[Nap]* set°; *átv* (*vmin*) rest on/upon
nyugta *[számla]* receipt
nyugtalan anxious, troubled
nyugtalanít trouble, make° sy anxious
nyugtalanság anxiety
nyugtat (*vkit*) calm sy (down)
nyugtató tranquilliser
nyugtáz acknowledge
nyugton marad keep° still/quiet
nyújt *[kinyújt]* stretch; *[kezet]* stretch/hold° out; *[ad vkinek vmit]* give°/offer (sy sg)
nyújtózkodik stretch (oneself)
nyúl[1] *fn [mezei]* hare, *[üregi, házi]* rabbit
nyúl[2] *ige* (*vkihez/vmihez*) touch (sy/sg); **(vmi) után ~** reach out (for sg); *[folyamodik vmihez]* resort (to sg)
nyúlik *[anyag]* stretch; (*vmeddig*) reach (as far as); **hosszúra ~** drag° on/out
nyúlós *[folyadék]* viscous; *[ragacsos]* gooey, sticky
nyüzsgés hustle and bustle
nyüzsög *[férgek]* swarm; *[fontoskodik]* bustle about

O, Ó

oázis oasis
óceán ocean
oda there
odaad (*vkinek vmit*) give°/hand/pass (sy sg v. sg to sy)
odaadó devoted
odaállít (*vmit/vkit vhova*) place/stand° (sg/sy swhere)
odaát over there
odaér *[megérkezik vhova]* arrive (at/in); (*vmihez*) touch (sg)
odafigyel (*vkire/vmire*) listen (to sy/sg)
odafut (*vkihez/vmihez*) run° (up) (to sy/sg)
odahajol (*vkihez/vmihez*) lean° over (to sy/sg)
odahív call (over)
odahúz draw°, pull
odáig as far as
odaítél (*vmit vkinek*) award (sg to sy)
odajön (*vkihez/vmihez*) come° (up) (to sy/sg)
odakap (*vmihez*) catch°/snatch (at sg)
odakiált (*vkinek*) call (to sy)
odamegy (*vkihez/vmihez*) go° (up) (to sy/sg)
odanéz (*vkire/vmire*) look (at sy/sg), cast a look (at sy/sg)
odarendel (*vkit vkihez/vmihez*) order (sy to sy/sg)
odarepül (*vhova*) fly° (swhere/to)
odarohan (*vkihez/vmihez*) run° (up) (to sy/sg)
odasiet (*vkihez/vmihez*) hurry/rush (to sy/sg)
odasúg (*vmit vkinek*) whisper (sg to sy)
odatalál (*vmihez*) find° one's way (to sg)

odatesz put°, place
odautazik travel (swhere)
odavész take°
odavezet (*vkit vhova*) lead°/guide (sy swhere); *[út vhova]* lead° (swhere)
odavisz (*vkit/vmit vkihez/ vmihez*) take° (sy/sg to sy/sg); *[út vhova]* lead° (swhere)
oda-vissza there and back
odébb farther/further (away/on)
odú *[fában]* hollow; *[búvóhely]* den
óhaj wish, desire
óhajt wish, desire
ok *[vminek az oka]* the cause (of sg), the reason (for sg)
oké *biz* OK, okay
okirat document
oklevél diploma, degree; *[okirat]* charter, decree
okleveles qualified, trained; ~ **könyvvizsgáló** chartered accountant
okmány document
okol (*vkit vmiért*) hold° sy responsible (for sg), blame (sy for sg)
ókor antiquity, ancient times *tsz*
okos clever, bright
okoz cause
oktat instruct, train
oktatás education
oktató ▾ *mn* instructive ▾ *fn* teacher, instructor
október October (*röv* Oct.)
ól *[disznóé]* sty, *[kutyáé]* kennel, *[baromfié]* pen
olaj oil
olajbogyó olive
olajos oily
olajoz oil
olasz *mn, fn* Italian
Olaszország Italy
olcsó cheap, inexpensive
old *[csomót]* undo°; *[folyadék vmit]* dissolve; *[feszültséget]* relieve
oldal side; *[könyvé]* page; *[tulajdonság]* aspect, quality

oldalkocsi side-car
oldalszakáll sideboards *tsz US* sideburns *tsz*
oldat solution
oldódik dissolve
oldószer solvent
olimpia Olympic Games *tsz,* Olympics *tsz*
olimpiai Olympic
olló (a pair of) scissors *tsz; [ráké]* claw
ólom lead
ólommentes benzin lead-free/unleaded petrol
olt[1] *[tüzet]* put° out, extinguish; *[szomjat]* quench
olt[2] *[beolt]* vaccinate, inoculate
oltár altar
oltás vaccination, inoculation
olvad melt
olvas read°
olvasás reading
olvashatatlan illegible
olvasmány reading
olvasó reader
olvaszt melt
olyan *[összehasonlítás]* **~, mint én** he's (just) like me; *[mn-vel, hsz-val]* **~ szép volt!** it was so beautiful; **a futball mint ~** football as such
olyasmi something like that
omlás collapse
omlik fall° to pieces, collapse
omlós crumbly
onnan from there
opera *[mű]* opera; *[operaház]* opera (house)
operáció operation
operaház opera house
operál (*vkit*) operate (on sy)
operatőr cameraman (*tsz* -men)
operett operetta
optika *[tudomány]* optics *esz; [fényképezőgépé]* lens
optikus optician
optimális optimum, best
optimista ▾ *mn* optimistic ▾ *fn* optimist

óra *[kar-, zseb-]* watch, *[minden más]* clock; *[mérő]* meter; *[60 perc]* hour; **hány ~ van?** what's the time?, what time is it?; *[iskolai]* class

órabér hourly rate; **~ben dolgozik** be° paid by the hour

órarend timetable

órás ▾ *mn* of … hours ▾ *fn* watchmaker

ordít *[ember]* shout, bellow; *[oroszlán]* roar

ordítás *[emberé]* bellow; *[oroszláné]* roar

orgona organ; *növ* lilac

óriás giant

óriási gigantic, giant; *biz* *[remek]* great, splendid

ormány trunk

orom *[házé]* gable (end); *[hegyé]* summit

orosz *mn, fn* Russian

oroszlán lion; *csill* **O~** Leo

Oroszország Russia

orr *[emberé]* nose; *[állaté]* snout; *[cipőé]* toe

orrlyuk nostril

orrszarvú rhinoceros

orsó spindle; *[cérnának, filmnek stb.]* reel

ország country

országgyűlés national assembly, parliament

országos national

országszerte all over the country

országút highway

orvos doctor, physician

orvosi medical

orvosság medicine; *átv* remedy

orvostudomány medical science

orvvadász poacher

ostoba stupid

ostobaság stupidity; *[ostoba beszéd]* nonsense, rubbish

ostor whip

ostrom siege

ostromol *átv is* besiege

ostya wafer

oszlik *[részekre]* be° divided (into); *[tömeg]* disperse
oszlop column; *átv* pillar
oszt divide; *[részekre]* divide/split° (into); *[kioszt]* distribute; *[véleményt]* share
osztalék dividend
osztály *[társadalmi, iskolában, vonaton]* class; *[hivatalban, áruházban]* department
osztályfőnök form teacher
osztályoz *[besorol]* classify; *[tanulót]* grade
osztálytárs classmate
osztályterem classroom
osztályzat mark, grade
osztás *[matematikai]* division; *[részekre]* dividing; *[szét~]* distribution
osztozik (*vmin vkivel*) share (sg with sy)
osztrák *mn, fn* Austrian
óta *[időponttal]* since; *[időtartammal]* for
ott there
otthagy (*vkit*) leave° (sy)
otthon ▾ *fn* home; **művelődési ~** cultural/community centre ▾ *hsz* at home; *átv* **~ van (vmiben)** feel°/be° at home (in sg)
otthonos homely
óv (*vkit/vmit vmitől*) protect (sy/sg from/against sg)
óvadék bail
ovális oval
óvás *[védelem]* protection; *[kifogás]* protest
óvatos cautious, careful
óvatosság cautiousness
óvoda nursery school, kindergarten
óvodás kindergat(e)ner
óvszer condom
oxigén oxygen
ózon ozone
ózonréteg ozone layer

Ö, Ő

ő *[hímnemű]* he, *[nőnemű]* she; *[birtokos jelzőként: esz hímnem]* his, *[esz nőnem]* her, *[tsz]* their
öblít rinse
öböl *[nagyobb]* gulf, *[kisebb]* bay
öcs younger brother
ők they
ököl fist
ökölvívás boxing
ökölvívó boxer
ökör ox (*tsz* oxen)
öl[1] *fn [testrész]* lap
öl[2] *ige [embert]* kill; *[állatot]* slaughter
ölel embrace
ölelés embrace
öltés *orv is* stitch
öltöny suit
öltözék clothes *tsz,* outfit
öltözik get° dressed, put° on one's clothes
öltözködik get° dressed, put° on one's clothes
öltöző changing room, *[munkahelyen, sportolóké]* locker room
öltöztet dress
ömlik flow
ön *[megszólítás]* you; *[birtokos jelzőként]* your
önálló independent
önállóság independence
önarckép self-portrait
önbizalom (self-)confidence/assurance
önéletrajz autobiography; *[álláshoz]* curriculum vitae (*röv* CV)
öngyilkos ▾ *mn* suicidal ▾ *fn* suicide
öngyilkosság suicide
öngyújtó lighter
önindító self-starter

önismeret self-knowledge
önként voluntarily
önkéntelen involuntary
önkéntes ▾ *mn* voluntary ▾ *fn* volunteer
önkény absolutism
önkényes arbitrary
önkiszolgálás self-service
önkiszolgáló self-service
önkormányzat *[elv]* self-government/rule; *[testület]* local council; *[épület]* town/city hall
önmaga *[hímnem]* himself; *[nőnem]* herself
önt *[folyadékot]* pour; *[fémet]* (die-)cast°; **bátorságot ~ (vkibe)** fill sy with courage
öntapadós cimke stick-on label
öntelt conceited
öntet sauce
öntöz water
öntözés watering
öntudat consciousness
öntudatlan unconscious
öntudatos (self-)conscious
önuralom self-control/restraint
önvédelem self-defence
önzés selfishness
önzetlen unselfish
önző selfish
őr guard
ördög devil
ördögi diabolical
öreg ▾ *mn* old ▾ *fn* **az ~ek** the old ones
öregasszony old woman (*tsz* women)
öregedik grow° old
öregember old man (*tsz* men)
öregség old age
öregszik grow° old
őriz guard, keep° an eye on; *[megtart]* keep°
őrizetlen unguarded; **~ül hagy** leave° sg unattended
őrjárat patrol
őrködik watch over, keep°/stand° watch over
őrmester sergeant
őrnagy major

örök ▾ *mn [örökké tartó]* eternal, everlasting ▾ *fn* **~be ad (vmit vkinek)** give° sy sg for good; **~be fogad** adopt

örökké *[örökre]* eternally, for ever; *[folytonosan]* continually, without end

örökkévalóság eternity

öröklődik *[pl. betegség]* be° hereditary; *[vagyon]* be° handed down

örököl *átv is* inherit

örökös[1] *mn [folytonos]* perpetual, endless; *[örök]* eternal

örökös[2] ▾ *mn* hereditary ▾ *fn* heir

örökre for ever (and ever)

örökség inheritance, heritage

örökzöld *átv is* evergreen; **~ növények** evergreens

őröl grind°

őrölt ground

öröm joy, pleasure

őrs *kat* sentry; *[cserkész]* (scout) patrol

őrség guard

örül (*vminek*) be° delighted/pleased (at sg)

őrült ▾ *mn* mad, crazy ▾ *fn* madman (*tsz* -men)

őrültség madness

örvény whirlpool

ős ancestor

ősbemutató world première

ősember primitive man (*tsz* men)

őserdő jungle, virgin forest

ősi ancient

őskor prehistoric times *tsz*

őslény fossil

ősrégi ancient

ösvény path

ősz[1] *mn* grey(-haired)

ősz[2] *fn* autumn

őszi autumnal

őszibarack peach

őszies autumn(al)

őszinte sincere, honest

őszinteség sincerity, honesty
összead *[számokat]* add (up/together); *[pénzt vmire]* contribute money (to sg); *[összeesket]* marry
összeállít assemble; *[bizottságot]* set° up
összebarátkozik (*vkivel*) make° friends (with sy)
összecsap *[ellenféllel]* clash (with sy); **~ja a kezeit** clap one's hands
összecserél (*vmit vmivel*) confuse (sg with sg)
összecsomagol pack (up)
összecsuk close
összecsukható folding, collapsible
összedől collapse
összeesik *[személy]* collapse; *[egybeesik]* coincide
összefogás union, collaboration
összefoglal sum up, summarise
összefoglalás summary
összefügg (*vmivel*) be° connected (with sg)
összefüggés connection
összefüggő *[folytonos]* unbroken, continuous; (*vmivel*) connected with *ut*
összeg sum
összegez summarise, sum up
összegyűjt collect; *[embereket]* gather/get° together
összegyűlik *[tömeg]* collect, come° together; *[pénz]* pile up
összegyűr crumple
összehajt fold (up)
összehangol coordinate
összehasonlít (*vmit/vkit vmivel/vkivel*) compare (sg/sy with sg/sy)
összehasonlítás comparison
összeházasodik get° married
összehív call together

összeillik match
összeír (*vmit*) make° a list (of sg)
összejön *[összegyűlik]* gather; *[felgyülemlik]* pile/heap up; *[sikerül]* work out, come° off
összejövetel meeting
összekapcsol connect
összekever mix/blend (together); *[összetéveszt]* confuse (sg with sg)
összeköt *[zsineggel]* tie (up); *[összekapcsol]* connect
összeköttetés connection
összemegy *[ruha]* shrink°; *[összehúzódik]* contract
összenyom compress
összeomlás collapse
összeomlik collapse
összerak *[rendbe rak]* put°/place sg in order; *[összeállít]* put° together, assemble
összes *[egész, teljes]* all; *[mindegyik]* **az ~ barátja** all his friends; **(vki) ~ művei** sy's complete works
összesen altogether
összesít add up, total
összeszed collect, gather; *[pénzt]* scrape together; *[betegséget]* catch°; **~i a bátorságát** pluck up courage
összetart hold°/keep° together; (*vkivel*) hang°/stick° together
összetartás solidarity, team spirit
összetartozik belong together
összetép tear° (up)
összetéveszt (*vmit/vkit vmivel/vkivel*) mistake° (sg/sy for sg/sy)
összetevő component
összetör *átv is* break°
összetörik break° (up)
összeütközik (*vmivel*) collide (with sg)
összevarr sew° up
összevissza *[rendetlenül]*

upside down; *[válogatás nélkül]* indiscriminately; *[rendszertelenül]* irregularly

összevisszaság confusion, disorder

összevon *[összehúz]* pull/draw° together; **~ja a szemöldökét** knit° one's eyebrows; *[csapatokat]* concentrate

összezavar *[keveredést csinál]* muddle (up) (sg); (*vkit*) confuse (sy)

összhang *átv is* harmony

összkomfortos with/having all (the) modern conveniences *ut*

összpontosít (*vmire*) concentrate (on sg)

ösztön instinct

ösztöndíj scholarship

ösztöndíjas scholar

ösztönös instinctive

ösztönöz (*vkit vmire*) urge/encourage (sy to do sg)

őszül turn white

öszvér mule

öt five

ötlet idea

ötórai *[időpont]* five o'clock; *[időtartam]* lasting/of five hours *ut*

ötöd fifth (part)

ötödik fifth

ötös ▾ *mn [számú]* (the number) five; *[öt részes]* fivefold; **~ busz** bus number five ▾ *fn [osztályzat]* very good

ötször five times

öttusa pentathlon

ötven fifty

ötvös goldsmith

öv *[ruhán]* belt; *földr* zone

övé *[hímnem]* his; *[nőnem]* hers

övez encircle, surround

övezet zone

őz deer; *[húsa]* venison

özön deluge

özönlik stream

özvegy ▾ *mn* widowed ▾ *fn [asszony]* widow, *[férfi]* widower

P

pác *[fapác]* stain, dye; *[húspác]* marinade
páciens patient
pácol *[fapáccal]* stain, dye; *[húst]* marinade
pacsirta skylark
pad bench
padlás attic
padlástér loft
padlizsán aubergine *US* eggplant
padló floor
páfrány fern
páholy box
pajta barn
pajzs shield
pakli pack
pakol pack
pala slate
palack bottle
palacsinta pancake
palánta seedling, (young)-plant
pálca stick; *zene* baton
pálinka *kb.* brandy
pálma *átv is* palm
palota palace
pályafutás career
pályakezdő novice
pályaudvar (railway *US* railroad) station
pályaválasztás choosing a career
pályázat competition, tender
pályázik (*vmire*) apply/compete/tender (for sg)
pályázó competitor
pamut cotton
panasz complaint
panaszkodik complain
panaszkönyv complaints book
páncél armour
páncélszekrény safe, deposit

panelház prefabricated house
pánik panic
paníroz coat in egg and breadcrumbs
panzió pension
pap priest
papa papa, dad(dy)
pápa Pope
papagáj parrot
papír paper
papírkosár wastepaper basket
papírpénz paper money
papírzsebkendő paper hankie
paplan quilt, duvet
paprika pepper; *[fűszer]* (Hungarian) paprika
paprikás ▾ *mn* (seasoned) with paprika *ut* ▾ *fn* ~ **csirke/krumpli** chicken/potato paprika
papucs slippers *tsz*
pár ▾ *fn* pair (of sg); *[ember]* couple ▾ *szn [néhány]* a couple (of)
pára vapour; *[köd]* mist
parabolaantenna (satellite) dish
paradicsom tomato (*tsz* -toes); *vall* paradise
parafa cork
parallelogramma parallelogram
parancs command
parancsnok commander
parancsnokság headquarters *tsz; [tevékenység]* command
parancsol command
párás misty
paraszt peasant; *[sakkban]* pawn
parasztasszony peasant woman (*tsz* women)
parasztház peasant cottage, farmhouse
páratlan *[szám]* odd; *[egyedülálló]* matchless
parázs embers *tsz*
párbaj *átv is* duel
párbajozik *átv is* duel
párbeszéd dialogue
párduc leopard
parfé parfait

parfüm perfume
párhuzamos *mn, fn* parallel
park park
parketta parquet (floor)
parkol park (the car)
parkoló car park
parkolóház multi-storey (car park)
parkolóhely parking space
parkolóóra parking meter
parlament parliament
párna pillow, cushion
paróka wig
párol steam
párolog evaporate
párolt steamed
páros ▾ *mn* paired; *[szám]* even ▾ *fn sp* doubles *tsz*
párosával in pairs/twos
part *[tengeré]* coast, *[folyóé]* (river) bank, *[tóé, tengeré]* shore
párt party
pártatlan impartial
pártfogás patronage
partner partner
pártol support, patronise
partvidék coast, coastal area
partvis broom
párzás mating
passzív passive
pásztor *vall is* shepherd
pata hoof (*tsz* hooves)
patak brook, stream
patkány rat
patkó horseshoe
patron cartridge
pattanás pimple, spot
pattanásos pimpled
pattogatott kukorica popcorn
páva *[hím]* peacock, *[nőstény]* peahen
pavilon pavilion
pazarlás waste
pazarol waste, squander
pázsit lawn, grass
pech too bad, tough/hard luck
pecsenye roast
pecsét *[pecsételéshez]* stamp; *[folt]* stain
pedagógus teacher

pedál pedal
pedig yet, although, nevertheless
pehely flake
pék baker
pékség bakery
péksütemény (bread)rolls *tsz*
példa example
példakép model
példány copy
például for instance/example (*röv* e.g.)
pelenka nappy *US* diaper
pelenkáz change nappies *US* change diapers
penész mould
penészes mouldy
penge blade
penget *zene* pluck
péntek Friday
pénz money
pénzalap funds *tsz*
pénzátutalás (money) transfer
pénzautomata automated teller machine (*röv* ATM), cashpoint
pénzbírság fine
pénzérme coin
pénzesutalvány money order
pénzösszeg amount
pénztár cash desk
pénztárca wallet, purse
pénztáros cashier
pénzügyek finances
pénzváltás exchange (of currency)
pénzváltóhely bureau de change
per (law)suit
perc minute; **egy ~ és itt vagyok** I'll be back in a moment/minute
perec pretzel
perel sue
perem *[tárgyé]* rim, edge, *[városé]* periphery
periszkóp periscope
permetez *[eső]* drizzle; *[növényt]* spray
peron platform
persely money box, piggy bank; *[templomban]* collecting box

persze of course
perzsel scorch
petárda cracker
pete egg
petefészek ovary
petesejt ovum (*tsz* ova)
petrezselyem parsley
petty spot, *[piszok]* speck
pettyes spotted, spotty, *[piszkos]* specked
pezsgő ▾ *mn* sparkling ▾ *fn* champagne
pezsgőfürdő bubble bath
piac market
piactér market-place
pici tiny
pihe fluff
pihen rest
pihenés rest
pihenő rest
pihenőhely *[útmenti]* lay-by (*tsz* -bys)
pikk spade(s)
pikkely scale
pillanat moment, instant
pillanatnyilag at/for the moment
pillangó butterfly
pillangóúszás butterfly (stroke)
pillantás glance, look
pilóta pilot
pilótafülke cockpit
pince cellar
pincér waiter
pincérnő waitress
pingpong ping-pong, table tennis
pingponglabda ping-pong/table-tennis ball
pingpongozik play ping-pong/table-tennis
pingpongütő (table-tennis) bat
pingvin penguin
pinty chaffinch
pióca *átv is* leech
pipa pipe; *[búváré]* snorkel
pipacs (corn) poppy
pipázik smoke a pipe
piramis pyramid
pirít *[kenyeret]* toast, *[hagymát, húst]* fry
pirítós *[kenyér]* toast
piros red

pirospaprika (Hungarian) paprika
pisi pee
pisil pee
piskóta sponge (cake)
pislog blink
piszkos dirty, filthy
piszok dirt
pisztácia pistachio
pisztoly pistol, gun
pisztráng trout
pitypang dandelion
pizza pizza
pizsama pyjamas *tsz*
plafon *átv is* ceiling
pléd rug, blanket
pletyka gossip
plusz plus
Plútó Pluto
pocak tummy
pocok vole
pocsolya puddle
poén point (of a joke), joke
pofon slap, smack
pogácsa *kb.* savoury scone
poggyász luggage *esz/tsz*
poggyászfeladás registration of luggage/baggage
poggyászkiadás baggage claim
poggyászmegőrző left-luggage office
pohár glass
pohárköszöntő toast
pók spider
pókháló (spider's) web
pokol *átv is* hell
pokoli hellish
pokróc blanket
polc shelf (*tsz* shelves)
polgár citizen
polgári civil
polgármester mayor
polip octopus (*tsz* -puses)
politika politics *esz; [elv]* policy
politikus ▾ *mn* politic ▾ *fn* politician
politizál talk politics
póló *sp [lovas]* polo; *[vízilabda]* water polo; *[ing]* T-shirt
poloska *átv is* bug
pólus pole

pólya *orv* bandage; *[babáé]* swaddling-clothes *tsz*
pólyás baba/gyerek infant, babe in arms
pólyáz *orv* bandage; *[babát]* swaddle
pompa pomp
pompás lavish, luxurious
pongyola ▾ *mn* careless ▾ *fn* dressing gown
póniló pony
pont point; *[írásjel]* full stop *US* period
pontatlan inexact; *[időben]* late, unpunctual
pontos exact; *[időben]* punctual, on time
pontosvessző semicolon
pontszám *sp is* score
ponty carp
ponyva canvas; *[irodalom]* pulp (fiction)
popsi bum *US* fanny
popzene pop (music)
por *[piszok]* dust; *[pl. gyógyszer]* powder
póráz lead
porc cartilage
porcelán porcelain
porcukor icing sugar
póréhagyma leek
porlasztó *műsz* carburettor; pulveriser
porol *[takarít]* dust; *[felveri a port]* raise the dust
poroló duster
poroltó fire extinguisher
porond ring; *átv is* arena
poros *átv is* dusty
porrongy duster
porszívó hoover, vacuum cleaner
porszívózik hoover, vacuum-clean
porta lodge, *[hotel, iroda]* reception
portás porter, doorman (*tsz* -men); *[hotelben, irodában]* receptionist
portré portrait
portugál *mn, fn* Portuguese
Portugália Portugal
pórus pore

posta post (office)
postafiók post office box (*röv* PO Box, POB)
postafordultával by return (of post)
postahivatal post office
postai; ~ kézbesítés postal delivery; **~ küldemény** mail; **~ úton** by post
postaköltség postage
postaláda postbox *US* mailbox, *inform* mailbox, *[utcán]* pillar box
postás *[férfi]* postman (*tsz* -men), *[nő]* postwoman (*tsz* -women)
poszter poster
posztmodern ▾ *mn* postmodern ▾ *fn* postmodernism
posztó cloth
pótágy spare bed
pótdíj *[vasúti]* excess fare
pótkerék spare wheel/tyre
pótkocsi trailer
pótlás substitution; *[fogé]* dental prosthesis
pótlék bonus; *[helyettesítő]* substitute
pótol (*vkit/vmit vkivel/vmivel*) replace (sy/sg with sy/sg)
pótolhatatlan irreplaceable; *[veszteség]* irrecoverable
pótvizsga resit
potyautas stowaway
pozíció position; *[tisztség, állás]* post
pozitív *mn, fn* positive
pörget spin
pörgettyű *[búgócsiga]* (humming-)top
pörköl roast
pörkölt ▾ *mn* roasted ▾ *fn kb.* (Hungarian paprika) stew
pörög spin
pötty spot, *[piszok]* speck
pöttyös spotted, spotty, *[piszkos]* specked
praktikus practical
precíz precise
prédikál preach
prém fur

premier première
presszó café, coffee bar
prézli breadcrumbs *tsz*
príma first-rate
primitív primitive
prizma prism; *[járművön fényvisszaverő]* reflector
próba test; *zene, szính* rehearsal
próbababa dummy, mannequin
próbaidő *[dolgozóé, elítélté]* term of probation
próbál *[kipróbál]* try out; *[megpróbál vmit]* try (to do sg); *[öltözéket]* try on; *[színdarabot]* rehearse
próbálkozik try
probléma problem
professzor professor
próféta prophet
profi pro(fessional)
profil profile
program programme
programoz programme
programozó programmer
prospektus prospectus
prostituált prostitute
protekció influence
protestáns Protestant
protézis prosthesis (*tsz* -theses)
próza prose
pszichológus psychologist
pucér stark, (stark) naked
pucol *[tisztít]* scrub, clean; *[hámoz]* peel
puccs coup (d'état) (*tsz* coups d'état), putsch
púder face powder
puding mousse
pufók chubby
puha soft
puli «type of Hungarian sheepdog» puli
pulóver pullover, sweater, jersey
pult *[bolti]* counter; *[karmesteri]* rostrum
pulzus pulse
pulyka turkey
puma puma *US* cougar
pumpa pump

pumpál pump
puncs punch
púp hump
pupilla pupil
púpos ▾ *mn* humpbacked ▾ *fn* humpback
puska rifle, gun; *[iskolai]* crib
puskázik crib, use a crib
puszi peck, kiss
puszta ▾ *mn* barren ▾ *fn [magyar]* the puszta
pusztít devastate
pusztítás devastation
pusztul go° to rack and ruin
pusztulás destruction
pünkösd Whit, Whitsun(tide)
püré purée

R

rá on/onto/sg
ráad *[ruhadarabot]* put° (sg on sy); *[hozzátesz]* add (to sg)
ráadás addition, extra; *[színházban]* encore
ráadásul besides, what's more
ráakad (*vki vmire*) come° across (sg); *[fennakad]* get° caught (on sg)
rab ▾ *mn* captive ▾ *fn* prisoner; *[vkinek/vminek a rabja]* slave
rabbi rabbi
rábeszél (*vkit vmire*) persuade (sy to do sg)
rábíz (*vkire vmit*) entrust (sg to sy v. sy with sg)
rablás robbery
rabló robber
rabol rob; *[embert]* kidnap
rabság captivity
racionális rational
rács grating, grid; **~ mögött van** be° behind bars
rácsos trellised
radar radar
radiátor radiator
rádió radio
rádióállomás radio station
rádióműsor radio programme
rádiós óra clock radio
radír rubber *US* eraser
radíroz erase
ráér have° (the) time
ráfizet *[pl. jegyre]* pay excess fare; *[veszít]* lose° (by/on sg)
ráfog *[fegyvert vkire]* point (at sy); *átv* (*vkire*

vmit) accuse sy falsely of (doing) sg
ráfordít *[pénzt vmire]* spend money (on sg); **~ja a kulcsot** turn the key, (*vkire*) lock sy in; **sok energiát fordított rá** she/he put a lot of effort into it
ráfordítás expenditure
rag inflection(al affix)
rág chew
ragad stick°, adhere; *[ragadós]* be° sticky; **ott~ vhol** get° stuck swhere; *[megragad]* seize
ragadós sticky
ragadozó ▾ *mn* predatory ▾ *fn* predator
rágalmaz *[szóban]* slander; *[írásban]* libel
rágalom *[szóban]* slander; *[írásban]* libel
ragaszt stick°
ragasztó adhesive
ragasztószalag adhesive tape
rágógumi chewing gum
rágós tough
ragoz inflect
ragtapasz sticking plaster
ragyog shine°, glitter
ragyogó bright; *átv* brilliant
rágyújt light° up, light° a cigarette
ráhagy *[örökségként]* leave° sg (by will) to sy; *[nem ellenkezik]* indulge (sy in sg); *[helyet hagy neki]* allow (for)
ráismer (*vkire/vmire vmiről*) recognise (sy/sg by sg)
raj *[rovaroké]* swarm; *kat* squad
Rajna Rhine
rajong (*vmiért*) be° enthusiastic (about sg); (*vkiért*) adore (sy)
rajongás passion, adoration; *[lelkesedés]* enthusiasm
rajongó ▾ *mn* passionate, enthusiastic ▾ *fn* (*vkié*) admirer (of sy)

rájön *[megtud]* find° (sg) out; (*vmi vkire*) sg comes over sy, sy is overcome by sg

rajt start

rajta ▾ *hsz [vmin, vmi felületén, vkin]* on him/her/it; ~ **múlik** it is up to her/him ▾ *isz* go!

rajz drawing

rajzfilm cartoon (film)

rajzol draw°

rajzoló *[műszaki is]* draughtsman (*tsz* -men)

rak *[tesz]* put°; *[elrendez]* arrange

rák crab; *[folyami]* crayfish; *[homár]* lobster; *orv* cancer; *csill* **R~** Cancer

rakás *[halom]* pile

rakéta rocket

rakomány load

rákos cancerous

rakpart quay, embankment

raktár store(-room); *[készlet]* stock; **nincs ~on** be° out of stock

raktáráruház warehouse

raktároz store

Ráktérítő Tropic of Cancer

rálép step on (to)

rámosolyog (*vkire*) smile (at/on sy)

rámutat (*vkire/vmire*) point (at/to sy/sg); *[felhívja vmire a figyelmet]* point out (sg)

ránc *[arcon]* wrinkle; *[ruhán]* crease

ráncolja a homlokát knit° one's eyebrows

ráncos *[arc]* wrinkled; *[ruha]* creased

randevú rendezvous

rándulás sprain

ránevet (*vkire*) smile (at sy)

ránéz (*vkire/vmire*) look/glance (at sy/sg)

rang rank

ránt jerk, give° sg a pull

rántott fried in breadcrumbs *ut*

rántotta scrambled eggs *tsz*

rányom (im)print, (im)press

rápillant (*vkire/vmire*) glance (at sy/sg)

rászán *[összeget vmire]* assign/allot to sg; **~ja magát (vmire)** decide (to do sg), make° up one's mind (to do sg)

rászed deceive, fool

rászól rebuke

rátalál *[keresve]* find°, discover; *[véletlenül]* hit°/chance (upon sg)

rátámad attack

rátér *[útra]* take°; *[elkezd]* take° up; **~ a tárgyra** come° to the point

rátesz (*vmit vmire*) put°/lay°/place (sg on sg); **~ a tűzre** feed° the fire

ráül sit° (on sg)

ravasz[1] *mn* sly, crafty

ravasz[2] *fn* trigger

ravatal bier

rávesz *[ruhát]* put° on top (of sg); (*vkit vmire*) get°/persuade (sy to do sg)

ráz shake°; *[jármű]* jolt; *[áram]* give° a shock

reagál react, respond

reakció reaction

reális real

recepció reception desk

recept recipe; *orv* prescription

redőny shutter

reflektor searchlight; *[színházi]* spotlight; *[autón]* headlights *tsz*

reflex reflex

reform reform

reformáció Reformation

református Calvinist

régen long ago

regény novel

régész archaeologist

régészet archaeology

reggel ▾ *fn* morning ▾ *hsz* in the morning

reggeli ▾ *mn* morning ▾ *fn* breakfast
régi old; *[előző]* former; *[ócska]* dilapidated
régimódi old-fashioned
régió region
régiség antique
régóta for a long time
rejt hide°
rejtély mystery
rejtélyes mysterious
rejtett hidden
rejtvény riddle, puzzle
rekedt hoarse
rekesz compartment; *[láda]* crate
reklám *[reklámozás]* advertising; *[maga a reklám]* advertisement
reklamáció complaint
reklamál make°/lodge a complaint (about sg)
reklámoz advertise
reklámszatyor plastic bag
reluxa *kb.* Venetian blind
rekord record
rém ▾ *fn* spectre, apparition ▾ *hsz biz* awfully
remeg tremble
remek ▾ *mn* superb, splendid ▾ *isz* great!
remekel excel (in sg)
remekmű masterpiece
remél (*vmit*) hope (for sg)
remény hope
reménytelen hopeless
rémes awful
remete hermit
rémhír rumour
rémül; halálra ~ be° scared/frightened to death
rémület fright, terror
rémült frightened, horrified
rend order; *[tisztaság]* tidiness; **~ben van** be° in order; **~ben!** all right!; **~be hoz** repair, mend
rendel *[árut]* order; *[jegyet]* book; (*vkit vki mellé*) assign (sy to sy); **magához ~ (vkit)** summon (sy); *[rendelést tart]*

have°/hold° one's surgery
rendelés *[áruké]* order(ing); *[orvosé]* surgery
rendelet order, decree
rendelkezés *[rendelet]* order, decree; (*vmi fölött*) disposition, disposal
rendellenes abnormal
rendelő surgery, consulting room
rendelőintézet clinic
rendes *[rendszerető]* tidy; *[derék]* decent; *[megszokott]* usual; *[szabályszerű]* normal; *[teljes jogú, pl. tag]* ordinary
rendetlen untidy; *[hanyag]* careless
rendetlenség disorder
rendez *[elrendez]* arrange; *[elintéz]* sort out; *[szervez]* organise; *[filmet, színdarabot]* direct
rendezés *[elsimítás]* putting in order; *[szervezés]* organisation; *[színházi]* direction
rendező *[filmé, darabé]* director; *[eseményé]* organiser
rendezvény programme, event
rendkívül extraordinarily
rendkívüli extraordinary
rendőr policeman (*tsz* -men)
rendőri police
rendőrkapitányság police station, police headquarters *tsz*
rendőrség police
rendreutasít call sy to order
rendszám registration number
rendszámtábla number plate *US* license plate
rendszer system
rendszeres *[rendszerezett]* systematic; *[állandó]* constant; *[megszokott]* habitual

rendszerint usually, as a rule
rendszertelen unsystematic, irregular
reng shake°; *[föld]* quake
rengeteg countless, a vast number of; **~et dolgozik** work very hard
répa carrot
reped crack, burst; *[ruha]* tear°
repedés *[folyamat]* bursting; *[eredmény]* burst
repkény (ground) ivy
repül fly°; **levegőbe ~** blow° up, be° blown up
repülés flying; *[utazás]* flight; *[technika]* aviation
repülő ▾ *mn* flying; **~ csészealj** flying saucer, unidentified flying object (*röv* UFO, ufo) ▾ *fn [személy]* flier v. flyer; *[gép]* airplane
repülőgép airplane, aeroplane, plane, aircraft
repülőjegy air ticket
repülőtér airport
repülőút flight
rés slit; **~en van** be°/stand° on guard/the alert
rész part; *[adag]* share; *[terület]* section
részeg ▾ *mn* drunk(en) ▾ *fn* drunk
részeges drunken
reszel file; *[ételt]* grate
reszelő file; *[ételhez]* grater
részesül be° given
reszket tremble, shake°; **~ a félelemtől** tremble with fear; *[hidegben]* shiver
részleg section
részlet detail; *[műből]* extract; *[részletfizetésnél]* instalment
részletes detailed
részletez detail
részletfizetésre vásárol buy° (sg) on hire purchase (v. on hp) *US* buy° (sg) on an instalment plan

részmunkaidős part-time
részvény share
részvényes shareholder
részvénytársaság joint-stock company
részvét *[együttérzés]* compassion; *[halálesetkor]* condolence; **kifejezi ~ét (vkinek)** offer one's condolences (to sy)
részvétel participation
rét meadow
réteg layer; *[festék]* coat(ing); *[földben]* stratum; *[társadalmi]* stratum, layer
retek radish
rétes strudel
retesz bolt
retikül (hand)bag
retteg (*vmitől/vkitől*) dread/fear (sg/sy), be° terrified (of sg/sy)
rettenetes terrible, horrible
retúrjegy return (ticket)
reuma rheumatism
reumás rheumatic
rév *[komp]* ferry(boat); *[kikötő]* harbour
révén *[vki által]* through (sy), *[jóvoltából]* with the help (of sy)
révész ferryman (*tsz* -men)
réz *[vörös]* copper; *[sárga]* brass
rezeg tremble, vibrate
rezgés vibration
rezsi(költség) overheads *tsz*
riadó alarm
riaszt alert
riasztó ▾ *mn* alarming ▾ *fn* alarm
rigó thrush; *[fekete]* blackbird
rikító *[szín]* glaring; *[szembeszökő]* conspicuous
rím rhyme
ring rock, swing°; *[hajó]* sway
ringat rock; **(vmiben) ~ja magát** cherish the hope that …; *[csípőjét]* swing°, sway

ringló greengage
riport report
riporter reporter
ritka *[nem gyakori]* rare; *[nem sűrű]* thin
ritkaság rarity
ritmus rhythm
rivaldafény *szính* footlights *tsz; átv is* limelight
rizs rice
robaj din
robban explode
robbanás explosion
robbant blow° up
robogó ▾ *mn* rushing ▾ *fn* scooter
rockzene rock music
roham attack
rohamos rapid
rohan run°, rush
rojt fringe
rojtos fringed; *[kikopott]* frayed
róka *átv is* fox
rokkant ▾ *mn [ember]* disabled ▾ *fn* disabled person
rokon ▾ *mn (vkivel/vmivel)* related (to sy/sg) ▾ *fn* relative, relation
rokonság *[kapcsolat]* relationship; *[rokonok]* family, relatives *tsz*
rokonszenv sympathy
rokonszenves pleasant, congenial
róla *[hely]* from him/her/it; *[felőle]* of/about him/her/it
roller scooter
rollerozik scooter, ride° a scooter
roló *[vászon]* blind(s) *US* window shade
rom ruin; *[maradvány]* remains *tsz*
román ▾ *mn [romániai]* Romanian; ~ **nyelvek** Romance languages; *[stílus]* Romanesque ▾ *fn [ember, nyelv]* Romanian
Románia Romania
romantika *[irányzat]* Ro-

manticism; *[érzület]* romance

romantikus ▾ *mn* romantic ▾ *fn* Romantic author/poet

rombol destroy

rombusz rhombus (*tsz* rhombuses v. rhombi)

romlandó perishable

romlott; a hús ~ the meat is off; *átv* corrupt(ed)

romos ruined

roncs *átv is* wreck

ronda ugly, nasty

rongál damage

rongy rag

rongyos ragged

ront *[rongál]* spoil°, damage, corrupt

ropi cracker (sticks *tsz*), salty sticks *tsz US* bread sticks *tsz*

ropog crack; *[fegyver]* rattle; *[hó]* crunch

ropogós crisp

ropogtat crack(le); *[ételt]* crunch

roppant[1] ▾ *mn* huge ▾ *hsz* extremely

roppant[2] *ige* crack(le)

rost fibre

rostély grate

rostélyos braised steak

rostonsült grill(ed meat)

rostos fibrous

rossz ▾ *mn* bad; *[gyerek]* naughty; *[időjárás]* foul, rotten; *[minőség]* poor, inadequate; **~ számot hívott** you've got the wrong number; *[nem működő]* out of order *ut* ▾ *fn* evil; **nincs abban semmi ~** there's nothing wrong with it, there's no harm in it

rosszall (*vmit*) disapprove (of sg)

rosszindulatú malicious; *orv* malignant

rosszkedv low spirits *tsz*

rosszkedvű moody

rosszkor *[helytelen időben]* at the wrong time; *[alkalmatlan pillanat-*

ban] at an inconvenient time
rosszul ill; ~ **érzi magát** feel° unwell; *[helytelenül]* wrong(ly)
rosszullét sickness, feeling unwell
rothad rot
rothadt rotten
rovar insect
rovat column
rozmár walrus
rozoga *[épület]* dilapidated; *[beteges]* frail
rozs rye
rózsa rose
rózsabimbó rosebud
rózsafüzér rosary, beads *tsz*
rózsaszínű rose, pink
rozsda rust
rozsdamentes acél stainless steel
rozsdás rusty
rozskenyér rye bread
rög *[göröngy]* clod; *[arany]* nugget; *[vér]* clot
rögös bumpy
rögtön at once, immediately
rögtönzött extempore
rögzít secure, fasten; *[írásban vmit]* put° sg down (in writing); *[pl. hangot]* record
röhög guffaw
röntgenez x-ray
röntgenfelvétel x-ray (photograph)
röpdolgozat test
röpirat pamflet
röplabda volleyball
rövid short; **~re fog (vmit)** cut°/make° sg short; *[tömör]* brief
rövidesen shortly
rövidhullám short wave
rövidít shorten; *[szöveget]* cut°
rövidlátó *átv is* shortsighted
rövidzárlat short circuit
rőzse brushwood
rúd bar, rod
rúdugrás pole vault
rúg kick; *[gólt]* score/

kick; *[összeg vmire]* amount/come° (to sg)
rugalmas *átv is* elastic
rúgás kick(ing); *[labdáé]* shot
rugdalózó baby-grow *US* sleeper
rugó spring
ruha clothes *tsz; [tisztításhoz]* cloth
ruhacsipesz clothes-peg *US* clothespin
ruhadarab article of clothing, outfit
ruhafogas *[akasztó]* hat-rack; *[álló]* coat-stand
ruhásszekrény wardrobe
ruhaszárító ▾ *mn* ~ **kötél** clothesline ▾ *fn* clotheshorse
ruhatár *[színházi]* cloakroom *US* checkroom; *[vki összes ruhája]* wardrobe
ruhatáros cloakroom attendant *US* checkroom attendant
ruházat clothes
rulett roulette
rum rum
rutin experience, practice
rutinos experienced
rúzs lipstick
rügy bud

S

s and
sablon *[betűhöz]* stencil, *[forma]* mould, pattern; *átv* cliché
saccol *biz* gues(s)timate
saját ▾ *nm* own; ~ **kezével** with/by one's own hands ▾ *fn* (one's) own (property)
sajátos singular
sajátosság feature, trait, characteristic
sajnál (*vkit*) feel°/be° sorry (for sy); **~om!** I'm sorry; (*vkitől vmit*) begrudge (sy sg)
sajnálat pity
sajnálatos regrettable
sajnálkozik (*vmi miatt*) be° sorry (for/about)
sajnos unfortunately
sajog ache
sajt cheese
sajtó; a ~ the press
sajtóper libel case
sakk chess
sakkfigura chessman (*tsz* -men)
sakkjátszma game of chess
sakkozik play (a game of) chess
sakkparti game of chess
sakktábla chessboard
sál scarf (*tsz* scarves)
salak slag
saláta *növ* lettuce; *[étel]* salad
salátaöntet (salad) dressing
sámfa shoetree
sampon shampoo
sánc rampart
sánta lame
sántít limp
sápadt pale

sapka hat, cap; *[üvegen]* cap
sár mud
sárga yellow
sárgabarack apricot
sárgadinnye honeydew melon
sárgarépa carrot
sárhányó mudguard
sark pole
sarkal *[cipőt]* heel
sarkall induce, encourage
sárkány *[mesében]* dragon; *[játék]* kite
sarkkör polar circle
sarló sickle
sarok *[szöglet]* corner; *[lábé, cipőé, harisnyáé]* heel; *[ajtósarok]* hinge; *[pólus]* pole
sáros muddy
sas eagle
sás sedge
sáska locust
sátán Satan
sátor tent
sátorozik tent, go° camping
satu vice
sav acid
sáv *[csík]* stripe; *[övezet/zóna]* zone; *[rádió]* band, wavelength; *közl* lane
savanyú sour
savanyúság pickle(s), relish
se neither
seb wound
sebes[1] *[gyors]* quick, swift
sebes[2] *[sérült/sebesült]* wounded
sebesség speed; *gépk [sebességfokozat]* gear
sebességkorlátozás speed limit
sebességváltó *gépk* gear lever *US* gear shift
sebesülés wound
sebesült ▾ *mn* wounded, injured ▾ *fn* casualty
sebesvonat fast train
sebész surgeon
sebészet surgery
sebhely scar

sebtapasz (sticking) plaster
segéd *[bolti]* (shop) assistant; *[iparos]* apprentice
segédkezik (*vkinek vmiben*) help (sy do v. to do sg)
segédmunkás unskilled worker/labourer
segély *[másik országnak]* aid, relief; *[juttatás]* benefit, allowance
segélyez assist
segélykérő telefon (emergency) hotline
segít (*vkinek vmiben*) help (sy do v. to do sg); (*vkin*) help (sy)
segítség help
sehogyan not at all, by no means, on no account
sehol nowhere
sehonnan from nowhere
sejt[1] *fn* cell
sejt[2] *ige* suspect
sekély shallow
selejt reject, faulty product
selejtez weed out
selyem silk
sem *[tagadószó]* neither; **semmi ~** nothing (at all v. of the kind)
semleges ▼ *mn pol, kém* neutral ▼ *fn nyelv* neuter
semmi nothing, no
semmiféle no
semmiképp(en) on no account, in no way
semmiség (a mere) trifle
senki nobody
seper sweep°
seprű broom
serdülő *mn, fn* adolescent
serdülőkor adolescence, puberty
sereg *[hadsereg]* army; *[sokaság]* a host (of sg), multitude (of sg)
sérelem *[jogtalanság]* insult, affront
serleg goblet, *sp* cup
serpenyő *[edény]* (frying)

pan; *[mérlegé]* scale(pan)
sért *[testileg/lelkileg]* assault, abuse, insult; *jog* violate, abuse
sertés pig
sértés insult; *jog [testi]* bodily harm; *[törvényé]* breach/violation of (the) law
sertéshús pork
sertéssült roast pork
sértetlen unhurt, unharmed; *átv* intact
sértő offensive
sérülés *[seb]* injury; *[tárgyon]* damage
sérült ▾ *mn [ember]* injured; *[tárgy]* damaged ▾ *fn* casualty, injured (person)
sérv hernia (*tsz* hernias v. herniae)
séta walk
sétahajó pleasure boat
sétál walk, go° walking
sétáló ▾ *mn* walking ▾ *fn* walker
sétálómagnó Walkman (*tsz* Walkmans)
sétálóutca pedestrian precinct
sétány walk, promenade
sí skis *tsz*
síel ski, go° skiing
síelő skier
siet hurry; (*vhová*) hurry/hasten (to/swhere); *[óra]* be° fast
sietős hasty
sietség hurry
sík ▾ *mn* even, plane ▾ *fn földr* plain; *[terület, felület]* plane
sikátor alley(way)
siker success
sikeres successful
sikertelen unsuccessful
sikerül succeed, *[összejön]* work (out); *[vmit megcsinálni]* succeed (in doing sg)
síkidom geometric figure
sikít scream
siklik glide
sikló ▾ *mn* gliding ▾ *fn*

[kígyó] grass snake; *[vasút]* funicular (railway)
sikoly scream
síkos slippery, slick
síkság plain
silány inferior
síléc ski(s)
sima *[felület]* smooth; *átv [egyszerű]* plain
simogat stroke
sín *[vasút]* rail(s); *orv* splint
sincs *[létezés]* sy/sg is not (v. isn't) … either; *[birtoklás]* sy/sg has not (v. hasn't) … either
síp whistle
sípálya (ski) course
sípol blow° a whistle
sír[1] *fn* grave
sír[2] *ige* cry
sirály gull
sírás crying
sírhely burial place, grave
sírkő tombstone
sisak helmet
sivár *[kopár, puszta]* bleak
sivatag desert
skála scale
skanzen outdoor museum
Skócia Scotland
skorpió scorpion; *csill* S~ Scorpio
skót ▾ *mn* Scottish ▾ *fn* *[ember]* Scot, *[férfi]* Scotsman (*tsz* -men), *[nő]* Scotswoman (*tsz* -women); *[nyelv]* Scottish
sláger hit
slágerlista hit list
slicc flies *tsz*
slusszkulcs car/ignition key
smink make-up
SMS *röv* SMS *[Short Message Service]*
só salt
sóder gravel
sofőr driver, chauffeur
sógor brother-in-law (*tsz* brothers-in-law)

sógornő sister-in-law (*tsz* sisters-in-law)
soha never
sóhaj sigh
sóhajt sigh
sohasem never
sok a lot (of sg)
sokáig for a long time
sokall find° sg too much
sokan many people
sokaság multitude, crowd
sokféle diverse
sokgyermekes having many children *ut*
sokk shock
soknemzetiségű multinational
sokoldalú many-sided
sokszor many times
sokszorosít duplicate
sólyom falcon
sonka ham
sor queue, line; **~ban áll** queue (up), stand° in line; *[írás]* line, *[táblázat]* row
sorakozik line up
sorbanállás queuing up
sorol *[besorol]* classify; (*vkit/vmit vkihez/vmihez*) class/rank (sy/sg among/ as sy/sg); *[felsorol]* list, enumerate
sorompó barrier
sorozás *kat* enlistment
sorozat series *esz/tsz*
sorrend order
sors fate, destiny
sorsjegy lottery/raffle ticket
sorsol draw° lots
sorsolás draw (of lots)
sorszám serial/ordinal number
sort shorts *tsz*
sós salty; *[sózott]* salted
sósav hydrochloric acid
sóska sorrel
sóspálcika salty sticks *tsz*
sósrúd salty sticks *tsz*
sótartó salt cellar
sótlan saltless, *[ételre]* it needs salt
sovány thin, *[étel is]* lean
sóvár longing
sóvárog (*vki/vmi után*)

yearn/long (for/after sy/sg)
sóz salt
söpör sweep°
söprű broom
sör beer
sörény mane
sörét shot
sörnyitó bottle opener
söröskorsó beer mug
söröspohár beer glass
sörözik drink°/have° a beer
söröző brasserie, beer hall
sőt moreover, what is more
sötét *mn, fn* dark; *[sakk]* black
sötétedik darken; *[esteledik]* get° dark, darken
sötétség darkness
sövény hedge
spanyol ▼ *mn* Spanish ▼ *fn* *[ember]* Spaniard, *[nyelv]* Spanish
Spanyolország Spain
spárga *[zsineg]* string; *[növény]* asparagus; *[tánc/torna]* (the) splits *tsz*
speciális special
specialitás speciality *US* specialty
spenót spinach
spirál spiral, *[fogamzásgátló]* coil
spórol skimp, pinch pennies
sport sport
sportág branch of sport
sportcipő trainers *tsz*, training shoes *tsz*
sportcsarnok sports hall/arena
sportegyesület sports club
sportkocsi sports car
sportol do° sports
sportoló *[férfi]* sportsman (*tsz* -men); *[nő]* sportswoman (*tsz* -women)
sportos sporty
sportpálya sports field/ground
sportszerű fair
sporttáska sports holdall

stadion stadium (*tsz* stadiums v. stadia)
statisztika statistics *esz*, *[adatok]* statistics *tsz*
státus status, payroll
stb. *röv* etc. *[etcetera]*
stég (landing) stage
steril *orv* sterile
stewardess stewardess, flight attendant
stílus style
stimmel tally, be° correct
stopperóra stop-watch
stoppol *[foltoz]* darn; *[időt mér]* clock; *[autóstoppal utazik]* hitch(-hike)
stoppos hitch-hiker
stoptábla stop sign
strand *[épített]* open-air swimming pool, *[természetes]* beach
stressz stress
strucc ostrich
stúdió studio
súg whisper; *[iskolában]* prompt
sugár *[víz]* jet, *[fény]* ray; *mat* radius (*tsz* radii v. radiuses)
sugárhajtású repülőgép jet
sugároz radiate; *[rádió, tv]* transmit
sugárút avenue
sugárzás radiation
sugárzik radiate
súgó *szính* prompter; *inform* help
sújt *[üt/villám]* strike°; *[vmivel büntet vkit]* inflict (sg on sy)
súly weight; *átv* emphasis, weight
súlyemelés weightlifting
súlyemelő weightlifter
súlylökés shot-put
súlylökő shot-putter
súlyos *átv is* heavy
súlyzó dumb-bell
súrol *[sikál]* scour; *[érint]* brush
súrolókefe scrubbing-brush *US* scrub brush
suttog whisper

süket ▾ *mn* deaf ▾ *fn* deaf person

süketnéma ▾ *mn* deaf-and-dumb ▾ *fn* deaf-and-dumb person

sül *[hús]* fry, *[sütőben]* roast; *[kenyér, tészta]* bake

sült ▾ *mn [kenyér, tészta]* baked ▾ *fn [hús]* roast

süllyed sink°

sün(disznó) hedgehog

süpped sink°

sürget (*vkit*) hurry (sy), urge (sy on)

sürgős urgent

sűrített *[tej]* condensed, *[levegő]* compressed

sűrítmény concentrate

sűrű *[folyadék, levegő]* thick, dense; *[gyakori]* frequent

sűrűség *[tulajdonság]* thickness, density; *[bozót, erdő]* thicket

süt *[húst]* fry, roast; *[kenyeret, tésztát]* bake; *[égitest]* shine

sütemény *[péksütemény]* (bread) roll; *[édes]* cake

sütő oven

sütöde bakery

sütőpor baking powder

sütőtök pumpkin

svábbogár cockroach

Svájc Switzerland

svájci *mn, fn* Swiss

svéd ▾ *mn* Swedish ▾ *fn* *[ember]* Swede; *[nyelv]* Swedish

svédasztal buffet; **~os reggeli** buffet breakfast

Svédország Sweden

SZ

szab *[árat]* set°; *[ruhát]* cut° out

szabad ▾ *mn* free; *[vmit tenni]* allowed/permitted; **ki ~ nyitni az ablakot?** may I open the window?; **itt nem ~ dohányozni** you must not smoke here ▾ *fn* **a ~ban** outdoors

szabadidő leisure

szabadidőruha leisure wear

szabadnap day off (*tsz* days off)

szabadrúgás free kick

szabadság freedom, liberty; *[üdülés]* holiday

szabadtéri open-air

szabadul (*vkitől/vmitől*) get° rid of; *[ki-/elszabadul]* be° set free, be° released

szabály rule; *jog* law, regulation

szabályellenes against the rules *ut*

szabályos regular; *[megengedett]* allowed; *[arc]* symmetric(al)

szabályoz *jog* regulate; *[irányít]* control

szabálysértés breach/infringement of law; *jog* contravention

szabálytalan irregular; *[nem szabályszerű]* unallowed; *[arc]* asymmetric(al)

szabályzat rule, regulation

szabás *[ruha kiszabása, fazon]* cut

szabó tailor

szabvány standard

szag smell

szaglás *[emberé]* (sense of) smell; *[kutyáé]* nose
szagol smell°, sniff
szagos *[illatos]* fragrant
szagtalan odourless
száguld speed°
száj mouth
szájkosár muzzle
szájpadlás palate
szak *[szakma, szakirány]* profession; *[időszak]* period, time
szakács cook, chef
szakácskönyv cookery book
szakácsnő (woman) cook/ chef (*tsz* women cooks/ chefs)
szakad *[elszakad]* tear°; ~ **az eső** it is pouring (with rain), it's bucketing down
szakadás tear; *átv is* rupture
szakadék precipice
szakáll beard
szakállas bearded
szakasz *[elhatárolt rész]* section, period; *[folyamatban]* phase; *[vasúti fülke]* compartment
szakember expert
szakértő (*vmiben*) expert (in/at sg)
szakít *[tép]* tear°; *[gyümölcsöt, virágot]* pick; (*vkivel*) break° (with sy); *sp* snatch
szakképzett qualified
szakképzettség qualification
szakkifejezés technical term
szakkönyv specialist/ technical book
szakkör study circle/group
szakközépiskola vocational secondary school
szakma *[foglalkozás, szakterület]* profession; *[ágazat]* business, trade
szakmunkás workman (*tsz* -men), skilled worker/ labourer
szakmunkástanuló (trade) apprentice

szakorvos specialist
szakszerű expert
szakszervezet trade union
szaktanácsadó consultant
szaktekintély (*vmiben*) authority (on sg)
szakterület (special) field
szaktudás specialist knowledge
szaküzlet specialist store
szakvélemény expert opinion
szál *átv is* thread
szalad run°
szalag tape, ribbon
szalámi salami
szálka *[fa]* splinter; *[halé]* (fish) bone
száll *[repül]* fly°; *[felszáll vmire]* board, get° on, take°
szállás accommodation
szállásfoglalás booking (of accommodation)
szállít carry, transport, convey
szállítás *[szállítmány is]* transport
szállítható transportable
szállítmány consignment
szállítmányozás transportation
szállítmányozó shipping (and forwarding) agent
szálló hotel; *[ifjúsági]* youth hostel
szálloda hotel
szalma straw
szalmakazal stack of straw
szalmaszál straw
szalon parlour
szaloncukor (Christmas) fondant
szalonna bacon
szalvéta (table) napkin
szám *[számjegy]* number (*röv* no., No.); *[ház, telefon, műsor]* number; *[cipő-/ruhaméret]* size; *nyelv* **egyes ~** singular; **többes ~** plural
szamár *átv is* donkey, ass
számára for him/her
számít (*vmit*) count; *[fontos]* count; (*vminek*) reckon/rank (as); (*vkire/*

vmire) depend/count (on sy/sg)
számítás *átv is* calculation
számítástechnika computer science; information technology (*röv* IT)
számító *[önző]* calculating
számítógép computer
számjegy figure, digit
számla *gazd* invoice, bill; *[bank]* account
számlakivonat statement (of account), bank statement
számlatulajdonos account holder
számláz invoice
szamóca strawberry
számol count; (*vmivel/vkivel*) reckon (with sg/sy)
számológép calculator
számos numerous
számoz number
számozás numbering
számtalan innumerable
számtan arithmetic
száműz exile
szán[1] *fn* sledge
szán[2] *ige [sajnál]* pity; (*vmit vkinek*) mean°/intend (sg for sy/sg)
szánalmas *átv is* pathetic
szánalom pity
szanaszét all over the place
szanatórium sanatorium (*tsz* sanatoriums v. -toria)
szandál sandals *tsz*
szándék intention
szándékos intentional
szándékozik (*vmit tenni*) intend (to do sg)
szánkó toboggan
szánkózik toboggan
szánt plough
szántóföld ploughland
szapora *[termékeny]* prolific; *[gyors]* quick
szaporodás *[biológiai]* reproduction; *[növekedés]* growth, increase
szaporodik *[biológiailag]* reproduce, propagate;

[számban növekszik] increase
szappan soap
szappanbuborék soap-bubble
szappanopera soap (opera)
szappanoz soap
szappantartó soap dish/holder
szár *[növényé]* stem; *[nadrágé]* leg
szárad dry
száraz dry
szárazföld (main)land
szárazság drought
szardínia sardine
szárít dry
származás origin, *[leszármazás]* descent
származik (*vki/vmi vkitől/vmitől*) come°/originate (from sy/sg)
szárny wing
szárnyal soar
szárnyashajó hydrofoil
szaru horn
szarv horn
szarvas deer *esz/tsz*
szarvasmarha cattle *esz/tsz*
Szaturnusz Saturn
szatyor bag
szauna sauna
szaval read°/recite poetry
szavatosság *[garancia]* guarantee, warranty; *[élelmiszeré]* expiry
szavatossági idő expiry date
szavaz vote
szavazás vote
szavazat vote
szavazó voter
szaxofon saxophone
száz (one/a) hundred
század ▾ *fn [századrész]* hundredth (part); *[évszázad]* century (*röv* c.); *kat* company ▾ *szn* hundredth
századik hundredth
százados *kat* captain
százalék per cent
százas ▾ *mn* (the number) (one) hundred ▾

fn [számjegy] hundred; *[bankjegy]* a hundred-pound/dollar note *US* bill

szecesszió art nouveau

szed *[gyűjt]* pick, gather; *[ételből vesz]* have°; *[bevesz]* take°; *[adót, díjat, vámot]* levy; *[nyomdászat]* set°

szeder blackberry

szédül feel°/be° dizzy

szédülés dizziness

szeg *[beszeg]* hem, seam; *[kenyeret]* cut; *[esküt, ígéretet, szabályt]* break°, violate

szegély border, edge; *[ruháé, függönyé]* hem

szegélyez border, flank

szegény ▾ *mn* poor ▾ *fn [a szegények]* the poor *tsz*

szegényes poorly

szegénység poverty

szegfű carnation

szegfűszeg clove

szégyell (*vmit/vkit*) feel°/be° ashamed (of sg/sy); **~i magát** (*vmiért, vmi/vki miatt*) feel°/be° ashamed (for sg/sy)

szégyen shame

szégyenkezik (*vmi miatt*) feel°/be° ashamed (of sg)

szégyenlős shy

széjjel apart

szék *[bútor]* chair

szekér cart

székesegyház cathedral

székház headquarters *esz/tsz*, centre

székhely seat, headquarters *esz/tsz*

széklet motion(s)

székrekedés constipation

szekrény cupboard, wardrobe

szekta sect

szel *[vág]* slice

szél[1] wind

szél[2] *[szegély]* edge

szélcsend calm

szelep valve

szélerősség wind force

szeles windy; *[ember]* reckless
széles wide, broad
szélesség breadth; *földr* latitude
szelet *[kenyér, torta stb.]* slice; *[csokoládé]* bar
szeletel slice
szélhámos swindler
szelíd *[állat]* tame; *[ember]* gentle
szelídít tame
szélirány wind direction
széljegyzet marginal note
szellem spirit; *[kísértet]* ghost, spirit
szellemes witty
szellemi intellectual, mental
széllovaglás windsurfing
széllovas windsurfer
szellő breeze
szellős breezy
szellőzés ventilation
szellőzik air
szellőztet *átv is* air
szélső ▾ *mn* (out)side ▾ *fn sp* winger
szélsőség extreme
szélsőséges *pol* extremist
szelvény coupon
szélzsák wind-sock
szem *[testrész]* eye; *[gabona, homok]* grain; *[szöveté]* stitch; *[láncszem]* link
szembejön (*vkivel*) come°/go° (towards sy)
szembejövő forgalom oncoming traffic
szemben (*vmivel*) opposite (to sg)
szembenéz (*vkivel/vmivel*) face (sy/sg)
szembeszáll (*vkivel/vmivel*) oppose/brave
szemcse grain
szemcsepp eye drops *tsz*
szemcsés granular
személy person
személyazonosság identity
személyazonossági igazolvány identity card (*röv* ID card)

személyes personal
személygépkocsi (passenger) car/vehicle
személyi personal; ~ **igazolvány** identity card (*röv* ID card)
személyiség personality
személynév personal name
személytelen impersonal
személyvonat passanger train; slow train
személyzet staff, *[járműé]* crew; *[házi]* staff
szemérem bashfulness
szemérmes bashful
szemérmetlen shameless
szemész ophthalmologist
szemét rubbish, garbage
szemetel scatter rubbish/litter
szemetes *[ember]* dustbin man (*tsz* men); *[tartó]* dustbin *US* garbage can
szemeteskocsi dustcart
szemétkosár waste-paper basket
szemfesték mascara
szemgolyó eyeball
szemhéj eyelid
szemközti opposite
szemle *[megszemlélés, folyóirat]* review
szemlélet view, attitude
szemléletes descriptive, vivid
szemölcs wart
szemöldök eyebrow
szempilla eyelashes
szempont viewpoint, perspective
szemrehányás reproach
szemrehányó reproachful
szemtanú eyewitness
szemtelen cheeky
szemtelenség cheekiness
szemüveg glasses
szemüveges wearing glasses *ut*
szén coal, carbon
széna hay
szénaboglya haycock
szénanátha hay fever
szendvics sandwich
szénsav carbonic acid

szénsavas carbonated, fizzy
szénsavmentes still, uncarbonated
szent ▾ *mn* saint v. Saint ▾ *fn* saint
szentel *vall, átv* (*vminek*) consecrate (to sg)
szenteste Christmas Eve
szenved (*vmitől*) suffer (from sg)
szenvedély passion; *[beteges]* addiction
szenvedélyes passionate
szenvedés suffering
szenvedő ▾ *mn* suffering; *nyelv* passive ▾ *fn [ember]* sufferer
szenzáció sensation
szenzációs sensational
szenny filth
szennyes ▾ *mn* filthy ▾ *fn* laundry
szennyez pollute
szennyeződés pollution
szennyvíz sewage
szép beautiful
szépirodalom literature
szépítőszer cosmetics *tsz*
szeplő freckle
szeplős freckled
szépség beauty
szépségszalon beauty parlour
szeptember September (*röv* Sep., Sept.)
szépül become° more beautiful
szer substance
szerb ▾ *mn* Serbian ▾ *fn [ember]* Serb; *[nyelv]* Serbian
Szerbia Serbia
szerda Wednesday
szerel fix, repair
szerelem love
szerelmes ▾ *mn* (*vkibe*) (be°) in love (with sy) ▾ *fn* lover, sweetheart
szerelő repairman (*tsz* -men)
szerelvény fittings *tsz; vasút* train
szerencse luck, fortune
szerencsejáték game of chance

szerencsés lucky, fortunate
szerencsétlen unlucky, unfortunate
szerencsétlenség misfortune; *[baleset]* accident
szerény modest, humble
szerep part, role
szerepel *[fellép]* perform; *[előfordul]* occur, figure
szereplő *szính [férfi]* actor, *[nő]* actress; **~k** cast; *[irodalmi műben]* character
szeret *[érzelmileg kötődik]* love; *[kedvel vkit/vmit]* like (sy/sg), (*vmit tenni*) like (to do sg); *[kívánság]* **nagyon ~ném** I should/would very much like to
szeretet love
szeretkezik (*vkivel*) make° love (to sy)
szerető ▾ *mn* loving ▾ *fn* lover, *[csak férfié]* mistress
szerez get°, obtain, acquire; *[okoz]* cause
szerint according to
szerintem I think, in my opinion
szerkeszt *[megépít]* construct; *[újságot]* edit, compile
szerkesztő editor
szerkesztőség *[dolgozók]* editorial staff; *[iroda]* editorial office
szerkezet structure, construction; *[készülék]* device
szerszám tool, utensil, implement
szerszámoskamra toolshed
szerszámtáska tool bag
szertár *kat* depot; *[iskolai]* storeroom
szertartás ceremony; *vall* ceremony, rite
szerte throughout, (all) over
szerv organ
szerves organic

szervetlen inorganic
szervez organise
szervezet *biol* organism; *[intézmény]* organisation
szervezett organised
szervező organiser
szervi organic
szerviz service
szerzetes monk
szerző *[írásműé]* author, writer
szerződés contract, agreement
szesz alcohol, spirit
szeszély caprice
szeszélyes capricious
szeszes alcoholic; ~ **italok** alcoholic drinks/ beverages
szét apart
szétesik fall° apart, decay
szétnéz look round *US* look around
szétoszt distribute, deal° out
szétszakít tear° (sg) apart
szétszed take° (sg) apart, disassemble
szétszerel dismantle
szétszór scatter, strew°
szétszóródik scatter
széttép tear°/rip ((sg) up)
széttör break° (sg) up, shatter
szex sex
szexi sexy
szexis sexy
szexuális sexual
szezon season
szia *[találkozáskor]* hi, hello; *[elköszönéskor]* bye, cheers
szid scold
sziget island
szigetel insulate
szigetelés insulation
szigony harpoon
szigor strictness, rigour
szigorú strict
szíj strap
szikla rock
sziklamászás rock-climbing
sziklamászó rock-climber
sziklás rocky
szikra *átv is* spark

szikrázik *átv is* sparkle
szilánk splinter
szilárd *átv is* firm
szilva plum
szilveszter New Year's Eve
szilveszterezik see° the old year out
szimatol *átv is* sniff
szimfónia symphony
szimpátia sympathy
szimpatikus nice, agreeable
szín[1] colour
szín[2] *szính [színpad]* stage; *[jelenet]* act
színárnyalat shade
színdarab play
színes coloured; *átv* colourful
színész actor
színésznő actress
színez *átv is* colour
színház theatre
színházjegy theatre ticket
színhely venue, location, scene
színmű play
színművész actor
színművészet acting
színművésznő actress
színpad stage
szint level; *[emelet]* floor, level
szinte almost
színtelen colourless
szintén also
színvak colour-blind
színvonal standard
színvonalas high-standard
szippant *[levegőt]* sniff; *[dohányfüstből]* draw° (at/on)
szippantás *[levegőből]* breath; *[dohányfüstből]* draw
szirén siren
sziréna siren
szirénázik sound the siren
szirom petal
szirt cliff
sziszeg hiss
szita sieve
szitakötő dragonfly

szitál *[szitával]* sift; *[eső]* drizzle
szitok abuse
szív¹ *fn* heart
szív² *ige [belélegez]* inhale; *[dohányzik]* smoke
szivacs sponge
szivar cigar
szivárog leak
szivarozik smoke a cigar
szivárvány rainbow
szivattyú pump
szivattyúz pump
szívélyes hearty; *[levél végén]* **~ üdvözlettel** kind regards
szíves hearty
szívesen gladly, with pleasure; *[válaszként]* **nagyon ~!** you're welcome
szívesség favour; **~et tesz (vkinek)** do° (sy) a favour
szívós durable
szívószál straw
szívtelen heartless
szja *röv* personal income tax
szláv ▾ *mn* Slavonic ▾ *fn [ember]* Slav; *[nyelv]* Slavonic
szlovák *mn, fn* Slovak
Szlovákia Slovakia
szlovén ▾ *mn* Slovene, Slovenian ▾ *fn [ember, nyelv]* Slovene
Szlovénia Slovenia
szmog smog
szmoking dinner jacket *US* tuxedo
szó word; **~ra sem érdemes** don't mention it
szoba room
szobafestő decorator
szobalány housemaid *US* chambermaid
szobanövény house plant
szobapincéri szolgálat room service
szobatárs room-mate
szóbeli oral
szobor sculpture; *[emlékmű]* statue, memorial
szobrász sculptor
szobrászat sculpture
szociális social

szocialista *mn, fn* socialist
szóda soda
szódavíz soda water
szója soya
szokás *[megszokás]* habit; *[hagyomány]* custom, practice
szokásos usual
szokatlan unusual
szokik (*vmihez*) get° accustomed/used (to sg); *[szokott vmit tenni]* do° sg; *[múltban]* used (to do sg)
szoknya skirt
szoktat (*vmihez*) get° accustomed/used (to sg)
szól *[beszél]* speak, talk; (*vkinek/vkihez*) be° addressed (to sy); *[megszólít]* address; (*vmiről*) be° about (sg)
szolárium solarium (*tsz* -ria v. -riums)
szólás *[beszéd]* speech; *nyelv* idiom
szolgál serve; (*vkit vmivel*) serve (sy with sg); (*vmire*) serve (as), be° used (for/as sg)
szolgálat service
szolgálati of service *ut*, service
szolgáltat supply; *[nyújt]* provide
szolgáltatás service
szolgáltató service *ut*
szólít *[hív]* call; *[nevez vkit/vmit vkinek/vminek]* call (sy/sg sy/sg)
szombat Saturday
szomjas thirsty; ~ **vagyok** I'm thirsty
szomjazik *átv is* (*vmire*) thirst (for/after sg)
szomjúság thirst
szomorkodik (*vmi miatt*) be° upset/sad (about sg)
szomorú sad
szomszéd ▾ *mn* neighbouring; *[ház, szoba stb.]* adjacent, adjoining ▾ *fn* neighbour
szomszédasszony neighbour

szomszédos neighbouring; *[ház, szoba stb.]* adjacent, adjoining
szomszédság neighbourhood
szónok speaker
szónokol preach
szopik suck
szopogat suck
szoprán soprano
szoptat breastfeed°
szór sprinkle
szórakozás entertainment; **jó ~t!** enjoy yourself!
szórakozik have° a good time, enjoy oneself
szórakozóhely place of entertainment
szórakozott absent-minded
szórakoztat entertain
szórakoztató entertaining
szórás scattering
szorgalmas diligent, hard-working
szorgalom diligence
szorít press, *[össze]*, squeeze
szorong *[zsúfolódik]* be° squeezed together; *átv [fél]* be° anxious
szoros ▼ *mn* tight, compact ▼ *fn földr [hegy]* pass; *[tenger]* strait
szoroz multiply
szorul get° jammed/stuck
szórványos sporadic
szorzás multiplication
szósz sauce, gravy
szótag syllable
szótár dictionary
szótlan wordless, silent
szóval *[röviden]* in a word, briefly
szóvivő *[férfi]* spokesman (*tsz* -men), *[nő]* spokeswoman (*tsz* -women)
sző *átv is* weave°
szöcske grasshopper
szög[1] nail
szög[2] *mat* angle
szöglet corner; *sp* corner (kick)

szögletes angular
szögmérő protractor
szőke ▾ *mn* blond ▾ *fn* blonde
szökés *[menekülés]* flight; *[börtönből]* escape
szökik *[menekül]* flee, escape; *kat* desert
szökőév leap year
szökőkút fountain
szőlő *[gyümölcs]* grapes *tsz; [növény]* (grape)-vine; *[terület]* vineyard
szőlőcukor grape-sugar, dextrose
szőlőfürt a bunch of grapes
szőlőtőke grape-vine, vine-stock
szőnyeg carpet
szőnyegpadló carpet floor
szőr hair
szörf *[vitorlás]* windsurfing, *[vitorla nélküli]* surf-riding; *[deszka]* surfboard
szörfözik (wind)surf; *inform* surf
szőrme *[nyers]* coat; *[kikészített]* fur
szörny monster
szörnyen horribly, terribly
szörnyeteg monster
szörnyű horrible, terrible
szőrös hairy
szörp *[ital]* squash; *[sűrítmény]* syrup
szőrzet *[emberi]* (body) hair, *[állati]* coat
szöveg text
szövegszerkesztő *inform* word processor
szövet *[textil]* fabric, cloth; *biol* tissue
szövetkezet cooperative
szövetkezik collaborate, team up
szövetség *[szövetkezés]* alliance; *[egyesülés]* association
szövetséges ▾ *mn tört* allied ▾ *fn* ally
szövetségi federal

szövődmény *orv* complication
sztár star
sztereó stereo
sztrájk strike
sztrájkol strike, be° on strike
szú wood-boring beetle
szúnyog mosquito
szúnyogháló mosquito net
szuper super
szupermarket supermarket
szúr prick, *[késsel]* stab
szurkol (*vkinek*) keep° one's fingers crossed (for sy); *[hangosan]* cheer on
szurkoló fan
szurok pitch, tar
szúrós *átv is* prickly
szuszog snuffle
szűcs furrier
szűk *[keskeny]* narrow; *[szorít]* tight
szűklátókörűség narrow-mindedness
szűkölködik (*vmiben*) be° lacking (in sg)
szükség necessity, want
szükséglet need
szükségszerű necessary
szükségtelen unnecessary
szűkszavú taciturn
szűkül narrow
szül have° a baby, give° birth
szülés childbirth
szülész obstetrician
szülészet obstetrics *esz; [kórházi osztály]* maternity ward
szülésznő midwife (*tsz* -wives)
születés birth
születési; ~ anyakönyvi kivonat birth certificate; **~ hely** place of birth; **~ idő** time of birth
születésnap birthday; **boldog ~ot!** happy birthday!
született *[leánykori név]* née

születik be° born; *átv* come° into being
szülő parent
szülőföld native country/land
szülőhely place of birth
szülői parental
szülőszoba labour ward
szünet pause, break; holiday(s)
szünetetltet suspend
szünidő holiday(s)
szűnik come° to an end; *[fájdalom]* wear° away; **szűnni nem akaró** unceasing
szünnap holiday
szüntelen unceasing, relentless
szűr strain
szüret *[szőlőé]* vintage; *[egyéb gyümölcsé]* gathering
szüretel harvest/pick
szürke *átv is* grey
szürkül *[alkonyodik]* it is getting dark; *[szürke lesz]* go°/turn grey
szürkület twilight
szűrő strainer, filter
szűz ▾ *mn* virgin ▾ *fn* virgin; *csill* **Sz~** Virgo

T

tábla *[iskolai]* blackboard; *[játéktábla]* board; *[üveg]* sheet
táblás játék board game
táblázat table, chart
tabletta tablet
tabló *[fénykép]* group photograph
tábor *átv is* camp
tábornok general
táborozik camp; *[sátorral]* tent
tábortűz campfire
tacskó dachshund
tag member
tág *[bő]* loose; *[széles]* *átv is* wide
tagad deny, disclaim
tagadhatatlan undeniable
tagállam member-state
tágas spacious
tagdíj membership fee
taglal discuss
tagozat section
tagság membership
táj area, region
tájékozatlan uninformed, ignorant
tájékozódási; ~ **futás** orienteering; ~ **futó** orienteer
tájékozódik *[térben]* orient(ate); *[informálódik]* enquire
tájékozott well-informed
tájékoztat inform (sy about/of sg)
tájékoztatás information
tájékoztató ▾ *mn* informative ▾ *fn* *[útmutató]* guide
tájkép *[táj, festmény]* landscape
tájszólás dialect
takar *[beborít]* cover; *[elrejt]* hide

takarékbetétkönyv savings book
takarékos *[személy, dolog]* economical
takarékoskodik economise, *[pénzt félretesz]* save
takarékosság economy
takarékpénztár savings bank
takarít clean
takarító(nő) cleaner
takarmány fodder, forage
takaró blanket
tál dish
talaj soil
talajvíz subsoil/ground water
talál find°; (*vmilyennek*) find°; *[eltalál vhova]* find° one's way swhere
tálal serve; *átv* present
találat hit
találékony inventive, resourceful
találkozás meeting, encounter
találkozik *vkivel/vmivel*) meet° (sy/sg *US* with sy/sg); *[vkivel véletlenül]* bump (into sy)
találkozó meeting
találmány invention
találó megjegyzés spot-on remark
találomra at random
találós kérdés puzzle, riddle
talált found; ~ **gyerek** foundling; ~ **tárgyak osztálya** lost property office
talán perhaps
talapzat pedestal
tálca tray
talicska (wheel)barrow
talp *[emberé, cipőé]* sole
talpbetét insole(s)
talpraesett quick-witted
támad *[keletkezik]* arise°; (*vkire/vkit/vmit*) attack (sy/sg)
támadás attack
támasz *átv is* support

támaszkodik (*vmihez*) prop (against sg); (*vmire*) lean (on sg)

támaszpont base

támaszt (*vmit/vkit vmihez*) lean°/prop (sg/sy against sg)

támla back

támogat support; [*szponzorál*] sponsor, support

tampon tampon; sanitary pad

támpont *átv* point of reference

tan doctrine

tanács [*jó tanács*] advice *esz;* [*testület*] council

tanácsadás counselling, giving (of) advice; [*hely*] counselling/advice centre

tanácsadó [*személy*] adviser; [*hely*] counselling/ advice centre

tanácskozás discussion

tanácskozik discuss, [*testület*] deliberate

tanácsol (*vkinek vmit*) advise (sy to do sg)

tanácsos ▾ *mn* recommended, advisable ▾ *fn* councillor

tanácstalan helpless, baffled

tananyag syllabus (*tsz* syllabuses v. syllabi)

tanár teacher

tanári (szoba) staff room

tanárnő teacher

tanársegéd assistant lecturer

tánc dance

táncol dance

táncos dancer

táncosnő dancer

táncterem dance hall

tánczene dance music

tandíj tuition (fee)

tanév school year; [*felsőoktatásban*] academic year

tanfolyam course

tanintézet educational institution

tanít (*vkit vmire v. vkinek vmit*) teach° (sy sg v. sg to sy v. sy to do sg)

tanítás teaching
tanító (primary school) teacher
tanítónő (woman) teacher (*tsz* women teachers)
tanítvány *[diák]* student; *[tanuló, követő]* pupil
tank *[harckocsi, tartály]* tank
tankol fill (up)
tankönyv textbook
tanköteles schoolable
tanrend timetable
tanszék department
tantárgy subject
tanterem classroom
tanterv curriculum (*tsz* curricula v. curriculums)
tantestület teaching staff
tántorog stagger
tanú witness
tanul learn°
tanulmány *[tanulás]* studies *tsz; [mű]* study
tanulmányoz study
tanulmányút study trip
tanuló pupil; *[lány]* schoolgirl, *[fiú]* schoolboy
tanulság lesson; *[erkölcsi]* moral
tanulságos educational
tanúsít *[igazol, jelét adja vminek]* give° evidence/proof (of sg)
tanúskodik (*vmiről*) give° evidence (of sg)
tanúvallomás testimony, evidence
tanya (small) farm
tányér plate
táp forage
tapad cling°, stick°
tápanyag nutrient
tapasz (sticking) plaster
tapaszt *[ragaszt]* stick°; *[betöm]* plaster over
tapasztal experience
tapasztalat experience
tapasztalatlan inexperienced
tapéta wallpaper
tapétáz (wall)paper
tapétázó decorator
tapint touch
tapintás (sense of) touch
tapintat tact

tapintatlan tactless
tapintatos tactful
táplál *átv is* feed°
táplálék food
táplálkozás nutrition
táplálkozik eat°, feed°
tápláló nourishing
tapogat feel°
tapos (*vmire/vmit*) tread°/ trample (on sg)
taps clap, applause
tapsol clap
tápszer nutriment
tár[1] *fn [raktár]* store room; *[múzeumi]* case, cabinet; *[fegyveré]* magazine
tár[2] *ige* open (up)
taraj comb
tárca *[pénztárca]* wallet; *[miniszteri]* portfolio
tárcsa *[telefoné]* dial; *műsz* disc
tárcsáz *[telefonszámot]* dial
taréj comb
tárgy *[dolog]* object; *[műé, hivatalos levélé]* subject; *nyelv* object
tárgyal discuss, meet; *jog* hold° a hearing/trial
tárgyalás meeting; *[bírósági]* hearing
tárgyalóterem conference/meeting room; *[bírósági]* courtroom
tárgyi material
tárgyilagos objective
tárgytalan null and void
tárház *átv* a wealth (of sg)
tarhonya «pasta granules made with flour and eggs»
tarifa tariff
tarisznya satchel
tarka multicolour(ed), colourful
tarkó nape
tárlat (art) exhibition
tárol store
tároló storage
társ partner, companion
társadalmi social
társadalom society
társadalombiztosítás social insurance

társadalomtudomány social science
társalgás conversation
társalog (*vkivel*) converse/talk (with sy)
társas *[társaságkedvelő]* social, gregarious; *[kollektív]* collective
társaság company, society
társasjáték parlour/indoor game
társasutazás group trip/holiday
társít (*vkit/vmit vkivel/vmivel*) associate (sy/sg with sy/sg)
társul (*vkihez/vmihez*) accompany (sy/sg)
társulás association
társulat *szính* (theatre) company
tart hold°; *[erősen]* grasp; *[gyűlést]* hold° (a meeting), *[beszédet]* give° (a speech); *[értékel]* (*vkinek/vminek v. vmilyennek*) deem, esteem; (*vkitől/vmitől*) be° afraid (of sy/sg); *[időben]* **meddig ~?** how long does it last?
tartalék *sp is* reserve
tartalékol reserve
tartalmas substantial
tartalmatlan empty
tartalmaz contain
tartalom *[vminek a lényege]* content; *[könyvé]* contents *tsz*
tartalomjegyzék contents *tsz*
tartály container
tartályhajó tanker
tartam duration
tartás firmness; *[testtartás]* posture
tartó holder, case; *[súlyt]* support
tartogat hold°/have° in store
tartomány province; *[behatárolt szakasz]* domain
tartós *[maradandó]* lasting, durable; *[hosszan tartó]* long-lasting
tartósít preserve

tartósítószer preservative

tartozás debt; (*vkihez/vmihez*) belonging (to sy/sg)

tartozék attachment, accessory

tartozik (*vkinek vmivel*) owe (sy sg); (*vkihez/vmihez*) belong (to sy/sg); (*vkire*) concern (sy); **nem ~ rá** it has nothing to do with her/him

tartózkodás (*vhol*) stay; *(vmitől)* abstinence; *[magatartás]* reserve

tartózkodási hely place of residence

tartózkodik (*vhol*) stay (in/at); (*vmitől*) refrain (from sg)

tasak case

táska bag

taszít push

tát gape

tataroz renovate, do° up

tátong gape

táv distance

tavaly last year

tavalyelőtt the year before last

tavalyi last year's

tavasz spring

távcső binoculars *tsz*

távfutás long-distance running

távfűtés district heating

távirányító remote control

távirat telegram

távirati iroda news agency

táviratozik send° a telegram

tavirózsa water lily

távközlés telecommunications *tsz*

távlat prospect, perspective

távol ▾ *fn* **~ban** in the distance ▾ *hsz* far (away)

távoli distant

távollátó long-sighted

távollét absence

távollevő ▾ *mn* absent ▾ *fn* absentee

távolodik move away, *átv* become° distant
távolság distance
távolsági long-distance; ~ **busz** coach
távolugrás long jump
távozás departure; *[állásból]* retirement
távozik leave°
távvezérlés remote control
taxi taxi
taxiállomás taxi rank
taxisofőr taxi driver, cabby
te you; *[birtokos jelzőként]* your
tea tea
teacserje tea bush
teáscsésze teacup
teáskanál teaspoon (*röv* tsp)
teáskanna *[forraló]* kettle; *[tálaló]* teapot
teasütemény biscuit(s) *US* cookies *tsz*
teázik have° tea
technika *[műszaki tudomány]* technology; *[módszer]* technique
technikus technician
technológia technology
teendő task
téged you
tégla brick
téglalap rectangle
tegnap yesterday
tegnapelőtt the day before yesterday
tegnapi yesterday's
tehát so, for this reason
tehén cow
tehenészet dairy farm
teher *átv is* burden
tehergépkocsi lorry, truck
teherhajó freighter
tehermentes *[ingatlan]* unencumbered
tehermentesít *[ingatlant]* disencumber
teherszállítás transport of goods *US* transportation of goods
tehervonat goods train *US* freight train
tehetetlen *[személy]* helpless, impotent

tehetős well-to-do
tehetség talent, gift; *[személy]* talented person
tehetséges talented, gifted
tehetségtelen untalented, ungifted
tej milk
tejbedara semolina pudding
tejbegríz semolina pudding
tejberizs rise/milk pudding
tejcsokoládé milk chocolate
tejeskávé white coffee
tejfel sour cream
tejfog milk-tooth (*tsz* -teeth)
tejföl sour cream
tejpor milk powder
tejszín cream
tejszínhab whipped cream
Tejút Milky Way
teke *[9 fával]* skittles *esz; [10 fával]* bowling *US* tenpins *esz; [golyó]* ball
tekepálya skittle ground, bowling alley
teker (*vmi köré vmit v. vmire vmit*) wind° (sg around sg v. sg on sg)
tekercs *[film stb.]* reel; **diós ~** walnut roll
tekint (*vkire/vmire*) look (at sy/sg); (*vminek/vmilyennek*) consider (sg), regard as (sg)
tekintély authority, prestige; *[személy]* authority
tekintélyes *[személy]* influential; *[pozíció]* prestigious
tekintet glance, look; *[vonatkozás, figyelembevétel]* respect, regard; **ebben a ~ben** in this respect; **~be vesz** *(vmit)* take° sg into consideration
teknő trough
teknős(béka) tortoise; *[tengeri]* turtle
tékozol squander
tél winter

Télapó Santa Claus, Father Christmas
tele (*vmivel*) full (of sg)
telefon telephone (*röv* tel.)
telefonál telephone
telefonbeszélgetés (telephone) call
telefonfülke phone-box
telefonhívás call
telefonkagyló receiver
telefonkártya phone card
telefonkészülék telephone
telefonkönyv (telephone) directory
telefonszám (tele)phone number
telefonvonal telephone line
telefonzsinór telephone cord
telek *[hétvégi]* plot; *[házhely]* building plot
telekkönyv land register
telep *[ipari stb.]* establishment, works *esz/tsz*
telepít *[telepeseket]* settle; *[gyümölcsöt stb.]* plant
település settlement
teletölt (*vmivel*) fill (up) (with sg)
televízió television (*röv* TV)
telhetetlen insatiable
téli winter
telihold full moon
télikabát winter coat
télisportok winter sports
telitalálat direct hit
teljes complete, whole
teljesít perform, carry out; *[kérést]* fulfil (a request)
teljesítmény performance
teljesül *[kívánság]* be° granted, be° fulfilled, be° realised
telt (*vmivel*) full (of sg) *ut;* *[alak]* fleshy
téma *[műé]* theme, subject; *[beszélgetésé]* topic
temet bury
temetés funeral
temetkezési hely burial-ground

temető cemetery
templom church
tempó *[gyorsaság]* speed; *[járásban]* pace
Temze Thames
tengely *[keréké]* axle; *mat, fiz, átv* axis (*tsz* axes)
tenger sea
tengeralattjáró submarine
tengerentúl overseas countries tsz
tengerész sailor, seaman (*tsz* -men)
tengerfenék sea-bottom
tengeri¹ *mn* sea(-)
tengeri² *fn* maize *US* corn
tengeribeteg seasick
tengerimalac guinea-pig
tengerpart *[vízpart]* (sea)-shore; *[partvidék]* coast; *[mint üdülőhely]* seaside
tengerszint sea-level
tengerszoros straits *tsz*
tenisz (lawn-)tennis
teniszezik play tennis
teniszező tennis player
teniszlabda (tennis) ball
teniszpálya tennis court
teniszütő (tennis) racket
tenor tenor
tény fact
tenyér palm
tenyészt breed°, raise
tényező factor
tényleg indeed, really
tényleges real, actual
tép tear°
tépőzár Velcro
tér¹ *fn [férőhely]* room; *[űr]* space; *[városban]* square; *[vonatkozás]* respect; **ezen a ~en** in this respect
tér² *ige* (*vhová/vmerre*) turn; **magához ~t** she/he regained consciousness
terasz terrace
térbeli spatial
térd knee
térdel kneel°
térdkalács kneecap
tereget *[ruhát]* hang° out/up (to dry)
terel direct; *átv* **másra**

~i a szót change the subject
terelőút diversion
terem[1] *fn* hall
terem[2] *ige* produce, yield; *átv* give° rise/birth (to sg)
teremt produce, create
teremtés creation; *[személy]* creature
teremtmény creature
teremtő ▾ *mn* creative ▾ *fn* creator
terep ground, area
terepjáró (autó) jeep, landrover
terepmunka field-work
terepszemle survey
terepszín protective colouring
térfogat volume
térhatású three-dimensional, 3-D
terhel (*vmivel*) load (with sg), burden (with sg)
terhelés load, burden
terhes *[vmi vki számára]* burdensome; *[nő]* pregnant
terhesség pregnancy
terít (*vmit vhová*) spread° (sg on/over sg/sy); *[asztalt]* lay° the table
térít (*vkit vmerre*) direct (sy swhere), turn (sy swhere); *vall* convert
teríték cover
térítés *vall* conversion
térítésmentes free of charge *ut*
terítő *[ágyon]* bed-spread; *[asztalon]* table-cloth
terjed spread°
terjedelem *[kiterjedés]* extent; *[szövegé]* length
terjedelmes *[szélességben]* wide, extensive; *[magasságban is]* large, voluminous; *átv* long, bulky; *[szöveg]* lengthy
terjeszt spread°; (*vmit vki/vmi elé*) submit/put° (sg to sy)
térkép map
térképész cartographer
termálfürdő *[intézmény]*

hot springs *tsz;* *[kezelésként]* thermal baths *tsz*

termék *[ipari, szellemi]* product; *[mezőgazdasági]* produce

termékeny fertile, productive

termékenység fertility, productivity

terméketlen unfruitful, barren

termel produce

termelékenység efficiency, productivity

termelés production

termelő *[ipari]* productor; *mezőg* farmer

termény (farm/agricultural) produce

termés fruit; *mezőg* crop

természet nature

természetellenes unnatural

természetes natural

természetesen of course, naturally

természeti natural

természettudomány(ok) natural science(s)

természetvédelem environmental protection

természetvédelmi terület nature reserve, national park

termeszt grow°

termet build, stature

termosz thermos (flask)

termőföld agricultural land

terror terror

terrorista *mn, fn* terrorist

terrorizmus terrorism

térség region

terület area, region, territory; *mat* surface; *átv* domain

terv plan; *[építési]* plans *tsz,* design

tervez (*vki vmit*) plan (sg); *[épületet]* design

tervezet draft (plan)

tervező planner, designer

tervezőiroda *[építészeti]*

planning/designing office
tervrajz blueprint, draft
tervszerű planned
tessék *[legyen szíves]* please ...; *[étel kínálásakor]* help yourself (v. yourselves)!; *[kopogásra]* come in!
test body; *mat* **mértani ~** geometric solid
testalkat build
testápoló body lotion
testes *[ember]* stout, corpulent; *[tárgy]* bulky
testi bodily
testmagasság body height
testnevelés physical education/training (*röv* PE, PT)
testőr bodyguard
testrész part of the body
testsúly body weight
testtartás posture, bearing
testület corporate, (corporate) body
testvér *[fiú~]* brother; *[lány~]* sister
testvéri brotherly, sisterly, fraternal
testvériség brotherhood, sisterhood, fraternity
tesz do°; **tégy, amit akarsz** do as you please; *[helyez]* put°, place; (*vmivé*) make°
teszt test
tészta *[sütemény]* cake; *[főtt]* pasta
tesztel test
tét *[játékban]* stake
tétel *[tudományos]* theorem; *zene* movement; *[felsorolásban]* item; *[vizsgán]* examination topic
tétlen inactive
tetovál tattoo (*alakjai* tattoos, tattooed, tattooing)
tetoválás tattooing
tető *[házé]* roof; *[vminek a fedele]* lid; *[vminek a felső része]* top
tetőablak skylight

tetőcsomagtartó roof rack
tetőpont high(est) point
tetőtér attic
tetőterasz roof terrace/ garden
tetszés (*vkié*) approval; **~ szerint** at will, as you please/wish
tett action; **~re kész** ready to act *ut,* determined; *[bűncselekmény]* crime
tettes perpetrator
tettet pretend (to ... v. that)
tetthely the scene of the crime
tettvágy desire to act
tetű louse (*tsz* lice)
tetves lousy; *[haj]* nitty
teve camel
tévé TV, telly
téved make° a mistake, be° mistaken/wrong; *[véletlenül vhová]* stray swhere
tévedés mistake, fault, error
tevékeny busy, active
tevékenység activity
tévéműsor television/TV programme
tévénéző viewer
téves wrong, mistaken
téveszt; célt ~ miss target; **szem elől ~ (vkit/ vmit)** lose° sight (of sy/sg)
textil textile
ti you; *[birtokos jelzőként]* your
tied yours
tigris tiger
tilalom prohibition
tilos forbidden, not allowed; **dohányozni ~!** no smoking!
tilt forbid, prohibit
tiltakozás protest
tincs curl
tinédzser teenager
tinta ink
tintahal cuttlefish
tipikus typical, characteristic
tipp tip, hint

típus type, category; *[gyártmány]* modell

tiszt officer; *[sakkban]* **~ek** major pieces, chessmen

tiszta ▾ *mn* clean; *[tisztított]* clear; *[nem piszkos]* pure; *[világos] átv is* clear; *[erkölcsileg]* pure ▾ *fn [tiszta ruha]* clean laundry; **~ba tesz** change the baby's nappy *US* change the baby's diaper; **~ban van azzal, hogy ...** be° (fully) aware that ...

tisztás clearing

tisztaság cleanness; *[beszédé, gondolkodásé]* clarity; *[erkölcsé]* pureness, purity

tisztáz *[vitás ügyet]* clear (up); (*vkit vmi alól*) clear (sy of sg)

tisztel respect

tiszteleg (*vki/vmi előtt*) bow (before sy/sg)

tisztelet respect, esteem; **~ben tart (vkit/vmit)** respect (sy/sg); **(vki) ~ére** in honour (of sy)

tiszteletbeli honorary

tiszteletdíj *[szerzői]* royalty

tiszteletlen disrespectful

tiszteletre méltó respectable

tisztelettudó respectful

tisztelő devotee, admirer

tisztelt *[levél kezdése]* **T~ Hölgyem/Uram!** Dear Madam/Sir, ...

tisztesség honesty

tisztességes honest

tisztességtelen *[becstelen]* dishonest; *gazd* unfair

tisztikar staff (of officers)

tisztiorvos health/medical officer

tisztít clean

tisztító cleaner's

tisztítószer detergent

tisztség office, position

tisztviselő *[irodai]* clerk; *[állami]* civil servant

titkár secretary
titkárnő secretary
titkárság secretariat
titkol conceal, hide°
titkos secret, hidden
titok secret
titoktartás secrecy
tíz ten
tized tenth (part); **hat egész hét ~** six point seven (*számmal* 6.7)
tizedes ▾ *mn* decimal ▾ *fn kat* corporal (*röv* corp.)
tizedesvessző (decimal) point
tizedik tenth
tizenegy eleven
tizenegyedik eleventh
tizenéves ▾ *mn* teenage ▾ *fn* teenager
tizenhárom thirteen
tizenhat sixteen
tizenhét seventeen
tizenkettedik twelfth
tizenkettő twelve
tizenkilenc nineteen
tizennégy fourteen
tizennyolc eighteen
tizenöt fifteen
tízes ▾ *mn [számú]* (the number) ten; *[tíz részes]* tenfold; **~ busz** bus number ten ▾ *fn [bankjegy]* a ten-pound note; *[érme]* a ten-forint coin
tízezer ten thousand
tízszer ten times
tó lake
toalett *[öltözet]* woman's dress; *[vécé]* toilet
toboroz recruit
toboz cone
tócsa puddle
tódul *[folyadék vhova]* flow/rush (to); *[sokaság vhova]* throng/stream (to)
tojás egg
tojásfehérje white (of egg)
tojáshéj egg-shell
tojásrántotta scrambled eggs *tsz*
tojássárgája (egg) yolk
tok case, box

toka *[emberé]* double chin; *[sertésé]* chops *tsz*
tol push
tolakodás intrusion
tolakodó intrusive, pushy
tolat *[vonat]* shunt; *[autóval]* back
told lengthen; (*vmihez vmit*) add (sg to sg)
toll pen; *[töltő~]* fountain pen; *[golyós~]* ballpoint pen, biro; *[madáré]* feather
tollaslabda badminton; *[a labda]* shuttlecock *US* birdie
tollbamondás dictation
tollbetét cartridge
tolltartó pencil-case
tolmács interpreter
tolmácsol interpret
tolóajtó sliding door
tolókocsi wheelchair
tolószék wheelchair
tolótető sunshine roof, sunroof
tolvaj thief (*tsz* thieves)
tombola tombola
tompa *[életlen]* blunt; *[ész]* dull
tompít *[vminek az élét]* make° (sg) blunt, take° the edge (of sg)
tompított fényszóró dipped headlight(s) *US* dimmed headlight(s)
tonhal tuna
tonna (metric) ton *[1000 kg]*; long ton *[1016 kg]* *US* short ton *[907 kg]*
torkolat *[folyóé]* mouth (of a river)
torkos *[falánk]* greedy
torlasz barrier, barricade
torma horse-radish
torna *[sportág]* gymnastics *esz;* *[testgyakorlás]* (physical) exercises *tsz,* gymnastics *tsz*
tornacipő gym shoes *tsz* *US* sneakers *tsz*
tornász gymnast
tornaterem gym(nasium)
torok throat
torokgyulladás inflammation of the throat

torony tower
toronyház tower block *US* high rise building
toronyóra (church-)clock
torpedó torpedo (*tsz* torpedoes)
torta cake, gateau
torz deformed; *[kép, hang]* distorted
torzul become° deformed/distorted
totó (football) pools *tsz*
totószelvény (football) pools coupon
totyog toddle
tovább *[időben]* longer, on; **nem várhat ~** she/he cannot wait any longer; *[térben]* further, onward; **és így ~** and so on/forth, etcetera (*röv* etc.)
továbbá besides, moreover
további further, additional
továbbít (*vkinek vmit*) send° (sy sg v. sg to sy), forward (sg to sy)
továbbjut *sp* qualify (for the next round)
továbbképzés further education/training
továbbmegy go° on
tő *[növényé]* stock; *nyelv* stem; *átv* **tövestül** radically, root and branch
több *[sok középfoka]* more; **~ mint** more than; **még ~** even more; **valamivel ~, mint** a little more than
többé (no) longer, (no) more
többé-kevésbé more or less
többen (*vkik közül*) several (of us/you/them)
többes multiple
többféle many (different) kinds (of sg), ... of many (different) kinds *ut*
többi the other/remaining; *[személyek]* the others *tsz*, the rest, *[tárgy]* the rest (of it/them)
többlet surplus

többnyire mostly
többség majority
többször several times, repeatedly
többszöri repeated, frequent
többszörös manifold
tőgy udder
tök (vegetable) marrow
tőke[1] *[szőlőé]* vine(stock); *[hentesnél]* block
tőke[2] *gazd* capital
tőkehal cod(fish)
tökéletes perfect, excellent
tökéletesít perfect, make° (sg) perfect
tőkés capitalist
tökmag pumpkin seed
tölcsér funnel; *[fagylalté]* cone
tőle from/by him/her/it
tölgy oak (tree)
tölt *[önt vmit vmibe]* pour (sg into sg); (*vmit vmivel*) fill (sg with sg); *[akkumulátort]* charge; *[időt]* spend°
töltelék *[ételben]* stuffing; *[édes]* filling
töltény cartridge
töltés *[folyamat]* filling; *[földből emelt]* bank; *[folyó mellett]* dam; *elektr* charge
töltőtoll fountain pen
töltött *[étel]* stuffed; ~ **káposzta** stuffed cabbage
töm stuff, cram; *[fogat]* fill
tömb block
tömeg *fiz is* mass; *[sokaság]* crowd
tömeges mass
tömegközlekedés public transport *US* public transportation
tömegközlekedési eszközök public transport *US* public transportation *esz*
tömegsport public/mass sport
tömegtájékoztatás mass communications *tsz*, (mass) media *tsz*

tömény concentrated
tömít caulk
tömítés filler
tömlő hose
tömör *[anyagú]* solid; *[megfogalmazás]* concise
tönk *[fáé]* stump
tönkremegy *[dolog]* go° wrong; *[anyagilag]* be° ruined; *[kapcsolat, házasság]* break° up
tönkretesz (*vkit/vmit*) ruin (sy/sg)
töpörtyű (pork) crackling(s)
töpreng (*vmin*) brood (over/about sg)
tör break°; *[vmi cél felé]* aim (at doing sg v. to do sg); **~i a fejét** rack one's brains; **~i az angolt** speak° broken English
tőr dagger
tördel *[darabokra]* break° (sg) into pieces
töredék *[rész]* portion; *[műé]* fragment
törékeny fragile
törekvés ambition
törekvő ambitious
törés breaking; *orv* fracture
törhetetlen unbreakable
törleszt *[kölcsönt]* pay° off (by instalments)
törlesztés *[kölcsöné]* payment by instalments; *[a részlet]* instalment
törlőruha cloth; *[konyharuha]* (kitchen) towel
törmelék debris *tsz*
török ▾ *mn* Turkish ▾ *fn* *[ember]* Turk; *[nyelv]* Turkish
Törökország Turkey
törökülés sitting cross-legged
töröl *[szárazra stb.]* wipe; *[adatot, szöveget] inform is* delete; *[járatot, rendelést]* cancel
törölget *[edényt]* dry
törött broken; **~ bors** ground pepper
törpe dwarf (*tsz* dwarfs)

tört fraction
történelem history
történelmi historical, history
történész historian
történet story
törülközik dry (oneself)
törülköző towel
törvény law
törvényellenes illegal
törvényes legal
törvényhozás legislation
törvénykezés administration of justice
törvénykönyv (legal) code
törvénytelen illegal
tőrvívás foil fencing
törzs *[fáé, testé]* trunk; *[hajóé]* hull; *[népcsoport]* tribe
törzsvásárló regular (customer)
törzsvendég patron
tőszám cardinal number
tövis thorn
tőzsde stock exchange
trafik tobacconist's
tragédia tragedy
tragikus tragic
trágya manure, dung
trágyáz manure
traktor tractor
tranzit transit
trapéz *mat* trapezium *US* trapezoid; *[légtornászoké]* trapeze
tréfa joke
tréfál joke
tréfás funny, amusing
treff club
tréningruha tracksuit *US* sweat suit
tribün (grand)stand
trikó *[alsóing]* vest *US* undershirt; *[ujjatlan]* singlet, *[rövidujjú]* T-shirt
trió trio
trófea trophy
trolibusz trolley-bus
trombita trumpet
trombitál play/blow° the trumpet
trón throne; **~ra lép** come° to the throne
trónkövetelő pretender

trónörökös heir apparent (to the throne)
trópus (the) tropics *tsz*
trópusi tropical
trükk trick
tubus tube
tucat dozen; **fél ~ alma** half a dozen (of) apples
tud *[ismer]* know° (sg); (*vmiről/vkiről*) know° (about/of sy/sg); *[képes vmit tenni]* can° (do sg), be° able (to do sg)
tudakozó *[helyiség]* inquiry/enquiry office, information
tudás *[szellemi]* knowledge, learning; *[jártasság]* skill
tudat[1] *fn* consciousness
tudat[2] *ige* (*vkivel vmit*) inform (sy of sg), let° sy know sg
tudatlan ignorant
tudatos conscious; *[szándékos]* deliberate
tudatosít (*vkiben vmit*) make° sy realise/understand sg
tudniillik that is to say, or rather
tudnivaló information *esz/tsz; [útmutató]* instructions *tsz*
tudomány *[ált, természettud.]* science; *[a többi területé]* study (of)
tudományág branch of science/learning
tudományegyetem university
tudományos *[természettud.]* scientific; *[humán tud.]* scholarly, learned
tudomás (*vmiről*) knowledge (of sg); **~a szerint** as far as she/he knows; **~ára jut** come° to sy's knowledge
tudós ▾ *mn* scholarly ▾ *fn [főleg természettudós]* scientist
tudósít (*vkit vmiről*) inform (sy of/about sg);

[sajtónak vmiről] report (on sg)
tudósítás information; *[sajtónak vmiről]* (news) reporting
tudósító correspondent
túl[1] *[térben]* beyond, over, across; *[időben]* beyond, over, past, after
túl[2] *[túlságosan]* too
tulajdon ▾ *mn* own ▾ *fn* property, belongings *tsz*
tulajdonképp(en) *[ténylegesen]* in fact, actually, after all, as a matter of fact; *[eredetileg]* originally
tulajdonnév proper name/noun
tulajdonos owner
tulajdonság quality, feature
túlbuzgó eager beaver; *[tolakodó]* officious
túlél (*vmit*) survive (sg)
túlélő survivor
tulipán tulip
túllép *[mértéket]* exceed
túloldal the opposite/other side; **lásd a ~on** see overleaf
túlóra overtime
túloz exaggerate
túlsó of the other side *ut,* opposite
túlteljesít exceed
túlterhel *átv is* overload, overburden
túltesz (*vkin*) outdo°/surpass (sy in sg); **~i magát (vmin)** make° light (of sg), get° over (sg)
túlvilág the other/next world
túlzás exaggeration; *[viselkedésben]* extravagance; *[beszédben]* overstatement
túlzott exaggerated
túr *[földet]* dig°
túra trip, tour; *[gyalog]* walk, hike; *[rövid]* excursion
túrázik go° on a tour
turista tourist

turistacsoport tourist group
turistajelzés trail marking, blaze
turistaszálló tourist hotel
turistaút *[gyalogút]* walking path; *[turistautazás]* trip, tour
turizmus tourism
turkál search, ransack, rummage; **~ az ételben** pick at one's food; **~ a fiókokban** rummage in the drawers
turmix *[ital]* milk-shake
turmixgép liquidizer
turné tour; **ausztráliai ~ra megy** go° on a tour round Australia
túró cottage cheese
tus[1] *[festék]* (Indian) ink
tus[2] shower
tus[3] *[birkózásban]* fall; *[vívásban]* hit
tuskó *[fa]* stump
tusol take°/have° a shower
túsz hostage
tutaj raft
tutajozik raft, go° by raft
tű *[kötő~, varró~]* needle; *[gombos~]* pin; *[fenyőé]* pine-needle
tücsök cricket
tüdő lung
tüdőgyulladás pneumonia
tükör mirror, looking-glass; *[vízé]* surface (of the water)
tükörtojás fried egg
tükröz *átv is* reflect, mirror
tűlevél pine-needle
tűlevelű coniferous
tündér fairy
tünet sign, sympton
tűnik (*vmilyennek*) seem (to be), appear (to be), look as if ...; *[eltűnik]* disappear, vanish
tüntet (*vmi mellett, vmi ellen*) demonstrate (for sg, against sg); *[eltüntet]* make° (sg) disappear

tüntetés (*vmi mellett, vmi ellen*) demonstration (for sg, against sg)
tüntető ▾ *mn* demonstrative ▾ *fn* demonstrator
tűpárna pincushion
tűr endure; *[vmit/vkit elvisel]* put° up (with sg/sy)
türelem patience; *pol, vall* tolerance
türelmes (*vkivel*) patient (with sy)
türelmetlen (*vkivel*) impatient (with sy)
türelmetlenség impatience; *pol, vall* intolerance
tűrhetetlen *[viselkedés]* intolerable; *[fájdalom]* unbearable
tűrhető bearable, passable, tolerable
tűrőképesség tolerance
tüske thorn, spine
tüskés thorny, spiny
tüsszent sneeze
tűz[1] *fn átv is* fire
tűz[2] *ige;* **~ a nap** the sun is blazing; *[gombostűvel]* pin
tűzálló fireproof
tüzel burn°; *[lő]* fire
tüzelőanyag fuel
tüzérség artillery
tüzes red-hot, white-hot; *átv* fiery, passionate, ardent
tüzetes minute
tűzfal fire wall
tűzforró boiling-hot
tűzhányó volcano (*tsz* -noes)
tűzhely (electric/gas) cooker *US* stove
tűzijáték fireworks *tsz*
tűzjelző készülék fire alarm, *[érzékelő]* fire detector
tűzoltó fireman (*tsz* -men)
tűzoltóság the fire brigade *US* fire department
tűző *[napsütés]* blazing, scorching
tűzvész fire, conflagration
tűzveszélyes inflammable

TY

tyúk hen
tyúkól henhouse *US* chicken coop
tyúkszem corn

U, Ú

uborka cucumber
udvar (court)yard; *[királyi]* (royal) court
udvarias polite
udvariasság polite behaviour, politeness
udvariatlan impolite
udvarol (*vkinek*) court (sy)
ufó *röv* ufo, UFO *[unidentified flying object]*
ugat bark
ugrál jump (about/around)
ugrás jump(ing)
ugrik jump
ugródeszka springboard
ugróiskola hopskotch
ugrókötél skipping rope *US* jump rope
úgy so, in that way
ugyan *[bár]* though
ugyanakkor *[időben]* at the same time; **~, amikor ...** at the same time as ..., while ...; *[másrészt]* on the other hand
ugyanakkora of/just the same size *ut*
ugyanannyi of/just the same quantity/amount *ut*
ugyanaz the same, one and the same
ugyanígy in the same way
ugyanis as, since
ugyanolyan of the same kind *ut,* the same
ugyanott in/at the same place
ugyanúgy in the same way
ugye; ~, igaza van? (s)he is here, isn't (s)he?; **na, ~!** there you are!
úgyhogy so

úgyis anyway
úgynevezett so-called
úgyse(m) not, not at all
új new
újabban recently
újból again
újdonság novelty
újév *[napja]* New Year's Day
újévi new year's; ~ **üdvözlet** New Year's greetings *tsz*
újhagyma spring onion *US* scallion
újhold new moon
újít innovate
újítás innovation
ujj *[kézen: hüvelykujj]* thumb; *[többi]* finger; *[lábon]* toe; *[ruháé]* sleeve
újjáalakít reconstruct, reorganise
újjáépít reconstruct, rebuild°
újjáépítés reconstruction, rebuilding
újjászervez reorganise
újjászületik be° reborn
ujjatlan *[ruha]* sleeveless
ujjhegy fingertip
ujjlenyomat fingerprint
ujjong rejoice (at/in)
újkor modern age
újra again
újraéleszt *orv* *[beteget]* resuscitate; *átv* revive
újrakezd begin°/start again/anew
újrakezdés beginning again
újság *[hírlap]* newspaper; *[hír]* news *esz*
újságárus newsagent
újságcikk (newspaper) article
újsághirdetés (newspaper) advertisement
újságíró journalist
újságos newsagent
újságosbódé newsagent's (shop)
újszülött ▾ *mn* newborn ▾ *fn* newborn baby
Ukrajna the Ukraine
ukrán *mn, fn* Ukrainian

un (*vmit*) be° sick/tired (of sg)
unalmas boring, dull
unalom boredom
unatkozik be° bored
undor (*vmitől*) disgust (of sg); **(vmi vkiben) ~t kelt** (sy) is disgusted (at/by/with sg)
undorító disgusting
undorodik (*vkitől/vmitől*) have°/take° an aversion (to sy/sg)
unió union
unoka grandchild (*tsz* -children)
unokahúg *[unokatestvér]* (younger) cousin; *[testvér lánya]* niece
unokaöcs *[unokatestvér]* (younger) cousin; *[testvér fia]* nephew
unokatestvér cousin
untat (*vkit*) bore/tire (sy)
úr gentleman (*tsz* -men); *[gazda]* master; *[megszólítás]* sir; *vall* the Lord
uralkodik *[uralkodó]* reign; *átv* (*vmin/vkin*) dominate (sg/sy)
uralkodó ▼ *mn* reigning, ruling ▼ *fn* sovereign, ruler
uralom domination
Uránusz Uranus
URH *röv [rádión]* FM *[frequency modulation]*
urna *[választási]* ballot box; *[hamvaké]* (cinerary) urn
úrnő lady
uszály *[hajó]* barge; *[ruháé]* train
úszás swimming
úszik swim°; *[tárgy vízen]* float
úszó ▼ *mn* swimming; *[tárgy]* floating ▼ *fn* swimmer
uszoda (swimming-)pool
úszógumi life belt *US* rubber ring
úszómedence (swimming-)pool
úszómester (swimming) instructor

úszónadrág swimming/ bathing trunks *tsz*
uszony fin
úszósapka swimming/ bathing cap
út road, *átv is* way; *[utazás]* journey; *[hajóval]* voyage; *[repülővel]* flight
utal (*vmire/vkire*) refer (to sy/sg); *[vmit sejtet]* suggest (sg); (*vkit vhova/vkihez*) refer (sy to sy); *[pénzt]* transfer
utál hate
utalás (*vmire/vkire*) reference; *[célzás]* allusion
utálat disgust
utálatos disgusting
utalvány voucher; *[postautalvány]* money order
után after (sg), following (sg); *[szerint]* according (to sg), after (sg)
utána *[vki/vmi után]* after her/him/it; *[aztán]* after that, after(wards)
utánajár *[tájékozódik]* inquire about; *[vizsgálódik]* look into (sg)
utánanéz (*vkinek/vminek*) see° to/about (sy/sg)
utánfutó trailer
utánoz imitate
utánpótlás supply; *kat* reserves *tsz*
utánzat imitation, copy; *[hamisítvány, pénzé]* counterfeit; *[műtárgyé]* forgery
utas passenger, traveller
utasít (*vkit vmire*) instruct/direct (sy to do sg)
utasítás order(s), instruction(s)
utaskísérő *[repülőn]* flight attendant, *[nő]* stewardess, air-hostess, *[férfi]* steward, air-host
utaslista passenger list
utasszállító *[repülőgép]* airliner, passenger plane
utazás travel; *[út]* journey
utazási travel; ~ **biztosí-**

tás travel insurance; **~ csekk** traveller's cheque; **~ iroda** travel agency
utazik (*vhova*) go° (to), leave° (for); *[mint turista]* travel
utazó ▼ *mn* travelling ▼ *fn* traveller
utca street (*röv* st.); **az ~n** in the street
utcaseprő street sweeper/cleaner
útelágazás junction, fork (in the road)
útépítés road construction
úthálózat road network/ system
úthasználati díj *[autópályán]* toll
útikalauz guide(book)
útiköltség travel expenses *tsz*
útikönyv guide(book)
útiokmányok travel documents
útirány route, direction
útitárs travelling companion; fellow passanger
útjelző tábla signpost
útkereszteződés *[városban]* crossing, junction; *[országúton]* crossroads *tsz*
útközben on the way
útleírás record of a journey; *[könyvként]* travel book
útlevél passport
útmutatás direction, guidance
útmutató guide
utóbb later on, at a later time; **előbb vagy ~** sooner or later
utóbbi ▼ *mn [térben]* latter; *[időben]* last ▼ *fn* the latter (one)
utód *[pl. hivatalban]* successor; *[leszármazott]* descendant
utóirat postscript (*röv* PS, P.S.)
utókor posterity
utólag subsequently; *[később]* later, afterwards
utolér catch° up with (sy)

utoljára for the last time
utolsó ▾ *mn* last ▾ *fn* **az** ~ (the) last
utónév first/Christian name
utószezon off-season, late season
útpadka (hard) shoulder
útszűkület bottleneck
úttest roadway, carriageway
úttörő ▾ *mn* pioneering ▾ *fn* pioneer
útviszonyok road conditions *tsz*
útvonal route; *[vasúti]* line
uzsonna (afternoon) tea

Ü, Ű

üde fresh
üdít refresh, freshen
üdítőital soft drink, *[szénsavas]* carbonated drink *US* soda
üdül *[szabadságon van]* be° (away) on holiday
üdülés holiday
üdülő *[személy]* holidaymaker; *[épület]* holiday home
üdülőhely holiday resort
üdvözlés greeting
üdvözlet greeting(s); *[pl. képeslapon]* **Ü~ Pécsről** greetings from Pécs; *[levél végén]* **Ü~tel ...** Yours sincerely ...
üdvözöl *[köszön vkinek]* greet (sy); *[vkit vmilyen alkalomból]* congratulate (sy on ...); *[üdvözletét küldi]* give° sy one's (best) regards
ügy *[dolog]* matter; *gazd is* business; *jog* case; *[eszme]* cause
ügyel *[vigyáz vmire/vkire]* take° care of sg/sy; *[figyel]* mind; *[ügyeletet tart]* be° on duty
ügyelet duty
ügyeletes ▼ *mn* on duty *ut* ▼ *fn* person on duty
ügyes *[ember]* clever, skilful
ügyesség cleverness, skilfulness
ügyész public prosecutor
ügyészség public prosecutor('s department/ office)
ügyetlen clumsy
ügyetlenség clumsiness

ügyfél client; *gazd* customer
ügyfélszolgálat customer service
ügyintézés administration
ügyintéző administrator
ügyirat file, document
ügynök (business) agent; *[házaló, férfi]* salesman (*tsz* -men), *[nő]* saleswoman (*tsz* -women); *pol* agent
ügynökség agency
ügyvéd lawyer; *[polgári ügyekben]* solicitor
ügyvezető ▾ *mn* managing, acting ▾ *fn* director, manager
ükanya great-great grandmother
ükapa great-great grandfather
ül sit°; *(börtönben)* be° in jail
üldöz pursue, chase
üldözés pursuit, chase
üldöző pursuer, chaser
üldözött pursued
ülés *[tevékenység]* sitting; *[ülőhely]* seat; *[gyűlés]* meeting
ülésezik have° a meeting
üllő anvil
ülőhely seat
ültet (*vkit*) seat; *[növényt]* plant
ünnep holiday; *[szűkebb körben]* celebration
ünnepel celebrate
ünnepély celebration
ünnepélyes *[pl. hang]* solemn; *[szertartásos]* ceremonial
ünnepi festive
ünnepnap holiday, ceremonial
ünnepség celebration
űr void; *[világűr]* (outer) space
űrállomás space station
üreg hole, hollow, cavity
üreges hollow
üres empty; *[pl. állás]* vacant
üresedés vacancy

üresség emptiness
űrhajó spaceship, spacecraft
űrhajós spaceman (*tsz* -men), *[nő]* spacewoman (*tsz* -women)
űrhajózás *[űrrepülés]* space flight; *[űrkutatás]* space research
ürít empty; **~i poharát (vmire)** drink° (to sg)
űrkutatás space research
űrlap form
űrmérték measure of capacity
űrrepülés space flight
űrrepülőgép space shuttle
űrsikló space shuttle
űrtartalom cubic capacity
űrutazás space flight/ travel
ürü *[hús]* mutton
ürügy pretext
üst cauldron
üstdob kettledrum
üstökös comet
üt beat° (sg), hit° (sg); *[óra, pl. hatot]* strike° (six)
ütem rhythm, time
ütemes rhythmic(al)
ütés blow, hit; *[óráé]* stroke
ütközés *[pl. járműveké]* collision; *[érdekeké]* conflict
ütközik *[tárgy vmibe]* knock (against sg)
ütő *[tenisz]* racket
ütődik (*vmibe*) knock (against sg)
ütőér artery
ütőhangszer percussion instrument
üveg ▾ *mn* glass ▾ *fn* *[anyag]* glass; *[ablaké]* (window-)pane; *[palack]* bottle
üveges ▾ *mn* glassed-in; *[palackozott]* bottled ▾ *fn* *[iparos]* glazier
üvegez glaze
üveggolyó marble
üvegház glass-house
üvegnyitó bottle opener

üvegszilánk glass splinter, chip of glass
üvölt howl
üvöltés howl
űz chase, pursue; *[foglalkozást]* practise
üzem factory, plant; *[kisebb]* workshop
üzemanyag fuel
üzemel work, run°
üzemeltet operate, run°
üzemképes in working order *ut*
üzemvezető (works) manager
üzemzavar breakdown
üzen (*vkinek*) send° a message (to sy)
üzenet message
üzenetrögzítő (telephone) answering machine, answerphone
üzlet *[adásvétel]* business; *[helyiség]* shop
üzletág (branch of) business
üzletasszony businesswoman (*tsz* -women)
üzletember businessman (*tsz* -men)
üzletfél custormer, (business) connection
üzletház firm, house
üzlethelyiség shop
üzleti business
üzletközpont shopping centre
üzletlánc chain store
üzletrész business share
üzlettárs (business) partner
üzletvezető (business) manager
üzletzárás closing (time)

V

vacog shiver
vacsora dinner, supper; *[vendégség]* dinner party
vacsorázik have° supper/ dinner
vad ▾ *mn* wild, *[erős]* violent ▾ *fn [vadállat]* game
vád charge
vadállat wild animal, *átv is* beast
vadász hunter
vadászat hunt
vadászgép fighter/combat aircraft
vadászház shooting box
vadászik (*vmire/vkire*) *átv is* hunt (for/after sg/sy)
vadászkutya (blood) hound
vadászpuska shotgun
vaddisznó wild boar
vadgesztenye *[fa]* horse-chestnut, *[termése]* conker
vadhús game
vádirat bill of indictment
vadkacsa wild duck
vádli calf
vadliba wild goose (*tsz* geese)
vádló *jog* plaintiff
vádlott *jog* the accused
vádol (*vkit vmivel*) accuse (sy of sg)
vadon[1] *fn* wilderness
vadon[2] *hsz* (in the) wild
vadonatúj brand new
vadőr gamekeeper
vadvirág wild flower
vág cut°; *[aprít]* chop; *[öl]* slaughter
vágány *[peron]* platform; *[sínpár]* (railway) track
vágás *[metszés]* cut; *[ölés]* slaughter

vágóhíd slaughterhouse
vagon *[teher]* wagon
vágta gallop
vágtat gallop
vagy or; **~ ..., ~ ...** either ..., or ...
vágy desire
vágyakozás craving
vágyakozik (*vki/vmi után*) crave (for/after sy/sg)
vágyik desire
vágyódik (*vmire v. vmi/vki után*) yearn/long (for sg/sy)
vagyis that is to say
vagyon property; assets *tsz; [nagy]* fortune
vagyonos wealthy
vaj butter
váj hollow (out)
vajas buttered; **~ kenyér** bread and butter
vajon if, whether
vajtartó butter-dish
vajúdik be° in labour
vak ▾ *mn* blind ▾ *fn* blind man/woman (*tsz* men/women)
vakáció holiday *US* vacation
vakar scratch
vakarózik scratch
vakbél appendix (*tsz* -dices)
vakbélgyulladás appendicitis
vakít blind
vakmerő daring
vakol plaster
vakolat plaster
vakság *átv is* blindness
vaku flash(-gun)
váladék discharge
valaha *[régen]* once, formerly; **nagyobb, mint ~** bigger than ever
valahogy(an) somehow (or other), in one way or another
valahol somewhere
valahonnan from somewhere
valahova somewhere
valaki *[állításkor]* somebody; *[tagadás/kérdés esetén]* anyone/anybody

valameddig *[térben]* (for/to) a certain distance; *[időben]* for some time
valamelyik one (of them)
valamennyi *[kevés]* some, a few, handful; *[mind]* all
valamerre somewhere
valami *[állításkor]* something; *[tagadás/kérdés esetén]* anything; *[valamennyi]* some
valamikor *[múltban]* once, sometime; *[jövőben]* some day
valamilyen some sort/kind of
válás divorce
válasz answer
válaszfal partition
válaszol (*vkinek/vmire*) answer (sy/sg)
választ choose° (*kettő közül* between, *több közül* from among); *pol* elect
választás choice, selection; *pol* election
választék *[áru]* selection, choice, range; *[haj]* parting
választó voter, elector
válik (*vkitől*) get° divorced (from sy), divorce (sy); (*vmivé*) become° (sy/sg)
vall *[vallomást tesz vmi elkövetéséről]* confess (sg v. to doing sg v. to have done sg); *[beismer]* admit
váll shoulder
vállal (*vmit*) undertake° (sg v. to do sg); **magára ~ja a felelősséget** take° responsibility (for sg)
vállalat company, firm
vállalkozás business, enterprise
vállalkozik (*vmire*) undertake° (sg v. to do sg); *gazd* set° up a business
vállalkozó ▾ *mn* **~ kedvű/szellemű** enterprising ▾ *fn* **egyéni ~**

self-employed person, private entrepreneur; *épít* contractor

vallás religion

vállas broad/square-shouldered

vallásos religious

vallat interrogate

vállfa (clothes/coat) hanger

vállkendő shawl

vallomás *jog* testimony, deposition; *[beismerés]* confession

válltáska shoulder bag

válltömés shoulder pad

való ▾ *mn [illik]* proper; **hova ~ vagy?** where do you come from?; *[alkalmas]* (be°) suited/suitable (for sg); *[készült]* be° made (of sg) ▾ *fn [igazság]* truth; **~t mond** tell°/speak° the truth

valóban indeed, truthfully

valódi real, genuine

válogat choose°, pick (out); *[finnyás]* be° fussy (about sg)

válogatás *[kiválasztás]* choosing; *[irodalmi művekből]* selection

válogatós fussy

válogatott ▾ *mn* choice ▾ *fn sp [csapat]* national team, *[futball]* national eleven; *[játékos]* international (player)

válóper divorce suit/case

valóság reality; *[igazság]* truth

valószínű probable

valószínűtlen improbable

valótlan untrue, false

válság crisis (*tsz* -ses)

válságos critical

vált *[cserél]* change, replace; *[pénzt apróra]* change; *[más pénznemre]* exchange, convert; *[vonat-, színházjegyet]* buy°/book seats/tickets

váltakozik alternate
váltás change; *[műszak]* shift
váltó *gazd* bill (of exchange); *[vasút]* points; *sp* relay (race); *[kerékpáron]* gear(s)
váltópénz (small) change
változás change
változat version, variant; *zene* variation
változatlan unchanged
változatos varied
változatosság variety
változékony changeable
változik change, alter; *[átalakul vmivé]* change/turn (into sg)
változó ▾ *mn* changing ▾ *fn mat* variable
változtat change, alter
változtatás change, alteration
váltságdíj ransom
valuta currency
valutaárfolyam exchange rate
vám *[díj]* (customs) duty; *[országhatáron]* customs *tsz*
vámáru customs goods *tsz*
vámáru-nyilatkozat customs declaration
vámhivatal customs *tsz*
vámkezel clear
vámkezelés customs clearance
vámköteles subject to duty *ut*
vámmentes duty-free
vámos customs officer
vámtiszt customs officer
vámvizsgálat customs (clearance/inspection)
van *[létige]* be°; *[létezik]* be°, exist; (*vhol*) there is/are ...; *[birtoklás kifejezésére]* have°, own, possess
vándor ▾ *mn* itinerant ▾ *fn* rover, wanderer
vándormadár bird of passage, migratory bird
vándorol *[céltalanul]* wander; *[nép, állat]* migrate

vanília vanilla
vár[1] *fn* castle, fortress
vár[2] *ige* wait; (*vkire/vmire*) wait (for sy/sg); (*vkit/vmit*) wait (for sy/sg), expect (sy/sg); **meglepetés ~ rá** a surprise awaits him/her
várakozás wait; *[elvárás]* expectation(s)
várakozási idő waiting time/period
várakozik wait
várakoztat keep° sy waiting
várandós pregnant
várat keep° sy waiting
váratlan unexpected
varázs *átv is* magic
varázslat magic, witchcraft
varázslatos magical, enchanting
varázsló wizard, magician
várható probable
varjú crow
várólista waiting list
város town, *[közigazgatásilag]* municipality
városháza town hall
városi town *ut*, *[közigazgatásilag]* municipal
városközpont town/city centre
városnézés sightseeing
városrész district, quarter
váróterem waiting room
varr sew°
varrógép sewing machine
varrónő dressmaker, seamstress
vas iron; **nincs egy ~am sem** I am skint/broke
vasal *[vasalóval]* iron, press; *[ajtót]* furnish/cover with iron; *[lovat]* shoe°
vasaló iron
vásár *[alkalmi, nagyobb]* fair; *[állandó, kisebb]* market; *[üzlet]* bargain
vásárcsarnok market(hall)
vásárlás purchase, buying

vásárló shopper

vasárnap ▾ *fn* Sunday ▾ *hsz* on Sunday

vásárol *[járja a boltokat]* shop; *[vesz]* buy°

vasbeton reinforced concrete

vasérc iron ore

vasmacska anchor

vastag *[dolog]* thick; *[ember]* stout

vastagság thickness

vasút railway *US* railroad

vasútállomás railway *US* railroad station

vasutas railwayman (*tsz* -men), railway *US* railroad worker

vasúti railway *US* railroad; **~ átjáró** level crossing *US* ground crossing; **~ csatlakozás** connection, link; **~ kocsi** (railway *US* railroad) coach v. carriage; **~ menetrend** (railway *US* railroad) timetable

vasútvonal railway line *US* railroad line

vászon linen; *[vetítéshez]* screen; *műv* canvas

vatta cotton wool

váz frame; *átv* framework

váza vase

vázlat draft, sketch

vázlatos sketchy, brief

vázol outline, sketch

vécé lavatory, *biz* loo; **nyilvános ~** public lavatory *US* restroom

vécépapír toilet paper, *biz* loo paper

véd (*vkitől/vmitől*) defend/protect (from/against sy/sg); *jog* defend

védekezés defence, protection; *jog* plea(ding); *orv [terhesség ellen]* contraception

védekezik (*vki/vmi ellen*) protect/take° precautions (against sy/sg); *orv [terhesség ellen]* use/take° contraceptives

védelem *[oltalom]* shelter, protection; *[ellenállás]* defence; *jog* defence; *sp* **a ~** the defence
védelmez (*vkitől/vmitől*) defend/protect (from/against sy/sg); *jog* defend; *[ügyet]* support, advocate
védenc protégé; *jog* client
védett protected; **~ faj** protected species; *épít* **~ épület** listed building
védjegy trademark
védő ▾ *mn* protective ▾ *fn sp is* defender; *jog* counsel for the defence
védőbeszéd plea(ding)
védőjátékos defender
védőkorlát crash barrier *US* guardrail
védőnő health visitor
védőoltás vaccine
védőügyvéd counsel for the defence
védtelen unprotected; *[fegyvertelen]* unarmed
vég end; *[tárgyé]* tip
végállomás *[távolsági busz, vonat]* terminal, *[busz, vonat]* terminus (*tsz* termini v. -nuses)
végcél (ultimate) goal
vegetál scrape by
végeredmény (final) outcome/result
végérvényes final, definitive
véges limited; *átv* transient
végez *[befejez]* finish, end, stop; *[csinál, folytat]* do°; *[teljesít]* perform; *[tanulmányokat befejez]* complete a college/university course, *US* graduate (from); *[megöl]* dispatch
véghezvisz accomplish, execute, carry out/through/off
végig ▾ *hsz* to the (very) end ▾ *nu [keresztül vmin]* across (sg); *[vmi mentén]* along (sg)

végkiárusítás clearance sale
végleg finally, conclusively
végleges final, definitive
véglegesít (*vmit*) finalise (sg)
véglet extreme
végösszeg (sum) total
végre finally, at last
végrehajt (*vmit*) complete, execute, carry out; *jog* execute, implement
végrehajtás completion, execution; *jog* execution, implementation
végrehajtó ▾ *mn* executive; ~ **hatalom** executive authority/power ▾ *fn jog* bailiff
végrendelet will, testament
végrendelkezik make° a/one's will
végső last, ultimate
végtag limb
végtelen ▾ *mn* endless, infinite ▾ *fn* inifinity
végül eventually, in the end, finally
végzés decree, order
végzet destiny, fate
végzetes fatal
végzettség qualification(s)
végződik end, finish
vegyes mixed; *[különféle]* assorted, diverse
vegyész chemist
vegyi chemical
vegyipar chemical industry
vegyít (*vmit vmivel*) mix/blend/combine (sg with sg)
vegyszer chemical
vegyül combine, mix
vegyület compound
vekker alarm clock
vékony thin, slender
vél believe, think°
vele with him/her/it; **~m** with me
vélekedik be° of the opinion (that)
vélemény opinion; **~em**

szerint in my opinion; *[felfogás, nézet]* belief
véleményez (*vmit*) give° an opinion (about/on sg)
véletlen *mn, fn* chance
véletlenül accidentally, by chance/accident
velő *[csonté, gerincé]* (bone) marrow; *[gyümölcsé]* pulp, flesh; *[agyvelő]* brain(s); *átv [lényeg]* gist, essence
vén old
véna vein
vendég guest, *[látogató]* visitor
vendéglátás reception/entertainment of guests
vendéglátó ▾ *mn* **~ország** host country; **~ipar** hospitality industry ▾ *fn* host/hostess
vendéglő restaurant; *[fogadó]* tavern, inn
vendégmunkás guest worker, Gastarbeiter
vendégség *[a vendégek]* (the) guests *'tsz; [esemény]* party, at-home; **~ben van** *[hosszabb]* (s)he is staying as a guest, *[alkalmi]* (s)he is at a party
vendégszeretet hospitality
vendégszerető hospitable
vendégszoba spare room, *[hotelben]* (guest) room
ventilátor ventilator
Vénusz Venus
ver beat°, pound; **gyorsan ~t a szíve** her heart beat rapidly, his heart thumped/throbbed
vér blood
véradó blood donor
vércsoport blood group/type
veréb sparrow
verejték sweat, perspiration
verejtékezik sweat, perspire

verekedés fight
verekedik fight
verem pit; *[csapda]* pitfall, trap
verés beating, thrashing; *[szívé]* beat
véres *átv is* bloody, bloodstained; *[esemény, jelenet]* gory, gruesome
vereség defeat
veretlen unbeaten
veríték sweat, perspiration
vérkeringés (blood) circulation
vérmérséklet temperament
vérnyomás blood pressure
vérrokon blood relative, relative by blood
vers poem
verseny competition
versenyautó racing car
versenyez *sp is* (*vkivel vmiért*) compete/contend (with sy for sg)
versenyfutás *sp* running race; *átv* race
versenyző *sp* competitor
vérszegény *orv* anaemic
vérzés bleed, discharge of blood
vérzik bleed°
vés chisel, inscribe
vese kidney
vesz *[fog, elvesz]* take°; *[rádió-/tv-adást]* receive; *[vásárol]* buy°, purchase; *[órát, leckét]* **zongoraórát ~** take° piano lessons
veszedelmes dangerous
veszekedés quarrel, argument
veszekszik quarrel, argue
veszély danger
veszélyes dangerous
veszélyeztet endanger
veszett *[állat]* rabid
veszettség *[betegség]* rabies *esz*
vészfék emergency brake, communication cord
veszít lose°
vészkijárat emergency exit

vesződik struggle, wrestle, *[problémával]* grapple (with sg)
vesződség bother
vessző *[ág]* twig, shoot; *[írásjel]* comma
veszt lose°
vesztegel be° held up/ stranded
vesztes loser
veszteség loss; *[háborús/üzleti]* losses *tsz*
veszteséges *gazd* loss-making
vet *[magot]* sow°; *[dob]* throw°
vét (*vki ellen*) harm (sy), do° (sy) harm; *[hibázik]* make° a mistake
vétek error, sin
vétel *[adásé, levélé]* reception; *[vásárlás]* purchase
vételár price
vetélkedik (*vkivel vmiért*) contend (with sy for sg)
vetélkedő contest, *[tv-ben]* quiz show
vetélytárs rival
vetemény vegetables *tsz*
veteményeskert kitchen garden
vetés *mezőg* sowing
vetít project
vetítés projection
vetítőgép projector
vétkes guilty; **ő a ~** (s)he is to blame
vétkezik (*vmi/vki ellen*) offend (against sg/sy), do° wrong
vetkőzik undress, get° undressed
vetkőztet (*vkit*) undress (sy), get° undressed (sy)
vétlen innocent
vetődik *[kerül]* find° oneself (swhere); *[veti magát]* throw°/fling° oneself
vetőmag seed grain
vétség offence
vevő *[vásárló]* buyer, customer; *[vevőkészülék]* receiver
vevőszolgálat customer service/information

vezényel *kat* command, (*vhová*) deploy (swhere); *zene* conduct
vezér chief, leader; *[sakk]* queen
vezérel control
vezérigazgató director-general (*tsz* director-generals)
vezet lead°, *[autót]* drive°, *[műsort]* present; (*vhová*) lead° (swhere)
vezeték *elektr* cable, flex, *[cső]* pipe(line); **~ nélküli** cordless
vezetéknév surname
vezetés leading, *[autóé]* driving, *kat* command, *[szervezeté]* leadership
vezető ▾ *mn* leading ▾ *fn* leader; *[sofőr]* driver, chauffeur/-se; *[főnök]* manager; *elektr* conductor
vezetőség leadership, management
viasz wax
vibrál vibrate
vicc joke; **ez egy ~** it's a laugh
viccel (*vkivel*) joke (with sy)
vicces funny
vidám cheerful, cheery
vidámpark amusement park
vidámság gaiety
vidék *[táj]* country(side); *[nem nagyváros]* (the) provinces *tsz;* **~en** in the country
vidéki ▾ *mn* provincial, rural ▾ *fn* man (*tsz* men)/woman (*tsz* women) from the country
videó video
videokamera video camera
videokazetta video cassette
videotéka video library
víg cheerful, cheery
vigasz comfort
vigasztal console
vigasztalhatatlan inconsolable, heart-broken

vigasztalódik comfort v. console oneself
vígjáték comedy
vigyáz *[ügyel vkire/vmire]* be° careful (about/of sy/sg); *[felügyel vmire]* look after (sg)
vigyázat caution
vihar storm
viharjelzés storm alert/ warning
viharos *átv is* stormy
világ world
világbajnok world champion
világbajnokság world championship
világcsúcs world record
világegyetem *[elv is]* universe, *[űr]* cosmos
világgazdaság global/ world economy
világháború world war; **II. ~** World War II
világhírű world-famous
világi wordly, mundane
világirodalom world literature
világít emit/give° light, shine
világítás lighting
világítótorony lighthouse
világjáró globetrotter
világkiállítás world exhibition
világnyelv world language
világos clear, bright; *átv* lucid; *[sakk]* white
világosodik brighten, *[virrad]* dawn
világosság (day)light; *[érthetőség]* clarity
világpiac international/ world market
világrész continent
világtáj world region; *[égtáj]* point of the compass
világűr (outer) space; *[mindenség]* universe
villa[1] fork
villa[2] *[ház]* villa
villám lightning
villámcsapás stroke of lightning

villámgyors lightning-fast
villámhárító lightning conductor *US* lightning rod
villámlás lightning
villámlik it is lightning
villamos ▾ *mn* electric(al) ▾ *fn* tram
villan flash
villanegyed garden suburb
villany *[világítás]* light; *[áram, villamosság]* electricity
villanyborotva electric razor
villanyfúró power drill
villanyfűrész power saw
villanykapcsoló (light) switch
villanykörte light bulb
villanymotor electric motor
villanyóra electricity meter
villanyoszlop pole
villanyszerelő electrician
villanytűzhely electric cooker *US* electric stove
villanyvilágítás electric lighting
villásdugó plug
villog flash
vipera viper
virág flower
virágágy flower bed
virágállvány flower stand
virágláda window-box
virágcserép flowerpot
virágcsokor bunch of flowers, bouquet
virágkor heyday
virágos flowery
virágpor pollen
virágvasárnap Palm Sunday
virágzik *növ* flower; *átv* flourish
virgács birch(-rod)
virgonc sprightly
virít bloom
virrad dawn
virradat dawn
virraszt be°/stay up (all night), keep° vigil
virsli (Vienna) sausage

virul *növ* flower, bloom; *átv* flourish, thrive
vírus *orv, inform* virus
visel *[ruhát]* wear°; *[fájdalmat]* tolerate
viselet dress, costume
viselkedés behaviour
viselkedik behave
visz *[eljuttat]* take°; *[hordoz]* carry; *[fuvaroz]* transport; *[szállít]* convey; *[vezet]* lead°
viszket itch
viszlát *biz* good bye, bye
viszonoz return, reciprocate
viszont *[ellenben]* however, on the other hand
viszonthallásra *kb.* good bye
viszontlát see°/meet° (sy/sg) again
viszontlátás seeing (sy/sg) again; **~ra!** good bye
viszonzás reciprocation; **~képpen (vmiért)** in return (for sg)
viszony relation(ship)
viszonyít (*vmit vmihez*) compare (sg with/to sg)
viszonylag comparatively
viszonylagos relative
viszonyul (*vkihez/vmihez*) relate (to sy/sg)
vissza back
visszaad give° back, return; *[pénzből]* give°/return (sy) his/her change
visszaél (*vmivel*) abuse (sg)
visszaélés abuse (of sg)
visszaér come°/get° back
visszaesik fall° back; *jog* relapse
visszafelé backwards
visszafizet repay° (sg)
visszafordul turn (back/round)
visszahív call (sy) back; *[telefonon]* call/ring° (sy) back
visszahoz return, retrieve
visszahúz withdraw°, pull back

visszahúzódik withdraw°
visszaigazol acknowledge (sg v. the receipt of sg)
visszája reverse
visszajár (*vki vhová*) keep° going/coming back; *[pénz]* **egy tízes még ~** you owe me a tenner
visszajáró pénz change
visszajelzés feedback, response
visszajön return, come° back
visszakap get° back
visszakér ask (back)
visszakeres look up
visszalép step back; *átv* step down
visszamegy return
visszamenőleg retrospectively
visszapillant glance/look back
visszapillantás *átv* retrospect
visszapillantó tükör rear-view mirror
visszaszámlálás countdown
visszaszerez get° back, retrieve
visszatart hold°/keep° back
visszataszító revolting, repulsive
visszatér return
visszatérés return
visszatesz put° (sg) back
visszatetszés distaste, displeasure
visszatükröz reflect
visszatükröződik reflect
visszaút homeward/return journey; *átv* **nincs ~** there's no turning back
visszautasít refuse
visszautasítás refusal
visszautazás return journey
visszautazik travel back, return
visszavág *[erővel]* strike°/hit° back; *[szóban]* retort; *növ* cut° (back), trim (off/away)

visszaváltható üveg returnable bottle
visszaver *[ellenséget]* repulse, repel; *[fényt]* send/throw° (back), reflect
visszaverődik *[fény]* be° reflected, *[hang]* echo
visszavesz *[visszavásárol]* buy° back; take° back
visszavezet take° (back); *[eredetet]* retrace
visszavisz take° (back), return
visszavon withdraw°
visszavonul withdraw°; *[hadsereg]* retreat
visszér vein
visszeres *[visszere van]* have° varicose veins
visszhang echo
visszhangzik echo
vita dispute, argument, debate
vitamin vitamin
vitás problematic, disputed
vitat dispute
vitathatatlan indisputable
vitatható disputable
vitatkozik argue, debate
viteldíj fare
vitéz ▼ *mn* gallant ▼ *fn* *[hős, katona]* cavalier
vitorla sail
vitorlás *[hajó]* sailing boat
vitorlázás sailing
vitorlázik sail
vitorlázó *[repülő]* glider
vitrin glass case/cabinet
vív *[karddal, tőrrel]* fence; *[harcol]* fight
vívás *sp* fencing
vívmány achievement, feat
vívó *sp* fencer
vívódik wrestle (with sg/oneself)
víz water
vízálló waterproof
vízcsap tap *US* faucet
vizelet urine, *biz* piss
vízelvezető árok gutter
vizes wet, damp

vízesés waterfall
vízfesték watercolour
vízfestmény watercolour
vízhatlan impermeable
vízhólyag blister
vízi water-, hydro-; ~ **energia** water-power; ~ **erőmű** hydroelectric power station; ~ **út** waterway
vízibicikli water-cycle
vízilabda water-polo
vízililiom water lily
víziló hippopotamus (*tsz* -muses v. -mi)
vízisí water-skis *tsz*
vízisportok water sports
vizit visit; *orv [kórházi]* (doctor's) round(s)
vízmű waterworks *esz/tsz*
vízóra water meter
Vízöntő Aquarius
vízözön flood
vízszintes horizontal
vízum visa
vízvezeték water pipes *tsz*
vízvezeték-szerelő plumber
vizsga examination (*röv* exam)
vizsgál examine
vizsgálat *orv is* examination; *tud* study, research
vizsgázik take° an examination v. exam/test
vizsgáztat test/examine (in)
von *[tárgyat, vonalat]* draw°; **felelősségre** ~ call sy to account
vonakodik be° reluctant (about v. to do sg)
vonal line
vonalas lined
vonalkód bar code
vonalzó ruler
vonás *[jel]* line; *[jellemző]* trait, feature
vonat train
vonatjegy train ticket
vonatkozik (*vkire/vmire*) concern (sy/sg), apply (to sy/sg)
vonatkozó relevant, relative
vonó *[hangszeré]* bow

vonós ▾ *mn* ~ **hangszer** string(ed) instrument ▾ *fn [zenész]* string player; **a ~ok** the strings

vonszol drag

vontat tow, pull

vonul *[menetel]* march; proceed (swhere)

vonz attract; *[érdekel]* interest

vonzalom attachment

vonzerő attraction

vonzó attractive, captivating

vonzódik (*vkihez/vmihez*) be° attracted/attached (to sy/sg)

vő son-in-law (*tsz* sons-in-law)

vödör bucket

vőlegény fiancé

völgy valley

vörös red

vörösbor red wine

vöröshagyma onion

Vöröskereszt Red Cross

vulkán volcano

vulkanikus vulcanic

walkman personal stereo, Walkman

WC lavatory, *biz* loo; **nyilvános ~** public lavatory *US* restroom

WC-papír toilet paper, *biz* loo paper

westernfilm western (film/movie)

whisky whisky (*tsz* whiskies) *US, ír* whiskey (*tsz* whiskeys)

x-szer umpteen
x-edszer the umpteenth time
X-kromoszóma X chromosome
x-tengely x-axis

Y

Y-kromoszóma Y chromosome
y-tengely y-axis

Z

zab oats *tsz*
zabál *[állat]* feed°, eat°; *[ember]* guzzle
zabolátlan unbridled
zabpehely oatmeal
zacskó bag
zaj noise; *[lárma]* racket
zajlik *[folyamatban van]* be° under way; *[jég]* break° up
zajong clamour
zajos noisy
zajtalan noiseless
zakatol *[vonat]* clatter; **~t a szíve** his/her heart raced
zaklat harass
zakó jacket
zálog pawn; **~ba ad** pawn
zamat *átv is* flavour
zamatos *[étel]* tasty, succulent
zápfog molar (tooth) (*tsz* teeth)
zápor shower
záptojás bad/rotten egg
zár ▾ *fn* lock ▾ *ige* (*vmit*) close, lock; (*vhova*) shut (up) in
záradék *jog* (additional) clause
zárás *[bolté]* closing
zárka cell
zárkózott withdrawn
zárlat *elektr* short circuit; *gazd* balancing of the books
záródik shut°, close
zárójel *[kerek]* parentheses *tsz;* *[szögletes]* brackets *tsz*
zárójelentés final communiqué
zárol *[titkosít]* classify
záróra closing time

záróvonal *[magyar: folyamatos]* continuous white line, *[GB, US: szaggatott]* double white line
zárt *[ajtó]* closed; *[kórházban]* **~ osztály** mental ward
zártkörű private
zárul; jó hangulatban ~t ended on an upbeat note
zárva closed
zászló flag
zátony *[homok]* sandbank, *[szikla]* reef
zavar ▾ *fn [zavarodottság, zűr]* confusion; *[pénzügyi]* difficulty; *műsz, orv* disorder ▾ *ige* disturb
zavarás disturbance, disturbing
zavarodott *[félszeg]* confused, disturbed; *[őrült]* deranged
zavaros *[folyadék]* murky, turbid; *[kusza]* turbid, nebulous
zavart troubled
zavartalan undisturbed
zavartat; nem ~ja magát (s)he will not be thrown out of his/her stride
zebra zebra; *[átkelőhely]* zebra crossing
zeller *[gumó]* celeriac; *[szár]* celery
zene music
zeneakadémia academy/college of music
zenei musical
zenekar orchestra; *[kisebb]* ensemble
zenél make° music, play an instrument
zenés musical
zenész musician
zeneszerző composer
zeneszó music
zeng ring°, echo°, resound
zéró zero
zilált *[kócos, rendetlen]* untidy, scruffy; *[kusza]* in disorder/confusion *ut*
zivatar thunderstorm

zizeg *[papír, lomb]* rustle
zodiákus zodiac
zokni socks *tsz*
zokog sob
zokszó nélkül without complaint, without a word
zománc enamel
zóna zone
zongora piano (*tsz* -nos)
zongoradarab composition for (the) piano
zongoraművész pianist
zongoratanár piano teacher
zongoraverseny *[verseny]* piano competition; *[mű]* piano concerto
zongorázik play the piano
zongorista pianist
zord grim, bleak, dismal
zökkenőmentes smooth
zökkenőmentesen without a hitch
zöld ▾ *mn* green ▾ *fn pol* Green
zöldbab string/runner/ French beans *tsz*
zöldborsó peas *tsz*
zöldellik green
zöldövezet green belt
zöldpaprika green pepper/paprika
zöldség vegetable
zöldséges *[árus]* greengrocer
zöldül (become°/turn) green
zörej clatter, rattle
zörget (*vmit*) rattle (sg)
zörög clatter, rattle
zug nook, cranny
zúg rumble
zúgolódik (*vmi miatt*) grumble (about sg)
zuhan plunge, fall°; *[ár(folyam)]* slump
zuhanás fall; *[ár(folyam)é]* slump
zuhany shower
zuhanyozik take° a shower
zuhanyozó shower(-bath)
zuhatag waterfall, cascade
zuhog; ~ **(az eső)** it's pouring

zúz *[apróra tör]* crush; *[zúzódást okoz]* bruise
zúzmara hoar-frost, frost
zúzódás bruise
züllik go°/run° to seed
züllött decayed, seedy
zümmög *[rovar]* buzz
zűr mess, chaos
zűrös helter-skelter, chaotic
zűrzavar confusion, chaos
zűrzavaros chaotic

ZS

zsák sack
zsákbamacskát vesz buy° a pig in a poke
zsákmány loot, plunder; *[vadászatból]* bag
zsákmányol plunder, loot
zsákutca *átv is* cul-de-sac, blind alley
zsalu shutters *tsz*
zsámoly (foot) stool
zsarnok tyrant
zsarnoki tyrannical
zsarol blackmail
zsaroló blackmailer
zseb pocket
zsebkendő handkerchief
zsebkés pocket knife (*tsz* knives)
zsebkönyv pocketbook
zseblámpa torch
zsebóra watch
zsebpénz pocket money
zsebszótár pocket dictionary
zsebtolvaj pickpocket
zsemle roll
zsenge *átv is* green, immature, unripe
zseni genius (*tsz* geniuses)
zseniális ingenious, brilliant
zsibbad become°/go° numb/stiff
zsibong murmur, buzz, hum
zsidó ▾ *mn* Jewish ▾ *fn* Jew
zsilip sluice, lock
zsinagóga synagogue
zsinór string
zsír fat; *[kiolvasztott]* lard
zsiradék lard, fats *tsz*
zsiráf giraffe
zsírfolt grease stain
zsírkréta (wax) crayon

zsíros fatty, greasy; ~ **kenyér** bread and dripping; *[bőr, haj stb.]* oily
zsíroz *műsz* grease, lubricate
zsivaj din, racket
zsoké jockey
zsold (soldier's) pay
zsoldos *átv is* mercenary
zsoltár psalm
zsonglőr juggler
zsöllye stalls *tsz*
zsömle roll
zsúfol cram
zsúfolt crammed
zsugori ▾ *mn* miserly ▾ *fn* miser
zsűri jury

FÜGGELÉK

Földrajzi nevek

Magyar név	Angol név
Adriai-tenger	Adriatic (Sea)
Afganisztán	Afghanistan
Afrika	Africa
Albánia	Albania
Algéria	Algeria
Alpok	Alps
Amerika	America
Amerikai Egyesült Államok	United States of America
Amszterdam	Amsterdam
Andorra	Andorra
Anglia	England
Angola	Angola
Antarktisz	Antarctica
Argentína	Argentina
Athén	Athens
Atlanti-óceán	Atlantic (Ocean)
Ausztrália	Australia
Ausztria	Austria
Ázsia	Asia
Bagdad	Baghdad
Bahama-szigetek	Bahamas
Bahrain	Bahrain
Baktérítő	(Tropic of) Capricorn

Magyar név	Angol név
Balaton	(Lake) Balaton
Balti-tenger	Baltic Sea
Banglades	Bangladesh
Barbados	Barbados
Bécs	Vienna
Belfast	Belfast
Belgium	Belgium
Belgrád	Belgrade
Benin	Dahomey
Berlin	Berlin
Bermuda-szigetek	Bermuda
Bern	Bern(e)
Bhutan	Bhutan
Birmingham	Birmingham
Bolívia	Bolivia
Botswana	Botswana
Brazília	Brazil
Brunei	Brunei
Brüsszel	Brussels
Budapest	Budapest
Bukarest	Bucharest
Bulgária	Bulgaria
Burma	Burma
Burundi	Burundi
Cardiff	Cardiff
Chile	Chile
Ciprus	Cyprus
Costa Rica	Costa Rica
Csád	Chad

Magyar név	Angol név
Csecsenföld	Chechnya
Cseh Köztársaság	Czech Republic
Csendes-óceán	Pacific Ocean, Pacific
Dánia	Denmark
Dél-Afrika	South Africa
Déli-sark	South Pole, Antarctic
Dominika	Dominica
Dublin	Dublin
Duna	Danube
Dunántúl	Transdanubia
Ecuador	Ecuador
Edinburgh	Edinburgh
Egyenlítő	Equator
Egyesült Királyság	United Kingdom
Egyiptom	Egypt
El Salvador	El Salvador
Erdély	Transylvania
Északi-sark	North Pole
Észtország	Estonia
Etiópia	Ethiopia
Európa	Europe
Fehéroroszország	Belarus, White Russia
Fekete-tenger	Black Sea
Fertő-tó	Lake Fertő, Lake of Neusiedl
Fidzsi-szigetek	Fiji
Finnország	Finland
Földközi-tenger	Mediterranean (Sea)
Franciaország	France

Magyar név	Angol név
Független Államok Közössége	Commonwealth of Independent States
Fülöp-szigetek	Philippines
Gabon	Gabon
Gambia	Gambia
Genfi-tó	Lake of Geneva, Lac Léman
Ghana	Ghana
Gibraltár	Gibraltar
Glasgow	Glasgow
Görögország	Greece
Grenada	Grenada
Grönland	Greenland
Grúzia	Georgia
Guatemala	Guatemala
Guinea	Guinea
Guyana	Guyana
Haiti	Haiti
Hollandia	Holland
Honduras	Honduras
Hongkong	Hong Kong
Horvátország	Croatia
India	India
Indiai-óceán	Indian Ocean
Indonézia	Indonesia
Irak	Iraq
Irán	Iran
Írország	Ireland
Izland	Iceland
Izrael	Israel

Magyar név	Angol név
Jamaica	Jamaica
Japán	Japan
Jáva	Java
Jemen	Yemen
Jeruzsálem	Jerusalem
Jordánia	Jordan
Jugoszlávia	Yugoslavia
Kairó	Cairo
Kalifornia	California
Kambodzsa	Cambodia
Kamerun	Cameroon
Kanada	Canada
Kanári-szigetek	Canary Islands, Canaries
Karib-tenger	Caribbean Sea
Kárpát-medence	Carpathian Basin
Kárpátok	Carpathian Mountains, Carpathians
Kasmír	Kashmir
Kenya	Kenya
Kijev	Kiev
Kína	China
Kolumbia	Colombia
Kongó	Congo
Koppenhága	Copenhagen
Korea	Korea
Korzika	Corsica
Közép-Európa	Central Europe
Kréta	Crete
Kuba	Cuba

Magyar név	Angol név
Kuvait	Kuwait
Laosz	Laos
Lappföld	Lapland
Leeds	Leeds
Lengyelország	Poland
Lettország	Latvia
Libanon	Lebanon
Libéria	Liberia
Líbia	Libya
Liechtenstein	Liechtenstein
Lisszabon	Lisbon
Litvánia	Lithuania
Liverpool	Liverpool
London	London
Luxemburg	Luxemburg
Madagaszkár	Madagascar
Magyarország	Hungary
Malajzia	Malaysia
Malawi	Malawi
Mali	Mali
Málta	Malta
Manchester	Manchester
Marokkó	Morocco
Mauritánia	Mauritani
Mauritius	Mauritius
Mexikó	Mexico
Moldávia	Moldavia
Monaco	Monaco
Mongólia	Mongolia

Magyar név	Angol név
Moszkva	Moscow
Mozambik	Mozambique
Nagy-Britannia	Great Britain
Nauru	Nauru
Németalföld	Netherlands
Németország	Germany
Nepál	Nepal
Nicaragua	Nicaragua
Niger	Niger
Nigéria	Nigeria
Normandia	Normandy
Norvégia	Norway
Nyugat-India	West Indies
Olaszország	Italy
Oroszország	Russia
Oslo	Oslo
Pakisztán	Pakistan
Panama	Panama
Paraguay	Paraguay
Párizs	Paris
Peking	Peking, Beijing
Peru	Peru
Portugália	Portugal
Prága	Prague
Rajna	Rhine
Ráktérítő	Tropic of Cancer
Róma	Rome
Románia	Rumania
Ruanda	Rwanda

Magyar név	Angol név
San Marino	San Marino
Seychelles-szigetek	Seychelles
Sheffield	Sheffield
Sierra Leone	Sierra Leona
Skandinávia	Scandinavia
Skócia	Scotland
Spanyolország	Spain
Srí Lanka	Sri Lanka
Svájc	Switzerland
Svédország	Sweden
Szamoa	Samoa
Szardínia	Sardinia
Szaúd-Arábia	Saudi Arabia
Szenegál	Senegal
Szerbia	Serbia
Szicília	Sicily
Szingapúr	Singapore
Szíria	Syria
Szlovákia	Slovakia
Szlovénia	Slovenia
Szomália	Somalia
Szudán	Sudan
Szumátra	Sumatra
Szvázióföld	Swaziland
Tahiti	Tahiti
Tajvan	Taiwan
Tanzánia	Tanzania
Thaiföld	Thailand
Tibet	Tibet

Magyar név	Angol név
Tobago	Tobago
Togo	Togo
Tokió	Tokyo
Tonga	Tonga
Törökország	Turkey
Trinidad	Trinidad
Tunézia	Tunisia
Uganda	Uganda
Új-Zéland	New Zealand
Ukrajna	Ukraine
Uruguay	Uruguay
Varsó	Warsaw
Vatikán	Vatican
Venezuela	Venezuela
Vietnam	Vietnam
Washington	Washington(,) D.C.
Zaire	Zaire
Zambia	Zambia
Zimbabwe (Rodézia)	Rhodesia

Az Egyesült Királyság részei

Magyar név	Angol név
Anglia	England
Észak-Írország	Nothern Ireland
Skócia	Scotland
Wales	Wales

Az Amerikai Egyesült Államok tagállamai és rövidítésük

Alabama *(Ala)*
Alaska *(Alas)*
Arizona *(Ariz)*
Arkansas *(Ark)*
California *(Cal* v. *Calf)*
Colorado *(Colo)*
Connecticut *(Conn)*
Delaware *(Del)*
District of Columbia *(DC)*
Florida *(Fla)*
Georgia *(Ga)*
Hawaii *(HI)*
Idaho *(Id)*
Illinois *(Ill)*
Indiana *(Ind)*
Iowa *(Ia)*
Kansas *(Kan)*
Kentucky *(Ken* v. *Ky)*
Louisiana *(La)*
Maine *(Me)*
Maryland *(Md)*
Massachusetts *(Mass)*
Michigan *(Mich)*
Minnesota *(Minn)*
Mississippi *(Miss)*
Missouri *(Mo)*
Montana *(Mont)*
Nebraska *(Nebr* v. *Neb)*
Nevada *(Nev)*
New Hampshire *(NH)*
New Jersey *(NJ)*
New Mexico *(NM)*
New York *(NY)*
North Carolina *(NC)*
North Dakota *(ND)*
Ohio *(O)*
Oklahoma *(Okla)*
Oregon *(Ore* v. *Oreg)*
Pennsylvania *(Penn* v. *Pa)*
Rhode Island *(RI)*
South Carolina *(SC)*
South Dakota *(SD)*
Tennessee *(Tenn)*
Texas *(Tex)*
Utah *(Ut)*
Vermont *(Vt)*
Virginia *(Va)*
Washington *(Wash)*
West Virginia *(W Va)*
Wisconsin *(Wis)*
Wyoming *(Wy* v. *Wyo)*

Számok

Számjegyek	Tőszámnevek	Sorszámnevek	
1	one	1st	first
2	two	2nd	second
3	three	3rd	third
4	four	4 th	fourth
5	five	5 th	fifth
6	six	6 th	sixth
7	seven	7 th	seventh
8	eight	8 th	eighth
9	nine	9 th	ninth
10	ten	10 th	tenth
11	eleven	11 th	eleventh
12	twelve	12 th	twelfth
13	thirteen	13 th	thirteenth
14	fourteen	14 th	fourteenth
15	fifteen	15 th	fifteenth
16	sixteen	16 th	sixteenth
17	seventeen	17 th	seventeenth
18	eighteen	18 th	eighteenth
19	nineteen	19 th	nineteenth
20	twenty	20 th	twentieth
21	twenty-one	21st	twenty-first
22	twenty-two	22nd	twenty-second
23	twenty-three	23rd	twenty-third
30	thirty	30 th	thirtieth

Számjegyek	Tőszámnevek	Sorszámnevek	
40	forty	40th	fortieth
50	fifty	50th	fiftieth
60	sixty	60th	sixtieth
70	seventy	70th	seventieth
80	eighty	80th	eightieth
90	ninety	90th	ninetieth
100	a/one hundred	100th	a/one hundredth
200	two hundred	200th	two hundredth
1 000	a/one thousand	$1\,000^{th}$	a/one thousandth
2 000	two thousand	$2\,000^{th}$	two thousandth
10 000	ten thousand	$10\,000^{th}$	ten thousandth
100 000	a/one hundred thousand	$100\,000^{th}$	a/one hundred thousandth
1 000 000	a/one million	$1\,000\,000^{th}$	a/one millionth

A leggyakoribb mértékegységek

Súlyok

1 dram		= 1,77 gramm
1 ounce (oz.)	= 16 drams	= 28,35 gramm
1 pound (lb.)	= 16 ounces	= 45,36 dkg
1 stone	= 14 pounds	= 6,35 kg
1 quarter	= 2 stone	= 12,70 kg
1 (GB) hundred-weight (cwt.)	= 4 quarters	= 50,80 kg
1 (US) hundredweight	= 100 pounds	= 45,36 kg
1 ton	= 20 cwt.	= 1016,05 kg

Űrmértékek

1 gill		= 0,142 liter
1 pint	= 4 gills	= 0,568 liter
1 quart	= 2 pints	= 1,136 liter
1 gallon	= 4 quarts	= 4,543 liter
1 peck	= 2 gallons	= 9,097 liter
1 bushel	= 4 pecks	= 36,348 liter
1 quarter	= 8 bushels	= 290,789 liter

Hosszmértékek

1 line		= 2,54 mm
1 inch	= 10 lines	= 2,54 cm
1 foot	= 12 inches	= 30,48 cm
1 yard	= 3 feet	= 91,44 cm
1 fathom	= 2 yards	= 1,83 méter
1 pole/perch/rod	= 5½ yards	= 5,03 méter
1 furlong	= 40 poles	= 201,16 méter
1 statute mile	= 8 furlongs	=
	= 1760 yards	= 1609,33 méter
1 nautical mile	= 2026 yards	= 1852 méter
1 league	= 3 stat. miles	= 4,828 km
	= 3 naut. miles	= 5,556 km

Területmértékek

1 square inch		= 6,45 cm^2
1 square foot	= 144 sq. inches	= 929,01 cm^2
1 square yard	= 9 sq. feet	= 0,836 m^2
1 square	= 100 sq. feet	= 9,29 m^2
1 acre	= 4840 sq. yards	= 0,41 hektár
		= 0,703 kat. hold
		= 4046,78 m^2
		= 1125 négyszögöl
1 square mile	= 640 acres	= 258,99 hektár
		= 2,59 km^2
		= 450 kat. hold

Köbmértékek

1 cubic inch		= 16,38 cm^3
1 cubic foot	= 1728 c. inches	= 28 316 cm^3
1 cubic yard		= 0,764 m^3
1 register ton	= 100 c. feet	= 2,831 m^3

Metrikus mértékek angol megfelelői

1 méter	= 39,371 inches	= 1,094 yards
1 kilométer	= 1093,6 yards	= 0,621 mile
1 négyzetméter	= 1550 sq. inches	= 1,196 sq. yards
	= 10,764 sq. feet	
1 kilogramm	= 2,204 lb	= 2 lb 3¼ oz
1 liter		= 1,75 pints
1 hektoliter		= 22 gallons

Hőmérőrendszer

212° Fahrenheit	=	+ 100 ° Celsius =	+ 80 ° Réaumur
32° Fahrenheit	=	0 ° Celsius =	0 ° Réaumur
0° Fahrenheit	=	18 ° Celsius =	– 14 ° Réaumur

Átszámítási képletek

$$+X\,°\text{Fahrenheit} = \frac{(X-32)\cdot 5}{9}\,°\text{Celsius}$$

$$-X\,°\text{Fahrenheit} = \frac{(X+32)\cdot 5}{9}\,°\text{Celsius}$$

$$X\,°\text{Celsius} = \frac{9X°}{9} + 32\,°\text{Fahrenheit}$$

Pénzrendszer

Nagy Britannia

(1971. február 15-ig)

1 guinea	=	21 shillings
1 pound sovereign (£1)	=	20 shillings
1 crown	=	5 shillings
1 half crown	=	2 shillings 6 pence
1 florin	=	2 shillings
1 shillings (1s.)	=	12 pence
1 penny (1d.)	=	4 farthings

(1971. február 15-től)

1 pound (£1)	=	100 pence (100p)

Amerikai Egyesült Államok

1 dollár ($1)	=	100 cents (100 ¢)
1 quarter	=	25 cents
1 dime	=	10 cents
1 nickel	=	5 cents

Rendhagyó igék

Infinitive	Past Tense	Past Participle	
abide	abode	abode	tartózkodik, lakik
	abided	abided	elvisel; megmarad vmi mellett
arise	arose	arisen	keletkezik
awake	awoke	awoken	felébreszt, -ébred
be (am, is, are)	was, were	been	van
bear	bore	borne	hord
	bore	born	szül
beat	beat	beaten	üt
become	became	become	vmivé tesz
beget	begot	begotten	nemz
begin	began	begun	kezd
bend	bent	bent	hajlít
beseech	besought	besought	könyörög
bet	bet, betted	bet, betted	fogad
bid	bid	bid	ajánl
	bade	bidden	megparancsol
bind	bound	bound	köt
bite	bit	bitten	harap
bleed	bled	bled	vérzik
bless	blessed, blest	blessed, blest	áld
blow	blew	blown, blowed	fúj
break	broke	broken	tör
breed	bred	bred	tenyészt
bring	brought	brought	hoz
build	built	built	épít
burn	burnt, burned	burnt, burned	ég
burst	burst	burst	szétreped
buy	bought	bought	vásárol
can	could	–	tud, ...hat, ...het
cast	cast	cast	dob
catch	caught	caught	megfog
chide	chided, chid	chided, chid, chidden	szid
choose	chose	chosen	választ

Infinitive	Past Tense	Past Participle	
cleave[1]	cleave, clove, cleft	cleaved, cloven, cleft	hasít
cleave[2]	cleaved, clave	cleaved	ragaszkodik
cling	clung	clung	ragaszkodik
come	came	come	jön
cost	cost	cost	vmibe kerül
creep	crept	crept	csúszik
crow	crowed, (régi) crew	crowed	kukorékol
cut	cut	cut	vág
deal	dealt	dealt	ad, oszt; foglalkozik (with …val/vel)
dig	dug	dug	ás
dive	dived; US dove	dived	lemerül; fejest ugrik
do	did	done	tesz
draw	drew	drawn	húz
dream	dreamt, dreamed	dreamt, dreamed	álmodik
drink	drank	drunk	iszik
drive	drove	driven	hajt, vezet
dwell	dwelt	dwelt	lakik
eat	ate	eaten	eszik
fall	fell	fallen	esik
feed	fed	fed	táplál
feel	felt	felt	érez
fight	fought	fought	harcol
find	found	found	talál
flee	fled	fled	menekül
fling	flung	flung	hajít
fly	flew	flown	repül
forbid	forbade, forbad	forbidden	tilt
forecast	forecast, forecasted	forecast, forecasted	előre jelez
forget	forgot	forgotten	elfelejt
forgive	forgave	forgiven	megbocsát
forsake	forsook	forsaken	elhagy
freeze	froze	frozen	fagy
get	got	got; US gotten	kap
gild	gilded, gilt	gilded, gilt	aranyoz
gird	girded, girt	girded, girt	övez
give	gave	given	ad

Infinitive	Past Tense	Past Participle	
go	went	gone	elmegy
grind	ground	ground	őröl
grow	grew	grown	nő
hang	hung	hung	akaszt, függ
	hanged	hanged	felakaszt
have (has)	had	had	vmije van
hear	heard	heard	hall
heave	heaved, hove	heaved, hove	emel
hew	hewed	hewed, hewn	üt
hide	hid	hidden	rejt
hit	hit	hit	üt
hold	held	held	tart
hurt	hurt	hurt	megsért
input	input, inputted	input, inputted	betáplál
keep	kept	kept	tart
kneel	knelt; főleg US kneeled	knelt; főleg US kneeled	térdel
knit	knitted	knitted	köt, egyesít
	knit	knit	egyesül
know	knew	known	tud; ismer
lay	laid	laid	fektet
lead	led	led	vezet
lean	leant, leaned	leant, leaned	hajol
leap	leapt, leaped	leapt, leaped	ugrik
learn	learnt, learned	learnt, learned	tanul
leave	left	left	hagy
lend	lent	lent	kölcsönöz
let	let	let	hagy
lie[1]	lied	lied	hazudik
lie[2]	lay	lain	fekszik
light	lighted, lit	lighted, lit	meggyújt
lose	lost	lost	elveszít
make	made	made	csinál
may	might	–	szabad
mean	meant	meant	jelent
meet	met	met	találkozik
mow	mowed	mown, mowed	lekaszál
must	–	–	kell
output	output, outputted	output, outputted	kiad
pay	paid	paid	fizet
plead	pleaded; US pled	pleaded; US pled	szót emel
prove	proved	proved; US proven	bizonyít

Infinitive	Past Tense	Past Participle	
put	put	put	tesz
quit	quit, quitted	quit, quitted	otthagy, elmegy
read [ri:d]	read [red]	read [red]	olvas
rend	rent	rent	hasít
rid	rid	rid	megszabadít
ride	rode	ridden	lovagol
ring	rang	rung	cseng
rise	rose	risen	felkel
run	ran	run	szalad
saw	sawed	sawn; US sawed	fűrészel
say	said	said	mond
see	saw	seen	lát
seek	sought	sought	keres
sell	sold	sold	elad
send	sent	sent	küld
set	set	set	helyez; beállít stb.
sew	sewed	sewn, sewed	varr
shake	shook	shaken	ráz
shall	should	–	segédige
shave	shaved	shaved, shaven	borotvál(kozik)
shear	sheared	shorn, sheared	nyír
shed	shed	shed	elhullat
shine	shone	shone	ragyog
	shined	shined	(cipőt) fényesít
shit	shitted, shat	shitted, shat	kakál
shoe	shod	shod	megpatkol
shoot	shot	shot	lő
show	showed	shown, showed	mutat
shred	shred	shred	darabokra tép
shrink	shrank, shrunk	shrunk	összezsugorodik
shrive	shrived, shrove	shrived, shriven	gyóntat
shut	shut	shut	becsuk
sing	sang	sung	énekel
sink	sank	sunk	süllyed
sit	sat	sat	ül
slay	slew	slain	öl
sleep	slept	slept	alszik
slide	slid	slid	csúszik
slink	slunk	slunk	lopakodik
slit	slit	slit	felvág
smell	smelt, smelled	smelt, smelled	megszagol
smite	smote	smitten	rásújt

Infinitive	Past Tense	Past Participle	
sow	sowed	sown, sowed	vet
speak	spoke	spoken	beszél
speed	sped speeded	sped speeded	száguld, sitettet; gyorsan hajt
spell	spelt, spelled	spelt, spelled	betűz (betűket)
spend	spent	spent	költ
spill	spilt, spilled	spilt, spilled	kiönt
spin	spun, (régi) span	spun	fon
spit	spat; főleg US spit	spat; főleg US spit	köp
split	split	split	hasít
spoil	spoilt, spoiled	spoilt, spoiled	elront
spread	spread	spread	kiterjeszt, terjed
spring	sprang	sprung	ugrik
stand	stood	stood	áll
stave	staved, stove	staved, stove	bever
steal	stole	stolen	lop
stick	stuck	stuck	ragaszt
sting	stung	stung	megszúr
stink	stank, stunk	stunk	bűzlik
strew	strewed	strewed, strewn	hint
stride	strode	stridden	lépked
strike	struck	struck	üt
string	strung	strung	felfűz
strive	strove	striven	igyekszik
swear	swore	sworn	megesküszik
sweep	swept	swept	söpör
swell	swelled	swollen, swelled	dagad
swim	swam	swum	úszik
swing	swung	swung	leng(et)
take	took	taken	fog, vesz
teach	taught	taught	tanít
tear	tore	torn	szakít
tell	told	told	elmond
think	thought	thought	gondol(kozik)
thrive	thrived, throve	thrived, (régi) thriven	boldogul
throw	threw	thrown	dob
thrust	thrust	thrust	döf
tread	trod	trodden, trod	tapos
wake	woke, (régi) waked	woken, (régi) waked	felébred, felébreszt

Infinitive	Past Tense	Past Participle	
wear	wore	worn	visel
weave	wove	woven	sző
	weaved	weaved	kanyarog
wed	wedded, wed	wedded, wed	összeházasodik
weep	wept	wept	sír
wet	wet, wetted	wet, wetted	benedvesít
will	would	–	(segédige)
win	won	won	nyer
wind[1]	wound	wound	teker(edik)
wind[2]	winded, wound	winded, wound	kürtöl
wring	wrung	wrung	kicsavar
write	wrote	written	ír

a egy, egy bizonyos

abandon (*sg*) elhagy (vmit), felhagy (vmivel)

abate alábbhagy

abbey apátság *[intézmény, épület]*

abbot apát

abbreviation rövidítés

abdicate lemond *[megbízatásról, trónról]*

abdomen hasüreg; potroh

abduct elrabol (vkit)

abide (abode, abode) lakik, tartózkodik (vhol)

ability képesség, adottság

ablaze; be° ~ lángokban áll, ég

able alkalmas; rátermett; **be° ~ to do** (*sg*) meg tud tenni (vmit), megtehet (vmit)

abnormal abnormális

aboard a fedélzeten, a fedélzetre *[hajón, repülőgépen]*

abode → abide

abolish megszüntet, eltöröl

abominable borzalmas, utálatos *[időjárás]*, kritikán aluli *[munka]*

aborigine bennszülött, őslakó

abort félbehagy, abbahagy *[idő előtt]*; *orv* elvetél

abortion vetélés, abortusz

abound (*in sg*) bővelkedik (vmiben), sok/rengeteg van (vmiből)

about ▾ *hsz* körülbelül, majdnem; **at ~ 9 o'clock** úgy kilenc óra körül ▾ *elölj* -ról/-ről; **what's it ~?** miről szól?; **what ~ a cup of tea?** mit szólnál egy teához?

above ▾ *mn* fenti; **the ~ example** a fenti példa ▾ *elölj* felett; **~ the clouds** a felhők felett; **~ the age of 14** 14 éves kor felett

abroad külföldön, külföldre

absence hiányzás *[iskolából],* távollét (vhonnan)

absent; be° ~ *(from swhere)* hiányzik (vhonnan)

absent-minded szórakozott, feledékeny

absolute teljes, totális

absolutely teljesen; **she's ~ amazing** elképesztően gyönyörű *[nő]*

absolve *vall* (*sy from sg*) feloldoz (vkit vmi alól)

absorb felszív, beszív

abstain (*from sg*) tartózkodik *[ivástól, szavazástól]*

abstinence önmegtartóztatás

abstract ▾ *mn* elvont, absztrakt ▾ *fn tud* kivonat *[cikké, előadásé]*

absurd képtelen, abszurd

abundance bőség

abuse ▾ *fn* visszaélés, (nemi) erőszak ▾ *ige* (*sg*) visszaél (vmivel); (*sy*) bántalmaz (vkit), erőszakot követ el (vkin)

academic ▾ *mn* egyetemi; elméleti; **~ year** tanév ▾ *fn* egyetemi oktató, tudós

academy akadémia

accelerate gyorsít, gyorsul

accelerator gázpedál

accent kiejtés, (idegen) akcentus; ékezet; hangsúly

accept elfogad

acceptable elfogadható

acceptance elfogadás

access ▾ *fn* (*to sg*) hozzáférés (vmihez), eljutás, bejutás (vhová); ~ **road** bekötőút ▾ *ige* (*to sg*) hozzáfér (vmihez)

accessible hozzáférhető, elérhető

accessory tartozék, kellék

accident baleset; **by** ~ véletlenül

accidental véletlen

acclimate, acclimatise hozzászokik az éghajlathoz/új környezethez, akklimatizálódik

accommodate elszállásol

accommodation szállás (és étkezés)

accompanist *zene* kísérő

accompany (*sy*) (el)kísér (vkit vhová); *zene* kísér *[hangszeren]*

accomplice bűntárs

accomplish (*sg*) elér (vmit), (sikeresen) elvégez, teljesít

accomplishment (be)teljesítés, teljesülés *[célkitűzésé]*

accord egyetértés; **of one's own** ~ saját elhatározásból, önként

accordance egyetértés, megfelelés (vminek); **in** ~ **with sg** vminek megfelelően

according (*to sg*) vmi szerint, vmihez képest, vminek megfelelően

accordingly eszerint, ennek megfelelően

accordion harmonika

account ▾ *fn* (bank)számla; **the** ~**s** *tsz* könyvelés; **take° into** ~ számításba/figyelembe vesz ▾ *ige* (*for sg*) megmagyaráz (vmit)

accountable (*for sg*) felelős (vmiért), számon kérhető rajta (vmi)

accountancy könyvelés

accountant könyvelő

accumulate felhalmoz; felhalmozódik, összegyűlik

accuracy pontosság, precizitás
accurate pontos, precíz
accusation vád
accuse (*sy of sg*) (meg)vádol (vkit vmivel)
accused vádlott
accustom (*sy to sg*) hozzászoktat (vkit vmihez); **I'm not ~ed to it** nem vagyok hozzászokva
ace ász
ache ▾ *fn* fájdalom ▾ *ige* fáj
achieve *átv* elér
achievement (elért) eredmény, teljesítmény
acid sav; **~ rain** savas eső
acknowledge elismer, beismer; üdvözöl (vkit)
acknowledgement elismerés, beismerés; *tsz is* köszönetnyilvánítás *[pl. könyv elején]*
acorn *növ* makk
acoustic akusztikus
acoustics *esz* akusztika
acquaint (*sy with sg*) megismertet (vkit vmivel), (*sy with sy*) összeismertet (vkit vkivel); **get° ~ed *(with sy)*** összeismerkedik (vkivel)
acquaintance ismerős *[ember]*
acquire (*sg*) beszerez (vmit), szert tesz (vmire), elsajátít (vmit)
acquisition beszerzés, szerzemény, elsajátítás
acquit felment *[vád alól]*
acre *[mértékegység, kb. 4000 m^2]* «angol hold»
acrobat akrobata
acrobatics *esz* akrobatika, *tsz* akrobatamutatványok
across ▾ *hsz* szemben, a túloldalon ▾ *elölj* át, keresztül
act ▾ *fn* tett, cselekedet; *jog* törvény; *szính* felvonás ▾ *ige* eljátszik *[szerepet]*; (*as sg*) szolgál (vmiként)
acting ▾ *mn* ügyvezető,

megbízott *[vezető]* ▾ *fn* színészet
action tett, cselekedet; **take° ~** cselekszik
activate aktivál, beindít *[folyamatot]*
active aktív
activist aktivista
activity tevékenység
actor színész
actress színésznő
actual valóságos
actually a valóságban, igazából, valójában
ad *biz* (apró)hirdetés
A.D., AD *röv [Anno Domini]* i. sz. *[időszámításunk szerint]*; Kr. u. *[Krisztus után]*
adapt (*sg to/for sg*) adaptál, alkalmaz (vmire), alkalmassá tesz; alkalmazkodik (vmihez)
adaptable (könnyen) alkalmazkodó
adapter, adaptor adapter, átalakító
add *(sg to sg)* hozzáad, hozzátesz (vmit vmihez); **~ up** összead *[számokat]*
addict ▾ *fn* rabja vminek; **drug ~** kábítószeres *[személy]* ▾ *ige* **be° ~ed** (*to sg*) rabja (lett) *[szenvedélynek]*
addiction függőség
addition összeadás; hozzátétel, kiegészítés; **in ~ to sg** azon felül (még), a tetejébe (még)
additional további, kiegészítő
address ▾ *fn* (lak)cím; **e-mail ~** e-mail cím ▾ *ige* megcímez *[borítékot]*
addressee címzett
adept ▾ *mn* ügyes, hozzáértő; **be° ~** (***in/at sg***) ért (vmihez), jártas (vmiben) ▾ *fn* szakértő(je vminek)
adequate megfelelő, adekvát
adhere (*to sg*) odaragad (vmihez); ragaszkodik

(vmihez), tartja magát (vmihez)
adhesive ragadós; **~ (tape)** ragasztószalag; **~ plaster** ragtapasz
adjacent szomszédos, egymás melletti
adjective melléknév
adjourn berekeszt *[ülést]*
adjust (*sg to sg*) beállít, (hozzá)igazít (vmit vmihez)
administer vezet, irányít; *orv* alkalmaz *[eljárást]*, bead *[injekciót]*
administration szervezés, adminisztráció; kormányzat
administrative adminisztratív
administrator szervező, adminisztrátor
admirable csodálatos
admiral admirális
admiration csodálat
admire csodál
admission belépés; **~ fee** belépődíj
admit beismer; beenged; felvesz *[kórházba, iskolába]*
admittedly kétségkívül
adolescence serdülőkor
adolescent serdülő
adopt örökbe fogad; átvesz, bevezet *[módszert, eljárást]*
adoption örökbefogadás
adorable csodálatos
adore csodál
Adriatic (Sea) Adria(i-tenger)
adult felnőtt, nagykorú
adultery házasságtörés
adulthood felnőttkor
advance ▾ *fn* előretörés, előrehaladás; **in ~** előre, előzetesen ▾ *ige* előrehalad, előrenyomul
advanced fejlett; haladó *[tanfolyam]*
advantage előny; **take° ~** (*of sg/sy*) kihasznál (vmit/vkit)
advantageous előnyös
Advent advent

adventure kaland
adventurous kalandos
adverb határozószó
adverse kellemetlen, káros
adversity nehézség, balsors
advert hirdetés, reklám
advertise hirdet, reklámoz
advertisement hirdetés, reklám
advertising ▾ *mn* hirdetési; ~ **agency** reklámiroda ▾ *fn* reklámszakma
advice *esz/tsz* tanács
advisable ajánlott, tanácsos
advise tanácsol, tanácsot ad; (*sy on/of sg*) tájékoztat (vkit vmiről)
adviser, advisor tanácsadó
aerial ▾ *mn* légi ▾ *fn* antenna
aerobics *esz* aerobik
aeroplane repülőgép
aesthetic esztétikai, esztétikus
afar; from ~ messziről, távolból; ~ **off** messze
affair ügy
affect[1] (*sy/sg*) hat (vkire/vmire); **it doesn't ~ you** ez téged nem érint
affect[2] affektál, felvesz *[stílust, viselkedést]*
affection érzelmi kötődés, szeretet
affectionate érzelmes
affinity (*to sg*) vonzódás (vmihez), affinitás
affirm megerősít, (határozottan) állít
afford megenged(het) magának (vmit); **I can't ~ to buy it** nincs rá pénzem
afraid; be° ~ (*of sg*) fél (vmitől); **I'm ~ (that ...)** attól tartok ...
afresh újonnan, újból
Africa Afrika
African *mn, fn* afrikai
after ▾ *hsz* **the day** ~

másnap ▾ *elölj* után; **~ all** végtére is

afternoon délután; **in the ~** (a) délután (folyamán); **good ~!** jó napot! *[kb. 12:00–18:00 óráig]*

afterward(s) vmi után, utólag

again újra, még egyszer

against vmi ellen(ében); **I'm ~ it** ellene vagyok, ellenzem

age ▾ *fn* kor; **~ limit** korhatár; **the middle ~s** középkor ▾ *ige* öregszik, korosodik

aged koros, idős; **the ~** az idősek

agency ügynökség; **travel ~** utazási iroda

agenda napirend

agent ügynök, képviselő *[cégé]*

aggression agresszió

aggressive agresszív

aghast döbbent, rémült

agile mozgékony, agilis

agitate felizgat, felkavar; *pol* agitál

agitation izgalom, zavarodottság; *pol* agitáció

ago ezelőtt; **two weeks ~** két hete, két héttel ezelőtt

agonise kínoz, gyötör; kínlódik, gyötrődik; **~ over a decision** a döntés súlyától szenved

agony kínszenvedés; **in ~** kínok között

agree (*with sg*) egyetért (vmivel); (*to sg*) beleegyezik (vmibe)

agreement megegyezés, megállapodás

agricultural mezőgazdasági

agriculture mezőgazdaság

ahead előre; (*of sy/sg*) vki/vmi előtt; **go ~!** rajta!, folytasd!

aid segítség, segély; **first ~** elsősegély

aide segítő *[személy]*, segéd

aim ▾ *fn* cél(kitűzés) ▾ *ige* (*at sg*) céloz (vmire)
air ▾ *fn* levegő; *[médiában]* **on ~** adásban ▾ *ige* hangot ad *[véleménynek]*; **~ the room** szellőztet
airbag *gépk* légzsák
air-conditioning légkondicionálás
aircraft légi jármű, repülőszerkezet, repülőgép
airfield *[kisebb]* repülőtér
air-hostess légiutas-kísérő *[nő]*
airline légitársaság
airliner utasszállító repülőgép
airmail légiposta; **send° (by) ~** légipostával küld
airport repülőtér
airsickness rosszullét, émelygés *[repülőgépen]*
airtight légmentes
air-traffic légi forgalom; **~ controll** légiirányítás
airy levegős
aisle *US [széksorok közötti]* folyosó
akin (*to sg*) hasonló (vmihez)
alarm ▾ *fn* nyugtalanság, riadalom; riadó; **~ clock** ébresztőóra ▾ *ige* nyugtalanít; riadóztat
alas sajnos, fájdalom(, de …)
Albania Albánia
Albanian *mn, fn* albán, albániai
album album
alcohol alkohol
alcoholic ▾ *mn* alkoholos *[ital]*; **~ drinks** *tsz* alkoholos ital ▾ *fn* alkoholista
ale ale *[világos sör]*
alert ▾ *mn* éber ▾ *fn* riadókészültség
algebra algebra
Algeria Algéria
Algerian *mn, fn* algériai
alibi alibi; mentség
alien ▾ *mn* idegen ▾ *fn*

idegen *[külföldi];* idegen lény
alienate elidegenít
alienation elhidegülés; elidegenedés
alike ▾ *mn* hasonló, egyforma ▾ *hsz* hasonlóan, egyformán
alimony tartásdíj
alive élve; **dead or ~** élve vagy halva; **keep° sy ~** életben tart
all ▾ *mn, nm* minden, az összes, az egész; **~ the children** az összes gyerek ▾ *hsz* teljesen; **this is ~ wrong** ez teljes tévedés; **~ over the place** mindenhol, mindenfelé
all-clear; she gave the ~ jelezte, hogy „tiszta a levegő", zöld jelzést adott
allege feltételez (vmit)
allegedly állítólag, feltételezések szerint
allergic *átv is* (*to sg*) allergiás (vmire)
allergy allergia
alleviate enyhít *[fájdalmat, gondot]*
alley sikátor, köz; sétány *[parkban]*
alliance szövetség
allied szövetséges; **the ~ forces** a szövetséges erők
alligator aligátor
all-night éjszakai
allocate kihelyez, juttat *[pénzt, eszközt]*
allot kioszt, juttat
allotment kiskert
all-out totális, teljes; **~ war** totális háború
allow megenged
allowance járadék, pótlék; engedmény; **make° ~s** engedményt tesz *[elvárásokból]*
alloy ötvözet
allusion célzás; *műv* utalás; **make° ~s** (*to sg*) célzást tesz (vmire)
ally ▾ *fn* szövetséges ▾ *ige* szövetséget köt
almighty mindenható; **God A~!** Szentséges Isten!

almond mandula
almost majdnem
alone egyedül
along ▾ *hsz* tovább; (*with sy/sg)* együtt (vkivel/vmivel); **move ~** továbbhalad ▾ *elölj* mentén
alongside mellett
aloud hangosan
alphabet ábécé
alpine alpi, alpesi
Alps; the ~ az Alpok
already már
Alsatian német juhászkutya
also szintén
altar oltár
alter megváltoztat
alteration változtatás
alternate ▾ *mn* váltakozó; **on ~ days** minden második nap ▾ *ige* váltakozik
alternative ▾ *mn* alternatív ▾ *fn* más megoldás, alternatíva
alternatively vagy pedig, esetleg
although (ha)bár
altitude (tengerszint feletti) magasság
alto alt
altogether teljesen; összesen; **that's £52 ~** összesen 52 font lesz
altruism önzetlenség, altruizmus
altruist önzetlen (ember), emberbarát (személy)
altruistic önzetlen, emberbarát
aluminium foil alufólia
always mindig
am → be
a.m., A.M., am, AM *röv [ante meridiem = before noon]* de. *[délelőtt]* **at 2 a.m.** hajnali kettőkor; **at 8 a.m.** reggel nyolckor; **at 11 a.m.** délelőtt tizenegykor
amateur amatőr
amaze bámulatba ejt
amazement ámulat
amazing bámulatos, fantasztikus

ambassador nagykövet
amber ▾ *mn* borostyánsárga ▾ *fn* borostyán
ambiguity kétértelműség
ambiguous kétértelmű, homályos, félreérthető
ambition becsvágy, ambíció
ambitious becsvágyó
ambulance mentőautó
ambulanceman (*tsz* -men) mentős
ambush ▾ *fn* (rajtaütésszerű) támadás ▾ *ige* (*sy*) megtámad (vkit), rajtaüt (vkin)
amend módosít, kiegészít *[törvényt]*
amendment módosítás, kiegészítés *[törvényé]*
America Amerika
American *mn, fn* amerikai
amiable barátságos
amicable békés
amiss; something is ~ valami nem stimmel
ammonia ammónia
ammunition lőszer
amnesty amnesztia, közkegyelem
among(st) *[sok dolog]* között; **~ other things** egyebek mellett
amount ▾ *fn* összeg; mennyiség ▾ *ige* kitesz *[összeget]*; **the costs ~ to £1500** a költségek 1500 fontra rúgnak
ample megfelelő
amplifier erősítő
amputate amputál
amuse szórakoztat
amusement szórakozás; **~ arcade** játékterem; **~ park** vidámpark
an egy, egy bizonyos
anachronism anakronizmus
anaemic vérszegény
anaesthetic *orv* érzéstelenítő
analyse elemez, analizál
analysis elemzés, analízis
analyst elemző
analytic(al) elemző, analitikus

anarchist anarchista
anatomy anatómia
ancestor ős
anchor horgony
anchovy szardella; ~ **paste** szardellapaszta
ancient ősi, ókori
and és
anecdote anekdota
anew újonnan, újból
angel angyal
anger ▾ *fn* harag, düh ▾ *ige* megharagít, feldühít
angle[1] *fn* sarok, szög; **right** ~ derékszög; **acute** ~ hegyesszög; **obtuse** ~ tompaszög
angle[2] *ige* (*for sg*) horgászik (vmire)
angler horgász, pecás
Anglican *mn, fn* anglikán
angling sporthorgászat
angrily dühösen, dühödten
angry (*with sy*) mérges, dühös (vkire)
anguish ▾ *fn* fájdalom; szorongás, aggodalom ▾ *ige* gyötör
animal állat
angular szögletes, sarkos; *átv* akadékoskodó
animate ▾ *mn* élő ▾ *ige* életre kelt; *film* animál
animation animáció; **computer** ~ számítógépes animáció
ankle boka
annex elfoglal, annektál, magához csatol *[területet]*
annihilate megsemmisít
anniversary évforduló
announce bejelent
announcement bejelentés
announcer *[médiában]* bemondó
annoy idegesít, bosszant
annoyance bosszankodás, bosszúság
annoying idegesítő, bosszantó
annual évenkénti, évi, éves; *növ* évelő
annul érvénytelenít, megsemmisít *[hivatalosan]*

anonymous névtelen, anonim
another (egy) másik; ~ **one** másik, még egy; **one** ~ egymás; **they love one** ~ szeretik egymást
answer ▾ *fn* válasz ▾ *ige* válaszol
answerable felelős
answerphone üzenetrögzítő
ant hangya
antagonism ellenszenv, ellentét
antagonise szembeállít, maga ellen fordít
Antarctic ▾ *mn* déli-sarki; ~ **Circle** déli sarkkör ▾ *fn* **the** ~ Antarktisz, Déli-sark(vidék)
antecedent előzmény, előd
antelope antilop
anthem; national ~ (nemzeti) himnusz
anthropology antropológia
anti-aircraft *kat* légvédelmi; ~ **defence** légvédelem; ~ **missile** légvédelmi rakéta
antibiotic antibiotikum
anticipate megsejt, előre lát
anticipation várakozás, sejtés
anticlockwise az óramutató járásával ellentétes irányba(n)
anticyclone anticiklon
antidote ellenszer
antifreeze *gépk* fagyálló
antihistamine *orv* antihisztamin
antiperspirant izzadásgátló/-csökkentő (szer)
antiquated elavult, divatjamúlt
antique ▾ *mn* régi, antik ▾ *fn* régiség
antiquity ókor; régiségek; ókori emlékek
anti-Semitism antiszemitizmus
antiseptic ▾ *mn* fertőtle-

nített, steril ▾ *fn* fertőtlenítő(szer)

antisocial társadalomellenes, közösségellenes

antler agancs

anus végbélnyílás

anvil üllő

anxiety aggódás, szorongás, aggodalom

anxious (*about sg*) nyugtalan, gondterhelt (vmi miatt); **be°/get° ~** aggódik, idegeskedik; **be° ~ to do** (*sg*) türelmetlenül vár (vmit)

any (egyáltalán) valami/valamennyi *[kérdésben];* (egyáltalán) semmi/semennyi *[tagadásban];* bármely(ik), bármennyi *[állításban]*

anybody valaki *[kérdésben];* senki *[tagadásban];* bárki *[állításban]*

anyhow ▾ *hsz* bárhogyan ▾ *ksz* akárhogyan is, na mindegy, szóval

anyone valaki *[kérdésben];* senki *[tagadásban];* bárki *[állításban]*

anything valami *[kérdésben];* semmi *[tagadásban];* bármi *[állításban]*

anyway ▾ *hsz* amúgy is; akárhogyan is ▾ *ksz* nos, szóval, végül is

anywhere valahol *[kérdésben];* sehol *[tagadásban];* bárhol *[állításban]*

apart szét; (*from sg*) vmitől eltekintve; **fall° ~** szétesik; **they are worlds ~** *átv is* egy világ választja el őket egymástól

apartheid faji megkülönböztetés/elkülönítés *[Dél-Afrikában]*

apartment lakás; **~ house/building** *US* bérház

apathetic közömbös, apatikus

ape *[farkatlan]* majom
aperitif aperitif
apex csúcs; *mat* csúcspont
APEX *röv; [advance purchase excursion]* ~ **ticket** APEX-jegy
apiece; they sell for £5 ~ darabja 5 font
apologetic bocsánatkérő
apologise (*for sg*) bocsánatot/elnézést kér (vmiért)
apology bocsánatkérés
apostrophe aposztróf *[felső vessző]*
appal elborzaszt; **be° ~led** (*by sg*) elborzad vmitől
appalling szörnyű, rettentő, borzalmas
apparatus készülék, berendezés; apparátus, gépezet *[politikában]*
apparent látszólagos; (szemmel) látható
apparently látszólag, szemmel láthatóan, úgy tűnik …
appeal ▾ *fn* fellebbezés; vonzerő ▾ *ige* (*against sg*) fellebbez (vmi ellen); (*to sy for sg*) folyamodik (vkihez vmiért); (*to sy*) vonz (vkit)
appealing vonzó
appear megjelenik, feltűnik; nyomtatásban megjelenik; tűnik
appearance megjelenés
appendices → appendix
appendicitis vakbélgyulladás
appendix (*tsz* appendices v. ~es) függelék *[könyvben];* vakbél
appetite étvágy
appetizer előétel
applaud tapsol, megtapsol
applause taps
apple alma; **Adam's ~** ádámcsutka
appliance berendezés, (háztartási) gép
applicant pályázó, jelentkező
application alkalmazás(a

vminek); *inform* program, alkalmazás; kérvény; pályázat, jelentkezés; ~ **form** jelentkezési lap

apply (*to sg/sy*) vonatkozik (vmire/vkire); (*for sg*) pályázik (vmire); alkalmaz *[módszert]*

appoint (*sy to sg*) kijelöl *[vkit feladatra],* kinevez, megbíz

appointment kinevezés; időpont *[találkozóhoz];* **make° an ~** időpontot egyeztet

appraisal értékelés

appreciate (*sg*) (nagyra) értékel (vmit), hálás (vmiért)

appreciation nagyrabecsülés, elismerés, hála

apprehend őrizetbe vesz

apprentice inas, tanonc

apprenticeship tanulóidő

approach ▾ *fn* közeledés; *átv is* megközelítés ▾ *ige* közeledik; *átv is* megközelít

approachable megközelíthető *[fizikailag];* nyitott, (könnyen) megközelíthető *[személy]*

appropriate megfelelő, alkalmas, helyénvaló

approval beleegyezés, jóváhagyás

approve (*sg*) egyetért (vmivel); jóváhagy (vmit), beleegyezik (vmibe)

approximate ▾ *mn* megközelítő, hozzávetőleges ▾ *ige* megközelít

approximately körülbelül

approximation közelítés, becslés

apricot sárgabarack

April április

apron kötény

apt megfelelő, találó; tehetséges

aquarium *[főleg: nagy állatkerti]* akvárium

Arab ▾ *mn* arab ▾ *fn* arab *[ember]*
Arabic ▾ *mn* arab ▾ *fn* arab *[nyelv]*
arable művelésre alkalmas *[föld]*
arbitrary véletlenszerű, önkényes
arcade árkádsor, fedett üzletsor
arch boltív
archaeology régészet
archbishop érsek
architect építész
architecture építészet
archive archívum
Arctic ▾ *mn* északi-sarki; ~ **Circle** északi sarkkör ▾ *fn* **the** ~ Északi-sark(vidék)
ardent lelkes, megszállott
arduous nehéz, fárasztó
are → **be**
area terület
arena *átv is* aréna
argue (érvként) kifejt, érvel; vitatkozik, veszekszik
argument érv; vita, veszekedés
Aries Kos *[csillagkép]*
arise (arose, arisen) felmerül, adódik
arisen → **arise**
aristocrat arisztokrata
aristocratic(al) arisztokratikus
arithmetic számtan
arm[1] *fn* kar *[testrész]*
arm[2] ▾ *fn* **~s** *tsz* fegyver; **~s race** fegyverkezési verseny; **coat of ~s** címer ▾ *ige* felfegyverez
armchair karosszék
armistice fegyverszünet
armour ▾ *fn* fegyverzet ▾ *ige* felfegyverez
armpit hónalj
armrest karfa
army hadsereg
arose → **arise**
around ▾ *hsz* a közelben, itt (valahol) ▾ *elölj* körül; ~ **the clock** éjjel-nappal

arouse kelt, ébreszt (vmit); ~ **interest** érdeklődést kelt

arrange elrendez; (előre) megszervez; *zene* hangszerel

arrangement elrendezés; megegyezés; *zene* hangszerelés; **~s** előkészületek; **make**° **the ~s** *(for sg)* megszervez (vmit)

array sor; **an** ~ (*of sg*) (látványos) sokasága (vminek)

arrears *tsz* hátralék; **in** ~ (fizetési/törlesztési) elmaradásban/késedelemben

arrest ▾ *fn* letartóztatás, elfogás ▾ *ige* letartóztat, elfog

arrival (meg)érkezés

arrive (*at/in sg*) (meg)érkezik (vhova)

arrogant arrogáns, beképzelt

arrow nyíl

art művészet; **~s** bölcsészettudományok; ~ **gallery** képtár; ~ **school** képzőművészeti iskola/akadémia

artery ütőér, artéria

arthritis ízületi gyulladás

artichoke articsóka

article újságcikk; (áru)cikk; *jog* cikk(ely); *nyelv* névelő

articulate ▾ *mn* érthető, szépen/tisztán beszélő ▾ *ige* kifejt, kifejez, elmond; érthetően beszél, artikulál

articulated lorry kamion

artificial mesterséges

artillery tüzérség

artist művész

artistic művészi

as olyan, mint, (a)mint, ahogyan; ~ **big** ~ **a house** akkora, mint egy ház; ~ **you know** mint tudod; amikor, amint (éppen); mivel(hogy); ~ **if/though** mintha

ascend (*sg*) felmászik,

feljut *[magaslatra]*; (fel)emelkedik

ascent felszállás, emelkedés, (fel)mászás

ascertain (*sg*) megbizonyosodik (vmiről), megállapít (vmit)

ash hamu; **~es** hamvak

ashamed; be°/feel° ~ szégyelli magát; **be° ~ to do** (*sg*) szégyell megtenni (vmit)

ashore (a) parton; (a) partra

ashtray hamutartó

Asia Ázsia

Asian *mn, fn* ázsiai

aside félre

ask (meg)kérdez (vkitől vmit); kér (*sy sg/sy for sg* vkitől vmit); megkér; (meg)hív

asleep; be° ~ alszik

asparagus *növ* spárga

aspect nézőpont, aspektus; vonatkozás(ai vminek)

asphalt aszfalt

asphalting aszfaltozás

aspiration ambíció, törekvés, vágy

aspire (*to/after sg*) törekszik (vmire), vágyik (vmire)

aspirin aszpirin

ass szamár

assassin merénylő

assassinate (*sy*) merényletet követ el (vki ellen), meggyilkol (vkit)

assault ▼ *fn* támadás ▼ *ige* megtámad, bántalmaz

assemble összegyűjt; összeszerel; összegyűlik

assembly gyűlés; összeszerelés; **general ~** közgyűlés; **~ line** futószalag

assert (*sg*) állít (vmit)

assertion állítás

assess meghatároz, (ki)értékel, felbecsül

assessment értékelés, becslés

asset erőforrás, tartalék;

tőke; **Jane is an ~ to our company** Jane „kincset ér" a cégünknek

assign (*sy to sg*) beoszt (vkit vhová), kijelöl *[feladatra]*

assignment megbízatás, feladat

assimilate (*to sg*) asszimilál, hasonít (vmihez); asszimilálódik, beilleszkedik, hasonul (vmihez)

assist segít, segédkezik

assistance segítség

assistant segéd; **shop ~** (bolti) eladó

associate ▾ *mn* társult ▾ *fn* társ ▾ *ige* barátkozik, közösködik (vkivel); asszociál, társít, azonosít (vkivel/vmivel)

association szövetség, klub; asszociáció, képzettársítás; **in ~ with** közösen

assorted válogatott

assortment válogatás, gyűjtemény

assume feltételez; magához ragad *[hatalmat, irányítást]*

assumption feltevés, feltételezés; **~ of power** a hatalom megragadása

assurance ígéret; biztosítás; önbizalom

assure (*sg*) (be)biztosít (vmit); (*sy of sg*) biztosít (vkit vmiről)

asterisk csillag *[nyomdai jel]*

asthma asztma

astonish megdöbbent

astonishing döbbenetes, elképesztő

astonishment döbbenet

astound megdöbbent, meglep

astray; go° ~ elkóborol, eltévelyedik

astrology asztrológia

astronaut űrhajós, asztronauta

astronomer csillagász

astronomy csillagászat

asylum menedék(jog);

menhely; **political ~** politikai menedékjog; **lunatic ~** bolondokháza

asymmetric bars *tsz* felemás korlát

at -on, -en, -ön; -ban, -ben, -kor; **~ the station** az állomáson; **~ the supermarket** az ábécében; **~ seven (o'clock)** hétkor

ate → eat

atheist ateista

Athens Athén

athlete sportoló; atléta

athletics *esz* atlétika

Atlantic ▾ *mn* atlanti(-óceáni) ▾ *fn* **the ~ (Ocean)** Atlanti-óceán

atlas atlasz

atmosphere atmoszféra, légkör; *átv* légkör, hangulat

atom atom

atrocious gyalázatos, kegyetlen

atrocity atrocitás, (háborús) kegyetlenkedés

attach (*sg to sg*) (hozzá)csatol, hozzákapcsol (vmit vmihez); tulajdonít *[jelentőséget, értéket vminek]*

attaché attasé; **~ case** diplomatatáska

attachment kötődés, vonzalom; *inform* csatolt fájl *[e-mailhez]*

attack ▾ *fn* támadás; megbetegedés ▾ *ige* megtámad

attacker támadó, merénylő

attain elér *[célt, eredményt]*

attempt ▾ *fn* próbálkozás, kísérlet ▾ *ige* megkísérel, kísérletet tesz

attend (*sg*) jelen van (vhol); jár (vhova); (*sy*) gondoskodik (vkiről)

attendance (rendszeres) jelenlét; látogatottság

attendant kísérő, kiszolgáló; **flight ~** légiutaskísérő

attention figyelem; **pay° ~** (*to sg*) figyel(met fordít) (vmire)
attentive (oda)figyelő, figyelmes
attic padlás; padlásszoba
attitude hozzáállás, attitűd
attorney *US* ügyvéd
attract vonz; **be° ~ed** (*to sy*) vonzódik (vkihez)
attraction *fiz* vonzás; vonzerő; vonzódás (vmihez); attrakció
attribute ▾ *fn* sajátosság, tulajdonság ▾ *ige* (*to sg*) tulajdonít (vmit vminek)
aubergine padlizsán
auburn vörösesbarna, gesztenyebarna
auction ▾ *fn* árverés, aukció ▾ *ige* (el)árverez
audible hallható
audience hallgatóság, közönség
audit ▾ *fn* pénzügyi ellenőrzés, revízió ▾ *ige* (pénzügyileg) ellenőriz, auditál
audition ▾ *fn* meghallgatás, próbajáték *[színészé, énekesé]* ▾ *ige* meghallgat *[próbajátékon]*
augment növel
August augusztus
aunt nagynéni
au pair au pair, háztartási alkalmazott *[külföldön, nyelvtanulás céljából]*
Australia Ausztrália
Australian *mn, fn* ausztrál, ausztráliai
Austria Ausztria
Austrian *mn, fn* osztrák, ausztriai
authentic eredeti, hamisítatlan, hiteles
author szerző, alkotó
authoritarian tekintélyelvű, diktatórikus
authority hatalom; felhatalmazás, jog; hatóság; **(s)he is an ~ on Shakespeare** nagy tekintélyű Shakespeare-szakértő

authorisation felhatalmazás, engedély
authorise (*sg*) engedélyez (vmit); (*sy to sg*) felhatalmaz (vkit vmire)
autobiography önéletrajz(i regény)
autograph (saját kezű) aláírás
automatic önműködő
autonomous autonóm, önálló
autonomy autonómia, önállóság
autopsy boncolás
autumn ősz; őszi
auxiliary ▾ *mn* kisegítő, kiegészítő ▾ *fn* segédige
availability elérhetőség, beszerezhetőség
available elérhető, beszerezhető, kapható
avalanche lavina
avant-garde avantgárd
avenge megbosszul (vmit), bosszút áll (vmiért)
avenue (fákkal szegélyezett) sugárút
average ▾ *mn* átlagos ▾ *fn* átlag
averse; be° ~ (*to sg*) ellenez (vmit)
aversion ellenszenv, utálat
avert elkerül, elhárít *[ütést, veszélyt]*; **~ one's thoughts** eltereli gondolatait
aviary madárház
avocado avokádó
avoid *átv is* elkerül (vmit)
await vár
awake ▾ *mn* **be° ~** ébren van ▾ *ige* (awoke, awoken) felébreszt, felkelt
awakening ébredés
award ▾ *fn* díj ▾ *ige* adományoz, odaítél *[díjat]*
aware; be° ~ (*of sg*) tudatában van (vminek)
awareness vmi jelenléte vki gondolkodásában; **raise sy's ~** tudatosít (vkiben vmit)

away el; messze; **go ~!** menj el (innen)!; **far ~** messze, a távolban

awe csodálat, tisztelet

awe-inspiring csodálatra méltó, tiszteletet parancsoló

awful borzalmas, szörnyű

awfully rettenetesen, szörnyen

awhile egy rövid ideig

awkward különös, furcsa *[helyzet, személy]*; esetlen *[mozgás, járás]*

awl ár *[szerszám]*

awning napellenző *[ablak fölött]*

awoke → awake

awoken → awake

ax(e) fejsze, csákány, balta

axes → axis

axis (*tsz* axes) tengely

azure azúrkék

B

babble ▾ *fn* gagyogás, motyogás, fecsegés ▾ *ige* gagyog, motyog, fecseg
baby csecsemő; kedvesem, drágám *[nőről]*; ~ **boom** népességrobbanás
baby-grow rugdalózó
bachelor agglegény; **B~'s degree** «kb. főiskolai szintű diploma»
back ▾ *mn* hátsó ▾ *fn* háta vkinek/vminek; *sp* hátvéd ▾ *hsz* hátra(felé), vissza ▾ *ige* támogat; hátrál
backbone gerinc; **the ~ of sg** oszlopos tagja *[pl. csapatnak]*
backdate visszadátumoz
backfire *átv* visszafelé sül el, balul üt ki
background *átv is* háttér; **~ knowledge** háttérismeret
backhand *sp* fonák *[ütés]*
backing támogatás, megerősítés
backpack *US* hátizsák
backpacker hátizsákos turista/világjáró
backside *biz* hátsófél, alfél, ülep
backstage a színfalak mögött
backstroke hátúszás
backup tartalék; *inform* biztonsági fájlmásolat
backward hátrafelé/visszafelé (irányuló)
backwards hátrafelé, visszafelé
backyard *US* (hátsó) kert
bacon (angol)szalonna, baconszalonna
bad (*kfok* worse, *ffok*

worst) rossz; *átv* súlyos; **~ cough** erős köhögés
badge kitűző, jelvény
badger borz
badly (*kfok* worse, *ffok* worst) rosszul; *biz* nagyon
badminton tollaslabda
bad-tempered rosszkedvű, ünneprontó, nehezen elviselhető *[ember]*
baffle összezavar, *biz* megkavar; **be° ~d** *(by sg)* értetlenül áll (vmi előtt)
bag zsák, táska, zacskó; **plastic ~** nejlonzacskó
baggage csomag(ok) *[utazásnál]*; **~ allowance** pótdíjmentesen szállítható csomagmennyiség *[repülőgépen]*; **~ reclaim** csomagkiadás *[repülőtéren]*
bagpipes *tsz* skót duda
bail óvadék; **be° released on ~** óvadék ellenében szabadlábra helyezik
bailiff *jog* végrehajtó
bait *átv is* csalétek, csali
bake (meg)süt; sül
baker pék
bakery pékség
baking; ~ powder sütőpor; **~ tin** tepsi; **~ pan** *US* tepsi
balance ▾ *fn* egyensúly; *[két serpenyős]* mérleg; **~ sheet** (pénzügyi) mérleg ▾ *ige* kiegyensúlyoz; egyensúlyoz
balanced kiegyensúlyozott
balcony erkély
bald kopasz
bale bála
ball[1] golyó, labda
ball[2] bál; **I'm having a ~** istenien érzem magam
ballet balett
balloon léggömb
ballot titkos szavazás
ballpoint (pen) golyóstoll
ballroom bálterem
Baltic balti; **the ~ Sea** a Balti-tenger
ban ▾ *fn* (*on sg*) tilalom

(vmi ellen) ▾ *ige* betilt (vmit); (*from swhere*) kitilt (vkit vhonnan)

banal banális, lapos, fantáziátlan

banana banán

band[1] szalag; csík, vonal; *távk* hullámsáv

band[2] banda, csapat; zenekar, együttes

bandage ▾ *fn* kötés, pólya ▾ *ige* bekötöz

bandit bandita, útonálló

bang ▾ *fn* bumm; csapódás, robbanás; **the big ~** ősrobbanás ▾ *ige* beüt, odaüt

banish (*sy from swhere*) kitilt (vkit vhonnan), kiutasít [*országból*]

banister korlát

bank[1] part [*folyóé, árokéé*]; töltés

bank[2] bank; **~ account** bankszámla; **~ card** bankkártya; **~ statement** számlakivonat

banker bankár

banking bankszakma

banknote bankjegy, papírpénz

bankrupt csődbe ment, fizetésképtelen; **go°/become° ~** tönkremegy, csődbe jut

bankruptcy csőd

banner (vászon)transzparens

baptism keresztelés

baptise megkeresztel

bar ▾ *fn* vasrúd, korlát, rács; bár, büfé; *zene* ütem; **behind ~s** rács mögött; **~ code** vonalkód ▾ *ige* (*sy from doing sg*) akadályoz (vmiben), eltilt (vmitől)

barbaric barbár

barbecue ▾ *fn* faszénen, roston sütött/grillezett hús; hússütés [*szabadban*] ▾ *ige* roston süt

barber borbély, (férfi)fodrász

bare csupasz, meztelen, puszta, kopár; *nyelv* ~

infinitive „to" nélküli főnévi igenév
barefoot mezítláb
barely alig(hogy)
bargain ▾ *fn* alku, üzletkötés; előnyös vétel; ~ **price** engedményes ár ▾ *ige* alkuszik
barge ▾ *fn* uszály ▾ *ige* tolakszik; ~ **in** közbeszól
bark[1] *fn* fakéreg
bark[2] ▾ *fn* ugatás ▾ *ige* ugat
barley árpa
barmaid csaposnő
barman (*tsz* -men) csapos *[férfi]*
barn csűr; *US* istálló
barometer barométer
baron báró
baroness bárónő
barracks *tsz* laktanya
barrel hordó
barricade ▾ *fn* úttorlasz, barikád ▾ *ige* eltorlaszol
barrier korlát
barrister ügyvéd
barrow talicska
bartender *US* csapos
barter ▾ *fn* (áru)csere, cserekereskedelem ▾ *ige* elcserél, barterügyletet folytat
base ▾ *fn* alap, bázis *[katonai is]* ▾ *ige átv* (*sg on sg*) alapoz (vmit vmire); **be° ~d** (*on sg*) alapszik (vmin)
baseball *US sp* baseball; baseball labda
basement pince(szint), alagsor
bases → **basis**
bash ▾ *fn* (kemény) ütés ▾ *ige biz* bever, beüt, bevág
bashful szemérmes
basic ▾ *mn* alapvető, elemi ▾ *fn* **the ~s** (*of sg*) az alapok, vminek az alapjai
basically alapjában véve, tulajdonképpen
basil bazsalikom

basin tál, medence; *földr* vízgyűjtő terület, medence
basis (*tsz* bases) *átv* alap
bask sütkérezik, napozik
basket kosár
basketball kosárlabda
Basque *mn, fn* baszk
bass basszus *[hang/szólam/hangszer]*
bassoon fagott
bat[1] ▾ *fn* ütő *[krikett, baseball]* ▾ *ige sp* üt *[labdát]*
bat[2] *fn* denevér
batch köteg, kupac
bath fürdőkád; fürdés; **give° the baby a ~** megfürdeti a gyereket
bathe fürdet; fürdik
bathing; ~ cap fürdősapka; **~ suit** *US* fürdőruha
bathrobe fürdőköpeny
bathroom fürdőszoba; *US* WC
bathtub fürdőkád
batter ▾ *fn* palacsintatészta ▾ *ige* ütlegel, ver
battered ütött-kopott
battery elem, akkumulátor; csoport, sorozat, készlet
battle ▾ *fn* csata ▾ *ige* harcol
battleship csatahajó
bay öböl; kocsiállás *[buszpályaudvaron]*
bay leaf (*tsz* leaves) babérlevél
bay leaves → bay leaf
bayonet szurony
be (*jelen* am, are, is, *múlt* was, were, *mn. ign.* been) van, létezik; *[segédige összetett igealakok képzésében]* **Sally is swimming** Sally (éppen) úszik
beach tengerpart, tópart, strand
beacon jelzőfény *[magaslaton, világítótornyon]*
bead gyöngy(szem)
beak csőr
beam[1] *fn* gerenda

beam² ▾ *fn* fénysugár ▾ *ige* sugárzik
bean bab
bear¹ *fn* medve
bear² *ige* (bore, borne) hordoz, visel; elvisel; **I can't ~ it** nem tudom elviselni; **be° born** (meg)születik
bearable (még éppenhogy) elviselhető
beard szakáll
bearded szakállas
bearings *tsz;* **lose one's ~** eltájolódik, nem tudja, hol van
beast (vad)állat, fenevad
beastly állati(as); undok, gonosz
beat ▾ *fn* ütés; *zene* ritmus ▾ *ige* (beat, beaten) megüt, megver; legyőz *[sportban]*
beaten → beat
beautician kozmetikus
beautiful gyönyörű, szép; *átv* kitűnő; **this soup is ~** kitűnő a leves
beauty szépség
beaver hód
became → become
because ▾ *elölj* **~ of** miatt ▾ *ksz* mert
beckon magához int
become (became, become) válik vmivé; **Peter finally became a pilot** Péter(ből) végül pilóta lett
bed ágy; **~ linen** ágynemű
bedclothes *tsz* ágynemű
bedridden ágyhoz kötött *[beteg]*
bedroom hálószoba
bedside table éjjeliszekrény
bedspread ágytakaró
bedtime a lefekvés ideje; **~ story** esti mese
bee *áll* méh
beech bükk
beef marhahús
beehive méhkas, kaptár
been → be
beer sör; **~ mug** söröskorsó

beetle bogár
beetroot cékla
before ▾ *hsz* azelőtt, régen ▾ *elölj* vmi előtt
beforehand (még) azelőtt, (még azt) megelőzőleg
beg koldul, könyörög
began → **begin**
beggar koldus
begin (began, begun) (el)kezd; (el)kezdődik
beginner kezdő
beginning kezdet
begun → **begin**
behalf; on ~ of sy vki nevében/képviseletében
behave viselkedik
behaviour viselkedés
behead lefejez
behind ▾ *hsz* hátul, lemaradva ▾ *elölj* vmi mögött
beige bézs *[szín]*
Beijing Peking
being lét; lény; **human ~** ember(i lény)
Beirut, Beyrouth Bejrút
Belgian *mn, fn* belga
Belgium Belgium
belief hit
believe (el)hisz
believer *vall* hívő; **a great ~** (*in sg*) nagy/lelkes híve (vminek)
belittle bagatellizál, lekicsinyel; **~ oneself** kicsinyíti saját jelentőségét, szerénykedik
bell harang; ajtócsengő
bellow bömböl, bőg, elbődül
belly has, pocak; **~ button** köldök
belong (*to*) tartozik (vkihez), valakié; **this book ~s to the library** ez könyvtári könyv
belongings *tsz* (személyes) holmi
beloved (hőn) szeretett
below ▾ *hsz* odalent ▾ *elölj* vmi alatt; vmi alá
belt öv, szíj
bench pad
bend ▾ *fn* hajlás, hajlítás; kanyar *[úton]* ▾ *ige*

(bent, bent) meghajlik; hajol (vki/vmi vmerre)

beneath vmi alatt

benefactor adományozó

beneficial jótékony (hatású)

benefit ▾ *fn* (vmiből származó) előny; (szociális) juttatás, segély ▾ *ige* (*from sg*) profitál (vmiből), hasznára válik (vmi)

benevolent jóindulatú, kedves; jótékony(sági)

benign jóságos; *orv* jóindulatú *[daganat]*

bent → **bend**

berry bogyó

berserk (őrülten) dühödt; **go°** ~ megbolondul, megvadul

berth fekhely *[vonaton, hajón]*; *hajó* kikötőhely

beside vki/vmi mellett; vki/vmi mellé

besides ▾ *hsz* ezenkívül, ezenfelül ▾ *elölj* vmi mellett, vmin kívül

best; → **good;** → **well;** ~ **man** tanú *[vőlegényé]*

bestseller sikerkönyv, bestseller

bet ▾ *fn* fogadás (vmiben); tét ▾ *ige* (bet/betted, bet/betted) (*sy sg; on/against sg*) fogad (vkivel vmiben; vmire, vmi ellen)

betray elárul *[hűtlenül]*; árulkodik vmiről *[látható jele van]*

better[1] ▾ *mn* → **good** ▾ *hsz* → **well**

better[2] *fn* fogadó *[személy]*

betting fogadás (vmiben); ~ **shop** fogadóiroda

between *[két dolog]* között

beware (*of sg*) óvakodik (vmitől)

bewilder összezavar (vkit)

beyond túl vmin

bias ▾ *fn* elfogultság ▾ *ige* elfogulttá tesz

bib partedli

Bible Biblia
biblical bibliai
bibliography irodalomjegyzék
bicycle ▾ *fn* kerékpár, bicikli ▾ *ige* biciklizik, kerékpározik
bicyclist kerékpáros
bid ▾ *fn* árajánlat; *ját* bemondás, licit ▾ *ige* (bid, bid) árajánlatot tesz; *ját* bemond, licitál
bidder ajánlattevő; *ját* licitáló
bidding árajánlattétel *[árverésen]*
biennial ▾ *mn* kétévenkénti; *növ* kétnyári ▾ *fn* kétnyári növény
bifocals *tsz* bifokális szemüveg
big nagy; **B~ Dipper** *US* Nagymedve, Göncölszekér
bike ▾ *fn biz* bicikli ▾ *ige biz* biciklizik
bikini bikini
bilateral kétoldalú
bile epe
bilingual kétnyelvű
bill ▾ *fn* számla; falragasz; *US* bankjegy; *pol* törvényjavaslat ▾ *ige* számláz; kiplakátol
billboard *US* hirdetőtábla
billiards *esz ját* biliárd
billion milliárd
billow ▾ *fn* ~ **of smoke** gomolygó füst ▾ *ige* dagad (a szélben) *[vitorla]; gomolyog [füst]*
bin ▾ *fn* papírkosár, hulladékgyűjtő, szemétláda ▾ *ige biz* kidob *[a szemétbe]*
bind (bound, bound) összeköt(öz); beköt *[könyvet]; átv* megköti a kezét; (*sy to do sg*) kötelez (vkit vmire)
binder könyvkötő
binding ▾ *mn* kötelező ▾ *fn* kötés, könyvkötés
bingo ▾ *fn ját* bingó ▾ *isz* nagyszerű!

binoculars *tsz* látcső, kukker
biochemistry biokémia
biography életrajz
biological biológiai
biology biológia
birch nyírfa
bird madár; **~'s eye view** madártávlat
biro golyóstoll
birth születés; **~ certificate** születési anyakönyvi kivonat; **~ control** védekezés *[teherbe esés ellen]*
birthday születésnap
birthmark anyajegy
birthplace születési hely
biscuit keksz
bishop püspök; *ját* futó *[sakkban]*
bit[1] *fn* darab(ja)/rész(e vminek)
bit[2] *fn inform* bit
bit[3] *ige* → **bite**
bitch szuka, nőstény
bite ▾ *fn* harapás ▾ *ige* (bit, bitten) megharap, harap
biting csípős *[hideg, fagy]*; *átv* csípős *[megjegyzés]*
bitten → **bite**
bitter keserű
bitterness *átv* keserűség
bizarre bizarr
black fekete
blackberry földi szeder
blackbird feketerigó
blackboard tábla *[tanteremben]*
blacken befeketít, beárnyékol
blackleg sztrájktörő
blacklist ▾ *fn* feketelista ▾ *ige* feketelistára tesz
blackmail ▾ *fn* zsarolás ▾ *ige* zsarol
blackout eszméletvesztés; elsötétítés *[háborúban]*; áramszünet
blacksmith kovács
bladder húgyhólyag
blade él, penge *[késé, kardé]*; lapát *[evezőé, propelleré]*; **a ~ of grass** fűszál

blame ▾ *fn* felelősség *[elkövetett hibáért]*; **put**° **the ~** (*on sy*) (vkire) hárítja a felelősséget ▾ *ige* (*sy for sg*) hibáztat, felelőssé tesz (vkit vmiért)

bland íztelen *[étel]*; *átv* sótlan

blank ▾ *mn* üres; **~ cheque** biankó csekk ▾ *fn* kitöltendő rovat *[nyomtatványon, teszten]*

blanket ▾ *fn* pléd, takaró ▾ *ige* befed, letakar *[teljesen]*

blare harsog, bömböl

blasphemy istenkáromlás

blast ▾ *fn* robbanás; széllökés ▾ *ige* szétbombáz; **~ off** robbanással indul, kilövik *[rakétát]*

blast-off kilövés *[rakétáé]*

blaze ▾ *fn* tűz ▾ *ige* ég, lángol

blazer blézer

bleach ▾ *fn* fehérítő *[textíliát]* ▾ *ige* (ki)fehérít; kifehéredik

bleat mekeg, béget

bled → **bleed**

bleed (bled, bled) vérzik

blemish *átv is* szépséghiba

blend ▾ *fn* keverék *[tea, whisky]* ▾ *ige* (össze)kever, vegyít; keveredik, vegyül

blender turmixgép

bless (blessed/blest, blessed/blest) (meg)áld

blessing áldás

blest → **bless**

blew → **blow**

blind ▾ *mn* vak; **~ date** „összehozott" randevú *[ismeretlenek között]* ▾ *fn* **the ~** a vakok ▾ *ige* megvakít; elvakít *[pl. düh]*

blindfold beköti vki szemét

blink pislog

bliss tökéletes (mennyei) boldogság

blister bőrhólyag

blizzard hóvihar

block ▾ *fn* tömb *[anyag]*; tömb *[pl. gyűjtőjegy]*; háztömb; ~ **letter** nyomtatott nagybetű ▾ *ige* akadályoz, eltorlaszol *[forgalmat]*; eltömít *[csövet]*

blockade ▾ *fn* blokád ▾ *ige* blokád alá vesz *[várost]*; eltorlaszol *[utakat]*

blonde *mn, fn* szőke

blood vér; ~ **donor** véradó; ~ **group** vércsoport; ~ **pressure** vérnyomás

bloodhound véreb

bloodless vértelen

bloodshed vérontás

bloodthirsty vérszomjas

bloody véres

bloom ▾ *fn* virág; virágzás ▾ *ige* (ki)virágzik

blossom ▾ *fn* virág; virágzás ▾ *ige* virágzik, virágot hoz

blouse blúz

blow ▾ *fn* széllökés; ütés ▾ *ige* (blew, blown) fúj *[szél]*; megfúj *[sípot]*, felfúj *[léggömböt]*; elfúj *[gyertyát]*; leng a szélben

blown → **blow**

blue kék; pornográf; **feel°** ~ szomorú

blueprint tervrajz

bluff ▾ *fn* blöff ▾ *ige* blöfföl

blunder melléfogás, baklövés

blunt tompa, életlen *[kés]*; *átv* nyers, őszinte

blur ▾ *fn* homály ▾ *ige* elhomályosít

blush elpirul

boar kandisznó; vadkan

board ▾ *fn* deszka, tábla; koszt *[étkezési ellátás]*; testület, bizottság, tanács; **on** ~ a fedélzeten ▾ *ige* hajóra/repülőgépre száll

boarding; ~ card beszállókártya *[repülőtéren]*; **~ school** bentlakásos iskola
boast dicsekszik
boat csónak, hajó
boating csónakázás
bode előre jelez, tartogat *[a jövőre nézve]*
bodily testi
body test; testület
body-building testépítés
bodyguard testőr
bodywork karosszéria
bogus ál, hamis(ítvány)
boil forral; főz *[tojást]*; (fel)forr
boiling forrásban lévő; **~ hot** tűzforró; **~ point** forráspont
bold bátor, vakmerő; szemtelen; félkövér *[betű]*
bolt zárnyelv; villámcsapás
bomb ▾ *fn* bomba ▾ *ige* (le)bombáz
bombard *kat* bombáz; *átv* bombáz (vkit) *[pl. kérdésekkel]*
bombardment bombázás
bomber bombázó *[repülőgép]*
bombshell gránát; *biz* **the news came as a ~** bombaként robbant a hír
bond ▾ *fn* (érzelmi) kapcsolat, kötelék; *gazd* kötvény ▾ *ige* (meg)köt *[anyag]*; összeragaszt
bondage rabszolgaság
bone csont
bonfire tábortűz, örömtűz
bonnet füles sapka; *gépk* motorháztető
bonus jutalom *[pénz]*
bony csontos
book ▾ *fn* könyv ▾ *ige* lefoglal *[helyet]*; felír, bejegyez; *gazd* könyvel
bookcase könyvszekrény
booking helyfoglalás; **~ office** jegypénztár

bookkeeper könyvelő
booklet füzet, könyvecske
bookseller könyvkereskedő
bookshelf (*tsz* -shelves) könyvespolc
bookshelves → **bookshelf**
boom¹ ▾ *fn* dörgés [*pl. ágyúé*] ▾ *ige* dörög
boom² ▾ *fn gazd* felívelő periódus, konjunktúra ▾ *ige* fellendül, virágzik
boost ▾ *fn* **give° a ~** (*to sg*) lökést ad (vminek) ▾ *ige* növel, erősít, buzdít [*harci kedvet*]
booster rocket gyorsítórakéta [*űrhajó kilövésénél*]
boot ▾ *fn* bakancs, csizma; *gépk* csomagtartó; *inform* rendszerindítás ▾ *ige inform* betölt [*rendszerprogramot*]
booth fülke; **phone ~** telefonfülke [*ajtó nélküli, burokszerű*]
border ▾ *fn* (ország)határ; szegély, keret ▾ *ige* szegélyez, keretez
borderline határvonal; **~ case** határeset
bore¹ ▾ *fn* szörnyen unalmas ember ▾ *ige* untat
bore² *ige* → **bear²**
boredom unalom
boring unalmas
born; be° ~ (meg)születik
borne → **bear²**
borough város; kerület
borrow kölcsönvesz
bosom kebel
boss ▾ *fn biz* főnök ▾ *ige biz* játssza a főnököt, diktálja a tempót
botany botanika
botch ▾ *fn* hiba, baklövés ▾ *ige* elszúr, eltol
both mindkét
bother ▾ *fn* nyűg, gond ▾ *ige* (meg)zavar, zaklat; zavartatja magát, izgatja magát/érdekli vmi annyira, hogy vmit meg-

tegyen; **she didn't even ~ to phone me** még arra sem vette a fáradságot, hogy felhívjon

bottle ▾ *fn* üveg(palack) ▾ *ige* palackoz

bottleneck útszűkület

bottom alj(a vminek), fenék

bottomless feneketlen

bough faág

bought → **buy**

bounce pattogtat *[labdát];* pattog *[labda];* ugrál, ugrándozik

bouncer kidobóember

bound[1] *mn* biztos; **it is ~ to happen** biztosan meg fog történni, meg kell történnie

bound[2] ▾ *fn* **~s** határ(ai vminek) ▾ *ige* határol *[vidéket, országot]*

bound[3] *ige* → **bind**

boundary határ(vonal)

bounty vérdíj; nagylelkűség, jó szándék, adakozási kedv

bouquet virágcsokor; illat *[boré]*

bourgeois polgár(i)

bow[1] *fn* masni *[cipőfűzőből]; sp* íj; *zene* vonó *[hangszeré];* **~ tie** csokornyakkendő

bow[2] ▾ *fn* meghajlás ▾ *ige* meghajol

bow[3] *fn* orr-rész *[hajón]*

bowels belek

bowl tál

bowling *sp* golyós teke, bowling; **~ alley** tekepálya

box[1] ▾ *fn* doboz; jelölőnégyzet, kocka *[nyomtatványon]; szính* páholy, fülke; **~ office** jegypénztár ▾ *ige* dobozol

box[2] *ige sp* bokszol

boxer *fn* bokszoló

boxing *sp* boksz

Boxing Day «karácsony másnapja»

boy ▾ *fn* fiú ▾ *isz biz* **~!** öregem!

boycott ▾ *fn* bojkott ▾ *ige* bojkottál
boyfriend fiú(ja vkinek)
boyish (kis)fiús
bra *biz* melltartó
brace ▾ *fn* fogszabályozó ▾ *ige* ~ **oneself** kapaszkodik, megfeszíti minden izmát *[rázós élmény előtt]*
bracelet karkötő
bracket ▾ *fn* zárójel ▾ *ige* zárójelbe tesz
brag kérkedik, henceg
braid *US* copf
brain agy
brake ▾ *fn* fék ▾ *ige* fékez
bramble szeder
bran korpa *[gabonáé]*
branch ág *[fáé, tudományé]; gazd* fióküzlet
brand *gazd* márka(név)
brand-new vadonatúj
brandy konyak
brass sárgaréz; rézfúvós; ~ **band** rézfúvós zenekar
brassière melltartó
bravado hősködés
brave ▾ *mn* bátor ▾ *ige* (*sg*) kihív maga ellen, dacol (vmivel)
bravery bátorság
brawl verekedés
Brazil Brazília
Brazilian *mn, fn* brazil
breach megszegés *[törvényé, ígéreté]*
bread ▾ kenyér; ~ **and butter** vajaskenyér ▾ *ige* paníroz
breadcrumbs *tsz* (kenyér)morzsa
breadline létminimum
breadth szélesség
breadwinner kenyérkereső
break ▾ *fn* törés; szünet *[órák között]* ▾ *ige* (broke, broken) (össze)tör; feltör *[kódot]*; megszakít; megszeg, megsért *[törvényt, megállapodást]*; (össze)törik; mutál *[hang]*

breakdown összeomlás, megfeneklés *[folyamatét]*, kudarc *[tárgyalásoké]*; bontás *[kisebb kategóriákra]*
breakfast reggeli
breakthrough *átv is* áttörés
breakwater hullámtörő gát
breast mell, *[női]* kebel; **chicken ~** csirkemell
breast-fed → **breast-feed**
breast-feed (breast-fed, breast-fed) szoptat
breaststroke mellúszás
breath lélegzet; **short of ~/out of ~** kifullad, nem kap levegőt
breathe lélegzik
breathless kifulladt
breathtaking lélegzetelállító
bred → **breed**
breed ▾ *fn* fajta ▾ *ige* (bred, bred) tenyészt *[állatot]*; termeszt, nevel, nemesít *[növényt]*; szaporodik
breeze szellő
breezy szellős
brevity rövidség
brew ▾ *fn* főzet *[sör, tea]* ▾ *ige* főz *[teát, sört]*; (ki)ázik *[teafű]*
brewery sörfőzde
bribe ▾ *fn* (meg)vesztegetés; kenőpénz ▾ *ige* megvesztegет
brick tégla
bricklayer kőműves
bride menyasszony *[esküvőn]*
bridegroom vőlegény *[esküvőn]*
bridesmaid koszorúslány
bridge[1] ▾ *fn* híd ▾ *ige átv is* áthidal
bridge[2] *fn ját* bridzs
bridle kantár *[lovon]*
brief ▾ *mn* rövid ▾ *fn* rövidnadrág ▾ *ige* megbíz *[ügyvédet]*; (röviden) eligazít
briefcase aktatáska
brigade brigád; **fire ~** tűzoltók

bright világos, fényes; okos
brighten (ki)fényesít, felvidul; ~ **up** kiderül *[idő]*
brilliance csillogás; kiválóság, mesteri képesség (vmire)
brilliant fényes; *átv* káprázatos, mesteri
brim szél, perem *[edényé, kalapé]*
bring (brought, brought) hoz
brink a széle vminek; *átv* **on the ~ of war** a háború küszöbén
brisk fürge, friss
bristle ▾ *fn* sörte *[keféé]* ▾ *ige* felborzol *[szőrt a hátán]*; feláll *[szőr a hátán]*
Britain; (Great) ~ Nagy-Britannia
British ▾ *mn* brit ▾ *fn esz/tsz* brit *[ember]*
brittle törékeny
broad széles
broadcast ▾ *fn* adás ▾ *ige* (broadcast, broadcast) közvetít, sugároz, ad
broadcasting közvetítés, műsorszórás
broaden szélesít; kiszélesedik
broadly nagyjából
brocade brokát
broccoli brokkoli
brochure prospektus
broil *US* roston süt
broke → **break**
broken törött; → **break**
broken-hearted (mélyen) lesújtott, elkeseredett
broker ▾ *fn* ügynök, bróker ▾ *ige* összehoz *[üzletet, megegyezést]*
bronchitis hörghurut
bronze bronz
brooch bross(tű)
brood[1] *fn* fészekalja
brood[2] *ige* (*on/over sg*) szomorkodik, rágódik (vmin)

brook patak
broom ▾ *fn* seprű ▾ *ige* seper
broth csontleves
brother fiútestvér
brother-in-law (*tsz* brothers-in-law) sógor
brotherly testvéri
brought → **bring**
brown ▾ *mn* barna ▾ *ige* megbarnít *[pl. húst]*; megbarnul *[pl. hagyma]*
browse nézeget, böngészik *[könyvek között]*; legelészik; *inform* böngészik *[Interneten]*
bruise ▾ *fn* véraláfutás, kék folt ▾ *ige* beüt *[testrészt]*
brunette barna hajú nő
brush ▾ *fn* kefe, ecset ▾ *ige* kefél; (*against sg/sy*) nekidörzsölődik (vminek/vkinek)
Brussels Brüsszel
brussels sprouts *tsz* kelbimbó
brutal brutális
brutality brutalitás, durva erőszak
bubble ▾ *fn* buborék; ~ **bath** habfürdő ▾ *ige* bugyborékol
buck bak *[őz, nyúl]*
bucket vödör
buckle ▾ *fn* csat ▾ *ige* becsatol; *gépk* ~ **up** becsatolja magát
bud ▾ *fn* bimbó ▾ *ige* bimbózik, rügyezik
Buddhism buddhizmus
budding bimbózó
budgerigar törpepapagáj
budget ▾ *fn* költségvetés; (pénzügyi) keret ▾ *ige* betervez, beépít *[költségvetésbe]*
buff ▾ *fn* sárgásbarna (szín); *biz* szenvedélyes kedvelője vminek; **film** ~ filmrajongó; *biz* **in the** ~ egy szál semmiben, meztelen(ül) ▾ *ige* kifényesít, fényesre dörzsöl

buffalo bivaly

buffer ▾ *fn vasút* ütköző; *inform* ideiglenes tároló, puffer *[memória]* ▾ *ige* megvéd *[ütéstől]*

buffet büfé; ~ **(meal)** svédasztal(os étkezés)

buffoon mókamester, bohóc

bug poloska; *US* bogár; *inform* programhiba

build ▾ *fn* testfelépítés ▾ *ige* (built, built) épít

builder építési vállalkozó

building épület

built → **build**

built-in beépített; ~ **wardrobe/cupboard** beépített szekrény

bulb hagyma *[növényé]*; **light** ~ villanykörte

Bulgaria Bulgária

Bulgarian *mn, fn* bolgár

bulge ▾ *fn* dudor ▾ *ige* kidudorodik

bulk nagy mennyiség; **the** ~ **of sg** túlnyomó része/zöme vminek; ~ **buy**° nagy tételben vásárol

bull bika

bulldog buldog *[kutyafajta]*

bulldozer buldózer

bullet töltény, golyó *[lőfegyverben]*; *inform* felsorolásjelző karakter *[bekezdésjel vagy vmilyen pötty]*

bulletin; news ~ (rövid) híradó *[médiában]*; hírlevél *[rendszeres belső kiadvány]*

bulletproof golyóálló

bump ▾ *fn* (*on/against sg*) nekiütközés (vminek); púp *[fejen]*; bukkanó *[úton]* ▾ *ige* (*sg on/against sg*) beüti (vmijét vhova); (*into sy*) belebotlik (vkibe) *[véletlenül]*

bumper *gépk* lökhárító

bumpy göröngyös, rázós *[út]*

bun zsemle; konty

bunch csokor *[virág]*; fürt *[banán, szőlő]*; *biz* társaság, banda; ~ **of keys** kulcscsomó

bundle ▾ *fn* köteg ▾ *ige* bepresel; bepréseli magát *[kis helyre, autóba]*

bungalow nyaraló, bungaló

bungle elront, eltol

bunk hálóhely *[hajón, vonaton]*; ~ **bed** emeletes ágy

bunker bunker

bunny nyuszi

buoy bója

buoyant képes fennmaradni a víz tetején; *biz* repes az örömtől

burden ▾ *fn* teher ▾ *ige* (*sy with sg*) terhel (vkit vmivel)

bureau szekreter; iroda, hivatal

bureaucracy hivatal, (szervezet/állam)igazgatás(i rendszer); *pejor* bürokrácia, aktatologatás

bureaucrat *pejor* bürokrata

burglar betörő; ~ **alarm** lakásriasztó

burglary betöréses lopás

burgle betör vhová, kirabol *[lakást, üzletet]*

burial temetés

burly nagy darab, testes

Burma Burma

Burmese ▾ *mn* burmai ▾ *fn esz/tsz* burmai *[ember, nyelv]*

burn ▾ *fn* égés(i sérülés) ▾ *ige* (burnt/burned, burnt/burned) (el)éget; (el)ég

burnable gyúlékony

burner gázrózsa, égőfej

burnt → **burn**

burrow ▾ *fn* lyuk, odú *[állaté]* ▾ *ige* feltúr

bursary tanulmányi ösztöndíj

burst ▾ *fn* csőtörés ▾ *ige* (burst, burst) szétrepeszt *[csövet]*, kidurrant *[léggömböt]*; szétreped *[cső],* kidurran *[léggömb]*

bury eltemet, elás

bus autóbusz

bush bokor; *Ausz* bozótos terület, ausztráliai őserdő

bushy bokros *[terület];* bozontos *[szemöldök]*

business üzlet; dolog, ügy; foglalkozás; **~ card** névjegykártya

businessman (*tsz* -men) üzletember

busker utcai zenész/énekes

bust felsőtest, mellkas, (női) mell; **~ size** mellbőség; mellszobor

bustle ▾ *fn* **hustle and ~** nyüzsgés, forgatag *[városban]* ▾ *ige* **~ (about)** tesz-vesz, sertepertél

busy elfoglalt; forgalmas *[üzlet]; US* **line ~** foglalt *[telefonvonal]*

but ▾ *elölj* kivéve ▾ *ksz* de

butane butángáz

butcher ▾ *fn* hentes ▾ *ige* (le)mészárol

butt ▾ *fn* lökés ▾ *ige* nekimegy (vminek) *[fejjel, szarvval]*

butter ▾ *fn* vaj ▾ *ige* megvajaz

buttercup *növ* boglárka

butterfly lepke, pillangó; *sp* **~ (stroke)** pillangóúszás

buttock farpofa; **~s** fenék

button ▾ *fn* gomb ▾ *ige* begombol

buttress támfal

buy ▾ *fn biz* vétel; **it's a good ~** érdemes megvenni ▾ *ige* (bought, bought) (meg)vesz, (meg)vásárol

buyer vevő

buzz ▾ *fn* zümmögés; izgalom ▾ *ige* alacsonyan elhúz (vmi felett) *[repülőgép];* zümmög; **~ around** izgatottan jönmegy, nyüzsög

by ▾ *hsz* el vki/vmi mellett; **people walked ~ him** elmentek mellette; **~ and ~** fokozatosan, apránként ▾ *elölj* vmi mellett, vmikorra, vki/vmi által; **~ the door** az ajtónál; **~ 6 o'clock** hatra; **directed ~ Milos Forman** rendezte: Milos Forman

by-and-by a jövő/holnap

bye-bye viszlát!, szia(sztok)!

by-election időközi választás

bygone letűnt *[kor]*

bypass ▾ *fn* **~ (road)** elkerülő út; **~ operation** bypass műtét ▾ *ige* kikerül, elkerül; (*sy*) mellőz (vkit)

by-product melléktermék

byroad mellékút

bystander; the ~s bámészkodók, nézelődők

byte *inform* byte

C

cab taxi

cabbage káposzta

cabin kabin, kunyhó; ~ **crew** repülőgép-személyzet; ~ **cruiser** jacht

cabinet vitrin, szekrény; *pol* kormány

cable kábel, vezeték; kábeltelevízió; ~ **car** drótkötélpályás felvonó

cacti → **cactus**

cactus (*tsz* cactuses v. cacti) kaktusz

café kávéház

cafeteria önkiszolgáló étterem

caffein(e) koffein

cage ▾ *fn* ketrec, kalitka ▾ *ige* kalitkába/ketrecbe zár

cake sütemény

calculate (ki)számít

calculating ravasz, számító

calculation számítás

calculator számológép

calendar naptár

calf (*tsz* calves) borjú

call ▾ *fn* kiáltás; (telefon)hívás ▾ *ige [telefonon]* felhív; kiált; hív; nevez; ~ **sy's attention** (*to sg*) felhívja a figyelmét (vmire); **he is ~ed Rob** Robnak hívják

caller hívó fél

calm ▾ *mn* csendes, nyugodt; **keep°** ~ nyugodt marad ▾ *fn* (szél)csend, nyugalom ▾ *ige* ~ **down** lecsendesedik, (vkit) lecsillapít

calorie kalória

calves → **calf**

camcorder videokamera

came → **come**
camel teve
camera fényképezőgép, filmfelvevő, kamera
cameraman (*tsz* -men) operatőr
camouflage ▾ *fn* álca ▾ *ige* álcáz
camp ▾ *fn* tábor ▾ *ige* táborozik, kempingezik
camper táborozó; *US* ~ (**van**) lakókocsi
campsite táborhely, kemping
campus campus *[az egyetem területe]*
can ▾ *fn* konzerv(doboz); ~ **opener** konzervnyitó ▾ *ige* (could, *tagadása* can't, cannot) tud, képes (vmire); -hat/-het; **he ~ go** elmehet; *[érzékelést kifejező igékkel]* **I ~ see you** látlak
Canada Kanada
Canadian *mn, fn* kanadai
canal csatorna
canary kanári
cancel töröl *[programból]*, lemond; érvénytelenít; **it is ~led** elmarad
cancellation lemondás; érvénytelenítés
cancer *orv* rák; **C~** Rák *[csillagkép]*
candid őszinte
candidate jelölt
candle gyertya
candlestick gyertyatartó
candour őszinteség
candy *US* cukorka
cane ▾ *fn* nád; nádpálca; sétabot ▾ *ige* megver; náddal befon
canine kutyaféle
canned konzervált; ~ **beer** dobozos sör
cannon ágyú
canoe ▾ *fn* kenu ▾ *ige* kenuzik
canoeing kenuzás
canteen étkezde, büfé; **students'~** menza

canvas (vitorla)vászon; olajfestmény
canvass kampányol, házal
canyon kanyon
cap sapka; kupak
capability képesség, tehetség
capable (*of sg*) képes, alkalmas (vmire)
capacity kapacitás; térfogat; **sy's ~ as sg** vki vmilyen minősége/funkciója
cape (hegy)fok; köpeny
capital ▾ *mn* fő, főbenjáró; **~ punishment** halálbüntetés ▾ *fn* főváros; *gazd* tőke; *nyomd* nagybetű
capitalism kapitalizmus
capitalist *mn, fn* kapitalista
capitalise tőkésít; nagybetűvel ír
capitulate megadja magát
Capricorn Bak *[csillagkép]*
caps *röv [capital letters]* nagybetűk
capsize felborul
capsule kapszula; kabin *[űrhajóé]*; **space ~** űrkabin
captain kapitány
caption képaláírás
captive fogoly
capture ▾ *fn* elfog(lal)ás ▾ *ige* elfog(lal)
car autó, kocsi; **~ hire** autókölcsönző; **~ insurance** gépjármű-biztosítás; **~ rental** autókölcsönzés; **~ park** parkoló; **~ wash** autómosó
carat karát
caravan ▾ *fn* lakókocsi; karaván ▾ *ige* lakókocsival utazik
carbohydrate szénhidrát
carbon szén
card kártya; névjegy; hitelkártya; bankkártya; telefonkártya; levelezőlap, üdvözlőlap

cardboard kartonpapír
cardiac szív-
cardigan kardigán
cardinal ▾ *mn* legfőbb; **~ number** tőszám ▾ *fn* bíboros
cardphone kártyás telefon
care ▾ *fn* gondoskodás; **take° ~** (*of sy/sg*) vigyáz (vkire/vmire) ▾ *ige* (*about/for sg*) törődik (vmivel); (*for sy*) törődik (vkivel), gondoz (vkit); **I don't ~** nem érdekel; **I couldn't ~ less** hidegen hagy
career karrier, pálya
carefree gondtalan
careful óvatos, gondos
careless gondatlan, hanyag; gondtalan
carelessness gondatlanság
caress ▾ *fn* dédelgetés ▾ *ige* dédelget
caretaker gondnok; gondviselő
cargo szállítmány; rakomány
caring gondoskodó
carnation szegfű
carnival farsang, karnevál
carol (karácsonyi/vallási) ének
carp ponty
carpenter asztalos
carpet szőnyeg
carriage lovaskocsi; vagon; testtartás; szállítás
carrier fuvarozó, szállító; táska, szatyor; repülőgép-anyahajó
carrot sárgarépa
carry (el)visz, (el)szállít; hord(oz); visel; **~ on** folytat; **~ out** végrehajt
cartel kartell
carton karton(doboz)
cartoon karikatúra; rajzfilm; képregény
cartridge töltény; patron
carve farag
carving faragás
case ügy; eset; láda, do-

boz, tartó; **in ~** hátha; **in ~ of fire** tűz esetén; **just in ~** biztos, ami biztos; **lower ~** kisbetű; **upper ~** nagybetű

cash ▾ *fn* (kész)pénz; **pay (in) ~** készpénzzel fizet; **~ card** bankkártya; **~ desk** pénztár; **~ dispenser** pénzkiadó automata; **~ flow** (kész)pénzforgalom; **~ point** bankjegykiadó/pénzkiadó automata; **~ register** pénztárgép ▾ *ige [csekket]* bevált

cashier pénztáros

cashmere kasmír *[szövet]*

casing burkolat

casino kaszinó

casket (ékszeres) ládika; *US* koporsó

cassette kazetta

cast ▾ *fn* szereposztás; dobás; öntvény; **~ iron** öntöttvas ▾ *ige* (cast, cast) (le)dob; hajít; *[szerepet]* kioszt; *[fémet]* önt; **~ light** (*on sg*) fényt derít (vmire); **~ a vote** szavaz

caster sugar porcukor

casting szereposztás; öntvény; **~ vote** döntő szavazat

castle vár, kastély

casual wear lezser öltözék

casualty halott; áldozat *[baleseté, háborúé]*; baleseti osztály

cat macska(féle)

catalogue katalógus

catalyst katalizátor

catapult csúzli, parittya

catastrophe katasztrófa

catch ▾ *fn* fogás; zsákmány ▾ *ige* (caught, caught) (meg)fog, elkap; *átv is* megragad; *[betegséget]* megkap; *[járműre]* felszáll; *[járművet]* elér; **~ fire** meggyullad; **~ cold** megfázik; **~ up** (*with sg/sy*) utolér (vmit/vkit)

catchphrase vki kedvenc fordulata, szavajárása
catchy fülbemászó; feltűnő
categoric(al) feltétlen
category kategória
cater (*for sy*) vendégül lát *[étellel]*, gondoskodik (vkiről)
caterer (élelmiszer)szállító cég
catering élelmezés; **~ trade** vendéglátóipar
caterpillar hernyó
cathedral székesegyház
catholic (római) katolikus
cattle *esz/tsz* (szarvas)-marha
caught → catch
cauliflower karfiol
cause ▾ *fn* ok; ügy ▾ *ige* okoz
caution ▾ *fn* óvatosság; figyelmeztetés ▾ *ige* (*against sg*) figyelmeztet (vmire)
cautious óvatos
cavalry lovasság
cave ▾ *fn* barlang ▾ *ige* **~ in** beomlik
caviar(e) kaviár
cavity üreg; fogszuvasodás
cc, cc., c.c. *röv [carbon copy]* indigómásolat; *inform* e-mail másolatcím; *[cubic centimetre(s)]* köbcenti(méter)
CD *röv [compact disc]* CD
CD-ROM *röv [compact disc read-only memory]* CD-ROM, kompakt lemez
cease abbahagy, megszüntet; (meg)szűnik
cedar cédrus(fa)
ceiling mennyezet; csúcs
celebrate (meg)ünnepel
celebrity híresség
celery zeller
cell cella; sejt
cellar pince
cello cselló

Celt kelta *[ember]*
Celtic ▾ *mn* kelta; ~ **cross** kelta kereszt ▾ *fn* kelta *[nyelv]*
cement cement
cemetery temető
censor ▾ *fn* cenzor ▾ *ige* cenzúráz
censure ▾ *fn* korholás, bírálat ▾ *ige* elítél, korhol
census népszámlálás
cent *US* cent *[dollár századrésze]*
centenary ▾ *mn* százéves ▾ *fn* százéves/századik évforduló
centigrade Celsius (fok)
centimetre centiméter
central köz(ép)ponti; **C~ Europe** Közép-Európa; ~ **heating** központi fűtés
centralise központosít
centre ▾ *fn* köz(ép)pont; *[létesítmény]* centrum; középcsatár ▾ *ige* középpontba állít; összpontosít
century (év)század
ceramic kerámia-
ceramics *esz* kerámia; *tsz* kerámiatárgyak
cereal gabona; kukoricapehely; műzli
ceremonial szertartásos
ceremony szertartás
certain (*of/about sg*) biztos (vmiben); bizonyos
certainly biztosan; ~! természetesen!, persze!
certainty bizonyosság
certificate bizonyítvány
certify tanúsít
chain ▾ *fn* lánc(olat); ~ **store** üzletlánc, fióküzlet ▾ *ige* megláncol
chair ▾ *fn* szék; elnök ▾ *ige* elnököl *[ülésen]*
chairman (*tsz* -men) elnök
chalk kréta
challenge ▾ *fn* kihívás ▾ *ige* kihív; kétségbe von
chamber kamara; **torture** ~ kínzókamra; ~ **music** kamarazene

champagne pezsgő *[ital]*
champion bajnok
championship bajnokság
chance véletlen; alkalom; esély
chancellor kancellár; **C~ of the Exchequer** pénzügyminiszter
chandelier csillár
change ▼ *fn* változ(tat)ás; (pénz)váltás; (visszajáró) aprópénz ▼ *ige* (*sg into sg v. from sg to sg*) (meg)változtat, (át)változtat (vmit vmivé v. vmiről vmire); (meg)változik, (át)változik; *[pénzt]* (fel)vált, *[csekket]* bevált; átöltözik; átszáll *[másik járműre]*
changeable változékony
channel ▼ *fn* csatorna; tengerszoros; **the C~** a La Manche csatorna ▼ *ige* terel
chant ▼ *fn* egyhangú dal(lam); (egyházi) ének; kántálás ▼ *ige* kántál, skandál; énekel
chaos káosz; zűrzavar
chap pasas, hapsi
chapel kápolna
chaplain káplán
chapter fejezet
character jelleg(zetesség); jellem; szereplő; karakter, betű
characteristic ▼ *mn* jellegzetes ▼ *fn* jellemvonás
characterise jellemez
charcoal faszén; rajzszén
charge ▼ *fn* költség; vád ▼ *ige* felszámít; *[számlát]* megterhel; megvádol; *[akkumulátort]* feltölt
charitable jótékony
charity jótékonyság; jótékonysági szervezet
charm ▼ *fn* (bű)báj ▼ *ige* elbűvöl, megbabonáz
charming bájos
chart táblázat, diagram, grafikon, folyamatábra;

slágerlista; (tengerészeti) térkép
charter okirat; ~ **flight** charterjárat *[repülésnél]*
chase ▾ *fn* vadászat ▾ *ige* (*sg*) üldöz (vmit), vadászik (vmire)
chassis alváz
chastity szüzesség
chat ▾ *fn* csevegés; *inform* chat ▾ *ige* cseveg; *inform* chattel
chatter ▾ *fn* csacsogás; csicsergés ▾ *ige* csacsog; csicsereg *[madár]*; vacog *[fog]*
chatty csevegő
chauffeur ▾ *fn* sofőr ▾ *ige [sofőrként]* vezet
cheap ▾ *mn* olcsó ▾ *hsz* olcsón
cheat ▾ *fn* csaló ▾ *ige* (meg)csal, becsap, puskázik *[vizsgán]*
check ▾ *fn* átvizsgálás, ellenőrzés; éttermi számla; *US* csekk ▾ *ige* átvizsgál, ellenőriz; *US* kipipál; ~ **in** (be)jelentkezik *[repülőtéren, szállodában]*
checkers *tsz US* dámajáték
checking account *US* folyószámla
checkout pénztár *[szupermarketben]*; kijelentkezés *[szállodából]*
checkpoint ellenőrzési pont *[határon]*
checkroom *US* ruhatár, csomagmegőrző
checkup *[orvosi]* kivizsgálás
cheek arc; arcátlanság
cheekbone pofacsont
cheeky szemtelen
cheer ▾ *fn* éljenzés, taps; ~**s** egészségére! *[iváskor]* ▾ *ige* éljenez; megtapsol; ~ **up!** fel a fejjel!
cheerful vidám
cheese sajt; *US biz* **say** „~"! tessék moso-

lyogni! *[fényképezéskor]*
cheeseboard sajttál
cheetah gepárd
chef konyhafőnök, főszakács
chemical ▾ *mn* vegyi ▾ *fn* vegyszer
chemist gyógyszerész; vegyész
chemistry kémia; kémiai összetétel
cheque csekk; ~ **card** csekk-kártya
cherish dédelget; táplál *[reményt]*
cherry cseresznye(fa)
chess sakk
chessboard sakktábla
chest mellkas; láda
chestnut gesztenye
chew (meg)rág
chewing gum rágógumi
chick csibe
chicken csirke, csibe; csirkehús
chicory cikória
chief ▾ *mn* fő ▾ *fn* főnök
chiefly főképpen
child (*tsz* children) gyer(m)ek
childbirth (gyerek)szülés
childhood gyermekkor
childish gyermeki; gyerekes
childlike gyermeki
children → **child**
Chile Chile
Chilean *mn, fn* chilei
chili chili
chill ▾ *mn* hűvös ▾ *fn* hideg(ség); meghűlés ▾ *ige* (le)hűt
chilly hűvös; hideg
chime ▾ *fn* harangjáték ▾ *ige* harangoz
chimney kémény
chimpanzee csimpánz
chin áll
china porcelán
China Kína
Chinese ▾ *mn* kínai ▾ *fn* *esz/tsz* kínai *[ember, nyelv]*
chip (mikro)csip; hasábburgonya

chiropody pedikűr
chirp ▾ *fn* csicsergés ▾ *ige* csicsereg
chisel ▾ *fn* véső ▾ *ige* vés, csiszol
chlorine klór
chloroform kloroform
chocolate ▾ *mn* csokoládébarna ▾ *fn* csokoládé; kakaó
choice (ki)választás; választék
choir kórus
choirboy karénekes
choke ▾ *fn* fuldoklás; *gépk* szivató ▾ *ige* fojtogat, megfojt, megfullad; elfojt
cholesterol koleszterin
choose (chose, chosen) (ki)választ
choosy *US* finnyás
chop ▾ *fn* hússzelet ▾ *ige* (fel)vág
chord *fn zene* akkord
choreography koreográfia
chorus énekkar; refrén; kórusmű
chose → **choose**
chosen → **choose**
Christ Krisztus
christen (meg)keresztel
Christian keresztény
Christianity kereszténység
Christmas karácsony; ~ **Day** *[dec. 25.]* karácsony első napja; ~ **Eve** *[dec. 24.]* karácsony este, szenteste; ~ **tree** karácsonyfa
chrome króm
chromosome kromoszóma
chronic idült
chronicle krónika
chronological időrendi
chuckle ▾ *fn* kuncogás ▾ *ige* kuncog
chunk jókora, (nagy) darab
church templom; egyház
churchyard temető
chute csúszda
cider almabor; *US* rostos almalé

cigar szivar
cigarette cigaretta
cinder salak
Cinderella Hamupipőke
cinema mozi; filmművészet
cinnamon ▾ *mn* fahéj színű ▾ *fn* fahéj
circle ▾ *fn* kör, körvonal; karika; (baráti) kör ▾ *ige* körbejár; bekarikáz
circuit áramkör
circular ▾ *mn* kör alakú; körkörös ▾ *fn* körlevél
circulate kering; forgalomba hoz
circulation keringés; vérkeringés; forgalom
circumflex *nyelv* kúpos ékezet
circumstance körülmény
circumstantial körülményektől függő
circus cirkusz; körtér
CIS *röv [Commonwealth of Independent States]* FÁK *[Független Államok Közössége]*
cistern víztartály, víztároló
citizen állampolgár; *[városi]* polgár
citizenship állampolgárság
city város
civic városi; polgári
civil polgári; udvarias
civilian ▾ *mn* polgári ▾ *fn* polgári személy
civilisation civilizáció
clad → **clothe**
claim ▾ *fn* (*to sg*) igény (vmire); követelés; állítás ▾ *ige* igényel; követel; állít
claimant igénylő
clamber kapaszkodik
clamp ▾ *fn* kampó; kerékbilincs ▾ *ige* összekapcsol; kerékbilincset szerel fel *[autóra]*
clan *[skót]* klán
clang ▾ *fn* csengés ▾ *ige* cseng
clap ▾ *fn* taps ▾ *ige* tapsol

claret ▾ *mn* borvörös ▾ *fn* bordeaux-i vörös bor
clarify tisztáz; megvilágosít
clarinet klarinét
clarity világosság
clash ▾ *fn* összeütközés; csattanás ▾ *ige* (*with sg*) összeütközik (vmivel)
clasp ▾ *fn* kapocs; ölelés ▾ *ige* összekapcsol, bekapcsol; átkarol
class osztály; (tan)óra
classic ▾ *mn* klasszikus ▾ *fn [íróról]* klasszikus
classical klasszikus; hagyományos
classified bizalmas
classify osztályoz; titkosít
classmate osztálytárs
classroom tanterem
classy *biz* klassz
clatter ▾ *fn* zörgés; zsivaj ▾ *ige* zörög; lármázik
clause *nyelv* tagmondat; *jog* cikkely
claustrophobia klausztrofóbia
clave → **cleave**[2]
claw ▾ *fn* karom ▾ *ige* (meg)karmol; karmával megragad
clay agyag
clean ▾ *mn* tiszta; üres ▾ *ige* (ki)tisztít; (ki)takarít
cleaner takarító(nő); tisztító *[pl. gép]*
cleanly tisztaságszerető
cleanse (meg)tisztít
cleanser tisztítószer
clean-shaven frissen borotvált
clear ▾ *mn* világos; tiszta; nyilvánvaló ▾ *hsz* világosan; teljesen ▾ *ige* (meg)tisztít; *[utat]* szabaddá tesz
clearance megtisztítás; vámkezelés
clear-cut világos; határozott
clearing tisztás
cleavage hasadás; dekoltázs
cleave[1] (cleaved/clove/

cleft, cleaved/cloven/ cleft) (szét)hasít; (szét)-hasad

cleave[2] (cleaved/clave, cleaved) (*to sg/sy*) ragaszkodik (vmihez/vkihez)

clef hangjegykulcs

cleft ▾ *mn* hasított ▾ *fn* hasadás ▾ *ige* → **cleave**[1]

clench összeszorít *[pl. öklöt]*

clergy papság

clergyman (*tsz* -men) pap

clerical ▾ *mn* papi ▾ *fn* pap

clerk hivatalnok; *US* eladó

clever okos; ügyes

click ▾ *fn* kattanás; *inform* kattintás ▾ *ige* kattint; csattog

client ügyfél; vásárló; *inform* kliens(program)

cliff szikla

climate éghajlat; *átv* légkör

climax ▾ *fn* tetőpont ▾ *ige* betetőz, tetőpontra hág

climb ▾ *fn* mászás; emelkedés ▾ *ige* (meg)mászik *[pl. fát]*; emelkedik *[pl. út]*

climber hegymászó; kúszónövény

cling (clung, clung) (*to sg*) belekapaszkodik (vmibe); tapad (vmihez)

clinic rendelőintézet; klinika

clinical klinikai, kórházi

clink ▾ *fn* csörgés ▾ *ige* csörget; csörög

clip ▾ *fn* csipesz; (video)klip ▾ *ige* csíptet; lyukaszt

clique klikk

cloak ▾ *fn* köpeny; *átv* lepel ▾ *ige* beborít; leplez

cloakroom ruhatár

clock ▾ *fn* óra ▾ *ige* mér *[időt]*

clockwise az óramutató járásának megfelelő irányba(n)
clockwork óramű
clog ▾ *fn* béklyó; akadály; klumpa ▾ *ige* elzár(ódik)
cloister kolostor; kerengő
close[1] ▾ *mn* közeli; hasonló ▾ *hsz* közel; szorosan
close[2] *ige* bezár; befejez(ődik); becsukódik
closed zárt, zárva
closely szorosan
closeness közelség; zárkózottság
closet beépített szekrény
close-up *film* közeli felvétel
closure bezárás
clot ▾ *fn* (vér)rög ▾ *ige* összecsomósodik
cloth *[szövet]* anyag; abrosz
clothe (clad/clothed, clad/clothed) (fel)öltöztet
clothes *tsz* ruha
clothing öltözék
cloud ▾ *fn* felhő; sötétség ▾ *ige* felhőbe borít, beborul
cloudy felhős
clove[1] *fn* szegfűszeg
clove[2] *ige* → **cleave**[1]
cloven → **cleave**[1]
clover lóhere
clown ▾ *fn* bohóc ▾ *ige* bohóchodik
club ▾ *fn* klub, egyesület; furkósbot; golfütő ▾ *ige* bottal megüt
clue nyom, vezérfonal, kulcs
clumsy ügyetlen, esetlen
clung → **cling**
cluster ▾ *fn* csomó; fürt; csoport, csoportosulás ▾ *ige* csoportosul; gyűlik
clutch ▾ *fn* megmarkolás; *gépk* kuplung ▾ *ige* megragad
c/o *röv [care of] [borítékon/képeslapon címzés előtt]* ... címén

coach ▾ *fn* távolsági autóbusz; magántanító, edző ▾ *ige* magánórákat ad
coal szén
coalition *pol* koalíció
coarse durva; közönséges
coast (tenger)part
coastguard parti őrség
coastline tengerpart
coat ▾ *fn* kabát, felöltő, zakó; bunda *[állaté]*; ~ **of arms** címer ▾ *ige* bevon
coating bevonat; kabátszövet
cobbler cipész; *US* gyümölcstorta
cocaine kokain
cock csap; kakas, hím *[madáré]*
cockle kagyló
Cockney Cockney *[nyelvjárás v. kiejtés]*
cockpit pilótafülke
cockroach csótány
cocktail koktél *[ital, étel]*
cocoa kakaó
coconut kókuszdió
cocoon selyemhernyógubó
cod tőkehal
code ▾ *fn* kód; titkos írásjelrendszer; törvénykönyv ▾ *ige* rejtjelez; *inform* kódol *[programot]*
coercion kényszer(ítés)
coexist egyidejűleg létezik/van
coffee kávé
coffin koporsó
cog fogaskerék, fog *[fogaskeréké]*
cohabit együtt él
coherent összefüggő, koherens
coil ▾ *fn* tekercs; spirál ▾ *ige* felteker, felcsavarodik
coin pénzdarab; váltópénz
coinage pénzverés; kitalálás, szóalkotás
coincide egybeesik *[időben]*; egybevág

coincidence egybeesés; véletlen
coke *fn* kóla; koksz
cold ▾ *mn* hideg; *átv is* hűvös ▾ *fn* hideg; nátha, megfázás
collaborate együttműködik; együttműködik az ellenséggel
collapse ▾ *fn* összeomlás; ájulás ▾ *ige* összeomlik; összeesik, elájul
collar gallér; nyakörv; *műsz* (fém)gyűrű
collateral oldalági; kiegészítő
colleague munkatárs, kolléga
collect összegyűjt; összeszed; gyűjt; elhoz *[pl. csomagot]*
collection (össze)gyűjtés; gyűjtemény; elhozatal
collective ▾ *mn* együttes; kollektív ▾ *fn* közösség
collector gyűjtő; pénzbeszedő; áramszedő
college (angliai) egyetemi kollégium; egyetem; főiskola; testület
collide (*with sg/sy*) összeütközik (vmivel/vkivel); összeütközésbe kerül (vmivel/vkivel)
colliery szénbánya
collision (össze)ütközés; ellentét
colloquial köznyelvi
colon[1] kettőspont
colon[2] vastagbél
colonel ezredes
colonial gyarmati; koloniál (stílusú)
colonialism gyarmati rendszer; gyarmatosítás
colonise gyarmatosít
colony gyarmat; kolónia *[külföldieké]*; telep(ülés)
colour ▾ *fn* szín; ~ **television** színes televízió ▾ *ige* színez
coloured színes; -színű; *biz* színesbőrű
colourful sokszínű

colouring színezés; arcszín
colt csikó
column oszlop; rovat; *nyomd* hasáb
columnist rovatvezető
coma kóma
comb ▾ *fn* fésű ▾ *ige* fésül; átvizsgál, átfésül
combat ▾ *fn* csata, harc ▾ *ige* megtámad; harcol
combination kombináció
combine ▾ *fn* kombájn ▾ *ige* kombinál; egyesül
combustion égés, gyulladás
come (came, come) jön, eljön, megjön; **~ on!** gyerünk!, rajta!
comeback visszatérés; visszavágás
comedian humorista, komikus
comedy vígjáték; *átv is* komédia
comet üstökös
comfort ▾ *fn* vigasz(talás); jólét ▾ *ige* vigasztal, megnyugtat
comfortable kényelmes
comic ▾ *mn* tréfás ▾ *fn* komikus; **~ strip** képregény
comical mulatságos
coming ▾ *mn* jövő, közelgő ▾ *fn* (el)jövetel; **~ of age** felnőttkor elérése
comma vessző *[írásjel]*
command ▾ *fn* parancs; parancsnokság ▾ *ige* (meg)parancsol; parancsnokol
commandant parancsnok
commander parancsnok; rendőrfőnök
commandment parancs; **the Ten C~** a Tízparancsolat
commemorate (*sy/sg*) megemlékezik (vkiről/vmiről)
commend dicsér; (be)-ajánl
commendable dicséretes
commensurate összemérhető; arányos

comment ▾ *fn* megjegyzés; magyarázat ▾ *ige* (*on sg*) megjegyzést fűz (vmihez)
commentary magyarázat
commentator (szöveg/hír)magyarázó; helyszíni közvetítő riporter
commerce kereskedelem
commercial ▾ *mn* kereskedelmi; kommersz ▾ *fn* tévéreklám
commiserate együttérzését fejezi ki
commission ▾ *fn* megbízás; bizottság; *gazd* jutalék ▾ *ige* megbíz; megrendel *[pl. munkát]*
commissioner meghatalmazott; bizottsági tag
commit elkövet
commitment (el)kötelezettség, odaadás
committed elkötelezett
committee bizottság
commodity áru(cikk)
common közös; közönséges
commoner közember, polgár
commonly általában; közönségesen
commonplace ▾ *mn* mindennapos ▾ *fn* közhely
commonwealth nemzetközösség; **the (British) C~** a Brit Nemzetközösség
commotion felbolydulás
communal közösségi; községi
commune közösség; kommuna
communicate közöl; *(with sy)* értekezik (vkivel)
communication kommunikáció, érintkezés; összeköttetés
communion bensőséges kapcsolat; (lelki) közösség; *vall* felekezet
communism kommunizmus
communist *mn, fn* kommunista

community közösség
commute ingázik
commuter ingázó
compact ▾ *mn* tömör(ített) ▾ *ige* tömörít
companion társ; kézikönyv
companionship barátság, bajtársiasság
company társaság; vállalat; (szín)társulat; *kat* század
comparable (*with/to sg*) összehasonlítható (vmivel); hasonló
comparative ▾ *mn* összehasonlító *[pl. vizsgálat];* viszonylagos ▾ *fn* középfok *[mn-é, hsz-é]*
comparatively viszonylag
compare (*to/with sg*) összehasonlít (vmivel); fokoz *[mn-t, hsz-t];* (*with sg*) felér (vmivel)
comparison (össze)hasonlítás; hasonlat; fokozás *[mn-é, hsz-é]*
compartment rekesz, fülke
compass iránytű
compassion szánalom
compassionate együttérző
compatible összeegyeztethető; *inform* kompatibilis
compel (*to sg*) kényszerít (vmire)
compelling hathatós; érdekfeszítő
compensate ellensúlyoz, kompenzál; *(for sg)* kártalanít, kárpótol (vmiért)
compensation kártalanítás; kártérítés; ellensúlyozás, kompenzálás
compete versenyez
competence hozzáértés, szakértelem; hatáskör; nyelvtudás
competent hozzáértő; illetékes
competition verseny, versenyzés; ellenfél; pályázat
competitive verseny-; *gazd* versenyképes

competitor versenyző; versenytárs
compile összeállít
complacency (meg)elégedettség; önelégültség
complacent elégedett; önelégült
complain (*of sg*) panaszkodik (vmire); panaszt tesz (vmire)
complaint panasz(kodás); reklamáció
complement ▾ *fn* kiegészítés ▾ *ige* kiegészít
complementary kiegészítő
complete ▾ *mn* teljes; tökéletes; befejezett ▾ *ige* befejez; kiegészít; kitölt *[pl. űrlapot]*
completion befejezés; kiegészítés
complex ▾ *mn* összetett; bonyolult ▾ *fn* összesség; épületegyüttes, komplexum; *orv* komplexus
complexion arcszín
compliance teljesítés *[pl. kérésé]*; szolgálatkészség
complicate bonyolít; nehezít
complicated bonyolult
complication bonyodalom; bonyolultság; *orv* szövődmény
compliment ▾ *fn* bók; üdvözlet ▾ *ige* dicsér; bókol
complimentary hízelgő *[pl. megjegyzés]*
comply (*with sg*) eleget tesz (vminek)
component alkotóelem; alkatrész
compose *[levelet]* ír; *[zenét]* szerez
composed nyugodt
composer zeneszerző
composition összetétel; elrendezés, kompozíció; zenemű; fogalmazás; (lelki) beállítottság
composure (lelki) nyugalom

compound ▾ *fn* összetétel, vegyület; *nyelv* összetett szó ▾ *ige* elegyít; tovább nehezít/ront
comprehend felfog, megért
comprehension felfogóképesség, megértés; **reading ~** olvasott szöveg értése
comprehensive átfogó; **~ (school)** általános középiskola
compress összenyom; *inform* tömörít
comprise (*sg*) magában foglal (vmit); alkot (vmit), áll (vmiből)
compromise ▾ *fn* megegyezés, kompromisszum ▾ *ige* kompromisszumot köt
compulsion kényszer
compulsive megrögzött
compulsory kötelező
computer számítógép
computerise számítógéppel feldolgoz; számítógépesít
comrade bajtárs; elvtárs
con ▾ *fn* ellenérv ▾ *ige* beugrat
conceal elrejt; (el)titkol
conceit önteltség, beképzeltség
conceited öntelt, beképzelt
conceive felfog; elgondol, kigondol; megfogan
concentrate ▾ *fn* koncentrátum ▾ *ige* összpontosít, koncentrál; összpontosul
concentration összpontosítás; koncentráció; sűrítés
concept fogalom; felfogás
conception felfogóképesség; koncepció, elgondolás, terv(ezés); fogantatás
concern ▾ *fn* érdekeltség; aggodalom; cég, vállalat ▾ *ige* (*sy/sg*) szól (vkiről/vmiről), érint (vkit/vmit)

concerning vonatkozólag
concert ▼ *fn* hangverseny, koncert; összhang; ~ **hall** hangversenyterem ▼ *ige* összeegyeztet; tanácskozik
concession engedmény; engedély; beismerés; *jog* koncesszió
conciliation (ki)békítés
conciliatory békéltető
concise tömör; ~ **dictionary** kéziszótár
conclude (ki)következtet; befejez
conclusion következtetés; befejezés
conclusive meggyőző, döntő
concrete ▼ *mn* konkrét; beton- ▼ *fn* beton ▼ *ige* konkretizál; betonoz
concur egyetért
concussion (meg)rázkódás; ~ **(of the brain)** agyrázkódás
condemn (el)ítél
condensation sűrítés; sűrűsödés; *átv* tömörítés
condense sűrít; (össze)sűrűsödik; *átv* tömörít
condescend leereszkedik, lekezel
condition ▼ *fn* feltétel; állapot; betegség; körülmények ▼ *ige* szabályoz; kondicionál
conditional ▼ *mn* feltételes ▼ *fn* feltételes mód
conditioner hajkondicionáló szer
conditioning kondicionálás
condolence részvét(nyilvánítás)
condom óvszer, kondom
conduct ▼ *fn* vezetés; magaviselet ▼ *ige* vezet; vezényel
conductor karmester; kalauz; vezető *[pl. hőé]*; villámhárító
cone kúp; fenyőtoboz; (fagylalt)tölcsér

confectioner cukrász
confectionery cukrászsütemény(ek); cukrászda; cukrászat
confer adományoz; tanácskozik
conference megbeszélés, értekezlet; konferencia
confess bevall, beismer; meggyón; gyóntat
confession bevallás, beismerés; gyónás, vallomás
confetti *tsz* konfetti
confide (*to sy*) bizalmasan közöl (vkivel); (*to sy*) rábíz (vkire); (*in sy*) bízik (vkiben)
confidence bizalom; önbizalom; bizalmas/titkos közlés
confident magabiztos; bizakodó
confidential bizalmas, titkos
confine bezár *[pl. börtönbe]*; korlátoz
confinement szülés; bezárás
confirm megerősít; bérmál
confirmation megerősítés; bérmálás
confiscate elkoboz
conflict ▼ *fn* konfliktus; összeütközés; ellentét ▼ *ige* ellentmondásba/összeütközésbe kerül
conform (*to/with sg*) alkalmazkodik (vmihez); megfelel (vminek)
confront szembeszáll; szemben áll; szembesül
confrontation szembesítés; szembenállás
confuse összezavar, összekuszál; összetéveszt
confused zavaros; zavarodott
confusing összezavaró; zavaros
confusion zűrzavar; összetévesztés
congeal megfagy(aszt); (meg)alvaszt
congestion vértolulás; (forgalmi) dugó

congratulate (*sy on sg*) gratulál (vkinek vmihez)
congratulations (*on sg*) gratuláció (vmihez); ~! gratulálok!
congregate összegyűlik
congregation *vall* gyülekezet
congress kongresszus; *US pol* Kongresszus *[törvényhozási szerv]*
conjunctivitis kötőhártya-gyulladás
conjure elővarázsol; bűvészkedik
conjurer bűvész
connect összekapcsol; összefüggésbe hoz; kapcsol *[telefonon]*; csatlakoztat
connection összekötés; összefüggés, kapcsolat; csatlakozás *[pl. vonaté]*; *elektr* érintkezés
connotation *nyelv* mellékjelentés, felhang
conquer meghódít, leigáz, legyőz
conqueror hódító
conquest (meg)hódítás, leigázás, győzelem
conscience lelkiismeret
conscientious lelkiismeretes
conscious tudatos; eszméleténél levő; (*of sg*) tudatában levő (vminek)
consciousness tudatosság; öntudat, eszmélet; tudat
conscript ▾ *fn* újonc ▾ *ige* besoroz
conscription sorozás; kötelező katonai szolgálat
consecrate (fel-/meg)-szentel
consecutive egymást követő
consensus (köz)megegyezés
consent ▾ *fn* hozzájárulás, beleegyezés ▾ *ige (to sg)* hozzájárul (vmihez)
consequence következmény

consequently következésképpen

conservation megőrzés, fenntartás; környezetvédelem

conservative ▾ *mn* konzervatív ▾ *fn* konzervatív

conservatory üvegház; konzervatórium

conserve ▾ *fn* befőtt ▾ *ige* tartósít; megőriz

consider átgondol, megfontol; tekintettel van (vmire); (vmilyennek) tart/gondol

considerable tekintélyes; figyelemre méltó; tetemes

considerate figyelmes

consideration megfontolás; szempont; figyelmesség

considering (*sg*) tekintettel (vmire)

consign rábíz; elküld *[árut]*

consignment (el)küldés; küldemény; bizományi áru

consist (*in/of sg*) áll (vmiből)

consistency következetesség; állag

consistent következetes

consolation vigasz

console[1] *fn* tartópillér; vezérlőpult

console[2] *ige* vigasztal

consolidate megszilárdít; megszilárdul

consonant ▾ *mn* összhangban levő ▾ *fn* mássalhangzó

consortium *gazd* konzorcium

conspicuous (tisztán) látható, feltűnő, szembetűnő

conspiracy összeesküvés

conspirator összeesküvő

conspire konspirál

constable rendőr

constant ▾ *mn* állandó, folytonos; állhatatos ▾ *fn* állandó

constellation csillagok állása; csillagzat
constipation székrekedés
constituency választókerület; választótestület
constituent ▾ *mn* alkotó ▾ *fn* alkotórész; választópolgár
constitution alkotmány; alapszabály; alkat
constitutional alkotmányos; alkati
constrain kényszerít; korlátoz
constraint kényszer(ítés); korlát(ozás); *nyelv* megszorítás
constrict (össze)szorít, (le)szűkít
construct ▾ *fn* fogalom ▾ *ige* (fel)épít; szerkeszt
construction szerkezet; felépítés; értelmezés
constructive építő, konstruktív
consul konzul
consulate konzulátus
consult tanácsot/felvilágosítást kér; utánanéz (vmiben); *(with sy)* tanácskozik/értekezik (vkivel)
consultant szakértő, szaktanácsadó; szakorvos
consultation konzultáció; szaktanácskozás
consume (el)fogyaszt *[pl. ételt]*, felhasznál; elpusztít, elemészt
consumer fogyasztó
consumption fogyasztás, felhasználás
contact ▾ *fn* érintkezés, kapcsolat; ismeretség ▾ *ige* érintkezésbe/kapcsolatba lép (vkivel)
contagious ragályos
contain tartalmaz, magában foglal
container tartály
contaminate (be)szennyez
contamination szennyez(őd)és
contemplate (meg)szemlél, szemlélődik; fontolgat

contemporary ▾ *mn* kortárs; jelenkori ▾ *fn* kortárs
contempt lenézés
contemptible megvetendő
contemptuous megvető
contend versenyez; állít (vmit)
contender versenyző
content[1] ▾ *mn* (meg)elégedett ▾ *fn* elégedettség ▾ *ige* kielégít
content[2] *fn* tartalom *[pl. könyvé]*
contented (meg)elégedett
contest ▾ *fn* verseny; küzdelem ▾ *ige* verseng, küzd (vmiért); vitat(kozik)
contestant versenyző
context szövegösszefüggés
continent kontinens, világrész; **the C~** «Európa Nagy-Britannia nélkül»
continental szárazföldi; európai; ~ **breakfast** kávé sütemény vaj dzsem
contingency eshetőség
continual folytonos
continuation folytat(ód)ás; meghosszabbítás
continue folytat; folytatódik
continuity folytonosság
continuous folyamatos
contour körvonal
contraband csempészáru, csempészés
contraceptive fogamzásgátló
contract ▾ *fn* szerződés, megegyezés ▾ *ige* szerződik, szerződést köt; összehúz(ódik); összevon *[pl. szavakat]*
contraction összehúz(ód)ás, összevonás
contractor vállalkozó
contradict ellentmond
contradiction ellentmondás
contradictory ellentmondó

contrary ▾ *mn* ellentétes ▾ *fn* az ördög ügyvédje; **on the ~** épp ellenkezőleg

contrast ▾ *fn* ellentét(esség) ▾ *ige* szembeállít; szemben/ellentétben áll; különbözik (vmitől)

contribute hozzájárul

contribution hozzájárulás

contributor munkatárs

control ▾ *fn* hatalom, uralom; felügyelet; kormányzás *[járműé]*; vezérlőberendezés; *inform* vezérlőpult; **~ panel** kapcsolótábla; **~ tower** irányítótorony *[repülőtéren]* ▾ *ige* irányít, vezérel; megfékez; ellenőriz

controller irányító

controversial vitás, ellentmondásos

controversy vita

convalesce lábadozik

convene egybehív; gyülekezik

convenience kényelem; illemhely

convenient kényelmes; könnyen hozzáférhető

convent kolostor

convention egyezmény, megállapodás; szokások

conventional hagyományos, konvencionális

conversation beszélgetés

conversational társalgási, hétköznapi

converse[1] ▾ *mn* ellentétes; fordított ▾ *fn* ellentét

converse[2] *ige* társalog

conversely viszont

conversion átalakulás, átalakítás; konverzió, konvertálás; *vall* megtér(ít)és

convert ▾ *fn* megtért *[ember]* ▾ *ige* (*sg to sg*) átváltoztat, átalakít (vmit vmivé); (*sg to sg*) átvált *[pénzt]* (vmit vmire); *vall* megtérít

convertible ▾ *mn* átalakítható; konvertibilis ▾ *fn* kabriolet

convey szállít; közvetít

convict ▾ *fn* fegyenc, elítélt ▾ *ige* elítél

conviction elítélés, büntető ítélet; meggyőz(őd)és

convince (*sy of sg*) meggyőz (vkit vmiről)

convincing meggyőző

convoy konvoj, karaván *[védőkísérettel ellátott járműveké]*

convulsion rángatózás

cook ▾ *fn* szakács(nő) ▾ *ige* (meg)főz; fő

cooker tűzhely

cookery szakácsművészet; ~ **book** szakácskönyv

cookie *US* aprósütemény

cool ▾ *mn* hűvös, hideg; nyugodt; barátságtalan; *biz* szuper, menő ▾ *fn* hűvösség; nyugalom ▾ *ige* (le)hűt; (le)hűl

coolness hűvösség; nyugalom

co-operate együttműködik

co-operation együttműködés

co-operative ▾ *mn* együttműködésre kész ▾ *fn* szövetkezet

co-ordinate ▾ *fn* koordináta ▾ *ige* koordinál, összehangol

co-ordination koordinálás; koordináció

cop ▾ *fn biz* zsaru ▾ *ige* elkap

cope (*with sg*) megbirkózik (vmivel)

copper vörösréz

copy ▾ *fn* másolat; utánzat; példány ▾ *ige* (le)másol; utánoz

copyright szerzői jog

coral korall

cord kötél; zsinór, vezeték; *zene* húr; **vocal** ~ hangszál

cordial szívélyes
cordless (phone) vezeték nélküli (telefon)
cordon kordon
corduroy kordbársony
core ▾ *fn* mag(ház) *[pl. almáé]*; (vmi) lényege ▾ *ige* kimagoz
cork parafa(dugó)
corkscrew dugóhúzó
corn gabona(szem); búza; tyúkszem; *US* kukorica
cornea szaruhártya
corner ▾ *fn* sarok ▾ *ige* sarokba szorít
cornerstone sarokpillér; alapkő; sarkalatos pont
cornet fagylalttölcsér; *zene* kornett
coronary ▾ *mn* szívkoszorúér- ▾ *fn* szívkoszorúér-trombózis
coronation (meg)koronázás
corporal[1] *mn* testi
corporal[2] *fn* káplár
corporate ▾ *mn* vállalati; testületi ▾ *fn* nagyvállalat
corporation vállalat; testület
corpse holttest
correct ▾ *mn* hibátlan, helyes ▾ *ige* (ki)javít; helyesbít
correction (ki)javítás; büntetés
correlate összefüggésbe hoz
correspond (*to sg*) megfelel (vminek), (*with sg*) összhangban van (vmivel); (*with sy*) levelez (vkivel)
correspondence kapcsolat, megfelelés; levelezés
correspondent ▾ *mn* megfelelő ▾ *fn* tudósító
corridor folyosó
corrode rozsdásodik
corrosion rozsdásodás, korrózió
corrupt ▾ *mn* megvesztegethető, korrupt; *átv* romlott ▾ *ige* megveszteget; *átv* elront

corruption (meg)vesztegetés, korrupció; *átv* romlottság, romlás
cosmetic ▾ *mn* kozmetikai ▾ *fn* kozmetikum
cosmetician kozmetikus
cosmic kozmikus
cosmopolitan ▾ *mn* világpolgári; kozmopolita ▾ *fn* világpolgár, kozmopolita
cost ▾ *fn* ár, költség; kiadások ▾ *ige* (cost, cost) kerül (vmibe)
cost-effective gazdaságos
costly költséges, drága, értékes
costume viselet; öltözet; jelmez
cosy lakályos
cot gyermekágy, rácsos ágy
cottage falusi ház; nyaraló
cotton gyapot; pamutvászon; vatta
couch ▾ *fn* kanapé ▾ *ige* megfogalmaz
cough ▾ *fn* köhögés ▾ *ige* köhög
could tudott (vmit) tenni; *[feltételes képesség]* tudna, -hatna, -hetne; → **can**
council tanács; tanácskozás
councillor tanácsos
counsel ▾ *fn* tanács(adás); tanácskozás; szándék; ügyvéd ▾ *ige* javasol; tanácsot ad
counsellor tanácsadó; nevelőtanár *[nyári táborban]; US* ügyvéd
count[1] ▾ *fn* számolás; vádpont ▾ *ige* (meg)számol; számít; (*on sy*) számít (vkire/vmire)
count[2] *fn* gróf *[nem angol]*
countdown visszaszámlálás
counter[1] ▾ *mn* ellenkező, ellentétes ▾ *hsz* ellentétesen ▾ *ige* ellenáll
counter[2] *fn* pult; pénz-

tár(ablak); számláló(készülék)

counteract semlegesít

counterattack ▾ *fn* ellentámadás ▾ *ige* ellentámadást indít

counterbalance ▾ *fn* ellensúly ▾ *ige* ellensúlyoz

counter-clockwise az óramutató járásával ellentétes irányba(n)

counterfeit ▾ *mn* utánzott, hamis ▾ *fn* utánzat ▾ *ige* utánoz; hamisít; tettet

counterpart (vminek) a párja/megfelelője; hasonmás

countess grófnő

countless számtalan

country ország; vidék

countryman (*tsz* -men) vidéki ember; földi(je vkinek)

countryside vidék

county megye, grófság

coup merész lépés

couple ▾ *fn* pár; néhány ▾ *ige* (össze)párosít, összekapcsol; párosodik

coupon szelvény, kupon

courage bátorság

courageous bátor

courier futár; idegenvezető

course tanfolyam; (út)irány; fogás *[étkezésnél]*; **of ~** természetesen

coursebook tankönyv

court ▾ *fn* bíróság; (sport)pálya; udvar; királyi udvar ▾ *ige* udvarol

courteous udvarias

courtesy udvariasság

court-martial hadbíróság

courtyard udvar

cousin unokatestvér

cover ▾ *fn* takaró; fedő; fedél; fedezék ▾ *ige* (be)fed; magában foglal; tudósít; leplez; *gazd* fedez (vmit)

coverage tudósítás; *gazd* fedezet
covert titkolt
cow *fn* tehén; nőstény állat
coward gyáva
cowardice gyávaság
cowardly gyáva
cowboy cowboy, marhapásztor
coy félénk, hallgatag
crab (tengeri) rák; **C~** Rák *[csillagkép]*
crack ▼ *fn* recsegés; rés, repedés; kokain ▼ *ige* (meg)reped(ezik); (fel)tör *[pl. mogyorót];* megfejt, feltör *[pl. kódot]; átv* megtörik; **~ a joke** viccet mond
cracker diótörő; *inform* számítógépes kalóz; *US* sós keksz
crackle serceg
cradle bölcső
craft ügyeskedés; (kézműves) mesterség; vízi jármű(vek), repülőgép
craftsman (*tsz* -men) kézműves
crafty ravasz
crag kőszirt
cram (tele)töm
cramp (izom)görcs
cramped zsúfolt
cranberry áfonya
crane ▼ *fn áll is* daru ▼ *ige* daruval emel; kinyújt
crash ▼ *fn* csattanás; baleset; katasztrófa; *inform* (rendszer)összeomlás; **~ course** intenzív tanfolyam; **~ helmet** bukósisak ▼ *ige* darabokra tör, összetör; tönkremegy *[cég];* karambolozik; lezuhan *[repülőgép]; inform* összeomlik *[gép v. rendszer]*
crate ▼ *fn* rekesz ▼ *ige* rekeszbe csomagol
crater kráter
crawl ▼ *fn* csúszás; lassú mozgás ▼ *ige* csúszik, négykézláb mászik; vánszorog

crayfish folyami rák

crayon ▾ *fn* kréta ▾ *ige* krétával rajzol

craze divat

crazy őrült; **be° ~ (*about sy/sg*)** őrülten odavan (vkiért/vmiért)

creak ▾ *fn* nyikorgás ▾ *ige* nyikorog

cream ▾ *mn* krémszínű ▾ *fn* tejszín; krém; (arc)krém; *átv* színe-java (vminek); **~ cheese** krémsajt

creamy krémes

crease ▾ *fn* ránc ▾ *ige* ráncol *[homlokot]*; (össze)gyűr; ráncosodik, (össze)gyűrődik

create teremt; előidéz

creation teremtés; teremtmény; alkotás

creative kreatív

creator teremtő

creature teremtmény; lény

credible (el)hihető; hitelt érdemlő

credit ▾ *fn* hitel; bizalom; érdem; kredit *[tanegység]*; **~ card** hitelkártya ▾ *ige* hitelt ad (vminek); jóváír

creditor hitelező

creed hit(vallás)

creek patak

creep (crept, crept) csúszik; (be)lopódzik

creepy hátborzongató

cremate elhamvaszt

cremation (el)hamvasztás

crematorium krematórium

crepe krepp; palacsinta

crept → **creep**

crescent hold első negyede; holdsarló

crest taréj *[kakasé]*; hegygerinc; (vmi) teteje/java

crew[1] *fn* legénység, személyzet; csapat

crew[2] *ige* → **crow**

crib ▾ *fn* gyermekágy; *biz* puska *[vizsgán]* ▾ *ige* bezár; *biz* puskázik

cricket[1] tücsök
cricket[2] krikett
crime bűntett; bűn; bűnözés
criminal bűnöző
crimson ▾ *mn* karmazsinvörös ▾ *ige* elvörösödik
cripple ▾ *fn* nyomorék ▾ *ige* megnyomorít; tönkretesz
crises → **crisis**
crisis (*tsz* crises) válság; kritikus pillanat
crisp ▾ *mn* ropogós; friss ▾ *fn* burgonyaszirom, chips
criterion ismérv, kritérium
critic kritikus, bíráló
critical kritikus; kritikai; válságos
criticism (mű)bírálat, kritika; kritizálás
criticise kifogásol, kritizál
Croatia Horvátország
Croatian *mn, fn* horvát
crochet ▾ *fn* horgolás ▾ *ige* horgol
crockery fazekasáru
crocodile krokodil
crook ▾ *fn* kampó; hajlás; szélhámos ▾ *ige* (be)hajlít; (be)hajlik
crooked hajlott, görbe
crop ▾ *fn* termény ▾ *ige* (le)vág, begyűjt *[termést]*; termést hoz
cross ▾ *mn* ellenséges, haragos ▾ *fn* kereszt; feszület ▾ *ige* átmegy, átkel, átlép; keresztbe tesz/rak; keresztez *[pl. utat]*
cross-country terepfutás
cross-examine (*sy*) keresztkérdéseket tesz fel (vkinek)
cross-eye kancsalság
crossfire kereszttűz
crossing átkelés *[pl. folyón]*; útkereszteződés; (kijelölt) gyalogátkelőhely; fajkeresztezés
cross-reference kereszt-

hivatkozás, *[könyvben]* utalás

crossword (puzzle) keresztrejtvény

crouch ▾ *fn* összekuporodás ▾ *ige* összekuporodik

crow ▾ *fn* varjú; kukorékolás ▾ *ige* (crowed/crew, crowed) kukorékol

crowd ▾ *fn* tömeg ▾ *ige* bezsúfol(ódik)

crowded zsúfolt

crown ▾ *fn* korona ▾ *ige* (meg)koronáz

crucial döntő

crucifix feszület

crucifixion keresztre feszítés

crucify keresztre feszít

crude ▾ *mn* nyers ▾ *fn* nyersolaj

cruel kegyetlen

cruelty (*to/towards sy*) kegyetlenség (vkivel szemben)

cruise ▾ *fn* (tengeri) hajóút ▾ *ige* tengeri körutat tesz; (egyenletesen) repül, halad *[repülőgép]*

cruiser cirkáló *[hajó]*

crumb ▾ *fn* morzsa ▾ *ige* morzsál; paníroz

crumble (el)morzsolódik *[pl. kenyér]*

crumbly omladozó

crumple ▾ *fn* gyűrődés ▾ *ige* összegyűr

crunch ▾ *fn* ropog(tat)ás; döntő helyzet ▾ *ige* ropogtat, ropog

crunchy ropogós

crusade ▾ *fn* keresztes hadjárat; *átv* hadjárat ▾ *ige* (*against sg*) küzd (vmi ellen)

crush ▾ *fn* összenyom(ód)ás; gyümölcslé; **have° a ~** (*on sy*) szerelmes (vkibe) ▾ *ige* összetör; *átv* megsemmisít; *[tömegben]* összepréselődik

crushing lesújtó

crust kenyérhéj
crutch mankó
crux lényeg
cry ▾ *fn* sírás; kiáltás, kiabálás ▾ *ige* sír, zokog; kiált, kiabál
crypt sírbolt
crystal kristály
cub (állat)kölyök; fiatalember; kiscserkész
Cuba Kuba
Cuban *mn, fn* kubai
cube kocka; köb
cubic köb-
cubicle (háló)fülke; öltöző
cuckoo kakukk
cucumber uborka
cuddle ▾ *fn* ölel(kez)és ▾ *ige* átölel; ölelkezik
cuff kézelő, mandzsetta; *biz* bilincs; *US* hajtóka
cuisine konyha(művészet)
culminate *átv* tetőz
culprit bűnös
cult (vallásos) tisztelet; kultusz
cultivate megművel *[földet]*; művel *[tudományágat]*; ápol *[barátságot]*
cultivation (meg)művelés *[földé]*
cultural művelődési, kulturális
culture művelődés; műveltség; kultúra
cumbersome ormótlan, nehézkes
cumulative halmozott
cunning ravasz, fortélyos
cup csésze; serleg, kupa; bajnokság
cupboard beépített szekrény
curable gyógyítható
curator múzeumigazgató
curb ▾ *fn* zabla; *átv* fék; *US* járdaszegély ▾ *ige* megfékez, megnyirbál
cure ▾ *fn* gyógyítás; gyógyulás; gyógyír, gyógymód ▾ *ige* (meg)gyógyít
curfew kijárási tilalom
curiosity kíváncsiság; érdekesség; ritkaság

curious kíváncsi; furcsa
curl ▾ *fn* (haj)fürt ▾ *ige* göndörít; göndörödik
curler (haj)sütővas, hajcsavaró
curly göndör *[haj]*
currant ribizli
currency pénznem; (pénz)forgalom
current ▾ *mn* mostani; forgalomban levő *[pl. pénz]* ▾ *fn* ár(amlat); (elektromos) áram
currently jelenleg
curriculum tanterv, tananyag
curry curry(mártás)
curse ▾ *fn* átok; káromkodás ▾ *ige* (cursed/curst, cursed/curst) (meg)átkoz; káromkodik
cursor *inform* kurzor
curst → **curse**
curtail megkurtít
curtain ▾ *fn* függöny ▾ *ige* befüggönyöz
curve ▾ *fn* görbe; kanyar ▾ *ige* görbít; görbül; kanyarodik
cushion ▾ *fn* (dísz)párna ▾ *ige* kipárnáz
custard (tej)sodó
custody őrizet(be vétel)
custom (nép)szokás, hagyomány
customary szokásos
customer vevő, vásárló, fogyasztó
custom-made mértékre/rendelésre készült
customs *esz* vám; vámvizsgálat; vámhivatal
cut ▾ *mn* (le)vágott, metszett; leszállított *[ár]* ▾ *fn* (ki)vágás; csökkentés; szabás *[ruháé]*, vágás *[hajé]* ▾ *ige* (cut, cut) (el/meg)vág; csökkent; *[hajat]* levág; *[ruhát]* (ki)szab; *inform* kivág *[vágólapra]*
cute aranyos
cutlery evőeszközök
cutlet hússzelet, krokett
cutting ▾ *mn* éles, *átv*

csípős ▾ *fn* (le/ki)vágás; (ki)szabás; csökkentés

cycle ▾ *fn* körforgás; ciklus; kerékpár ▾ *ige* kerékpározik

cycling kerékpározás

cyclist kerékpáros

cygnet hattyúfióka

cylinder henger

cynic cinikus ember

cynical cinikus

cynicism cinizmus, cinikus megjegyzés

Cyprus Ciprus (szigete)

Czech ▾ *mn* cseh; **C~ Republic** Csehország, Cseh Köztársaság ▾ *fn* cseh *[ember, nyelv]*

D

dab (lágyan) megnyom, (kendővel) letörölget
dabble (*at/in sg*) belekontárkodik (vmibe), belekóstol (vmibe), kipróbál (vmit), kipróbálja magát (vmiben)
dachshund tacskó *[kutyafajta]*
dad *biz* apu
daddy *biz* apuci
daffodil nárcisz
daft (nagyon) buta, együgyű
dagger tőr
daily ▾ *mn* napi; ~ **paper** napilap ▾ *hsz* naponta
dairy tejüzem; ~ **product** tejtermék
daisy százszorszép
dam gát *[folyón]*
damage ▾ *fn* kár; ~**s** *tsz, jog* kártérítés(i összeg) ▾ *ige* (*sg*) kárt tesz (vmiben), tönkretesz (vmit)
damaging romboló, káros
damp ▾ *mn* nedves ▾ *ige* benedvesít
dance ▾ *fn* tánc ▾ *ige* táncol
dancer táncos(nő)
dandruff korpa *[fejbőrön]*
Dane dán *[ember]*; **(Great)** ~ (dán) dog
danger veszély
dangerous veszélyes
dangle lógat; lóg, fityeg
Danish ▾ *mn* dán ▾ *fn* dán *[nyelv]*
dare mer(észel) *[megtenni vmit]*
daring merész; bátor, vakmerő

dark ▾ *mn* sötét ▾ *fn* sötétség
darken elsötétít, elsötétül
darkness sötétség
darling kedvesem
dart dobónyíl
dartboard céltábla *[dobónyilas játékhoz]*
darts *esz* darts, célbadobó játék
dash ▾ *fn* gondolatjel; **make° a ~ (*for sy/sg*)** odarohan (vkihez/vmihez); **a ~ (*of sg*)** csipetnyi, gondolatnyi (vmiből) ▾ *ige* szétzúz; rohan (vhová)
dashboard *gépk* műszerfal
data *esz/tsz inform* adat(ok); **~ processing** adatfeldolgozás
database *inform* adatbázis
date[1] *fn* datolya
date[2] ▾ *fn* dátum; *biz* randi ▾ *ige* keltez; *biz* (*sy*) randizik (vkivel), jár (vkivel)
daughter vki lánya
daughter-in-law (*tsz* daughters-in-law) meny
dawn ▾ *fn* hajnal ▾ *ige* **it ~ed on me that ...** rájöttem, derengeni kezdett nekem
day nap *[24 óra];* nappal
daydream (daydreamt/daydreamed, daydreamt/daydreamed) álmodozik, mereng
daydreamt → **daydream**
daylight nappal(i fény)
day-to-day mindennapi, mindennapos *[munka, feladat]*
daze elkábít; *biz* elképeszt, meghökkent, összezavar
dazzle ▾ *fn* vakító fény, káprázat ▾ *ige* elvakít *[fény]*
dead ▾ *mn* halott ▾ *fn* **the ~** a holtak ▾ *hsz*

holtan; ~ **or alive** élve vagy halva
deadline határidő
deadly katasztrofális, borzasztó
deaf süket
deafness süketség
deal ▾ *fn gazd* megegyezés, alku; **a great ~** (*of sg*) sok (vmi) ▾ *ige* (dealt, dealt) (*with sg*) foglalkozik (vmivel); *ját* kioszt *[kártyát]*
dealer kereskedő
dealt → **deal**
dean dékán
dear ▾ *mn* kedves, drága; *átv* értékes; ~ **Bill,** Kedves Bill! *[levélben]* ▾ *fn* **my ~** aranyom
death halál; ~ **penalty** halálbüntetés
debatable vitatható
debate ▾ *fn* vita ▾ *ige* (meg)vitat
debit *gazd* ▾ *fn* terhelés *[bankszámlán]* ▾ *ige* megterhel *[bankszámlát]*
debris törmelék
debt adósság
debtor adós
decade évtized
decay ▾ *fn* rothadás; hanyatlás ▾ *ige* romlik *[fog]*; hanyatlik; (el)bomlik
deceased elhunyt
deceit csalás, becsapás
deceive megcsal; becsap
December december
decent rendes, *[a szokásoknak/elvárásoknak]* megfelelő
deception becsapás, átverés
deceptive csalóka, megtévesztő
decide (*sg*) (el)dönt; (*to do sg*) elhatároz (vmit); döntést hoz, határoz
decimal *mat* tizedes, tízes; ~ **point** tizedesvessző
decipher megfejt *[kódot]*, kisilabizál *[nehezen olvasható szöveget]*

decision döntés, határozat, elhatározás

decisive döntő, meggyőző

deck *hajó* fedélzet

deckchair kempingszék

declaration nyilatkozat

declare kijelent; (*sg sg*) (vminek) nyilvánít (vmit); bevall *[vámnál]*; ~ **war** (*on sy*) hadat üzen (vkinek)

decline ▾ *fn* hanyatlás ▾ *ige* hanyatlik; ~ **to do** (*sg*) nem hajlandó (vmit) megtenni

decode *inform* dekódol

decompose lebont, elbomlaszt; lebomlik; megrohad

decorate (fel)díszít *[pl. karácsonyfát]*; (ki)fest/tapétáz *[lakást]*

decoration díszítés; szobafestés

decorative dekoratív, díszítő

decorator festő-mázoló

decrease ▾ *fn* csökkenés ▾ *ige* csökkent; csökken

decree ▾ *fn* rendelet ▾ *ige* elrendel

dedicate (*sg to sy*) (vkinek) ajánl *[pl. könyvet]*; ~ **oneself** (*to sy/sg*) (vkinek/vminek) szenteli magát

dedication ajánlás; elkötelezettség, odaadás

deduce kikövetkeztet

deduct *mat* kivon

deduction következtetés; *mat* kivonás

deed tett

deep ▾ *mn* mély ▾ *hsz* mélyen

deepen mélyít; *átv* elmélyít; *átv is* mélyül

deep-freeze ▾ *fn* mélyhűtő; mélyhűtés ▾ *ige* (deep-froze, deep-frozen) mélyhűt

deep-froze → **deep-freeze**

deep-frozen → **deep-freeze**

deep-rooted mélyen gyökerező
deer szarvas
default *jog* hiba, mulasztás; *inform* alapértelmezés; **by ~** alapértelmezés szerint
defeat ▾ *fn* vereség ▾ *ige* legyőz
defect ▾ *fn* hiba, hiányosság ▾ *ige* átáll/átszökik *[az ellenséghez]*
defective hibás, hiányos
defence védelem
defenceless védtelen
defend megvéd
defendant *jog* alperes, védenc; vádlott
defender védő; *sp* hátvéd
defensive védekező
defer elhalaszt
defiance dac
deficiency hiány; hiányosság
deficient hiányos
deficit (költségvetési) hiány, deficit
define meghatároz, definiál
definite biztos
definitely biztosan; határozottan *[vmilyen]*
definition definíció, meghatározás
defrost kiolvaszt *[mélyhűtött ételt]*
defuse *átv* felold *[feszültséget]; kat* hatástalanít *[bombát]*
defy dacol, szembeszáll
degenerate ▾ *mn* elkorcsosult, degenerált ▾ *ige* elkorcsosít; elkorcsosul
degrade megaláz (vkit), tönkretesz *[környezetet]*; lebomlik *[anyag]*
degree fok; diploma; mérték; **to a ~** vmilyen mértékig
delay ▾ *fn* késés, késlekedés ▾ *ige* elhalaszt, késleltet; feltart; késlekedik
delegate ▾ *fn* küldött ▾ *ige* (*sy*) delegál (vkit)

delete *inform* (ki)töröl
deliberate szándékos
deliberately szándékosan
delicacy ínyencség
delicate finom; kényes, érzékeny *[helyzet, ügy]*
delicatessen csemegeüzlet
delicious isteni finom, felséges *[étel]*
delight ▾ *fn* öröm, gyönyörűség ▾ *ige* örömöt szerez, gyönyörködtet
delightful kellemes, elbűvölő
deliver kézbesít, házhoz szállít; szülést levezet; szül; mond *[beszédet]*, *jog* hoz *[ítéletet]*
delivery kézbesítés, házhozszállítás; szülés
delude félrevezet; ~ **oneself** áltatja magát
delusion tévhit; ámítás, becsapás, félrevezetés
de luxe luxus
demand ▾ *fn* követelés; *gazd* kereslet ▾ *ige* (meg)követel, (meg)kíván
demanding igényes, sok odafigyelést/időt igénylő
demented őrült, eszement
demo *inform* bemutató/demó verzió
democracy demokrácia
democrat demokrata
democratic demokratikus
demolish lerombol
demolition (le)bontás
demon démon
demonstrate elmagyaráz, bemutat; tüntet, demonstrál
demonstration tüntetés
demonstrator tüntető
demoralise demoralizál, elveszi vki önbizalmát/tartását
demote lejjebb sorol; *kat* lefokoz
den barlang; *biz* bűnbarlang

denationalise *gazd* privatizál
denial megtagadás(a vminek vkitől); tagadás
denim farmeranyag
Denmark Dánia
denounce elítél(i vki cselekedetét)
dense sűrű *[pl. erdő]*; sötét *[agyú]*
density sűrűség
dent ▾ *fn* horpadás ▾ *ige* behorpaszt
dental fog(gal kapcsolatos)
dentist fogorvos
dentistry fogászat
deny (le)tagad; megtagad
deodorant dezodor
depart elindul; meghal
department osztály; *okt* tanszék; ~ **store** áruház
departure (el)indulás (vhonnan)
depend (*on sy/sg*) függ (vkitől/vmitől); **it ~s** (az) attól függ!
dependable megbízható
dependant eltartott
dependent függő
depict ábrázol
depopulate elnéptelenít; elnéptelenedik
deport kiutasít, száműz; kitoloncol, deportál
deportation kitoloncolás, deportálás
depose hivatalától megfoszt, elmozdít
deposit ▾ *fn* letét; előleg ▾ *ige gazd* letétbe helyez
depot raktár
depreciate leértékel; veszít az értékéből
depressed szomorú, levert; depressziós; *gazd* nyomott *[ár, piac]*
depression fásultság, kedvetlenség; depresszió; (gazdasági) válság
deprivation megfosztás(a vkinek vmitől)
deprive (*sy of sg*) megfoszt (vkit vmitől)

depth mélység
deputy helyettes
derail kisiklat; kisiklik
derive (*sg from sg*) származtat (vmit vmiből); (*sg from sg*) nyer (vmit vmiből); származik
derogatory elítélő, roszszalló *[megjegyzés]*
descend lemegy; (le)ereszkedik
descendant utód, leszármazott
descent lemászás *[hegyről]*; süllyedés *[repülőgépé]*; származás
describe leír
description leírás, leíró rész *[regényben]*; személyleírás
desecrate meggyaláz, megszentségtelenít
desert[1] ▾ *mn* sivatagi; lakatlan; ~ **island** lakatlan sziget ▾ *fn* sivatag
desert[2] *ige* elhagy *[házastársat, családot]*; *kat* dezertál, megszökik *[hadseregből]*
deserter katonaszökevény
deserve megérdemel
design ▾ *fn [esztétikai]* tervezés, dizájn ▾ *ige* (meg)tervez *[esztétikailag]*
designate (*sy for sg*) kijelöl (vkit vmire)
designer *[esztétikai]* tervező
desirable kívánatos
desire ▾ *fn* vágy; kívánság ▾ *ige* vágyik (vmire); ~ **to do** (*sg*) kíván/szeretne megtenni (vmit)
desk íróasztal
desolate elhagyatott
despair ▾ *fn* bánat, reményvesztettség, kétségbeesés ▾ *ige* szomorkodik, kétségbeesik
desperate reményvesztett; kétségbeesett *[em-*

ber, tett]; (mindenre) elszánt
despise lenéz
despite vmi ellenére
dessert desszert, édesség *[étkezés végén]*
destination célállomás
destiny végzet
destroy lerombol, tönkretesz; megsemmisít, elpusztít
destruction rombolás, pusztítás; pusztulás
destructive romboló, káros, pusztító; destruktív *[magatartás]*
detach leválaszt, letép
detached house különálló ház, családi ház
detail részlet
detain fogságban/letartóztatásban tart
detect felfedez; észlel
detection felfedezés; érzékelés
detective nyomozó, detektív; ~ **story** krimi, bűnügyi regény
detector érzékelő, detektor
detention fogvatartás
deter (*sy from sg*) elrettent (vkit vmitől)
detergent mosószer
deteriorate romlik *[helyzet]*
determination (szilárd) elhatározás; határozottság
determine meghatároz, megállapít; elhatároz, eldönt
deterrent ▾ *mn* elrettentő ▾ *fn* elrettentő példa/eszköz
detest utál, gyűlöl
detonate felrobbant; (fel)robban
detour kerülőút
detrimental káros, ártalmas
devaluate *gazd* leértékel
devalue *gazd* leértékel
devastate lerombol, (nagy) pusztítást okoz; (nagyon) megráz, lesújt (vkit vmi)

develop fejleszt; (ki)fejlődik; *fénykép* előhív
development fejlesztés; fejlemény *[eseményeké]*; fejlődés; *fénykép* előhívás
deviate eltér
deviation eltérés
device eszköz; robbanószerkezet; készülék
devil ördög
devious agyafúrt, trükkös
devise kigondol, kitalál, megtervez
devoid (*of sg*) vmit nélkülöző, vmi híján lévő
devote (*sg to sg*) szentel (vmit vminek)
devoted (*to sg*) odaadó, hű
devotion odaadás
devour felfal, lenyel, bekap
dew harmat
diabetes cukorbetegség
diabetic cukorbeteg
diabolic(al) ördögi
diagnose diagnosztizál
diagnosis diagnózis
diagonal ▾ *mn* átlós ▾ *fn mat* átló
diagram vázlat(os rajz), diagram
dial ▾ *fn* számlap *[órán, műszeren]*; tárcsa *[tárcsás telefonon]* ▾ *ige* tárcsáz *[telefonon]*
dialect nyelvjárás, dialektus
dialling code körzetszám
dialogue dialógus *[filmben, regényben]*; *pol* párbeszéd
diameter átmérő
diamond gyémánt; rombusz; *ját* káró *[kártyában]*
diaper *US* pelenka
diarrhoea hasmenés
diary napló, határidőnapló
dice ▾ *fn esz/tsz* dobókocka ▾ *ige* kockára vág *[főzéshez]*
dictate diktál

dictation tollbamondás
dictator diktátor
dictatorship diktatúra
dictionary szótár
did → **do**
die meghal
diesel dízelolaj; dízelüzemű jármű
diet étrend, diéta
dietary étrendi
differ (*from sg*) különbözik (vmitől)
difference különbség; nézetkülönbség
different más(milyen), különböző; (több) különféle
differentiate megkülönböztet
difficult *átv* nehéz
difficulty nehézség
dig (dug, dug) ás
digest *átv is* (meg)emészt
digestion emésztés
digital digitális
dignified méltóságteljes
dignity méltóság
digress eltér *[a tárgytól]*
dilemma dilemma
diligent szorgalmas, alapos
dim homályos
dime *US* tízcentes *[pénzérme]*
dimension dimenzió; méret(ei vminek)
diminish csökkent, csökken
dimple gödröcske *[arcon, állon]*
dine étkezik
diner étkezőkocsi *[vonaton]*
dinghy *[kis]* csónak
dining; ~ **room** ebédlő *[helyiség]*; ~ **car** *US* étkezőkocsi *[vonaton]*
dinner vacsora
dinosaur dinoszaurusz
dip ▾ *fn* megmártózás *[vízben]*; *gaszt* mártás ▾ *ige* bemárt
diploma diploma; oklevél, tanúsítvány *[tanfolyam elvégzéséről]*

diplomacy diplomácia
diplomat diplomata
diplomatic diplomáciai; diplomatikus
direct ▾ *mn* közvetlen, egyenes ▾ *ige* vezet, irányít; rendez *[filmet, színdarabot]*
direction irány; irányítás
director igazgató; rendező *[filmé, színdarabé]*
directory telefonkönyv; *inform* könyvtár, mappa
dirt kosz, mocsok; ürülék; **dog ~** kutyakaki
dirty koszos, mocskos
disabled mozgássérült, rokkant; **mentally ~** szellemileg sérült
disadvantage hátrány
disagree nem ért egyet, ellenkező véleményen van
disagreeable kellemetlen
disagreement nézetkülönbség; egyetértés hiánya, egyet nem értés
disallow nem enged(élyez); **sg is ~ed** nem szabad vmit tenni
disappear eltűnik
disappoint (*sy*) csalódást okoz (vkinek)
disappointed csalódott
disappointing elszomorító, csalódást keltő
disappointment csalódás
disapproval rosszallás
disapprove (*of sg*) helytelenít (vmit), nem ért egyet (vmivel)
disarm lefegyverez
disarmament leszerelés
disaster katasztrófa
disastrous katasztrofális
disbelieve kételkedik (vmiben), nem hisz el (vmit)
discard eldob; *tud* elvet
discharge ▾ *fn* kibocsátás *[anyagé, sugárzásé]*; elbocsátás *[kórházból]*; megfizetés *[adósságé]*; *jog* szabadlábra helyezés ▾ *ige* kibocsát

[anyagot, sugárzást]; szabadlábra helyez; hazaenged *[kórházból];* kifizet *[adósságot]*

disci → **discus**

discipline fegyelem

disclose felfed, közzétesz

disclosure felfedés, közzététel

disco diszkó

discomfort kényelmetlenség; kellemetlen érzés

disconnect kihúz *[csatlakozóból];* bont *[telefonvonalat]*

discontent elégedetlenség

discontinue (*sg*) megszakít/abbahagy (vmit), felhagy (vmivel); megszűnik

discount árengedmény

discourage (*sy from doing sg*) lebeszél (vkit vmiről), kedvét szegi (vkinek)

discover felfedez

discovery felfedezés

discreet diszkrét, tapintatos

discriminate (hátrányosan) megkülönböztet, különbséget tesz *[egyenjogúak között]*

discrimination (hátrányos) megkülönböztetés

discus (*tsz* discuses v. disci) diszkosz; **(throwing) the ~** diszkoszvetés; **~ thrower** diszkoszvető

discuss megbeszél, megvitat

discussion megbeszélés, vita

disdain ▾ *fn* megvetés ▾ *ige* megvet

disease betegség

disfigure elcsúfít

disgrace szégyen

disgraceful szégyenteljes

disguise ▾ *fn* álruha ▾ *ige* álcáz, elleplez *[álruhával]*

disgust ▾ *fn* undor ▾ *ige* undort kelt, undorít
disgusting undorító
dish tál, edény, étel; *távk* parabolaantenna
dishonest becstelen, tisztességtelen
dishonour ▾ *fn* szégyen ▾ *ige* (*sy*) szégyent hoz (vkire); megszeg *[ígéretet]*
dishwasher mosogatógép
disillusion ▾ *fn* kiábrándulás ▾ *ige* kiábrándít
disinfect fertőtlenít
disinfectant fertőtlenítő
disintegrate szétbomlik
disinterested pártatlan
dislike ▾ *fn* ellenszenv, idegenkedés (vmitől) ▾ *ige* nem szeret, ki nem állhat
dislocate kificamít, kificamodik
dislocation ficam
disloyal illojális, hűtlen
dismal szomorú, nyomasztó; borzalmas(an rossz)
dismantle szétszed, szétszerel, tönkretesz
dismiss elbocsát *[munkahelyről]*; elvet *[ötletet]*
disobedient engedetlen
disobey megszeg *[szabályt]*
disorder *orv* rendellenesség; **public** ~ zavargás
disorient tájékozódásban megzavar, félrevezet
disorientate tájékozódásban megzavar, félrevezet
disown kitagad *[családból]*
dispatch küld, telepít *[haderőt]*
dispenser (kiszolgáló) automata; **cash** ~ bankautomata
disperse szétoszlat *[tömeget]*; szétosztlik *[tömeg]*

display ▾ *fn elektr* ~ **(unit)** kijelző, képernyő; **sg is on** ~ megtekinthető, látható *[kiállításon]* ▾ *ige* kiállít, kitesz *[látható helyre]*; kimutat *[érzelmet]*

disposable egyszer használatos, eldobható

disposal; be° at sy's ~ vki rendelkezésére áll

dispose (*of sg*) megszabadul (vmitől)

disprove (*sg*) bebizonyítja az ellenkezőjét, megcáfol *[sikeresen]*

dispute ▾ *fn* vita, veszekedés ▾ *ige* vitat (vmit) *[kételkedik vmiben]*

disqualify kizár *[versenyből]*, diszkvalifikál

disregard figyelmen kívül hagy

disrupt megzavar, felborít *[rendet]*

dissatisfaction elégedetlenség

dissatisfied elégedetlen

dissect felboncol *[holttestet]*; *átv* ízekre szed, alaposan kielemez

dissertation disszertáció, doktori értekezés

disservice; do° ~ (*to sy/sg*) rossz szolgálatot tesz (vkinek/vminek) *[a reméltel ellenkező hatást ér el]*

dissimilar különböző

dissolve feloszlat *[társaságot]*, feloszlik *[társaság]*; elszáll, eloszlik *[feszültség]*; *vegy* felold, feloldódik

dissuade lebeszél

distance ▾ *fn* távolság; (a) messzeség ▾ *ige* ~ **oneself** elhatárolódik *[nézettől, személytől]*

distant távoli

distasteful ízléstelen

distil lepárol

distillery whiskygyár

distinct jól elkülönülő, különböző; tisztán kivehető, egyértelmű

distinction megkülönböztetés; kitüntetés, megtiszteltetés
distinctive (könnyen) felismerhető
distinguish megkülönböztet *[egymástól]*
distort eltorzít
distortion torzítás, torzulás
distract (*sy*) eltereli vki figyelmét
distress ▾ *fn* aggodalom, *[belső]* feszültség; bánat, szomorúság; szenvedés, kín ▾ *ige* lesújt *[rossz hír]*
distribute szétoszt
distribution szétosztás, terítés; eloszlás
distributor márkaképviselet
district kerület
distrust ▾ *fn* bizalmatlanság ▾ *ige* bizalmatlan (vkivel szemben)
disturb (meg)zavar; felkavar; **do not ~** ne zavarj
disturbance rendzavarás; *[kisebb]* zavargás
disturbed *pszich* zavart
ditch árok
dive ▾ *fn* merülés; *sp* műugrás ▾ *ige* (dived/ *US* dove, dived) fejest ugrik, alámerül
diver búvár; *sp* műugró
diverge eltér (egymástól), különböző irányba tart
diverse sokféle, változatos
diversion elterelés *[figyelemé, forgalomé]*
divert elterel *[figyelmet, forgalmat]*
divide feloszt; megoszt *[közösséget]; mat* oszt
dividend *gazd* osztalék
divine isteni
diving búvárkodás, *sp* műugrás; **~ board** *sp* ugródeszka
division felosztás *[részekre]*; részleg, osztály *[szervezeti egység]; mat* osztás; *kat* hadosztály

divorce ▾ *fn* válás ▾ *ige* (*sy*) elválik (vkitől)
dizzy; feel° ~ szédül
DJ *röv [disk jockey];* lemezlovas, DJ
do (did, done) tesz, csinál; végrehajt, megtesz; tanul *[tantárgyat vhol];* megfelel; **~ a crossword** keresztrejtvényt fejt; **that'll ~** ez jó lesz; **how are you ~ing?** hogy haladsz?; **~ away** (*with sg*) eltöröl (vmit), megszabadul (vmitől); **~ in** megöl, kinyír; **~ up** kicsinosít, felspéciz; *[az egyszerű jelen és múlt idő segédigéje]* **~ you speak English?** beszélsz/tudsz angolul?; **he did not like the film** nem tetszett neki a film
dock ▾ *fn* dokk; kikötő *[folyón]* ▾ *ige* dokkol
dockyard hajógyár
doctor orvos; doktor *[tudományos fokozat]*
document ▾ *fn* okmány, dokumentum ▾ *ige* dokumentál
documentary dokumentumfilm
documentation dokumentáció
dodge félreugrik; (*sg*) kikerül (vmit)
dog kutya
dog-eared szamárfüles
dogmatic dogmatikus
dole *biz* munkanélküli segély
doll játékbaba
dollar dollár
dolphin delfin
domain saját terület(e vkinek)
dome *épít* kupola
domestic házi; **~ animal** háziállat
dominant uralkodó, domináns
dominate uralkodik, dominál
domino dominó
donation adomány

done → **do**
donkey szamár
donor ajándékozó; *orv* donor
doodle firkál
doomed kudarcra ítélt
door ajtó
doormat lábtörlő
doorstep küszöb
doorway kapualj
dope ▾ *fn sp* doppingszer ▾ *ige sp* doppingol
dormant alvó, szunnyadó
dormitory hálóterem; *US* diákszálló
dosage adag(olás)
dose ▾ *fn* adag, dózis ▾ *ige* adagol
dot ▾ *fn* pont ▾ *ige* pontot tesz *[i-re]*; kipontoz *[üres helyet]*
double ▾ *mn* kettős, dupla, kétágyas *[szállodai szoba]*; ~ **bed** kétszemélyes/dupla ágy; ~ **glazing** dupla üveg(ezés); ~ **bass** *zene* nagybőgő ▾ *ige* megkettőz; *ját* kontrázik
doubly kétszeresen
doubt ▾ *fn* kétség ▾ *ige* (*sg*) kételkedik (vmiben)
doubtful bizonytalan, kétséges *[dolog]*; kétségekkel teli *[ember]*; kétes *[ügy]*
doubtless kétségkívül
dough tészta
dove galamb
down ▾ *hsz* le(felé) ▾ *ige* földre kényszerít *[repülőgépet]*
down-and-out reménytelen helyzetű, hajléktalan
downfall *[hirtelen]* bukás
downhill lefelé *[lejtőn]*
downpour felhőszakadás
downright *átv* egyenesen (szólva)
Down's syndrome Down-kór
downstairs (oda)lent *[az alsó szinten]*; le(felé) *[a lépcsőn]*

down-to-earth földhözragadt, józan
downtown *US* ▾ *fn* belváros, városközpont ▾ *hsz* a belvárosba(n)
downtrodden elnyomott, megalázott
downward ▾ *mn* lefelé haladó/irányuló ▾ *hsz* lefelé
downwards lefelé
dowry hozomány
doze ▾ *fn* szundikálás ▾ *ige* szundikál
dozen tucat
draft ▾ *fn* vázlat ▾ *ige* vázol, skiccel
drag ▾ *fn* húzás; *fiz* közegellenállás ▾ *ige* húz, vonszol; vánszorog
dragon sárkány
drain ▾ *fn* ereszcsatorna; csatorna(rendszer) ▾ *ige* lefolyik *[víz]*; lecsapol, kiszárít
drainage vízelvezető rendszer; ~ **ditch** csatorna(árok)
draining board edényszárító
drainpipe csatornacső
drama színdarab, dráma
dramatic *átv is* drámai
dramatist színdarabíró
dramatise *átv* (túl)dramatizál *[helyzetet]*
drank → **drink**
drastic erőteljes, drasztikus, radikális
draught huzat; ~ **beer** csapolt sör
draw ▾ *fn* húzás; sorshúzás; *sp* döntetlen ▾ *ige* (drew, drawn) húz; előhúz, előránt *[kést, fegyvert]*; rajzol; *sp* döntetlent játszik; *átv* levon *[következtetést]*
drawback hátulütő(je vminek)
drawer fiók
drawing rajz; ~ **board** rajztábla; ~ **pin** rajzszeg
drawn → **draw**
drawnet háló, vonóháló

dread ▾ *fn* rettegés ▾ *ige* retteg, fél

dreadful borzalmas, szörnyű

dream ▾ *fn* álom; ábránd ▾ *ige* (dreamt/dreamed, dreamt/dreamed) álmod(oz)ik

dreamer álmodozó

dreamt → **dream**

dreary unalmas, egyhangú, kopár

drench eláztat

dress ▾ *fn* (női) ruha; ~ **rehearsal** *szính* (jelmezes) főpróba ▾ *ige* felöltöztet; **get°** ~**ed** felöltözik

dressing salátaöntet; ~ **gown** köntös; ~ **room** öltöző *[helyiség]*; ~ **table** toalettasztal(ka)

dressmaker varrónő

drew → **draw**

dribble ▾ *fn* csepegés; nyál(csepp) ▾ *ige* csepeg; nyáladzik

dried szárított

drift ▾ *fn* sodródás, áramlat ▾ *ige* sodródik

drill ▾ *fn [beidegző]* gyakorlat; *műsz* fúrógép ▾ *ige* fúr; begyakoroltat; *kat* gyakorlatozik

drink ▾ *fn* ital ▾ *ige* (drank, drunk) iszik

drip csepegtet; csepeg

drip-dry kicsavarás/centrifugálás nélkül szárít/szárad *[ruha]*

drive ▾ *fn* autózás *[kedvtelésből]*; *pszich* ösztön(ös késztetés); *gépk* meghajtás; *inform* lemezmeghajtó; **4-wheel** ~ négykerék-meghajtás; **hard disk** ~ vincseszter, merevlemez ▾ *ige* (drove, driven) vezet *[járművet]*; ~ **sy crazy** az őrületbe kerget vkit

driven → **drive**

driver sofőr; *inform* illesztőprogram *[hardverhez]*

driving licence *gépk* jogosítvány
drizzle szitáló eső
drop ▾ *fn* csepp ▾ *ige* elejt; (*sg*) felhagy (vmivel); (le)csökken
drought szárazság, aszály
drove → **drive**
drown vízbe fojt; vízbe fullad
drowsy álmos
drug ▾ *fn* gyógyszer; drog; ~ **addict** kábítószerfüggő ▾ *ige* elkábít
drugstore *US* gyógyszerüzlet, drogéria
drum ▾ *fn zene* dob ▾ *ige* dobol
drummer dobos
drunk ▾ *fn* részeg ▾ *ige* → **drink**
drunkard részeges
drunken részeg; részeges, iszákos
dry ▾ *mn* száraz ▾ *ige* szárít; aszal; szárad
dry-clean vegytisztít
dual kettős; ~ **carriageway** autópálya, osztottpályás út
dub *film* szinkronizál
dubbing *film* (utó)szinkron
dubious kétes
duchess hercegné, hercegnő
duck[1] *fn* kacsa
duck[2] *ige* lebukik, elhajol *[ütés elől]*
duckling kiskacsa
due *gazd* fizetendő; **be**° ~ (*to sy*) (vkinek) jár; aktuálissá válik, várható *[vmikor]*
duet ▾ *fn* duett ▾ *ige* duettet ad elő
dug → **dig**
duke herceg
dull ▾ *mn* tompa; unalmas, egyhangú ▾ *ige* (el)tompít
duly ahogy illik
dumb néma; *US* ostoba
dummy próbababa; *ját* asztaljátékos *[bridzsben]*

dump ▾ *fn* szemétlerakó hely; *kat* hadianyagraktár ▾ *ige* kidob, eldob, megszabadul (vmitől)
dune homokdűne
dung trágya
dungeon pincebörtön, várbörtön
duplicate ▾ *fn* másolat ▾ *ige* (le)másol
durable tartós, strapabíró
duration időtartam
during vmi (ideje) alatt, vmi folyamán
dusk alkony(at)
dust ▾ *fn* por ▾ *ige* (le)porol
dustbin szemétláda, kuka
dustman (*tsz* -men) szemetes *[ember]*
dusty poros
Dutch ▾ *mn* holland ▾ *fn* *esz/tsz* holland *[ember, nyelv]*
Dutchman (*tsz* -men) holland (férfi)
duty kötelesség; *gazd* vám, adó
duty-free vámmentes
dwarf ▾ *fn* törpe ▾ *ige átv* eltörpít
dwell (dwelt, dwelt) lakik
dwelt → **dwell**
dwindle (vészesen) lecsökken, hanyatlik
dye ▾ *fn* festék ▾ *ige* befest *[hajat stb.]*
dynamic dinamikus; *fiz* dinamikai
dynamics *esz* dinamika
dynamite dinamit
dynamo dinamó
dynasty dinasztia, uralkodóház

each mindegyik, minden egyes
eager buzgó; mohó
eagle sas
ear fül
earache fülfájás
eardrum dobhártya
earl gróf
early ▾ *mn* korai ▾ *hsz* korán
earn *[pénzt]* keres
earnings *tsz* kereset
earring fülbevaló
earth (virág)föld; **E~** a Föld
earthquake földrengés
ease ▾ *fn* könnyedség ▾ *ige* megkönnyít, enyhít
east ▾ *mn* keleti ▾ *fn* kelet ▾ *hsz* kelet felé, keletre
Easter húsvét
easterly keleti
eastern keleti
easy *átv* könnyű
eat (ate, eaten) eszik
eaten → eat
eaves *tsz* eresz
eavesdrop hallgatózik
ebony ében(fa)
eccentric különc *[ember]*
echo ▾ *fn* visszhang ▾ *ige* visszhangzik
eclipse; solar ~ napfogyatkozás; **lunar ~** holdfogyatkozás
ecology ökológia
economic gazdasági
economical gazdaságos
economics *esz* közgazdaságtan
economist közgazdász
economise (*on sg*) spórol (vmin)
economy gazdaság; ~

class turistaosztály *[repülőgépen]*
ecstasy eksztázis
edge él; szegély
edible ehető
edit szerkeszt
edition kiadás *[könyvé]*
editor szerkesztő
editorial vezércikk
educate oktat
educated művelt
education műveltség; oktatás(ügy)
eel angolna
eerie hátborzongató, kísérteties
effect hatás; *film* trükk; *zene* effektus
effective hatásos
effectively gyakorlatilag, tulajdonképpen; hatásosan
efficiency hatékonyság
efficient hatékony
effort erőfeszítés
egg tojás; pete(sejt)
ego(t)ism egoizmus, önzés
Egypt Egyiptom
Egyptian *mn, fn* egyiptomi
eight nyolc
eighteen tizennyolc
eighteenth tizennyolcadik; tizennyolcad
eighth nyolcadik; nyolcad
eightieth nyolcvanadik; nyolcvanad
eighty nyolcvan
either ▾ *nm* bármelyik *[kettő közül]* ▾ *hsz* sem; **that's not very good ~** ez sem valami jó ▾ *ksz* vagy; **~ you or me** vagy te, vagy én
eject katapultál; kidob *[pl. kazettát a magnó]*
elaborate bonyolult, szövevényes
elastic rugalmas
elbow könyök
elder; ~ brother báty; **~ sister** nővér
elderly idős
eldest a legidősebb *[pl. testvér]*

elect megválaszt (vmivé)
election *pol* választás(ok)
elector választó; *US* elektor
electric(al) elektromos
electrician villanyszerelő
electricity (elektromos) áram
electronic elektronikus
elegance elegancia
elegant elegáns
element (alkotó)elem
elementary elemi
elephant elefánt
elevated emelkedett *[stílus]*
elevation magaslat; *földr* tengerszint feletti magasság; *épít* homlokzat
elevator *US* lift
eleven tizenegy
eleventh tizenegyedik; tizenegyed
elf (*tsz* elves) manó
elicit kivált; kiszed *[vkiből információt]*
eligible (*for sg*) jogosult (vmire)
eliminate megszüntet; megsemmisít; kizár (vmiből)
else ▼ *hsz* **someone ~** valaki más ▼ *ksz* vagy(pedig)
elsewhere máshol; máshová
elude elillan; eltűnik *[vmi/vki (szeme) elől]*
elusive illékony
elves → **elf**
emancipate egyenjogúsít
embankment rakpart
embargo embargó
embark hajóra száll
embarrass zavarba ejt
embarrassment zavar(odottság)
embassy nagykövetség
embezzle (el)sikkaszt
embitter megkeserít
emblem embléma, jelkép
embody megtestesít
embrace ▼ *fn* ölelés ▼ *ige* átölel; *átv* felölel
embroider (ki)hímez
embroidery hímzés

embryo magzat
emerald smaragd
emerge felbukkan, előtűnik
emergency vészhelyzet; ~ **exit** vészkijárat
emigrant kivándorló
emigrate kivándorol
emotion érzelem
emotional érzelmi; érzelmes
emperor császár
emphasis *átv is* hangsúly
emphasise hangsúlyoz
emphatic nyomatékos, hangsúlyos
empire birodalom
employ alkalmaz, foglalkoztat *[munkahelyen]*
employee alkalmazott
employer munkáltató
employment foglalkoztatás
empower felhatalmaz
empress császárné, császárnő
empty ▾ *mn* üres ▾ *ige* kiürít
enable (*sy to do sg*) képessé tesz; feljogosít (vkit vmire)
enamel zománc
enchant elbűvöl, megbabonáz
enclose bekerít, körülvesz; mellékel *[levélhez]*
enclosure bekerített terület
encore ráadás
encounter ▾ *fn* találkozás ▾ *ige* találkozik; (*sg*) szembekerül (vmivel)
encourage bátorít
encouraging bátorító
encyclopaedia enciklopédia
end ▾ *fn* vég; cél ▾ *ige* befejez; befejeződik
endanger veszélyeztet
endeavour ▾ *fn [nagy]* vállalkozás, kísérlet ▾ *ige* megpróbál, megkísérel
ending vég(ződés)
endless végtelen
endurance kitartás

endure elvisel, kibír
enemy ellenség
energetic energikus
energy energia
enforce betartat *[szabályt]*
engage leköt *[figyelmet]*
engaged el van jegyezve; elfoglalt *[ember]*; foglalt *[telefonvonal]*
engagement eljegyzés
engine motor; mozdony
engineer mérnök
England Anglia
English ▾ *mn* angol; ~ **Channel** La Manche csatorna ▾ *fn esz/tsz* angol *[ember, nyelv]*
Englishman (*tsz* -men) angol *[férfi]*
Englishwoman (*tsz* -women) angol *[nő]*
engrave (rá)vés
enhance erősít, fokoz, javít
enjoy élvez
enjoyable élvezetes
enjoyment élvezet
enlarge (fel)nagyít
enlighten felvilágosít, megvilágosít
enlightened *tört* felvilágosult
enlightenment *tört* felvilágosodás
enmity ellenségeskedés
enormous hatalmas, óriási
enough ▾ *mn* elég ▾ *hsz* eléggé
enquire (*about/of sg*) érdeklődik, tudakozódik (vmiről)
enrage felbőszít
enrich gazdagít
enrol beiratkozik
enrolment beiratkozás
ensure biztosít
enter bejegyez *[könyvbe]*; benevez *[versenyre]*; *átv is* belép; *inform* bevisz *[adatot]*
enterprise vállalkozás
enterprising vállalkozó szellemű
entertain (el)szórakoztat

entertaining szórakoztató
entertainment szórakoz(tat)ás
enthusiasm lelkesedés
enthusiastic lelkes
entice csalogat
entire egész; teljes
entirely teljesen
entitle feljogosít
entity entitás
entrance belépés; bejárat; ~ **exam(ination)** felvételi (vizsga); ~ **fee** belépődíj
entrepreneur vállalkozó
entry belépés; bejegyzés; címszó
envelope boríték
envious irigy
environment környezet
environmental környezeti
envisage elképzel, eltervez
envoy megbízott *[diplomata]*
envy ▾ *fn* irigység ▾ *ige* irigyel
enzyme enzim
epic ▾ *mn* epikus ▾ *fn* eposz; hosszadalmas cselekményű film
epidemic ▾ *mn* járványos (méreteket öltött) ▾ *fn* járvány
epilepsy epilepszia
epileptic epilepsziás
episode epizód
epoch korszak
equal egyenlő
equality egyenlőség
equalize kiegyenlít
equate egyenlőségjelet tesz vmi közé, egyenlőnek gondol
equation egyenlet
equator *földr* egyenlítő
equilibrium egyensúly
equip (*with sg*) felszerel (vmivel)
equipment felszerelés
equivalent ▾ *mn* egyenlő ▾ *fn nyelv* (más nyelvű) megfelelő *[szóé]*
ER *röv [emergency room]* sürgősségi/baleseti osz-

tály *[kórházban]*; *[Elizabeth Regina]* II. Erzsébet királynő
era kor(szak)
eradicate *átv is* gyökerestül kiirt, végleg megszüntet
erase (ki)töröl, kiradíroz
eraser radír
erect ▾ *mn* jó tartású ▾ *ige* épít, (fel)állít *[sátrat, emlékművet stb.]*
erection felállítás *[épületé]*
erosion erózió
erotic erotikus
err téved, hibázik
erroneous téves, hibás
error tévedés, hiba
erupt kitör *[tűzhányó]*
escalate fokoz(ódik)
escalator mozgólépcső
escape megmenekül, elmenekül
escort ▾ *fn* kísérő ▾ *ige* elkísér vkit
Eskimo *mn, fn* eszkimó
especially különösen
espionage kémkedés
essay esszé, (esszé jellegű) dolgozat
essence lényeg
essential alapvető, elengedhetetlen *[fontosságú]*; lényeges
establish alapít *[céget, társaságot]*; megállapít
establishment intézmény
estate (föld)birtok; **real ~** ingatlan; **~ agent** ingatlanügynök; **housing ~** lakótelep
esteem ▾ *fn* nagyrabecsülés ▾ *ige* nagyra becsül; értékel
estimate ▾ *fn* becslés ▾ *ige* megsaccol, megbecsül *[közelítőleg]*
estrange elidegenít (magától), elidegenedik
etching (réz)karc
eternal örök
eternity örökkévalóság
ethical etikus
ethnic etnikai
etiquette etikett

etymology etimológia
Europe Európa
European *mn, fn* európai
euthanasia eutanázia
evacuate kiürít *[épületet, várost]*; kimenekít, evakuál *[embereket]*
evade (*sg/sy*) elkerül, kikerül (vmit/vkit)
evaluate (ki)értékel
evaporate elpárolog(tat)
evasion kikerülés, elkerülés; **tax ~** adóelkerülés
evasive kitérő, elkerülő
eve *vál* este; **New Year's E~** szilveszter; **Christmas E~** szenteste
even ▾ *mn* egyenletes; *mat* páros ▾ *hsz* még …bb; még … is/sem; **~ I can understand this** ezt még én is értem; **this is ~ better** ez még jobb ▾ *ige* simít
evening est(e)
event esemény, rendezvény
eventful eseménydús
eventual végső
eventually végül
ever valaha
evergreen örökzöld
everlasting örökké tartó
every minden
everybody mindenki
everyday mindennapi, mindennapos
everyone mindenki
everything minden
everywhere mindenhol
evidence ▾ *fn* bizonyíték ▾ *ige* bizonyít
evident nyilvánvaló
evil ▾ *mn* gonosz ▾ *fn* gonoszság
evolution evolúció, (törzs)fejlődés
evolve kialakul, kifejlődik
ewe (anya)juh
exact pontos
exaggerate eltúloz
exaggeration túlzás
exam *biz* vizsga
examination vizsgálat; *okt* vizsga

examine megvizsgál; *okt* vizsgáztat
examiner *okt* vizsgáztató
example példa
excavate kiás
excavation ásatás
exceed túllép *[előírt adagot/sebességet]*
excel (*at sg*) kitűnik (vmiben)
excellent kitűnő
except (for) kivéve
exception kivétel; **make° an ~** kivételt tesz
exceptional kivételes
excerpt részlet
excessive túlzott, mértéktelen
exchange ▾ *fn* csere, diákcsere; *gazd* valuta, pénzváltás ▾ *ige* (ki)cserél; *gazd* felvált *[apróra]*, bevált, átvált *[valutát]*
excite (fel)izgat
excited izgatott
excitement izgalom
exciting izgalmas
exclaim felkiált
exclamation kiáltás; **~ mark** felkiáltójel
exclude kizár
exclusion kizárás, kirekesztés
exclusive kizárólagos, exkluzív
excursion kirándulás
excuse ▾ *fn* mentség, kifogás ▾ *ige* **~ me!** bocsánat, elnézést (kérek)
execute elvégez *[feladatot, munkát]*, végrehajt; kivégez
execution megvalósítás, teljesítés
executive *gazd* vezető *[beosztás(ú)]*
exemplify példáz
exempt ▾ *mn* (*from sg*) mentes (vmi alól) ▾ *ige* (*from sg*) mentesít (vmi alól)
exemption mentesítés; mentesség
exercise ▾ *fn* gyakorlat;

~ **book** füzet ▾ *ige* gyakorol; edz
exhaust ▾ *fn gépk* kipufogógáz ▾ *ige* kifáraszt
exhausted kimerült
exhaustion kimerültség, fáradtság
exhaustive kimerítő, teljes körű
exhibit kiállít; jelét adja vminek
exhibition kiállítás
exile ▾ *fn* száműzetés ▾ *ige* száműz
exist létezik
existence lét(ezés)
existing létező
exit ▾ *fn* kijárat ▾ *ige* kimegy; *inform* kilép *[programból]*
exotic egzotikus
expand kiterjeszt; (ki)tágul; megnyúlik
expansion *pol* terjeszkedés
expatriate ▾ *fn* külföldre szakadt ember ▾ *ige* száműz
expect remél, vár; elvár
expectation remény, várakozás; elvárás
expedition expedíció
expel kiűz
expenditure *gazd* kiadás(ok)
expense költség
expensive drága, költséges
experience ▾ *fn* tapasztalat ▾ *ige* tapasztal
experienced tapasztalt
experiment ▾ *fn* kísérlet ▾ *ige* kísérletezik
experimental kísérleti
expert szakértő
expertise szaktudás
expire lejár *[érvényesség]*
expiry lejárat *[érvényességé]*
explain megmagyaráz, elmagyaráz
explanation magyarázat
explanatory magyarázó
explode felrobban(t)
exploit kihasznál, kiaknáz; kizsákmányol

exploitation kiaknázás; kizsákmányolás
explore felfedez, feltár; kutat
explorer felfedező
explosion robbanás
export ▾ *fn* export ▾ *ige* exportál
exporter exportőr
expose (*sg to sg*) kitesz (vmit vminek)
exposure kitevés *[vmi hatásának]; fényk* exponálási idő
express[1] *mn, fn* expressz
express[2] *ige* kifejez
expression kifejezés
expressive kifejező
expressly kifejezetten
extend meghosszabbít; (*to sg*) kiterjed (vmire)
extension meghosszabbítás; kiterjedés; telefonmellék
extensive széles körű, kiterjedt
extent kiterjedés; **to a certain ~** bizonyos fokig
exterior külső
exterminate kipusztít
external külső
extinct kipusztult *[faj]*
extinction kihalás, kipusztulás *[fajé]*
extinguish elolt *[tüzet]*
extra ▾ *mn* többlet-; extra *[minőségű]* ▾ *fn* extra *[szolgáltatás]*
extract ▾ *fn* kivonat ▾ *ige* kihúz; kivon *[anyagot]*
extraordinary rendkívüli
extravagant különc
extreme szélsőség(es)
extremely rendkívül
eye szem
eyeball szemgolyó
eyebrow szemöldök
eyelash szempilla
eyelid szemhéj
eyesight látás
eyewitness szemtanú

F

fable tanmese
fabric szövet
fabricate gyárt; kitalál *[történetet]*
fabulous mesés
face ▾ *fn* arc; előlap, fedőlap ▾ *ige* szembenéz *[problémával]*; (vmilyen irányba) fordul, (arra) néz
facial arci, arc-; ~ **expression** arckifejezés
facilitate elősegít, megkönnyít
facility berendezés, alkalmatosság
fact tény
faction *pol* frakció
factor tényező
factory gyár
factual tényszerű
faculty képesség; kar *[egyetemen]*
facsimile hasonmás *[szövegé, írásé]*; *távk* fax
fade elhervad; elhalványul, elhalkul
fail (*in sg*) kudarcot vall (vmiben), nem sikerül (vmi); megbukik *[vizsgán]*; (*to do sg*) elmulaszt *[megtenni vmit]*
failure sikertelenség; bukás *[vizsgán]*; elmulasztása (vminek); leállás *[motoré]*
faint ▾ *mn átv is* gyenge, halvány ▾ *ige* elájul; elhalványul
fair[1] *mn* igazságos; szőke *[haj]*; jókora; szép
fair[2] *fn* vásár
fairly igazságosan; aránylag
fairy tündér

faith hit

faithful hűséges; hiteles, valósághű

fake ▾ *mn* hamis, ál- ▾ *fn biz* hamisítvány, ál- ▾ *ige* tettet

falcon sólyom

fall ▾ *fn tört* bukás *[birodalomé]; US* ősz ▾ *ige* (fell, fallen) (le)esik; elesik, elbotlik; leereszkedik, leszáll *[köd]*

fallacy tévhit

fallen → **fall**

fallible esendő, gyarló

false téves, hamis

falsify meghamisít; megcáfol

fame hírnév

familiar ismerős, ismert *[vki számára];* közvetlen, kötetlen

familiarity megszokottság, ismerősség; jártasság (vmiben); kötetlenség

familiarise (*sy with sg*) beavat, bevezet (vkit vmibe); (*with sg*) ismerkedik (vmivel)

family család

famine éhínség

famous híres

fan[1] ventilátor; legyező; propeller

fan[2] *biz* rajongó

fanatic fanatikus, megszállott

fancy ▾ *fn* fantázia, képzelőerő; ~ **dress** jelmez ▾ *ige* elképzel; szeret (vmit), tetszik neki (vmi/vki)

fantastic képzelt, fantáziaszülte; *biz* fantasztikus(an jó)

fantasy fantázia, képzelet; álomkép

far (*kfok* farther/further, *ffok* farthest/furthest) ▾ *mn* távoli, messzi; (a) távolabbi ▾ *hsz* messz(ir)e; nagyon, sokkal (-bb)

fare menetdíj

farewell ▾ *mn* búcsú- ▾

fn búcsú ▾ *isz* Isten önnel/veled!

farm farm, földbirtok

farmer farmer, gazda

farming gazdálkodás *[földbirtokon]*

farther → **far**

farthest → **far**

fascinate *biz* lenyűgöz

fascinating lenyűgöző, (rendkívül) izgalmas

fascination szenvedélyes érdeklődés (vmi iránt)

Fascism fasizmus

fashion divat; mód

fashionable divatos

fast[1] ▾ *mn* gyors; ~ **food** gyorséttermi étel ▾ *hsz* gyorsan

fast[2] *fn* böjt

fasten rögzít, becsatol *[biztonsági övet]*

fat ▾ *mn* kövér; vastag ▾ *fn* zsír

fatal halálos, végzetes

fatality halálos áldozat/baleset

fate sors

father ▾ *fn* apa; *vall* atya ▾ *ige* nemz *[gyermeket]*

father-in-law (*tsz* fathers-in-law) após

fatherly atyai

fatigue fáradtság; (anyag)fáradás

fatten hizlal; hízik

fattening hizlaló *[étel]*

fatty zsíros; kövér

faucet *US* (víz)csap

fault hiba

faulty hibás

fauna állatvilág

favour ▾ *fn* szívesség ▾ *ige* helyesebbnek/jobbnak tart

favourable kedvező

favourite kedvenc

fax ▾ *fn* fax ▾ *ige* (el)faxol

fear ▾ *fn* félelem ▾ *ige* fél

fearful rettenetes

fearless vakmerő

feasibility megvalósíthatóság, kivi(telez)hetőség

feasible megvalósítható

feast ▾ *fn* ünnep; lakoma ▾ *ige* lakmározik
feat (hős)tett
feather toll *[madáré]*
feature ▾ *fn* (arc)vonás; paraméter(e), jellemző(je vminek); cikk, összeállítás *[újságban]*; *US* nagyfilm ▾ *ige film* bemutat, szerepeltet
February február
fed; be° ~ up (*with sg/sy*) elege van (vmiből/vkiből), torkig van (vmivel/vkivel); → **feed**
federal szövetségi
federation (állam)szövetség
fee díj, illetmény
feeble gyenge, erőtlen
feed ▾ *fn* etetés; takarmány ▾ *ige* (fed, fed) etet; *inform* betölt *[adatot]*
feedback visszajelzés, értékelés
feel (felt, felt) érez; (kézzel) megérint, tapint; érződik
feeling érzés, érzet
feet → **foot**
feign színlel, tettet
feline *áll* macskaféle; *átv* macskaszerű
fell → **fall**
fellow társ; *biz* hapsi, fickó
felt[1] *fn* filc
felt[2] *ige* → **feel**
female nő(i), nőstény
feminine női(es); *nyelv* nőnemű
feminism feminizmus
fence ▾ *fn* kerítés ▾ *ige sp* vív
fencing vívás
ferment ▾ *fn biz* kavar(odás), (zűr)zavar ▾ *ige* erjeszt, erjed
ferocious vad, bősz
ferocity vadság
ferry ▾ *fn* komp ▾ *ige* *[rendszeresen]* szállít, fuvaroz
fertile termékeny
fertility termékenység
fertilise (meg)termékenyít; trágyáz, talajt javít

fertiliser (mű)trágya
festival fesztivál
festivity fesztivál, vigalom
fetch elhoz (vhonnan); elkel *[vmilyen áron]*
feud ▾ *fn* ellenségeskedés, viszály ▾ *ige* ellenségeskedik
fever láz
feverish lázas
few kevés; **a ~** néhány
fiancé vőlegény *[az esküvő előtt]*
fiancée menyasszony *[az esküvő előtt]*
fib ▾ *fn biz* füllentés ▾ *ige biz* füllent
fibre rost(szál)
fiction kitalált történet, mese
fictional költött, kitalált
fictitious fiktív, kitalált
fiddle ▾ *fn biz* hegedű ▾ *ige* hegedül
fidelity hűség
fidget izeg-mozog
field mező; sportpálya; (szak)terület
fiend ördög
fierce erőszakos, vad
fiery tüzes
fifteen tizenöt
fifteenth tizenötödik; tizenötöd
fifth ötödik; ötöd
fiftieth ötvenedik; ötvened
fifty ötven
fifty-fifty fele-fele alapon
fig füge
fight ▾ *fn* küzdelem, csata ▾ *ige* (fought, fought) küzd, harcol
fighter harcos; vadászrepülőgép
figurative képletes, átvitt *[értelem]*; figuratív *[művészet]*
figure ▾ *fn* szám(jegy); alakzat; ábra ▾ *ige US biz* sejt, gondol; **~ out** (*sg*) rájön (vmire), kitalál (vmit)
file[1] ▾ *fn* reszelő ▾ *ige* reszel
file[2] ▾ *fn* akta; iratgyűjtő,

dosszié; *inform* állomány, fájl ▾ *ige [irattárba]* iktat

fill (meg)tölt; megtelik

fillet ▾ *fn* filé(zett hús/hal) ▾ *ige* kicsontoz, filéz

filling ▾ *mn* laktató; ~ **station** *gépk* benzinkút ▾ *fn* fogtömés; töltelék

film ▾ *fn* hártya; film ▾ *ige* forgat *[filmet]*

filter ▾ *fn* szűrő ▾ *ige* (ki)szűr

filth mocsok, piszok

filthy szennyes, mocskos

fin uszony

final ▾ *mn* végső, utolsó; végleges ▾ *fn sp* döntő

finale finálé

finalist *sp* döntős

finalise véglegesít

finally végül

finance ▾ *fn* pénzügy ▾ *ige* finanszíroz, viseli a költségeket

financial pénzügyi

find (found, found) (meg)talál; megkeres; (vmilyennek) talál

fine[1] ▾ *mn* kiváló (minőségű), (igen) jó; finom ▾ *hsz* szépen, remekül; *biz* jól

fine[2] ▾ *fn* bírság ▾ *ige* megbírságol

finely szépen; remekül

finger ujj

fingerprint ujjlenyomat

fingertip ujjhegy

finish befejez(ődik)

finite véges

Finland Finnország

Finn finn *[ember]*

Finnish ▾ *mn* finn ▾ *fn esz/tsz* finn *[ember, nyelv]*

fire ▾ *fn* tűz; ~ **alarm** tűzjelző; ~ **engine** tűzoltókocsi; ~ **extinguisher** tűzoltó készülék; ~ **station** tűzoltóállomás ▾ *ige* tüzel *[fegyverből]; biz* kirúg *[állásból]*

fireman (*tsz* -men) tűzoltó

fireplace kandalló
fireproof tűzálló
firewood tűzifa
firm[1] *mn átv* kemény, szilárd
firm[2] *fn* cég
first ▾ *szn* első; ~ **aid** elsősegély; ~ **name** keresztnév ▾ *hsz* először
firstly először is
first-rate kiváló
fish ▾ *fn esz/tsz* (halfajták: *tsz* fishes) hal ▾ *ige* (ki)halászik
fisherman (*tsz* -men) halász
fishing halászat; ~ **rod** horgászbot
fishmonger halárus
fission osztódás; (mag)hasadás
fist ököl
fit ▾ *mn* egészséges, fitt ▾ *ige* jó (vkire) *[ruha]*; illeszt
fitness (jó) egészség, erőnlét
five öt
fix rögzít; *US* megjavít, helyrehoz
fixation rögzítés
fizzy szénsavas
fjord fjord
flag zászló
flair (*for sg*) tehetség, adottság (vmire)
flake pehely
flaky pelyhes
flame ▾ *fn* láng ▾ *ige* lángol
flamingo flamingó
flammable gyúlékony
flank szegélyez
flannel flanell
flap verdes, csapkod *[szárnnyal]*
flare ▾ *fn* fellobbanás ▾ *ige* fellángol
flash ▾ *fn* villanás; vaku ▾ *ige* felvillant, villogtat; rövid ideig mutat; (fel)villan
flashy hivalkodó
flask *[lapos]* palack
flat[1] *mn* lapos
flat[2] *fn* lakás

flatten (le)lapít
flatter hízeleg
flattery hízelgés
flavour ▾ *fn* íz ▾ *ige* ízesít
flaw hiba
flawless hibátlan
flea bolha
fled → **flee**
flee (fled, fled) elmenekül
fleece ▾ *fn* gyapjú *[birkán]* ▾ *ige* (meg)nyír *[birkát]*
fleet flotta, hajóhad
Fleming flamand *[ember]*
Flemish ▾ *mn* flamand ▾ *fn* flamand *[nyelv]*
flesh hús *[emberé, gyümölcsé]*
flexible hajlékony; *átv* rugalmas
flew → **fly**
flicker ▾ *fn* vibrálás, ugrálás *[tévéképé]* ▾ *ige* pislákol *[gyertya]*
flight repülés; (légi)járat, repülőút; ~ **attendant** légiutas-kísérő *[repülőgépen]*
flinch összerándul
fling (flung, flung) (el)dob
flint kova(kő); pattintott kőszerszám
flip (át)lapoz; megfordít *[palacsintát];* feldob *[pénzt]*
flippant *pejor* szellemeskedő, fárasztó *[megjegyzés],* komolytalan *[hozzáállás]*
flirt (*with sy*) csábít *[szerelemre],* szemez (vkivel)
float lebeg, úszik *[vízen]*
flock (madár)raj, nyáj, *átv* falka *[népes társaság]*
flood ▾ *fn* árvíz; *átv* özön, áradat ▾ *ige* árad, ömlik; *átv is* elönt, eláraszt
floodlight ▾ *fn* reflektorfény *[stadionban],* díszkivilágítás *[épületé]* ▾ *ige* (fényszórókkal) kivilágít
floor padló; emelet; **on**

the ~ (lent) a földön *[a padlón, a szőnyegen]*
flop ▾ *fn* bukás, sikertelenség ▾ *ige* leesik, összecsuklik; megbukik *[színdarab]*
floppy ▾ *mn* (le)lógó; petyhüdt ▾ *fn inform* ~ **(disk)** hajlékonylemez
flora flóra, növényzet
florist virágüzlet-tulajdonos; ~'s virágüzlet
flour liszt
flourish *átv is* virágzik
flow ▾ *fn* áramlás, áramlat ▾ *ige* folyik, áramlik
flower virág
flowery virágos
flown → **fly**
flu influenza
fluctuate ingadozik, hullámzik
fluency beszédkészség, folyékonyság *[idegen nyelven]*
fluent folyékony
fluff szösz, boholy
fluffy bolyhos
fluid ▾ *mn* folyékony; *átv* képlékeny *[helyzet]* ▾ *fn* folyadék
flung → **fling**
fluoride fluorid
flush ▾ *fn* arcpír; özön, áradat; öblítés *[vécéé]* ▾ *ige* (el)pirul *[arc]*; leöblít, lehúz *[vécét]*
flute fuvola
flutter lebeg(tet); csapkod, verdes *[szárnnyal]*; kalapál *[szív]*
flux folyás, áradat
fly[1] *fn* légy
fly[2] *ige* (flew, flown) repül; vezet *[repülőgépet]*; elmenekül
flyover felüljáró
foal ▾ *fn* csikó ▾ *ige* ellik *[kanca]*
foam ▾ *fn* hab ▾ *ige* habzik *[mosószer]*; tajtékzik *[dühtől]*
focus ▾ *fn* középpont *[figyelemé]* ▾ *ige* (*on sg*) összpontosít, koncentrál (vmire)

foe *vál* ellenség
fog köd
foggy ködös
foil alufólia
fold hajt(ogat)
folder iratgyűjtő; *inform* könyvtár, mappa
folk népi
folklore néphagyomány, folklór
follow követ, utána megy; következik
follower követő
following ▾ *mn* következő ▾ *fn* kíséret *[kísérő személyek]*
fond; be° ~ of szeret, kedvel
font *inform* betűtípus
food élelmiszer, étel, táplálék; **~ processor** háztartási robotgép
foodstuff *tsz* élelmiszer
fool ▾ *fn* bolond ▾ *ige* bolondít, hiteget; **~ around** bolondozik
foolish buta, ostoba
foolishness butaság
foolproof elronthatatlan, eltéveszthetetlen
foot (*tsz* feet) láb(fej); (angol) láb *[30,48 cm]*
footage filmfelvétel
football futball(-labda)
footbridge gyaloghíd
foothold induló pozíció/állás; **get°/gain a ~** megveti a lábát
footlights *tsz* rivaldafény
footnote lábjegyzet
footpath gyalogút, gyalogösvény
footprint lábnyom
footstep (láb)nyom; **in sy's ~s** vki nyomdokain
footwear cipő, lábbeli
for ▾ *elölj* vki helyett, vkiért, vki iránt; vki számára, vki érdekében ▾ *ksz* mert
forage takarmány
forbad(e) → **forbid**
forbid (forbade/forbad, forbidden) (meg/be)tilt
forbidden → **forbid**

force ▾ *fn* erő ▾ *ige* erőltet
forceful erős
ford ▾ *fn* gázló ▾ *ige* átgázol *[folyón]*
fore (vmi) eleje, elülső része
forearm alkar
forecast ▾ *fn* jövendölés, előrejelzés; **weather ~** időjárás-jelentés ▾ *ige* (forecast/forecasted, forecast/forecasted) előre jelez
forefinger mutatóujj
forefront *átv* előtér
foreground előtér *[képen]*
forehead homlok
foreign külföldi; idegen
foreigner külföldi *[ember]*
foreman (*tsz* -men) művezető
foremost legfontosabb, legjelentősebb
forename keresztnév
forerunner előfutár
foresaw → **foresee**
foresee (foresaw, foreseen) előre lát
foreseen → **foresee**
foresight előrelátás
forest erdő
forester erdész
forestry erdészet
foretell (foretold, foretold) megjósol
foretold → **foretell**
forever örökre
foreword előszó
forgave → **forgive**
forge hamisít
forgery hamisítás
forget (forgot, forgotten) (el)felejt
forgetful feledékeny
forget-me-not nefelejcs
forgive (forgave, forgiven) megbocsát
forgiven → **forgive**
forgiveness megbocsátás
forgot → **forget**
forgotten → **forget**
fork villa *[evőeszköz]*, vasvilla

form alak, forma; űrlap; *sp* erőnlét; *okt* osztály
formal hivatalos *[stílus]*
formality formalitás
format ▾ *fn* alak; *inform* formátum ▾ *ige inform* formáz *[lemezt]*
formation képződmény
formative (ki)alakító
former korábbi, előbbi; volt, ex-
formerly korábban, azelőtt
formidable hatalmas, félelmetes
formula képlet; recept, módszer
fort erőd
forth előre
forthcoming közelgő, eljövendő
forthright nyílt, egyenes *[modor]*
fortieth negyvenedik; negyvened
fortify megerősít
fortnight két hét
fortnightly ▾ *mn* kéthetenkénti ▾ *hsz* kéthetente
fortress erőd
fortunate szerencsés
fortunately szerencsére, hál' Istennek
fortune szerencse; vagyon
fortune-teller jós, jövendőmondó
forty negyven
forward ▾ *fn sp* csatár ▾ *hsz* előre ▾ *ige inform is* továbbít, továbbküld
fossil *átv is* kövület
foster ▾ *mn* (örökbe) fogadott *[gyerek]*; ~ **parent** nevelőszülő ▾ *ige* nevel *[örökbe fogadott gyereket]*; előmozdít, ösztönöz
fought → **fight**
foul ▾ *mn* szennyes, mocskos ▾ *fn sp* szabálysértés ▾ *ige* beszennyez, bemocskol
found[1] (meg)alapít
found[2] → **find**

foundation alap(ozás); alapítvány
founder alapító
fountain szökőkút; ~ **pen** töltőtoll
four négy
fourteen tizennégy
fourteenth tizennegyedik; tizennegyed
fourth negyedik; negyed
fowl baromfi
fox róka
foyer előcsarnok; hall
fraction töredék; *mat* tört
fracture ▾ *fn orv* (csont)-törés ▾ *ige* eltör(ik) *[csont]*
fragile törékeny
fragment ▾ *fn* (tört)rész ▾ *ige* darabokra tör(ik)
fragrance (kellemes) illat
fragrant illatos
frail törékeny
frame ▾ *fn* (kép)keret ▾ *ige* (be)keretez
framework *átv* keret(ek)
France Franciaország
franchise választójog; *gazd* márkanév-használati jog
frank őszinte
frankly őszintén
frantic magán kívül lévő *[dühtől, aggodalomtól]*; gyors, heves, pánikszerű
fraternal testvéri
fraternity testvéri(es)ség
fraud csalás
fraudulent csaló, hamis
freak ▾ *fn* különc *[ember]*; különleges esemény ▾ *ige* elárasztják az érzelmek
freckle szeplő
free ▾ *mn* szabad; ingyenes; (*of sg*) mentes (vmitől) ▾ *hsz* ingyen ▾ *ige* kiszabadít
freedom szabadság
freelance szabadúszó
freeze (froze, frozen) (be/meg)fagy(aszt); megdermed *[ijedtében]*
freezer fagyasztógép; *US* hűtőszekrény

freezing jeges; dermesztő *[hideg]*
freight teheráru
French ▾ *mn* francia ▾ *fn esz/tsz* francia *[ember, nyelv]*
Frenchman (*tsz* -men) francia *[férfi]*
Frenchwoman (*tsz* -women) francia *[nő]*
frenzied őrült
frenzy eksztázis, őrület
frequency gyakoriság; hullámsáv, hullámhossz *[rádión]*; *fiz* rezgésszám, frekvencia
frequent ▾ *mn* gyakori ▾ *ige* gyakran meglátogat, kedvel *[helyet]*
fresco *műv* falfestmény, freskó
fresh ▾ *mn* friss ▾ *hsz* frissen
freshen felfrissít, felfrissül
freshman (*tsz* -men) *US* elsőéves; újonc
fret aggódik
friar *vall* szerzetes, barát
friction *átv is* súrlódás
Friday péntek
fridge *biz* hűtő, frigó
friend barát(nő)
friendly barátságos
friendship barátság
fright ijedtség, rémület
frighten megijeszt
frightful ijesztő
fringe rojt; szél, szegély; frufru; ~ **benefit** (természetbeni) juttatás *[munkahelyen]*
frivolous komolytalan, bolondos
frog béka
frogman (*tsz* -men) búvár
from -tól, -től; -ból, -ből
front előrész(e), eleje (vminek); (időjárási) front; *kat* front; ~ **door** bejárati ajtó; ~ **page** címoldal; **in ~ of** (vmi) előtt *[térben]*
frontier országhatár
frost ▾ *fn* fagy; dér ▾ *ige*

(el)homályosít *[üveget]; US* melíroz *[hajat]*
frostbite fagyás(i sérülés)
frosty *átv is* jeges, fagyos
froth ▼ *fn* hab *[söré]* ▼ *ige* felhabosít; habzik
frown homlokát (össze)ráncolja *[rosszallóan]*
froze → **freeze**
frozen → **freeze**
fruit *átv is* gyümölcs; ~ **machine** *biz* félkarú rabló *[játékautomata]*
fruitful termékeny, eredményes
frustrate kedvét szegi (vkinek); idegesít (vkit); akadályoz
frustration csalódottság; idegesítő dolog
fry (zsírban) süt
frying pan serpenyő
fuel ▼ *fn* üzemanyag ▼ *ige* táplál *[üzemanyaggal]*
fugitive szökevény; menekült
fulfil teljesít
fulfilment (be)teljesítés
full (*of sg*) tele (vmivel); teljes
full-time teljes munkaidejű, főállású
fully teljesen
fumble turkál, matat *[táskában];* ügyetlenkedik, szerencsétlenkedik
fume ▼ *fn* füst; benzingőz ▼ *ige biz* füstölög, dühöng *[magában]*
fun mulatság, móka; **have°** ~ jól érzi magát, jól szórakozik
function ▼ *fn* funkció, működés; ünnepség; *mat* függvény ▼ *ige* szerepet tölt be, funkcionál
functional működési; működőképes
fund ▼ *fn* (pénz)alap, tőke ▼ *ige* finanszíroz
fundamental ▼ *mn* alapvető; lényegbevágó ▼ *fn* ~s alapismeretek
funeral temetés

fungus gomba(féle); *orv* gombás betegség, lábgomba
funnel ▾ *fn* tölcsér; hajókémény ▾ *ige* tölcsérrel tölt
funny vicces; különös
fur szőrme; szőr *[állaté]*
furious dühös
furnace kemence
furnish bebútoroz, berendez
furniture bútor
furrow barázda
furry bolyhos, szőrös
further ▾ *mn* távolabbi; újabb, további; → **far** ▾ *hsz* tovább; → **far**
furthermore továbbá
furthest → **far**
fury düh
fuse ▾ *fn elektr* biztosíték ▾ *ige* egybeolvad, fuzionál
fuss hűhó, felhajtás
fussy akadékoskodó
future ▾ *mn* jövőbeli ▾ *fn* jövő
fuzzy zavaros; borzas *[haj]*

G

gabble hadar
gadget szerkentyű, kütyü, ketyere
Gael gael *[ember]*
Gaelic ▾ *mn* gael ▾ *fn* gael *[nyelv]*
gage (meg)mér *[műszerrel]*
gaiety jókedv, vidámság
gain ▾ *fn* nyereség ▾ *ige* nyer
galaxy galaxis
gale szélvihar
gallant bátor; udvarias
gallery képtár, galéria; *szính* karzat
Gallic gall; *tréf* francia
gallon gallon *[űrmérték: 4,54 liter, US = 3,78 liter]*
gallop ▾ *fn* vágta(tás) ▾ *ige* vágtat
gallows *esz* akasztófa
gamble ▾ *fn* szerencsejáték ▾ *ige* szerencsejátékot játszik
game játék; vad(állat); vadhús
gang csoport, banda
gangster gengszter
gaol ▾ *fn* börtön ▾ *ige* bebörtönöz
gap rés, hézag; *átv* szakadék
gape tátott szájjal bámul; tátong
garage garázs; autószerviz
garbage szemét
garden ▾ *fn* kert; park ▾ *ige* kertészkedik
gardener kertész
gargle öblöget *[torkot]*, gargalizál

garland virágfüzér
garlic fokhagyma
garnish díszítés *[ételen]*
gas gáz; benzin; ~ **fire** gázkonvektor; ~ **meter** gázóra; ~ **station** *US* benzinkút
gasoline *US* benzin
gasp levegő után kapkod; eláll a lélegzete *[csodálkozástól]*
gate kapu
gateway kapu; *inform* átjáró
gather gyűjt; szed *[gyümölcsöt]*; összegyűlik; vél, következtet *[vmilyen jelből]*
gathering gyűlés
gauge (meg)mér *[műszerrel]*
gave → **give**
gaze bámul
gazelle gazella
GB *röv [Great Britain]* Nagy-Britannia
gear felszerelés; *gépk* sebesség(fokozat)
geese → **goose**
gel gél, zselé
gem drágakő
Gemini Ikrek *[csillagkép]*
gender *nyelv* nem
general ▾ *mn* általános ▾ *fn kat* tábornok
generalisation általánosítás
generalise általánosít
generally általában; ~ **speaking** általánosságban
generate fejleszt *[áramot]*; kivált *[érdeklődést]*; produkál, eredményez *[bevételt]*
generation nemzedék
generator *elektr* generátor
generic általános
generosity nagylelkűség, bőkezűség
generous nagylelkű; bőkezű
genetic genetikai
genetics *esz* genetika, örökléstan
Geneva Genf

genius lángész, zseni
gentle lágy, finom
gentleman (*tsz* -men) úr(iember)
genuine eredeti, valódi; őszinte, valóságos
geographic(al) földrajzi
geography földrajz
geology geológia
geometric(al) mértani
geometry geometria
geranium muskátli
germ baktérium; csíra
German *mn, fn* német
Germany Németország
gesture taglejtés; *átv* gesztus
get (got, got) kap; beszerez; (el)juttat; (el)jut (vhová); válik (vmivé); (meg)ért (vmit); ~ **at** hozzájut (vmihez); ~ **on** (*with sy*) kijön (vkivel); ~ **on/off** fel/leszáll *[járművön]*; ~ **over** túljut (vmin); ~ **through** (*to sy*) telefonon elér; ~ **up** felkel *[ágyból]*
geyser gejzír
ghastly rémisztő
gherkin apró uborka
ghost szellem, kísértet
giant ▾ *mn* óriási ▾ *fn* óriás
giddy szédülő
gift ajándék; adomány; tehetség; ~ **voucher** ajándékutalvány
gifted tehetséges
giggle ▾ *fn* kuncogás ▾ *ige* kuncog
gin gin *[ital]*
ginger ▾ *mn* vörösesszőke ▾ *fn* gyömbér
giraffe zsiráf
girl lány
girlfriend barátnő *[párkapcsolatban]*
gist lényeg
give (gave, given) ad; ~ **in** felad *[küzdelmet]*; ~ **up** abbahagy
given → **give**
glacier gleccser
glad; be° ~ (*of sg*) örül (vminek)

glamorous elbűvölő
glamour ragyogás
glance ▾ *fn* pillantás ▾ *ige* pillant
gland mirigy
glare ▾ *fn* ragyogás ▾ *ige* (vakítóan) ragyog
glass üveg *[anyag]*; pohár; szemüveg
glaze (be)üvegez
gleam sugárzik
glide ▾ *fn* siklás ▾ *ige* siklik
glider vitorlázó repülő(gép)
gliding vitorlázó repülés
glimmer ▾ *fn* halvány fény ▾ *ige* pislákol *[fény]*
glimpse ▾ *fn* pillantás, bepillantás ▾ *ige* megpillant
glitter ▾ *fn* ragyogás ▾ *ige* ragyog
global globális, világméretű; átfogó, teljes körű
globe földgömb; gömb *[alak]*; (lámpa)bura
gloomy sötét; nyomasztó
glorious dicsőséges
glory dicsőség, dicsfény
gloss[1] *fn* fény *[felületen]*
gloss[2] ▾ *fn* szómagyarázat ▾ *ige* jegyzetekkel ellát
glossary magyarázatok *[könyv végén]*
glossy fényes *[felület]*
glove kesztyű
glow ▾ *fn* izzás ▾ *ige* izzik; vöröslik; *átv* sugárzik
glue ragasztó
gnaw rágcsál; gyötör/bánt vkit
go ▾ *fn* próbálkozás, kísérlet ▾ *ige* (went, gone) (el)megy (vhová); válik (vmilyenné); (el)múlik; elkel *[vmilyen összegért]*; **her face went red** elpirult; **~ off** felrobban *[bomba]*; **~ on** folytat
goal cél; *sp* kapu, gól
goalkeeper *sp* kapus
goat kecske

gobble (be)habzsol *[ételt]*
go-between közvetítő
god isten
godchild (*tsz* -children) keresztgyermek
godchildren → **godchild**
goddaughter keresztlánya vkinek
goddess istennő
godfather keresztapa
godmother keresztanya
godson keresztfia vkinek
gold arany
golden aranyból készült
goldfish aranyhal
goldsmith aranyműves
golf golf
gone → **go**
good ▾ *mn* (*kfok* better, *ffok* best) jó ▾ *fn* **~s** *tsz gazd* áru
good-looking csinos
goodness; my ~! istenem, istenem!
goodwill jóindulat
goose (*tsz* geese) liba
gooseberry egres
gorge ▾ *fn* gége, torok; szurdok ▾ *ige* degeszre eszi magát; lakmározik
gorgeous csodálatos
gorilla gorilla
gospel evangélium
gossip ▾ *fn* pletyka ▾ *ige* pletykál
got → **get**
govern kormányoz *[országot]*
government kormány(zat)
governor kormányzó
gown köntös, talár
grab megragad, elkap
grace báj, kecs; kegy(elem)
graceful bájos; kecses
gracious kegyes; kedves
grade ▾ *fn* fok; osztályzat; *US* osztály *[iskolában]* ▾ *ige* osztályoz
graded test fokozódó nehézségű feladatsor
gradual fokozatos
graduate ▾ *fn* diplomás ▾ *ige* végez *[felsőoktatásban]*, diplomát szerez

graduation diplomaszerzés; ~ **ceremony** diplomaosztó
grain mag, szem *[gabonáé]*
grammar nyelvtan; ~ **school** *kb.* gimnázium
grammatical nyelvtani
gramme gramm
gramophone gramofon
grand ▾ *mn* nagy(szabású) ▾ *fn szl* ezres *[bankjegy]*
grandchild (*tsz* -children) unoka
grandchildren → **grandchild**
granddad *biz* nagypapa
granddaughter (lány)-unoka
grandeur pompa, nagyszerűség
grandfather nagyapa
grandma *biz* nagymami
grandmother nagymama
grandpa *biz* nagypapi
grandson (fiú)unoka
granite gránit
grant ▾ *fn US* ösztöndíj ▾ *ige* engedélyez, biztosít, megad
granny *biz* nagymami
grape szőlő(szem)
grapefruit grapefruit, citrancs
grapevine szőlőinda; **I heard it through the ~** csiripelték a madarak
graph grafikon
graphic képszerű, képi; grafikai
graphics *esz* grafika
grasp megragad; megért
grass fű, pázsit
grasshopper szöcske
grassy füves
grate reszel
grateful hálás
grater reszelő
gratitude hála
grave[1] *mn* komoly; *átv* súlyos
grave[2] *fn* sír *[temetőben]*
gravel kavics
gravestone sírkő
graveyard temető

gravity gravitáció
gravy húslé; mártás
graze[1] legel(tet)
graze[2] (le)horzsol
grease ▾ *fn* zsír ▾ *ige* (be)zsíroz
greasy zsíros
great nagyszerű; nagy
Greece Görögország
greed kapzsiság, telhetetlenség, mohóság
greedy kapzsi; mohó
Greek *mn, fn* görög
green zöld; éretlen
greengrocer zöldséges
greenhouse üvegház; ~ **effect** üvegházhatás
greet üdvözöl
greeting üdvözlet
grew → **grow**
grey szürke; ősz *[haj];* borús
greyhound agár
grid rács, háló
gridlock (közlekedési) dugó; patthelyzet
grief bánat
grievance sérelem, panasz
grieve elszomorít, szomorkodik
grievous fájdalmas; súlyos
grill ▾ *fn* rostély *[sütéshez];* (roston) sült hús ▾ *ige* roston süt/sül
grim borús, semmi jót nem sejtető
grimace ▾ *fn* fintor ▾ *ige* grimaszol
grime korom
grimy kormos
grin ▾ *fn* vigyor(gás) ▾ *ige* vigyorog
grind (ground, ground) őröl, darál; csikorog, csikorgat *[fogat];* köszörül *[kést]*
grinder daráló; köszörű
grindstone köszörűkő
grip ▾ *fn* fogás; *átv* szorítás(a vminek) ▾ *ige* (meg)fog; *átv* elragad (vkit) *[félelem]*
gripping szorító; *átv* magával ragadó(an izgalmas)

grisly szörnyű
grizzly bear grizzli medve
groan ▾ *fn* nyögés ▾ *ige* nyög
grocer fűszeres *[élelmiszer-kereskedő]*
grocery fűszeresüzlet, *[kis]* élelmiszerbolt; fűszeráru
grope tapogatódzik; ~ **for words** keresi a szavakat
gross kövér; *gazd* bruttó
grotesque groteszk
ground[1] ▾ *fn* talaj, föld; jogalap ▾ *ige* (meg)-alapoz *[érvet];* zátonyra fut; nem enged felszállni *[repülőgépet]*
ground[2] *ige* → **grind**
grounding megalapozottság *[érvé]; elektr* földelés
groundless alaptalan
groundwork *átv* alap(ozás)
group ▾ *fn* csoport, pop-együttes ▾ *ige* csoportosít, csoportosul
grow (grew, grown) termeszt; növeszt *[szakállt stb.];* terem; nő; ~ **old** öregszik
growl ▾ *fn* morgás ▾ *ige* morog *[kutya]*
grown → **grow**
grown-up felnőtt
growth növekedés; hajtás; daganat
grub lárva
grudge neheztelés, harag
gruff rekedtes *[hang];* nyers *[stílus]*
grumble ▾ *fn* morgolódás, panasz ▾ *ige* (*about sg*) morgolódik (vmi miatt)
grunt ▾ *fn* röfögés *[malacé]* ▾ *ige* röfög
guarantee ▾ *fn* garancia, jótállás ▾ *ige* (*sg*) szavatol (vmit); rendelkezésre bocsát, biztosít
guard ▾ *fn* őr ▾ *ige* őriz
guardian gyám; ~ **angel** őrangyal

guess ▾ *fn* találgatás; tipp ▾ *ige* találgat; (egyből) rájön, kitalál; *US* hisz
guesswork találgatás, hasraütés
guest vendég
guidance irányítás, útmutatás
guide ▾ *fn* (idegen)vezető; útikalauz, útmutató; ~ **dog** vakvezető kutya ▾ *ige* vezet *[vkit idegen helyen]*
guild céh; egyesület
guillotine nyaktiló
guilt bűntudat; bűnösség
guilty bűnös
guitar gitár
gulf *földr* öböl; *átv* szakadék *[nézetek között]*
gull sirály
gullible hiszékeny
gulp ▾ *fn* nyelés ▾ *ige* (le)nyel
gum (fog)íny
gun ▾ *fn* (lő)fegyver ▾ *ige* ~ **sy down** lelő
gunman (*tsz* -men) fegyveres (rabló)
gunpowder lőpor
gunshot (ágyú)lövés
gust széllökés
gut bél
gutter esővízcsatorna; árok
guy fiú, fickó
gymnasium tornaterem
gymnast *sp* tornász
gymnastics *esz* torna *[sportág]*
gynaecology nőgyógyászat

habit szokás
habitable lakható
habitual (tőle) megszokott, szokás(a) szerinti
hack levág, lecsap; *inform* behatol *[rendszerbe]*
had → have
haddock tőkehal
haggle alkuszik
Hague; the ~ Hága
hail[1] *fn* jégeső
hail[2] *ige* (*sy*) odakiált (vkinek); leint *[taxit]*
hair haj(szál); szőr(szál)
hairbrush hajkefe
haircut hajvágás; frizura
hairdo frizura
hairdresser fodrász
hairgrip hullámcsat
hairnet hajháló
hairpin hajtű
hairstyle frizura
hairy szőrös
half ▾ *mn* fél ▾ *fn* (*tsz* halves) fél, vminek a fele, *sp* félidő
halfway félúton
hall (előadó)terem, (sport)csarnok; előtér, előcsarnok; **~ of residence** kollégium
hallo hé!; szervusz(tok)!
hallucination hallucináció
hallway *US* előszoba
halt ▾ *fn* megállás ▾ *ige* megáll(ít)
halve (el)felez, felére csökken(t)
halves → half
ham sonka
hammer ▾ *fn* kalapács ▾ *ige* kalapál
hammock függőágy

hamper akadályoz, feltart
hand ▾ *fn* kéz; óramutató; ~ **luggage** kézipoggyász ▾ *ige* (át)ad
handbag (női) táska
handbook kézikönyv
handbrake *gépk* kézifék
handful maroknyi
handicap ▾ *fn [testi/szellemi]* fogyatékosság; hátrány ▾ *ige* hátráltat, nehezít
handicraft kézművesség
handkerchief zsebkendő
handle ▾ *fn* fogantyú ▾ *ige* (*sy*) bánik (vkivel); (*sg*) kezel (vmit)
handmade kézzel készített
handout adomány; *okt* osztanyag, kiosztmány *[hallgatóknak]*
handrail korlát
handshake kézfogás
handsome szép, csinos *[férfi]*
handwriting kézírás
handy hasznos, kéznél levő, (éppen) jókor/kapóra jövő
hang ▾ *fn biz* **get° the** ~ (*of sg*) belejön (vmibe) ▾ *ige* (hung, hung) (*on sg*) felakaszt (vmire); lóg; ~ **around** várakozik, sétálgat
hanger kampó, akasztó
hang-glider *sp* sárkányrepülő
hangman (*tsz* -men) hóhér; *ját* akasztófa
hangover *biz* másnaposság
haphazard véletlenszerű, rendszertelen
happen (meg)történik
happy boldog
harass zaklat
harassment zaklatás
harbour kikötő
hard ▾ *mn* kemény, szilárd; *átv* nehéz ▾ *hsz* keményen
hardback kemény kötésű *[könyv]*

harden (meg)keményít, (meg)keményedik
hardly alig(ha)
hardship nehézség, megpróbáltatás
hardware *inform* hardver
hard-working szorgalmas
hare mezei nyúl
harm ▾ *fn* ártalom ▾ *ige* árt, bánt
harmful ártalmas
harmless ártalmatlan
harmonious harmonikus
harmonise összehangol
harmony *zene is* harmónia
harp hárfa
harrowing felkavaró
harsh éles, érdes *[hang]*; (túlzottan) nehéz, kegyetlen
harvest ▾ *fn* aratás ▾ *ige* (le)arat
has → **have**
haste sietség, kapkodás
hasten siettet
hasty gyors, elkapkodott
hat kalap
hatch kikel *[tojásból]*; keltet, (ki)költ *[tojást]*
hate ▾ *fn* gyűlölet ▾ *ige* utál, gyűlöl
hateful gyűlöletes
hatred gyűlölet
haul húz, vonszol
haunt kísért, nem hagy nyugodni *[szellem/gondolat]*
haunted kísértet járta, szellemek lakta
have (*jelen* have/has, *múlt* had, *mn.ign.* had) birtokol (vmit), van (vmije); elfogyaszt *[ételt/italt]*; **~ sy on** ugrat (vkit); **~ to do sg** kell vmit tenni; *[segédige összetett igealakok kialakításában]* **has Adam written the letter yet?** megírta már Ádám a levelet?
haven menedék
hawk héja *[madár]*
hay széna; **~ fever** szénanátha

hazard ▾ *fn* veszély, kockázat ▾ *ige* (meg)kockáztat
haze köd, homály
hazel mogyoró(fa)
hazelnut mogyoró
hazy ködös *[nap]*; elmosódott *[kép]*
he ő *[fiú/férfi]*
head ▾ *fn* fej ▾ *ige* fejel *[labdát]*; (*to sg*) halad, tart (vmerre)
headache fejfájás
heading (fejezet)cím
headlight fényszóró *[autón]*
headline címsor *[újságban]*; fő hír *[hírműsorban]*
head-on frontális *[ütközés]*
headquarters *tsz* főhadiszállás; központ *[cégé]*
headway; make° ~ haladást ér el, (jól) halad
heal (meg)gyógyít, (meg)gyógyul
healer gyógyító
health egészség(ügy)
healthy egészséges
heap halom, kupac
hear (heard, heard) (meg)hall
heard → **hear**
hearing hallás
hearsay mendemonda
heart szív; *[kártyában]* kőr; ~ **attack** szívroham
heartache *átv* szívfájdalom
heartbeat szívverés
heartburn gyomorégés
hearth kandalló előtere; (meleg) családi fészek
hearty szívélyes
heat ▾ *fn* hőség, meleg ▾ *ige* hevít, melegít; (fel)hevül, melegszik
heated heves, forró *[hangulat, vita]*
heater kályha
heating fűtés
heatwave hőhullám
heaven mennyország, paradicsom

heavenly mennyei
heavy nehéz *[súly]*
heavyweight nehézsúlyú
Hebrew ▾ *mn* héber, zsidó ▾ *fn* héber *[nyelv]*, zsidó *[ember]*
hectare hektár
hedge (élő)sövény
hedgehog sün(disznó)
hedonism hedonizmus
heed ▾ *fn* reagálás, figyelem ▾ *ige* (*sg*) reagál (vmire), figyelemre méltat
heel sarok *[cipőé, lábé]*
height magasság; magaslat
heighten növel
heir(ess) örökös(nő)
held → **hold**
helicopter helikopter
heliport helikopter-kikötő
helium hélium
hell pokol
hello halló!; szia(sztok)! *[érkezéskor]*
helmet sisak
help ▾ *fn* segítség; *inform* súgó ▾ *ige* segít
helpful segítőkész; hasznos
helping adag *[ételből]*
helpless elhagyatott, kilátástalan sorsú
hemisphere félteke
hemp kender
hen tyúk
hence innen
henceforth ezután, ezentúl
hepatitis májgyulladás
her őt *[lányt/nőt]*; neki *[lánynak/nőnek]*; az ő vkije/vmije *[lányé/nőé]*
heraldry címertan
herb (zöld)fűszer
herbal füvekből készített *[tea]*
herd gulya; csorda
here itt, ide
hereafter alább; eztán
hereby ezennel
hereditary örökletes, örökölhető
heretic eretnek

heritage örökség
hermit remete
hernia sérv
hero hős
heroic hősi(es)
heroin heroin
heroine hősnő
heroism hősiesség
herring hering
hers az övé *[lányé/nőé]*
herself (ön)maga *[lány/nő]*
hesitant határozatlan, tétova
hesitate habozik
hexagon hatszög
heyday fénykor, csúcspont
hi *biz* szia!
hiatus kihagyás, kimaradás
hid → **hide**
hidden ▾ *mn* rejtett, titkos, rejtélyes ▾ *ige* → **hide**
hide (hid, hidden) elrejt; rejtőzködik, elbújik
hideous *biz* ronda, csúf
hierarchy hierarchia
hi-fi *röv [high-fidelity]* hifitorony
high ▾ *mn* magas; felsőbb *[körök]*; ~ **jump** magasugrás; ~ **school** *US [4 osztályos]* középiskola; ~ **season** főidény; ~ **street** főutca; ~**er education** felsőoktatás ▾ *fn biz* csúcs ▾ *hsz* magasan
highbrow értelmiségi; *pejor* elvont
high-handed fölényes, lekezelő
highlight ▾ *fn* ~**s** *tsz* legemlékezetesebb pillanat(ai), csúcspontja(i) (vminek) ▾ *ige átv is* aláhúz, kiemel *[szövegkiemelővel]*
highway országút; **H~ Code** KRESZ
hijack eltérít *[repülőgépet]*
hike ▾ *fn* (gyalog)túra ▾ *ige* túrázik

hilarious (nagyon) vicces, mulatságos
hill domb
hillside domboldal
hilltop dombtető
him őt *[fiút/férfit]*; (ő)neki *[fiúnak/férfinak]*
himself (ön)maga *[fiú/férfi]*
hinder feltart, akadályoz, hátráltat
hindrance akadály(ozás); hátráltató tényező
hindsight visszatekintés; **in ~** visszatekintve
Hindu *mn, fn* hindu
hinge ▾ *fn* sarokvas, zsanér ▾ *ige* (*on sg*) függ (vmitől), múlik (vmin)
hint ▾ *fn* célzás; (hasznos) tanács, ötlet; kis segítség/rávezetés *[játékban]* ▾ *ige* (*at sg*) (burkoltan) utal/céloz (vmire)
hip csípő
hippopotamus víziló
hire (ki)bérel
his az ő vmije *[fiúé/férfié]*; (az) övé *[fiúé/férfié]*
hiss sziszeg; (le)pisszeg
historian történész
historic történelmi jelentőségű *[esemény]*, történelmi emléket jelentő *[épület]*
historical történelmi, történeti
history történelem; történet
hit ▾ *fn* ütés/csapás; *sp, kat* találat; *zene* sláger ▾ *ige* (hit, hit) (meg)üt; (*against sg*) (neki)ütődik (vminek)
hitch ▾ *fn* malőr, fennakadás; *biz* autóstop ▾ *ige* (*to sg*) odakötöz (vmihez)
hitch-hike autóstoppol
HIV *röv [human immunodeficiency virus]* HIV-vírus, AIDS-vírus
hoard ▾ *fn* (felhalmozott) készlet ▾ *ige* felhalmoz, begyűjt

hoarse rekedt(es)
hoax ▾ *fn* kacsa *[álhír]* ▾ *ige* becsap, félrevezet
hobble sántít, biceg
hobby hobbi
hockey jégkorong, hoki
hoe ▾ *fn* kapa ▾ *ige* kapál
hog hízó *[sertés]*
hoist ▾ *fn* emelő(szerkezet) ▾ *ige* felemel
hold (held, held) tart *[kézzel]*; vall, tart *[nézetet]*; felfüggeszt *[szolgáltatást]*; visszatart *[lélegzetet]*; (meg)tart *[összejövetelt]*; *átv* tartogat *[meglepetést]*
holder tulajdonos, birtokos
hole gödör; lyuk
holiday szünidő, nyaralás; ünnep(nap); ~ **resort** üdülőhely
Holland Hollandia
hollow üre(ge)s; homorú; *átv* kiüresedett, üres
holocaust holokauszt
holy szent
homage (*to sy*) tisztelgés (vki előtt)
home ▾ *mn* otthoni, házi; hazai ▾ *fn* otthon ▾ *hsz* haza
homeland haza
homeless hajléktalan
homesick; be°/feel° ~ honvágya van
homesickness honvágy
homeward hazafelé
homework házi feladat
honest becsületes, őszinte
honesty becsületesség, őszinteség
honey méz
honeymoon nászút
honk dudál
honorary tiszteletbeli
honour ▾ *fn* (*to sy*) megbecsülés, tisztelet (vki iránt); megtiszteltetés; ~**s** *tsz [katonai]* tisztelgés, tiszteletadás; ~**s degree** kitüntetéses diploma ▾ *ige* tiszteletben tart, betart *[megállapodást]*

honourable tisztességes
hood kapucni; *US gépk* motorháztető
hoof pata
hook kampó, akasztó; horog *[halaknak]*
hooked kampós, görbe *[orr]*; *átv* (*on sg*) függőségben van (vmitől), képtelen szabadulni (vmitől)
hooligan huligán
hooray hurrá!
hoot huhog; dudál
Hoover ▼ *fn* porszívó ▼ *ige* (ki)porszívóz
hop ▼ *fn* ugrás ▼ *ige* (át)-ugrik; fél lábon ugrál
hope ▼ *fn* remény ▼ *ige* (*for sg*) remél (vmit)
hopeful reménykedő
hopeless reménytelen
horizon horizont, látóhatár
horizontal vízszintes
hormone hormon
horn szarv, agancs; *gépk* duda; *zene* kürt
horoscope horoszkóp
horrible borzalmas, rettenetes
horrid rémes
horrific borzalmas, rettenetes
horrify (meg/el)rémít
horror rémület, irtózat, horror; ~ **film** horrorfilm
horse ló
horseshoe patkó
horticulture kertészet
hose harisnya; (kerti) slag
hospice elfekvőkórház
hospitable vendégszerető
hospital kórház
hospitality vendégszeretet
host házigazda
hostage túsz
hostel diákszállás; hajléktalanszálló
hostess háziasszony; hosztesz
hostile ellenséges
hostility ellenszenv, el-

lenségesség; összetűzések, villongások
hot forró; csípős *[étel]*; ~ **dog** hot dog
hotel szálloda
hound ▾ *fn* (vadász)kutya ▾ *ige* üldöz
hour óra *[időegység]*
hourly óránként(i)
house ▾ *fn* ház; ~ **arrest** házi őrizet ▾ *ige* elszállásol
household háztartás
housekeeper házvezetőnő, bejárónő
housekeeping háztartás; házvezetés
house-warming lakásszentelő
housewife[1] (*tsz* -wives) háziasszony
housewife[2] varrókészlet
housewives → **housewife**[1]
housework házi munka, ház körüli teendő
housing lakás(ügy), lakhatás; ~ **estate** lakótelep, lakópark
hover lebeg *[a föld felett]*
hovercraft légpárnás jármű
how hogy(an); *[mn előtt]* mennyire/milyen
however ▾ *[mn előtt]* bármennyire (is) ▾ *ksz* azonban
howl ▾ *fn* üvöltés ▾ *ige* ordít, üvölt
hue (szín)árnyalat
hug ▾ *fn* ölelés ▾ *ige* átölel
huge hatalmas, óriási
hullo halló!, szia(sztok)! *[érkezéskor]*
hum ▾ *fn* zümmögés, zúgás ▾ *ige* zümmög; dúdol
human ember(i)
humane emberséges
humanist *mn, fn* humanista
humanitarian humanitárius, emberbaráti
humanity az emberiség
humble alázatos; szerény, egyszerű

humid nedves
humidity páratartalom
humiliate megaláz
humorous mulatságos, vicces
humour humor
hump púp; bukkanó
hunch ▾ *fn biz* gyanú, sejtelem ▾ *ige* homorít *[hátat]*; előrehajol
hunchback púpos (ember)
hundred száz
hung → **hang**
Hungarian *mn, fn* magyar
Hungary Magyarország
hunger éh(ín)ség; ~ **strike** éhségsztrájk
hungry éhes
hunt ▾ *fn* vadászat ▾ *ige* vadászik
hunter vadász
hunting vadászat
hurdle *sp* gát, akadály
hurl dob, (oda)vág
hurrah hurrá!
hurricane hurrikán
hurried sietős, elkapkodott
hurry ▾ *fn* sietség, kapkodás ▾ *ige* siet(tet)
hurt (hurt, hurt) megsebez; fájdalmat okoz; fáj
husband férj
hush ▾ *fn* (néma) csend ▾ *ige* lecsendesít; csendben marad; ~ **up** (*sg*) elhallgat (vmit), agyonhallgat
husky[1] *mn* érdes *[hang]*
husky[2] *fn* eszkimó kutya
hustle lökdös(ődik)
hut kunyhó
hyacinth jácint
hydraulic hidraulikus
hydrofoil szárnyashajó
hydrogen hidrogén
hyena hiéna
hygiene tisztaság, higiénia
hygienic higiénikus
hymn egyházi ének, himnusz
hype *biz* beharangozás, reklám

hypermarket áruház, bevásárlóközpont
hyphen kötőjel
hypnosis hipnózis
hypnotise hipnotizál
hypocrisy képmutatás
hypocrite képmutató
hypotheses → **hypothesis**
hypothesis (*tsz* hypotheses) feltevés
hysteria hisztéria
hysterical hisztérikus

I

I én
ice ▾ *fn* jég; ~ **cream** fagylalt; ~ **hockey** jégkorong, jéghoki ▾ *ige* jégbe hűt *[italt]*; ~ **up/over** befagy
iceberg jéghegy
iced jégbe hűtött
Iceland Izland
Icelander *fn* izlandi *[ember]*
Icelandic ▾ *mn* izlandi ▾ *fn* izlandi *[nyelv]*
icicle jégcsap
icing cukormáz
icon ikon
icy jeges; fagyos
idea ötlet, elképzelés
ideal ▾ *mn* ideális ▾ *fn* ideál; példakép
idealism idealizmus
idealise idealizál
identical megegyező, azonos
identification azonosítás
identify azonosít; felismer
identity azonosság; ~ **card** személy(azonosság)i igazolvány, azonosító kártya
ideology ideológia
idiom kifejezés, idióma
idiomatic(al) idiomatikus
idiosyncrasy egyéni jellegzetesség
idle ▾ *mn* elfoglaltság nélküli; lusta ▾ *ige gépk* üresben jár *[motor]*
idleness semmittevés
idol bálvány
idolise bálványoz
idyll idill
idyllic idillikus
if ha, hogyha; hogy (vajon) …-e

ignite (meg)gyújt; (meg)gyullad
ignition (meg)gyulladás; *gépk* gyújtás; ~ **key** slusszkulcs
ignorance tudatlanság; (*of sg*) vmi nem ismerése
ignorant tudatlan; (*of sg*) nincs tudomása (vmiről)
ignore nem vesz tudomásul, figyelmen kívül hagy
ill beteg; rossz; **be°/feel°** ~ beteg, rosszul van; ~ **health** gyengélkedés
ill-advised meggondolatlan
illegal törvénytelen
illegible olvashatatlan
illegitimate törvénytelen; jogtalan
illicit tiltott, törvényellenes
illiterate írástudatlan; tanulatlan
illness betegség
illogical logikátlan
ill-treat (*sy*) rosszul bánik (vkivel)
illuminate megvilágít; megmagyaráz
illumination (meg)világítás; kivilágítás
illusion illúzió, érzékcsalódás
illusionist bűvész
illustrate illusztrál; szemléltet; magyaráz
illustration illusztráció; szemléltetés
illustrious híres, illusztris
image arculat, imázs; elképzelés; kép, szobor; tükörkép
imagery ábrázolás; képek; szóképek
imaginable elképzelhető
imaginary képzeletbeli, (el)képzelt
imagination képzelet, fantázia; képzelődés
imaginative fantáziadús
imagine (el)képzel; (el)gondol; képzelődik

imbalance egyensúlyhiány
imbecile gyengeelméjű
imitate utánoz
imitation utánzás; utánzat
imitator utánzó
immaculate hibátlan; tiszta
immaterial lényegtelen
immature éretlen
immediate azonnali; közvetlen
immediately rögtön, azonnal; közvetlenül
immense óriási
immerse (bele)merít; belemélyed
immigrant bevándorló
immigrate bevándorol
immigration bevándorlás
imminent közelgő
immobile mozdulatlan; rögzített
immobilise *[eltört végtagot]* rögzít; megbénít; *gépk* mozgásképtelenné tesz
immoral erkölcstelen
immortal halhatatlan
immovable (meg)mozdíthatatlan; rendíthetetlen
immune védett; (*to sg*) immunis (vmivel szemben)
immunity mentesség, mentelmi jog; immunitás
immunise immunissá tesz, immunizál
impact ▾ *fn* ütközés; hatás ▾ *ige* (*on sg*) (ki)hat (vmire)
impair elront
impartial pártatlan
impassable járhatatlan
impatience türelmetlenség
impatient (*with sg*) türelmetlen (vkivel)
impeccable kifogástalan; feddhetetlen
impede (meg)akadályoz
impediment akadály, gát
impending (fenyegető-en) közelgő

impenetrable áthatolhatatlan; átláthatatlan
imperative ▾ *mn* szükséges; *nyelv* felszólító ▾ *fn* felszólító mód; kényszer
imperceptible észrevehetetlen
imperfect tökéletlen; hiányos
imperfection tökéletlenség; hiányosság
imperial császári, birodalmi
impersonal személytelen
impersonate megszemélyesít, megtestesít
impertinent szemtelen
impetuous indulatos, lobbanékony; elhamarkodott
impetus lendület; ösztönzés
implant beültet
implement ▾ *fn* eszköz, szerszám ▾ *ige* megvalósít
implicate belekever
implication belekever(e-d)és; következmény; sejtetés
implicit beleértett, hallgatólagos
imply magában foglal, implikál; céloz, sejtet
impolite udvariatlan
import ▾ *fn* import(áru) ▾ *ige* importál
importance fontosság; jelentőség
important fontos, jelentős
impose (*on sg*) kivet, ró *[pl. vámot vmire]*; (*sg upon sy*) előír (vmit vkinek)
imposing impozáns, lenyűgöző
impossibility lehetetlenség
impossible lehetetlen
impotent tehetetlen; impotens
impractical kivitelezhetetlen; nem gyakorlatias
imprecise pontatlan

impress (*sy*) hat, hatással van (vkire); (*sg upon sg*) belenyom, rányom (vmit vmibe/vmire)

impression impresszió, benyomás, hatás; lenyomat, utánnyomás

impressionable befolyásolható

impressionism impresszionizmus

impressionist *mn, fn* impresszionista

impressive hatásos

imprint ▼ *fn* nyom, lenyomat; kiadó neve, impresszum ▼ *ige* (*sg on sy/sg*) be(le)vés (vmit vkibe/vmibe)

imprison bebörtönöz

imprisonment bebörtönzés; börtönbüntetés

improbable valószínűtlen

improper helytelen, nem megfelelő; illetlen

improve (meg)javít, fejleszt; (meg)javul

improvement javulás; javítás; haladás

improvise rögtönöz

impudent pimasz

impulse ösztönzés; impulzus

impulsive lobbanékony

impure tisztátalan

impurity tisztátalanság; szennyeződés

in ▼ *hsz* **be°** ~ benn/itthon van ▼ *elölj* -ban, -ben; -ba, -be

inability alkalmatlanság, képesség hiánya

inaccessible megközelíthetetlen

inaccurate pontatlan

inactive tétlen

inadequate alkalmatlan, nem megfelelő

inadvisable nem tanácsos

inanimate élettelen

inappropriate nem megfelelő

inarticulate összefüggéstelen

inaudible nem hallható

inaugurate beiktat; felavat
incapable (*of sg*) képtelen (vmire)
incentive ▾ *mn* ösztönző ▾ *fn* ösztönzés
incessant szüntelen
inch hüvelyk *[= 2,54 cm]*
incident váratlan esemény, incidens
incidental mellékes
incidentally mellesleg, jut eszembe
incite uszít
inclination (*to sg*) hajlam (vmire)
incline (*to sg*) késztet; hajlamos/hajlik (vmire)
include tartalmaz, magában foglal
including beleértve
inclusion beleértés, belefoglalás
inclusive magában foglaló
incoherent összefüggéstelen
income jövedelem; ~ **tax** jövedelemadó
incoming beérkező
incomparable összehasonlíthatatlan, semmihez sem fogható
incompatible összeférhetetlen; *inform* nem kompatibilis
incompetent hozzá nem értő
incomplete befejezetlen
incomprehensible érthetetlen
inconceivable elképzelhetetlen
inconsistent következetlen
inconspicuous alig észrevehető
inconvenience kényelmetlenség
inconvenient kellemetlen, kényelmetlen
incorporate magában foglal, beépít; bekebelez
incorporated company bejegyzett cég, részvénytársaság

incorrect helytelen
incorrigible javíthatatlan
increase ▾ *fn* növekedés; szaporulat ▾ *ige* növel; növekedik; szaporodik
increasingly mindinkább
incredible hihetetlen
incredulous hitetlen
incriminate bűnügybe kever
incubator inkubátor; keltetőgép
incur elszenved, kénytelen elviselni
incurable gyógyíthatatlan
indecent illetlen
indecision határozatlanság
indecisive határozatlan
indeed valóban; igazán
indefinite határozatlan; korlátlan; ~ **article** határozatlan névelő
indefinitely határozatlanul; korlátlanul
indelible le-/kitörölhetetlen
indelicate tapintatlan
indemnity kártérítés
independence (*from/of sy/sg*) függetlenség (vkitől/vmitől)
independent (*of sy/sg*) független (vkitől/vmitől); önálló
indescribable leírhatatlan
indestructible elpusztíthatatlan
index névmutató, tárgymutató; index(szám); ~ **finger** mutatóujj
India India
Indian *mn, fn* indiai; indián
indicate jelez; indexel
indication utalás; jel
indicative ▾ *mn* (*of sg*) (vmire) valló ▾ *fn* kijelentő mód
indicator mutató; index
indict (meg)vádol
indictment vád(irat)
indifference közöny
indifferent közönyös, közömbös

indigenous honos; bennszülött
indignant felháborodott
indignity megaláz(tat)ás
indigo indigókék
indirect közvetett; nem egyenes
indiscreet tapintatlan
indiscriminate válogatás nélküli
indispensable nélkülözhetetlen
indisputable kétségbevonhatatlan
indistinct elmosódott
individual ▾ *mn* egyéni; egyedi ▾ *fn* egyén
individuality egyéniség
individually egyénileg
indivisible oszthatatlan
indoor szobai
indoors otthon, benn
induce (*sy to do sg*) rávesz, rábír (vkit vmire); előidéz
inducement ösztönzés
indulge kedvébe jár, kényeztet; (*sy in sg*) megenged/elnéz (vkinek vmit)
indulgence szenvedély
indulgent engedékeny, elnéző
industrial ipari; iparosodott
industrialist iparos
industrialise iparosít
industrious szorgalmas
industry ipar(ág)
inedible ehetetlen
ineffective hatástalan
inefficient nem hatékony
inept ügyetlen
inequality egyenlőtlenség
inert tehetetlen
inescapable elkerülhetetlen
inevitable elkerülhetetlen; elmaradhatatlan
inexcusable megbocsáthatatlan
inexpensive olcsó
inexperienced tapasztalatlan
inexplicable megmagyarázhatatlan

infallible csalhatatlan
infamous hírhedt
infancy kisgyerekkor; vminek a kezdete
infant kisgyermek, csecsemő; ~ **school** óvoda, iskolaelőkészítő
infect (meg)fertőz
infection fertőzés
infectious fertőző; ragályos
infer következtet
inferior ▾ *mn* alsóbbrendű, rosszabb minőségű ▾ *fn* alárendelt
inferiority alsóbbrendűség; rosszabb minőség
infertile terméketlen
infest eláraszt
infidelity hűtlenség
infiltrate beszivárog(tat)
infinite végtelen, határtalan
infinitive főnévi igenév
infinity végtelen(ség)
inflame meggyújt; meggyullad; feldühít; gyulladásba jön
inflammable gyúlékony
inflammation (meg)gyulladás
inflatable felfújható
inflate felfúj; (fel)emel *[árakat]*
inflation infláció; felfújás
inflexible merev
inflict (*on sy*) kiró (vkire); okoz *[fájdalmat]*; ráerőltet (vmit/vkit vkire)
influence ▾ *fn* (*on sy/sg*) hatás, befolyás (vkire/vmire) ▾ *ige* befolyásol; (ki)hat
influential befolyásos
influenza influenza
influx beáramlás
inform (*about/of sg*) tájékoztat, tudósít, felvilágosít (vmiről)
informal nem hivatalos; fesztelen, kötetlen
information felvilágosítás, információ; **three pieces of** ~ három információ; ~ **desk** információs pult

infrared infravörös
infrastructure infrastruktúra
infringe megszeg
infringement megszegés
infuriate felbőszít
ingenious ügyes, eredeti
ingenuity ügyesség, eredetiség
ingenuous ártatlan; őszinte
ingratitude hálátlanság
ingredient alkotórész, hozzávaló
inhabit lakik
inhabitant lakó, lakos
inherent benne rejlő
inherit (meg)örököl
inheritance öröklés; hagyaték; örökség
inhibit (meg)akadályoz, (meg)gátol
inhibited gátlásos
inhibition gátlás
inhuman embertelen
inhumanity embertelenség
initial ▾ *mn* kezdő ▾ *fn* kezdőbetű
initiate kezdeményez; beavat
initiative kezdeményezés
inject befecskendez
injection befecskendezés
injure megsebesít
injured ▾ *mn* (meg)sérült; (meg)sebesült ▾ *fn* sérült, sebesült
injury sérülés
injustice igazságtalanság
ink ▾ *fn* tinta ▾ *ige* tintával beken
inkling sejtelem
inland ▾ *mn* belső; belföldi ▾ *fn* az ország belseje ▾ *hsz* az ország belsejében
in-laws *tsz* a házastárs családja
inlet öböl
inn (vendég)fogadó
innate veleszületett
inner belső; ~ **city** belső városrész
innermost legbelső
innocence ártatlanság
innocent ártatlan

innocuous ártalmatlan
innovation újítás
inoculate (*against sg*) beolt (vmi ellen)
inoculation oltás
inoffensive ártalmatlan
in-patient kórházi beteg, fekvőbeteg
input input, bemenő jel/információ
inquest vizsgálat
inquire (*about/of sg*) érdeklődik, tudakozódik (vmiről)
inquiry érdeklődés, tudakozódás
inquisitive kíváncsi
insane elmebeteg, őrült
insanity elmebaj
inscription felírás; ajánlás
insect rovar
insecticide rovarirtó
insecure bizonytalan
insecurity bizonytalanság
insensitive érzéketlen
inseparable elválaszthatatlan
insert ▾ *fn* behelyezés, beillesztés; melléklet ▾ *ige* behelyez, beilleszt
insertion beszúrás; betoldás
inside ▾ *mn* belső ▾ *fn* vminek a belseje ▾ *hsz* belül, bent ▾ *elölj* vmin belül
insight bepillantás; éleslátás
insignificant jelentéktelen
insincere nem őszinte
insist (*on/upon sg*) ragaszkodik (vmihez); erősködik
insistent ragaszkodó; kitartó
insolent szemtelen
insolvent fizetésképtelen
insomnia álmatlanság
inspect szemügyre vesz, megvizsgál
inspection megtekintés, vizsgálat
inspector felügyelő
inspiration ihlet, ötlet

inspire megihlet, ösztönöz
instability bizonytalanság, instabilitás
install felszerel, bevezet(tet); *inform [programot]* telepít
installation felszerelés, bevezetés; *inform* telepítés
instalment törlesztőrészlet; folytatás *[regényé]*
instance példa, eset; **for ~** például
instant ▾ *mn* azonnali; **~ coffee** neszkávé ▾ *fn* pillanat
instantly azonnal
instead ▾ *hsz* helyette; inkább ▾ *elölj* (*of sg/sy*) (vmi/vki) helyett
instigate felbujt, kezdeményez
instinct ösztön
instinctive ösztönös
institute ▾ *fn* intézet, intézmény ▾ *ige* létrehoz
institution intézmény, intézet; létrehozás
institutional intézményes; intézeti
instruct utasít; eligazít; (*sy in sg*) tanít (vkit vmire)
instruction utasítás; tanítás
instructor oktató; egyetemi előadó
instrument eszköz; műszer; **(musical) ~** hangszer
instrumental hangszeres; műszeres; **be° ~ in** nélkülözhetetlen (vmiben)
insufferable kibírhatatlan
insufficient elégtelen
insulate (el)szigetel
insulation szigetelés; szigetelőanyag
insulin inzulin
insult ▾ *fn* sértés ▾ *ige* megsért
insurance biztosítás; **~ policy** biztosítási kötvény
insure biztosít
intact sértetlen

intake felvétel *[pl. vízé]*; a felvett hallgatók létszáma
intangible megfoghatatlan
integral szerves(en hozzátartozó)
integrate egyesít, beilleszt; integrál
integration beillesztés; beilleszkedés; integrálás
integrity teljesség; becsületesség
intellect értelem
intellectual ▾ *mn* észbeli ▾ *fn* értelmiségi
intelligence értelem; hírszerzés; ~ **quotient** intelligenciahányados
intelligent értelmes, intelligens
intelligible érthető
intend szándékozik; szán
intense erős
intensify (fel)erősít, (fel)erősödik
intensity erősség
intensive alapos, intenzív; ~ **care unit** intenzív osztály
intent ▾ *mn* elszánt ▾ *fn* szándék
intention szándék
intentional szándékos
interact egymásra hat, beszél egymással
interactive egymásra ható; párbeszédes *[szoftver]*
intercept elfog, feltartóztat
interchange (fel)cserél
intercourse érintkezés; **(sexual)** ~ közösülés
interdependence egymásrautaltság
interest ▾ *fn* érdeklődés; érdekesség; érdek; kamat; ~ **rate** kamatláb ▾ *ige* érdekel; (*in sg*) felkelti az érdeklődését (vmi iránt)
interested érdeklődő; érdekelt
interesting érdekes
interfere (*with sg*) meg-

bolygat, akadályoz, zavar (vmit); ~ **in** beavatkozik
interference beavatkozás; interferencia
interim ideiglenes
interior ▾ *mn* belső ▾ *fn* vmi belseje
interjection közbeszólás; *nyelv* indulatszó
interlink összefűz, összekapcsol
interlock egymásba illeszt, összekapcsol
interlude közjáték
intermediary közvetítő
intermediate közbeeső; középfokú
intermission szünet(elés)
internal belső; belföldi
international nemzetközi
interplay kölcsönhatás; összjáték
interpret értelmez, magyaráz; tolmácsol
interpretation értelmezés; tolmácsolás
interpreter tolmács
interrogate (ki)kérdez, vallat
interrogation (ki)kérdezés, vallatás
interrogative ▾ *mn* kérdő ▾ *fn* kérdőszó
interrupt félbeszakít, megzavar
interruption félbeszakítás; közbeszólás
intersect metszi egymást; kereszteződik
intersection metszőpont; útkereszteződés
interval időköz; távolság; szünet
intervene közbejön; közbenjár; közbelép
intervention beavatkozás; közbenjárás; közbelépés
interview ▾ *fn* interjú; (felvételi) beszélgetés ▾ *ige* meginterjúvol; elbeszélget *[hivatalosan]*
intestine bél
intimacy bizalmasság; intim kapcsolat

intimate bizalmas
intimidate megfélemlít
into -ba, -be; *[változásról]* -vá, -vé
intolerable tűrhetetlen
intolerance türelmetlenség
intolerant türelmetlen
intoxicated részeg
intransitive *nyelv* tárgyatlan *[ige]*
intravenous intravénás
intricate bonyolult
intrigue ▼ *fn* intrika ▼ *ige* intrikál; érdekel
intriguing érdekes
intrinsic belső, lényegi
introduce bemutat; (*sy to sy*) bemutat (vkit vkinek); bevezet *[újdonságot]*
introduction bemutatás; bevezetés
introductory bevezető
intrude (*on/upon*) megzavar (vkit); közbeszól
intruder betolakodó
intrusion alkalmatlankodás; félbeszakítás, megzavarás
intuition ösztönös megérzés
intuitive intuitív
invade lerohan, megszáll
invalid ▼ *mn* érvénytelen ▼ *fn* rokkant
invalidate érvénytelenít
invaluable felbecsülhetetlen
invariable állandó
invasion lerohanás, megszállás
invent feltalál
invention találmány; feltalálás
inventive leleményes
inventor feltaláló
inventory ▼ *fn* leltár ▼ *ige* leltároz
invert megfordít; felcserél
inverted comma idézőjel
invest (*in sg*) befektet (vmibe)
investigate tanulmányoz, nyomoz

investigation vizsgálat, nyomozás
investigator nyomozó
investment befektetés; befektetett pénz
investor befektető
invisible láthatatlan
invitation meghívás; meghívó
invite meghív; felkér
inviting hívogató
invoice ▾ *fn* számla ▾ *ige* számláz
involuntary önkéntelen
involve (*sg/sy in sg*) bevon, belekever (vmit/vkit vmibe); (*sg*) (vmivel) jár
involved bonyolult
involvement belekever(ed)és
inward ▾ *mn* belső; lelki ▾ *hsz* befelé
inwards befelé
iodine jód
ion ion
IOU *röv [I owe you]* adóslevél
IQ *röv [intellingence quotiens]* intelligenciahányados
Iran Irán
Iranian *mn, fn* iráni
Iraq Irak
Iraqi(an) *mn, fn* iraki
Ireland Írország; **Republic of ~** Ír Köztársaság
iris szivárványhártya; nőszirom
Irish ▾ *mn* ír; ~ **coffee** ír kávé *[whiskys-tejszínes kávé]* ▾ *fn esz/tsz* ír *[ember, nyelv]*
Irishman (*tsz* -men) ír *[férfi]*
iron ▾ *fn* vas; vasaló ▾ *ige* (ki)vasal
ironic(al) ironikus
ironing board vasalódeszka
ironmonger vaskereskedő
irony gúny, irónia
irrational irracionális; oktalan
irreconcilable összeegyeztethetetlen, kibékíthetetlen

irrecoverable behajthatatlan
irregular szabálytalan, rendellenes, rendhagyó
irregularity rendellenesség
irrelevant lényegtelen; nem odatartozó
irreparable helyrehozhatatlan
irreplaceable pótolhatatlan
irresistible ellenállhatatlan
irresolute határozatlan
irrespective (*of sg*) tekintet nélkül vmire
irresponsible felelőtlen
irrigate (meg)öntöz; (ki)öblít
irrigation öntözés; öblítés
irritable ingerlékeny
irritate felingerel; irritál
is → **be**
Islam iszlám vallás/világ
island sziget
islander szigetlakó
isle sziget
isolate elszigetel, elkülönít
isolation elszigetelés; elkülönítés
Israel Izrael
Israeli *mn, fn* izraeli
issue ▾ *fn* kérdés; kibocsátás; szám ▾ *ige* kibocsát; kiad
it *[pl. élettelenről, ismeretlen neműről, állatról]* ő, az
Italian *mn, fn* olasz
italics dőlt/kurzív betű
Italy Olaszország
itch ▾ *fn* viszketés; (*for sg v. to do sg*) vágyódás (vmire) ▾ *ige* viszket
itchy viszkető
item adat; darab; tétel
itemise *[számlát]* részletez
itinerary útiterv; útikönyv
its az ő ...-ja/-je, annak a(z) ...-ja/-je
itself maga
ivory elefántcsont
ivy repkény, borostyán

J

jab ▾ *ige* döf, üt ▾ *fn* döfés, ütés; *tréf* oltás, szuri
jack emelőbak; *ját* bubi; **Union J~** a brit zászló
jackal sakál
jackdaw csóka
jacket kabát, zakó; borító
jackpot főnyeremény; **hit° the ~** megüti a főnyereményt
jagged csipkézett
jaguar jaguár
jam ▾ *fn* dzsem; (forgalmi) dugó; torlódás ▾ *ige* (be)zsúfol(ódik)
Jamaica Jamaica
jangle ▾ *fn* csörömpölés ▾ *ige* csörömpöl; csörget
janitor *US* portás, házfelügyelő
January január
Japan Japán
Japanese ▾ *mn* japán ▾ *fn esz/tsz* japán *[ember, nyelv]*
jar korsó, lekvárosüveg, befőttesüveg
jargon (szak)zsargon
jasmine jázmin
jaundice sárgaság
javelin gerely; **~ (throw)** gerelyhajítás
jaw állkapocs; pofa
jazz dzsessz
jealous (*of sy*) féltékeny (vkire); irigy
jealousy féltékenység; irigység
jeans *tsz* farmer(nadrág)
jeer ▾ *fn* gúnyolódás ▾ *ige* (*at sy*) kigúnyol (vkit)
jelly kocsonya, zselé

jellyfish medúza
jeopardise kockáztat, veszélybe sodor
jeopardy kockázat, veszély
jerk ▾ *fn* rántás; lökés ▾ *ige* (meg)ránt; (meg)lök
jersey dzsörzé(szövet); kötött pulóver
jest ▾ *fn* tréfa ▾ *ige* tréfálkozik
Jesuit *mn, fn* jezsuita
Jesus Jézus
jet ▾ *fn* kilövellés; sugárhajtású repülőgép ▾ *ige* kilövell
jettison elbocsát; elvet (vmit), felhagy (vmivel)
Jew zsidó *[ember]*
jewel ékszer, (ék)kő
jeweller ékszerész
jewellery ékszer(ek)
Jewish zsidó
jigsaw lombfűrész; ~ **puzzle** kirakós játék
jingle ▾ *fn* csöngés, csilingelés, csörgés ▾ *ige* csöng, csilingel, csörög
job munka, feladat; állás, foglalkozás
jockey zsoké; disc-jockey
jog kocog
jogging kocogás
join (össze)illeszt, összekapcsol; (*sg/sy*) csatlakozik (vmihez/vkihez); belép (vhová)
joiner asztalos
joint ▾ *mn* közös ▾ *fn* illesztés; ízület
jointly közösen
joke ▾ *fn* tréfa, vicc ▾ *ige* tréfál(kozik), viccel
joker mókamester; dzsóker
jolly ▾ *mn* vidám ▾ *hsz* nagyon
jolt ▾ *fn* zökkenés; lökés ▾ *ige* zökken(t); lök(dös)
jot down lejegyez (vmit), leír (vmit)
journal napló; folyóirat
journalism újságírás
journalist újságíró
journey utazás, út
jovial vidám

joy öröm, vidámság
joyful örömteli
joyous vidám
jubilant örvendező
jubilee jubileum, évforduló
Judaism judaizmus
judge ▼ *fn* bíró(nő) ▼ *ige* (el)ítél; ítélkezik
judicial bírói, bírósági, jogi
judiciary ▼ *mn* bíró(ság)i ▼ *fn* a bírói testület; igazságügy
judo cselgáncs, dzsúdó
jug kancsó
juggle zsonglőrködik
juggler zsonglőr
juice lé, nedv; gyümölcslé
juicy lédús
jukebox zenegép
July július
jumble ▼ *fn* összevisszaság; ~ **sale** jótékonysági vásár ▼ *ige* összekever(edik), összekuszál
jump ▼ *fn* ugrás; **high** ~ magasugrás; **long** ~ távolugrás; **triple** ~ hármasugrás ▼ *ige* (át/fel)ugrik, ugrál
jumper ugró; pulóver; ujjatlan ruha
jumpy ideges
junction (út)kereszteződés, csomópont, elágazás
juncture időpont, fordulópont
June június
jungle őserdő
junior ▼ *mn* ifjabb; kezdő ▼ *fn* (vki) fia; alsó tagozatos *[tanuló]*
junk *fn* hulladék, limlom; ~ **mail** reklámanyag, szórólap *[postaládába bedobált]*
jurisdiction *[bíráskodási]* hatáskör
juror esküdt
jury *fn* esküdtszék; zsűri
just ▼ *mn* igazságos; igaz ▼ *hsz* épp(en), pont(osan); alig; csak

justice igazság; igazságszolgáltatás; bíró; **J~ of the Peace** békebíró

justiciable felelősségre vonható

justifiable jogos, igazolható

justification indoklás, igazolás; *inform* sorkizárás

justify igazol, (meg)indokol; *inform* (sort) kizár

juvenile ifjú(sági); fiatalkorú

K

kaleidoscope kaleidoszkóp
kangaroo kenguru
karate karate
kayak kajak
kebab rablóhús
keen buzgó, lelkes; **be°** **~** (*on sg/sy*) lelkesedik (vmiért/vkiért)
keep (kept, kept) (meg)tart; őriz; vezet *[naplót, háztartást];* (el)tart *[családot];* marad; **~ quiet** csendben marad; **~ smiling** mindig mosolyog; *[étel]* eláll; **~ on doing** (*sg*) folytat (vmit)
keeper őr
keeping (meg)őrzés
kennel kutyaház
kept → keep
kerb járdaszegély
kernel mag; lényeg
ketchup ketchup *[fűszeres paradicsomszósz]*
kettle (teavízforraló) kanna
key ▾ *fn* kulcs; billentyű; (jel)magyarázat ▾ *ige* kulccsal bezár; *inform* **~ (in)** begépel
keyboard billentyűzet; billentyűs hangszer
keyhole kulcslyuk
keynote vezérfonal; **~ speech** vitaindító
khaki khaki
kick ▾ *fn* rúgás ▾ *ige* (meg)rúg, rugdal; **~ out** kirúg
kid ▾ *fn* srác, kölyök ▾ *ige* ugrat
kidnap elrabol *[személyt]*
kidney vese
kill (meg)öl, (meg)gyilkol; **be° ~ed** életét veszti
killer gyilkos

killjoy ünneprontó
kilo kiló
kilogramme kilogramm
kilometre kilométer
kilt skót szoknya
kin ▾ *mn* rokon ▾ *fn* rokonság
kind ▾ *mn* kedves, jóindulatú, szíves ▾ *fn* faj(ta), típus; jelleg
kindergarten óvoda
kind-hearted jószívű
kindness jóság; szívesség
king király, uralkodó
kingdom királyság, birodalom; **the United K~** Egyesült Királyság
king-size extra méretű
kiosk bódé; telefonfülke; pavilon
kiss ▾ *fn* csók, puszi ▾ *ige* (meg)csókol, megpuszil; csókolódzik
kit készlet; (katonai) felszerelés
kitchen konyha; **~ sink** (konyhai) mosogató
kitchenette teakonyha
kite (papír)sárkány
kitten kismacska
knead dagaszt, gyúr; masszíroz
knee térd
kneecap térdkalács; térdvédő
kneel (knelt, knelt) térdel
knelt → **kneel**
knew → **know**
knickers *tsz* bugyi
knife ▾ *fn* (*tsz* knives) kés, tőr ▾ *ige* megkésel
knight lovag; *[sakkban]* ló, huszár
knit (knitted/knit, knitted/knit) (meg)köt
knitting kötés
knives → **knife**
knob gomb; dudor
knock ▾ *fn* kopogás, ütés ▾ *ige* (*on/at sg*) kopog(tat) (vmin); (meg)üt; **be° ~ed down** *[jármű]* elüti; **~ out** kiüt
knocker kopogtató
knot ▾ *fn* csomó, bog;

csomó *[= 1,853 km/h]* ▾ *ige* csomóz, összeköt

know (knew, known) tud, ismer; **please let me ~** kérem, értesítsen

know-all mindentudó

know-how hozzáértés, szakértelem

knowledge tudomás (vmiről); *(of)* tudás

knowledgeable nagy tudású

known ▾ *mn* ismert, ismeretes ▾ *ige* → **know**

knuckle ujjízület, ujjperc

Koran Korán

Korea Korea

Korean *mn, fn* koreai

kosher kóser

L

lab *röv [laboratory]* labor
label ▾ *fn* címke, felirat; *biz* elnevezés, megjelölés ▾ *ige* megcímkéz
laboratory laboratórium
laborious fáradságos; szorgalmas
labour munka, fáradság; munkaerő; *orv* vajúdás
labourer munkás, fizikai dolgozó
lace ▾ *fn* cipőfűző, zsinór; csipke ▾ *ige* befűz, összecsatol
lack ▾ *fn* hiány ▾ *ige* (*sg*) nélkülöz (vmit), hiányzik (vmije)
lacquer ▾ *fn* lakk, zománc ▾ *ige* (be)lakkoz, (be)zománcoz
lad fiú, fickó
ladder létra
laden megterhelt, megrakott *[áruval, teherrel]*
ladle ▾ *fn* merőkanál ▾ *ige* mer *[levest]*
lady hölgy, úrnő; nő, asszony; lady *[cím]; biz* feleség
ladybird katicabogár
lager világos sör
lagoon lagúna
laid → **lay**
lain → **lie**[2]
lake tó
lamb bárány, bárány(hús)
lame sánta, béna
lament ▾ *fn* siránkozás, panaszkodás ▾ *ige* (meg)sirat
laminated réteges *[kőzet]*, laminált *[textília]*
lamp lámpa, fényszóró
lamppost lámpaoszlop

lampshade lámpaernyő

lance lándzsa

land ▾ *fn* (száraz)föld; föld, talaj; terület, ország; föld(birtok) ▾ *ige* partra tesz; letesz; partra száll, leszáll; érkezik, esik (vhová)

landing kikötés; partraszállás; leszállás; *épít* lépcsőforduló; ~ **gear** futómű *[repülőé]*

landlady főbérlő, háziasszony *[albérletben]*; kocsmárosné, vendéglősné

landlord főbérlő, háziúr *[albérletben]*; kocsmáros, vendéglős

landmark (feltűnő) tereptárgy; *átv is* határkő, korszakalkotó esemény

landowner földbirtokos

landscape táj, tájkép

landslide földcsuszamlás

lane ösvény; keskeny mellékutca; sáv *[autóúton, uszodában]*

language nyelv; nyelvezet, stílus

lank sovány *[ember]*; vékony, tartás nélküli *[haj]*; üres *[pénztárca]*

lantern lámpa, lámpás; világítótest

lap öl, térd; *sp* kör *[pályán megtett]*, forduló

lapel hajtóka *[kabáté]*

lapse ▾ *fn* hiba, tévedés; múlás, folyás *[időé]* ▾ *ige* vét, hibázik; múlik, telik *[idő]*

laptop laptop, hordozható számítógép

larch vörösfenyő

lard (disznó)zsír, háj

larder éléskamra, spájz

large nagy (méretű), terjedelmes; bőséges *[étkezés]*

large-scale nagyarányú

lark pacsirta

laser lézer

lash ▾ *fn* korbács, ostor; korbácsütés, ostorcsapás ▾ *ige* (meg)korbácsol, ver *[ostorral];* űz, hajszol; *átv* ostoroz, szid

last ▾ *mn* utolsó; (el)múlt, legutóbbi ▾ *hsz* utoljára, utolsóként; végül, végezetül ▾ *ige* tart (vmeddig); kitart, fennmarad (vmeddig)

lasting ▾ *mn* tartós, maradandó ▾ *fn* tartósság, maradandóság

lastly végül, utoljára

last-minute utolsó pillanatban történő *[helyfoglalás stb.]*

latch ▾ *fn* kilincs; zárnyelv; rugós retesz ▾ *ige* kilincsre zár *[ajtót];* bezárkózik

late ▾ *mn* késő; késői, kései; néhai; (leg)utóbbi, (leg)újabb ▾ *hsz* későn, késve

latecomer későn jövő

lately az utóbbi időben

later később, aztán; későbbi

latest legutolsó, legutóbbi

lathe ▾ *fn* eszterga(pad) ▾ *ige* esztergál

Latin ▾ *mn* latin ▾ *fn* latin *[nyelv]*

Latin-America Latin-Amerika

latitude (földrajzi) szélesség

latter utóbbi, későbbi

Latvia Lettország

Latvian *mn, fn* lett, lettországi

laudable dicséretes

laugh ▾ *fn* nevetés, kacagás ▾ *ige* nevet, kacag

laughable nevetséges, vicces

laughter nevetés, kacagás

launch ▾ *fn* kilövés *[űrhajóé],* vízrebocsátás *[hajóé]* ▾ *ige* kilő *[űrhajót],* el/beindít *[vállalkozást, támadást]*

launder *US* tisztít, mos

laundry mosoda; szennyes (ruhanemű); frissen mosott/tisztított ruhanemű

laurel babér(fa)
lavatory illemhely, vécé
lavender levendula
lavish ▾ *mn* pazarló, bőkezű ▾ *ige* pazarol, tékozol
law törvény, (játék)szabály; jog(tudomány); **~ and order** törvényes rend; **~ court** bíróság; **~ school** *US* jogi kar *[egyetemen]*
law-abiding jogtisztelő, jogkövető
lawful megengedett, törvényes *[fizetőeszköz]*
lawless törvénytelen, törvényellenes
lawn gyep, pázsit
lawnmower fűnyíró
lawsuit per, perbe fogás
lawyer jogász, ügyvéd
lax laza, meglazult *[fegyelem]*; ernyedt, petyhüdt
laxative *orv* hashajtó
lay ▾ *mn* világi, laikus ▾ *ige* (laid, laid) tesz, helyez; → **lie²**
lay-by pihenő(hely); *gépk* parkolóhely *[út mentén]; hajó* kikötőhely
layman (*tsz* -men) nem szakmabeli, laikus
layout tervrajz, alaprajz
laze *biz* lustálkodik, henyél
laziness lustaság
lazy lusta, link *[ember]*
lead¹ ▾ *fn* irányítás, vezetés; póráz; előny *[versenyben]* ▾ *ige* (led, led) vezet, irányít (vmit); visz, vezet *[út vhová]*
lead² *fn* ólom, grafit
leader vezető, vezér
leadership vezetés, irányítás
leading lady *szính* primadonna, (női) főszereplő
leaf ▾ *fn* (*tsz* leaves) levél *[növényé]*, szirom ▾ *ige* kilombosodik *[fa]*
leaflet szórólap, prospektus
league liga *[pl. sportban]*, szövetség

leak ▾ *fn* szivárgás *[folyadéké vezetékből]*; kiszivárogtatás *[információé]* ▾ *ige* (ki)szivárog, csepeg; kiszivárogtat *[titkot/információt]*

lean[1] *mn* sovány, szikár; sovány *[hús]*

lean[2] *ige* (leant/leaned, leant/leaned) (*against sg*) (neki)támaszt (vminek); támaszkodik (vmire); nekidől (vminek)

leant → **lean**[2]

leap ▾ *fn* ugrás, szökkenés; ~ **year** szökőév ▾ *ige* (leapt/leaped, leapt/leaped) átugrik, ugrat; ugrik, szökken

leaper ugró

leapfrog bakugrás

leapt → **leap**

learn (learnt/learned, learnt/learned) (meg)tanul; megtud (vmit)

learned tanult, művelt

learner tanuló, tanítvány

learnt → **learn**

lease ▾ *fn jog* (haszon)bérlet(i szerződés) ▾ *ige* bérbe ad, kiad; bérbe vesz, lízingel

leash ▾ *fn* póráz ▾ *ige* pórázon vezet, visszafog

least legkevesebb, legkisebb

leather (kikészített) bőr

leave ▾ *fn* szabadság *[munkából]* ▾ *ige* (left, left) elhagy *[helyet]*, elindul; hagy (vmit vhol); otthagy, elhagy *[házastársat]*

leaves → **leaf**

Lebanon Libanon

lecture ▾ *fn* előadás ▾ *ige* (*on sg*) előadást tart (vkinek vmiről); előad *[egyetemen]*

lecturer (egyetemi) előadó; adjunktus

led → **lead**[1]

leech *átv is* pióca

leek póré(hagyma)

leer (*at sy*) bámul (vkit)

leeway mozgástér
left ▾ *mn* bal (oldali) ▾ *fn* bal oldal; *pol* baloldal ▾ *hsz* balra, bal oldalon ▾ *ige* → **leave**
left-handed balkezes *[ember]*
left-luggage (office) csomagmegőrző
left-wing *pol* baloldali
leg láb; szár *[nadrágé]*
legacy hagyaték, örökség
legal törvényes, jogos
legalise hitelesít *[iratot, szerződést]*; törvényesít
legally törvényesen, jogosan
legend legenda, monda; jelmagyarázat *[ábrán]*
legible olvasható
legislation törvényhozás, törvényhozó hatalom
legislature törvényhozás
legitimacy törvényesség, legitimitás; jogosság
legitimate ▾ *mn* törvényes; indokolt, jogos ▾ *ige* törvényesít
leisure ▾ *mn* szabad *[idő]* ▾ *fn* szabadidő, ráérő idő
leisurely ráérő, komótos
lemon citrom(fa); citromsárga szín; ~ **tea** citromos tea
lemonade limonádé
lend (lent, lent) (*sy sg*) kölcsönad, kölcsönöz (vkinek vmit); nyújt, ad
length hossz(úság); (idő)-tartam; távolság
lengthen (meg)hosszabbít; (meg)hosszabbodik, megnyúlik
lengthy hosszú, hossz(adalm)as
lenient elnéző, engedékeny
lens *fiz* lencse *[üveg]*
Lent *vall* nagyböjt
lent → **lend**
lentil *növ* lencse
Leo Oroszlán *[csillagkép]*
leopard leopárd
leprosy lepra

less ▾ *mn* kisebb, kevesebb ▾ *hsz* kevésbé; → **little**

lessen csökkent, enyhít *[fájdalmat]*; csökken, enyhül *[fájdalom]*

lesser kisebb

lesson (tanulmányi) óra; lecke; *vall* (szent) lecke

let (let, let) kiad, bérbe ad; (*sy do sg*) hagy, enged (vkinek tenni vmit); ~ **sy know** értesít, tudat

lethal halálos

letter betű; levél

lettuce *növ* saláta

leuk(a)emia fehérvérűség, leukémia

level ▾ *mn* sík, vízszintes; ~ **crossing** vasúti átjáró, szintbeni útkereszteződés ▾ *fn* szint, színvonal; (társadalmi) réteg ▾ *ige* kiegyenlít, szintez

lever emelő; fogantyú, kar

levy ▾ *fn* adószedés, behajtott adó ▾ *ige* (*on sg*) kivet, kiró *[adót vmire]*

lewd buja, kéjsóvár

liabilities *tsz gazd* tartozás(ok)

liability felelősség, kötelezettség

liable (*to do sg*) köteles (vmire); hajlamos; *jog* (*to sg*) felelős (vmiért)

liaise összeköttetést létesít, együttműködik

liaison összeköttetés, együttműködés; (szerelmi) viszony

liar hazug ember, hazudozó

libel ▾ *fn* rágalom, rágalmazás ▾ *ige jog* (meg)rágalmaz, hamisan vádol

liberal ▾ *mn* szabad szellemű, szabadelvű; bőkezű, bőséges *[adag, ellátás]* ▾ *fn pol* szabadelvű

liberalise liberalizál, felszabadít *[szabályozás alól]*

liberate megszabadít, felszabadít
liberation felszabadítás, kiszabadítás; kiszabadulás
liberty szabadság
Libra Mérleg *[csillagkép]*
librarian könyvtáros
library könyvtár
lice → **louse**
licence engedély; **driving** ~ jogosítvány
license engedélyez
licensed engedélyezett
lick ▾ *fn* (meg)nyalás ▾ *ige* (meg)nyal
lid fedél *[dobozé]*, fedő *[edényé]*
lie[1] ▾ *fn* hazugság ▾ *ige* hazudik
lie[2] (lay, lain) fekszik, hever
lie-in lustálkodás *[ágyban]*
lieutenant *kat* főhadnagy, *US* hadnagy
life (*tsz* lives) élet; lét; ~ **insurance** életbiztosítás; ~ **sentence** életfogytiglan(i ítélet); ~ **span** (átlagos) élettartam
lifeboat mentőcsónak
lifeguard *US* úszómester *[uszodában]*
lifeless élettelen
lifelike életszerű, élethű
life-size életnagyságú, eredeti nagyságú
lifestyle életmód
lifetime élet(tartam)
lift ▾ *fn* lift, felvonó; emelkedés, emelés ▾ *ige* felemel, felvesz; megszüntet, felold *[korlátozást]*; felvarr *[ráncot]*; felemelkedik, felszáll *[köd]*
light[1] ▾ *mn* világos, sápadt; szőke ▾ *fn* fény, világosság; megvilágítás, lámpa; ~ **year** *csill* fényév ▾ *ige* (lighted/lit, lighted/lit) (be/meg)világít *[teret, szobát]*; meggyújt *[cigarettát, gyertyát, lámpát]*

light² ▾ *mn* könnyű, könnyed *[mozgás]* ▾ *hsz* könnyen, könnyedén

lighten kivilágosodik, kiderül *[ég]*; villámlik

lighter öngyújtó, gázgyújtó

light-hearted vidám, gondtalan

lighthouse világítótorony

lighting megvilágítás, kivilágítás

lightly könnyen, könnyedén; enyhén

lightness könnyűség, könnyedség

lightning villám(lás)

light-weight könnyűsúlyú *[ökölvívó]*

like¹ ▾ *mn* hasonló, hasonlatos ▾ *hsz* úgy, mint, ahogy ▾ *elölj* mint, vmiként

like² *ige* szeret, kedvel

likeable szeretetre méltó, szeretnivaló

likelihood valószínűség

likely ▾ *mn* valószínű, hihető ▾ *hsz* valószínűleg

likeness hasonlóság

likewise ugyancsak, ugyanúgy

liking szeretet; (*for sg*) kedv (vmire)

lilac ▾ *mn* (orgona)lila ▾ *fn* orgona(fa), orgona(virág)

lily liliom

limb (vég)tag, nyúlvány; vastag faág

lime¹ ▾ *fn* mész ▾ *ige* meszez, mésszel trágyáz

lime² *fn* hárs(fa)

lime³ *fn* zöld citrom(fa), citrus

limelight rivaldafény, reflektorfény

limestone *geol* mészkő

limit ▾ *fn* korlát, határ(vonal) ▾ *ige* korlátoz, határt szab

limitation korlát(ozás), megszorítás

limited korlátozott

limousine *gépk* limuzin

limp[1] *mn* puha, erőtlen

limp[2] ▾ *fn* sántítás, sántikálás ▾ *ige* biceg, sántikál

line ▾ *fn* vonal, egyenes; vezeték, kábel; sor; (horgász)zsinór, kötél; ág(azat), családág; *közl* útvonal ▾ *ige* megvonalaz, csíkoz; sorba állít/rak; bélel, szeg; szegélyez

lined (meg)vonalazott; barázdált, ráncos *[arc, homlok];* bélelt *[ruhadarab]*

linen ▾ *mn* vászon-, vászonból készült ▾ *fn* (len)vászon; fehérnemű

linesman (*tsz* -men) *sp* vonalbíró

line-up *sp* felállás, összeállítás *[csapaté]*

linger *[sokáig]* időzik, habozik

linguist nyelvész

linguistic(al) nyelvi, nyelvészeti

linguistics *esz* nyelvészet, nyelvtudomány

lining bélés, kibélelés

link ▾ *fn* (lánc)szem, tag; kapcsolat, kötelék ▾ *ige* összekapcsol, összeköt

lino *biz* linóleum

lint kötszer, sebkötöző géz

lion oroszlán

lioness nőstény oroszlán

lip ajak

lipstick rúzs

liqueur likőr

liquid ▾ *mn* cseppfolyós, folyékony; *gazd* folyósítható ▾ *fn* folyadék

liquidate megsemmisít, likvidál; *gazd* felszámol *[vállalatot]*

liquidation megsemmisítés, likvidálás; *gazd* felszámolás

liquidizer turmixgép

liquor *US* szeszes ital; ~ **store** *US* italbolt

Lisbon Lisszabon

lisp selypít, pöszén beszél

list ▾ *fn* lista, felsorolás ▾ *ige* felsorol, összeír
listen (*to sy/sg*) (meg)hallgat (vkit/vmit); (*to sy*) hallgat, odafigyel (vkire); hallgatózik
listless közömbös, fásult
lit → **light**[1]
literal szó szerinti
literary irodalmi
literate írni-olvasni tudó; tanult, olvasott
literature irodalom
Lithuania Litvánia
Lithuanian *mn, fn* litván
litre liter *[= 1,75 pint]*
litter ▾ *fn* szemét, hulladék; ~ **bin** szemétláda, kuka ▾ *ige* (meg)ellik, lekölykezik
little ▾ *mn* (*kfok* less, *ffok* least) kis, kicsi; kevés; ~ **finger** kisujj ▾ *hsz* kevéssé, kissé
live ▾ *mn* élő; feszültség/áram alatti; *távk* egyenes *[adás, közvetítés]* ▾ *hsz távk* egyenes/élő adásban ▾ *ige* él, lakik
livelihood kenyérkereset, megélhetés
lively élénk, eleven
liver máj
lives → **life**
livestock állatállomány
livid *biz* rettenetesen dühös
living ▾ *mn* élő, eleven ▾ *fn* megélhetés; élet(mód); ~ **conditions** életkörülmények; ~ **room** nappali(szoba)
lizard gyík
llama *áll* láma
load ▾ *fn* teher, rakomány; töltés, töltény *[fegyverben]*; ~**s of sg** sok, rengeteg ▾ *ige* megterhel, megrak *[rakománnyal]*; megtölt *[fegyvert, fényképezőgépet]*; *inform* betölt *[programot]*
loaded (meg)terhelt, megrak(od)ott *[szállítójármű]*; töltött *[fegyver]*

loading (be)rakodás *[szállítójárműbe]; inform* (program) betöltése
loaf (*tsz* loaves) vekni
loan ▾ *fn gazd* kölcsön ▾ *ige US* (pénzt) kölcsönad
loath vonakodó, kelletlen
loathe utál, gyűlöl
loaves → **loaf**
lobby ▾ *fn* előcsarnok, előtér; érdekcsoport, lobbi *[parlamentben]* ▾ *ige* lobbizik, befolyásol
lobe *orv* lebeny
lobster tengeri rák, homár
local helyi, helybeli; ~ **anaesthetic** *orv* helyi érzéstelenítés; ~ **authority** (helyi) önkormányzat, helyhatóság
locality környék; hely(ség)
locate helyére tesz, elhelyez; meghatároz *[vminek a helyét]*
location elhelyezkedés, fekvés *[helyé]*; helyszín
lock[1] *fn* hajfürt, hajtincs
lock[2] ▾ *fn* zár, lakat; zsilip ▾ *ige* be/lezár(ul), becsuk(ódik)
locker öltözőszekrény
locksmith lakatos
locomotive mozdony, lokomotív
locust sáska
lodge elhelyez, elszállásol (vkit); lakik, megszáll
lodger albérlő
lodgings *tsz* albérlet
loft padlás(tér), tetőtér; galéria *[lakásban kialakítva]*
log farönk, fatuskó; napló
logic logika
logical logikus, ésszerű; logikai
logo logo, jelkép *[cégé]*
loin vesepecsenye, hátszín
loiter álldogál, ténfereg

lollipop nyalóka
London London
Londoner londoni *[ember/lakos]*
loneliness magány(osság), elhagyatottság
lonely magányos
long[1] ▾ *mn* hosszú *[térben]*; hosszú *[időben]*, hosszadalmas; ~ **jump** *sp* távolugrás ▾ *hsz* hosszú ideje, régóta; hosszú ideig, sokáig
long[2] *ige* vágyódik, sóvárog (vmi után)
long-distance hosszú távú *[verseny]*; távolsági *[telefonhívás]*
longing vágyódás, sóvárgás
longitude földrajzi hosszúság
long-life tartós *[elem, tej]*
long-range *kat* nagy hatótávolságú *[repülő]*
long-sighted előrelátó, körültekintő; *orv* távollátó
long-standing régóta fennálló, régi
long-winded hosszú lélegzetű
loo *biz* vécé, klotyó
look ▾ *fn* tekintet, pillantás ▾ *ige* néz, tekint; (vmerre) néz *[ablak, ház stb.]*; (vminek) látszik/tűnik
look-out figyelés, őrködés
looks *tsz* megjelenés, külső
loom feltűnik, láthatóvá válik
loop ▾ *fn* hurok, csomó *[kötélen]*; fogantyú, fül *[edényen]*; *sp* bukfenc *[repülővel]*, hurok *[korcsolyában]* ▾ *ige* (vmiből) hurkoz, (meg)csomóz; hurkolódik, (össze)csomósodik *[kötél]*
loophole kibúvó; kiskapu
loose szabad, laza; tág, bő *[ruhadarab]*
loosen megold, meglazít

[övet, kötelet, ellenőrzést]; kiold(oz)ódik, kibomlik *[csomó, kötél]*

loot ▾ *fn* fosztogatás; (hadi)zsákmány ▾ *ige* kifoszt; zsákmányol; fosztogat

lord úr

lorry teherautó, tehergépkocsi

lose (lost, lost) elvesz(í)t; (*sg*) megszabadul (vmitől); ~ **one's way** eltéved; ~ **weight** (le)fogy

loser vesztes

loss elvesztés, elveszés; veszteség, kár

lost ▾ *mn* elveszett; elvesz(í)tett *[mérkőzés, per]*; eltévedt; elszalasztott *[alkalom, lehetőség]* ▾ *ige* → **lose**

lot sorshúzás; sors, osztályrész; *biz* nagy mennyiség; *US* telek, parcella

lotion testápoló *[tej]*; **suntan** ~ naptej

lottery lottó, *átv* lutri

loud hangos, zajos

loudly hangosan, zajosan

loudspeaker hangszóró, hangosbeszélő

lounge előcsarnok, társalgó; váróterem *[repülőtéren]*

louse (*tsz* lice) tetű

lovable szeretetre méltó, szeretnivaló

love ▾ *fn* szeretet, szerelem; vkinek a szerelme; *sp* null(a); ~ **affair** (szerelmi) viszony ▾ *ige* szeret, kedvel (vkit); imád, rajong (vkiért)

loveless szeretetlen, senki által nem szeretett

lovely bájos, csinos; *biz* pompás, nagyszerű

lover szerelmes; szerető; kedvelője (vminek)

low ▾ *mn* alacsony; alacsony(an fekvő), mély; alsó *[rangban]*, alacsonyabb rendű; halk, gyenge *[hang]*; ~ **season** elő/utószezon ▾ *hsz* alacsonyan, mélyen; olcsón, alacsony áron; halkan

lower leenged, leereszt; csökkent, leszállít *[árat, bért]*; (le)süllyed, leereszkedik; csökken, esik *[ár]*

lowering leeresztés, csökkentés; leereszkedés, csökkenés

low-fat alacsony zsírtartalmú *[étel]*

lowlands *tsz* síkság, alföld

lowly alacsonyrendű *[szervezet, élőlény]*

loyal (*to sy*) hű(séges) (vkihez)

loyalty hűség

lubricant ▾ *mn* kenő, síkosító ▾ *fn* kenőanyag

lubricate ken, zsíroz

lucid világos, ragyogó; épeszű

luck szerencse; jószerencse

luckily szerencsére

lucky szerencsés; szerencsét hozó

lucrative jövedelmező, hasznot hajtó

ludicrous nevetséges, vicces

luggage poggyász, csomag; ~ **rack** poggyásztartó, csomagtartó

lukewarm langyos

lull elaltat; lecsendesít *[tengert, vihart]*; *átv* csillapít *[fájdalmat]*

lullaby altatódal, bölcsődal

lumbago *orv* lumbágó, derékzsába

lumber ▾ *fn* kacat, limlom; *US* épületfa, faanyag ▾ *ige* összehord *[kacatokat]*, felhalmoz; *US* kitermel *[fát]*

lumberjack *US* favágó

luminous világító; foszforeszkáló; élénk *[szín]*

lump ▾ *fn* (nagy) darab (vmiből), rög; *orv* daganat, tumor; ~ **of sugar**

egy kocka cukor; ~ **sum** *gazd* egyösszegű kifizetés ▾ *ige* összeáll *[egy darabban]*, összecsomósodik *[étel]*

lumpy darabos, csomós *[étel]*; dudoros, hepehupás *[ágy, matrac]*

lunar *csill* hold-

lunatic elmebajos, őrült; holdkóros

lunch ebéd

luncheon ebéd

lung tüdő

lurch ▾ *fn* megingás, megtántorodás *[emberé]*; zökkenés *[járműé]* ▾ *ige* meginog, megtántorodik *[ember]*; megzökken, zötyög *[jármű]*

lure ▾ *fn* csalétek, csali; vonzerő ▾ *ige* csábít, csalogat

lurk ▾ *fn* leshely ▾ *ige* lesben áll, leselkedik

lust testi/nemi vágy; erős vágy

lustre fényesség, ragyogás

Luxemburg Luxemburg

Luxemburger ▾ *mn* luxemburgi ▾ *fn* luxemburgi *[ember]*

luxuriant buja, burjánzó *[növényzet]*; *átv* gazdag, bőséges

luxurious fényűző, pazar

luxury luxus, fényűzés; luxustárgy, luxuscikk

lynch (meg)lincsel

lyrical lírai, *biz* érzelgős

lyrics *tsz* dalszöveg

M

macabre hátborzongató, kísérteties

macaroni makaróni

mace szerecsendió

machination áskálódás, machináció

machine (munka)gép; *átv* gépezet; ~ **gun** géppuska

machinery gépezet

mackerel makréla

mackintosh esőkabát

mad őrült, bolond; *biz* mérges, dühös; (*about sg*) rajong, bolondul (vmiért)

madam *[megszólítás]* asszonyom, hölgyem

madden megőrjít, megbolondít; felmérgesít, feldühít

made → **make**

madman (*tsz* -men) bolond, őrült

madness *átv* bolondság, őrültség

magazine (képes) folyóirat; magazinműsor

maggot kukac, féreg

magic ▾ *mn* varázslatos, mágikus ▾ *fn* varázslat, mágia

magician bűvész, mágus

magistrate elöljáró, bírói/közigazgatási tisztviselő

magnesium magnézium

magnet mágnes

magnetic mágneses

magnetism mágnesség; *átv* vonzerő, varázs *[személyé]*

magnificent nagyszerű, pompás

magnify (ki)nagyít, felnagyít *[képet]*; eltúloz, felfúj *[eseményt]*

magnifying glass nagyító(üveg)

magnitude nagyság(rend), méret; fontosság, jelentőség

magpie szarka

mahogany ▾ *mn* mahagónibarna *[színű]* ▾ *fn* mahagóni(fa)

maid szobalány *[szállodában]*, szolgálólány *[háznál]*

maiden ▾ *mn* hajadon; szűzi(es); ~ **name** leánykori név ▾ *fn* szűz; leány(zó)

mail ▾ *fn* (napi) posta *[levelek]*, postaszolgálat ▾ *ige* *US* postáz, postán felad

mailbox *US* postaláda; *inform* (elektronikus) postaláda, e-mail postafiók

main ▾ *mn* fő-, legfontosabb; ~ **road** főút(vonal) ▾ *fn* főcső, fővezeték *[vízé, gázé, szennyvízé]*

mainframe *inform* nagyszámítógép *[központi egység]*

mainland szárazföld, földrész

mainly főleg, főként

mainstream főáram

maintain fenntart, folytat; karbantart, gondoz; eltart *[családot]*, gondoskodik (vkiről)

maintenance fenntartás; karbantartás, gondozás; eltartás *[családé]*, gondoskodás (vkiről)

maize kukorica

majestic fenséges, méltóságteljes

majesty felség; méltóság; **His M~** őfelsége

major[1] *fn* őrnagy

major[2] ▾ *mn* nagyobb, jelentősebb; nagykorú ▾ *fn* *US* főszak *[egyetemen, főiskolán]*, fő(tan)tárgy

▾ *ige* (*in sg*) *US* főtárgyként tanul (vmit)
Majorca Mallorca
majority többség; szótöbbség; *US* abszolút többség; *jog* nagykorúság; *kat* őrnagyi rang
make ▾ *fn* gyártmány, készítmény ▾ *ige* (made, made) csinál, készít; tesz (vkit vmivé/vmilyenné); késztet; (*sy do sg*) kényszerít (vkit vmire); keres *[pénzt]*, szerez; elér *[helyet]*, odaér
make-believe színlelés, tettetés
maker gyártó, készítő
makeshift rögtönzött, sebtiben készített
make-up smink; kozmetikai szerek; ~ **remover** arclemosó
Malaysia Malajzia
Malaysian *mn, fn* malajziai, maláj
male *mn, fn* hím; férfi
malevolent rosszindulatú
malfunction ▾ *fn* működési hiba, zavar ▾ *ige* hibásan működik
malice rosszindulat, rosszakarat
malicious rosszindulatú
malign veszedelmes, vészes
malignant rosszindulatú, veszélyes; *orv* rosszindulatú *[daganat]*
mall *US* bevásárlóközpont, plaza; *US* sétálóutca
malnutrition alultápláltság; hiányos táplálkozás
malpractice szabályellenes cselekedet/viselkedés; orvosi műhiba; *jog* hanyagság, mulasztás
malt maláta
Malta Málta
Maltese ▾ *mn* máltai ▾ *fn esz/tsz* máltai *[ember/nyelv]*
mammal emlős(állat)
mammoth ▾ *mn* óriási, hatalmas ▾ *fn* mamut

man ▾ *fn* (*tsz* men) férfi, ember; emberiség ▾ *ige kat* legénységgel/személyzettel ellát

manage menedzsel, intéz; ~ **to do sg** sikerül *[vmit megtenni]*

manageable kezelhető *[állat, probléma]*, vezethető *[autó]*

management igazgatás; igazgatóság, vezetőség

manager igazgató, ügyvezető

manageress igazgatónő, üzletvezetőnő

managerial igazgatói

mandarin mandarin

mandatory ▾ *mn* rendelkező; *US* szükséges, kötelező ▾ *fn* megbízott

mangle szétmarcangol *[testet]*, eltorzít

manhandle *biz* (tettleg) bántalmaz, durván bánik (vkivel)

manhole búvónyílás, aknanyílás *[csatornáé stb.]*

manhood férfikor; férfiasság; ember/férfi volta (vkinek); *átv* férfiasság, potencia

mania *biz* mánia, hóbort; *orv* (mániás/dühöngő) elmezavar

maniac ▾ *mn* őrült, mániákus ▾ *fn biz* bolondja (vminek); *orv* dühöngő őrült

manic *orv* mániás

manicure ▾ *fn* kézápolás, manikűr ▾ *ige* kezet/körmöt ápol (vkinek)

manifest ▾ *mn* nyilvánvaló, kétségtelen ▾ *ige* (nyilvánvalóan) megmutatkozik

manifestation megnyilvánulás

manifesto *pol* kiáltvány

manifold sokféle, sokrétű

manipulate kezel, irányít *[ügyesen]*; manipulál

mankind emberiség

manly férfias, férfihoz illő

man-made mesterséges, mű-

manner mód(szer); modor, viselkedés; fajta, féle

(-)mannered modorú

mannerism mesterkéltség, modorosság; *műv* manierizmus

manners *tsz* modor, viselkedés

manoeuvre ▾ *fn [hadművelet]* manőver, *átv* mesterkedés ▾ *ige* irányít; működtet, kezel *[gépet]*; manőverez *[járművel]*, *átv* mesterkedik

manor majorság, uradalom

manpower emberi/kézi erő; munkaerő, munkáslétszám

mansion udvarház, urasági kastély *[vidéken]*; palota *[városban]*

mantelpiece kandallópárkány

manual ▾ *mn* kézi, kézzel végzett *[munka]* ▾ *fn* használati utasítás, *gépk* javítási útmutató; *zene* billentyűzet, klaviatúra

manufacture ▾ *fn* gyártás, elkészítés; gyártmány, készítmény ▾ *ige* gyárt, készít *[terméket]*; *átv* gyárt, kiagyal *[történetet]*

manufacturer gyártó, készítő; gyáros, iparos

manure trágya

manuscript ▾ *mn* kéziratos, kézzel írott ▾ *fn* kézirat

many (*kfok* more, *ffok* most) sok, számos

map ▾ *fn* térkép ▾ *ige* (fel)térképez

maple juhar(fa)

mar elront, tönkretesz

marathon *sp* maraton(futás)

marble ▾ *fn* márvány; színes játékgolyó; *ját* golyójáték ▾ *ige* (be)márványoz

March március
march ▾ *fn* menet(elés), gyaloglás; *zene* induló ▾ *ige* menetel, masíroz
mare kanca
margarine margarin
margin szél; határ, margó; eltérés; *US* árrés, haszonkulcs
marginal csekély, jelentéktelen
marigold körömvirág
marijuana marihuána
marine ▾ *mn* tengeri, hajózási ▾ *fn* tengerészet; (hadi)tengerész, tengerészgyalogos
marital házassági
marjoram majoránna
mark ▾ *fn* folt, nyom *[ruhán]*; jel, jelzés; jegy, osztályzat ▾ *ige* foltot/nyomot hagy; (meg)jelöl, jelez; osztályoz *[dolgozatot]*
marked feltűnő, szembetűnő; megjelölt
marker szövegkiemelő *[filctoll]*; *sp* eredményjelző, találatjelző
market ▾ *fn* piac; vásár; tőzsde; ~ **research** *gazd* piackutatás ▾ *ige gazd* piacra dob, értékesít
marketing *gazd* marketing; piaci adásvétel, értékesítés; piacra dobás
marketplace piactér
marking jel, jelzés *[állaton]*; felségjel *[repülőgépen]*
marksman (*tsz* -men) mesterlövész
marmalade narancslekvár
maroon vörösesbarna, bordó (színű)
marriage házasság(kötés); ~ **certificate** házassági anyakönyvi kivonat
married házas
marrow (csont)velő; *növ* tök

marry (*sy*) feleségül vesz (vkit), férjhez megy (vkihez); összead *[pap jegyeseket]*; (meg)házasodik
Mars Mars (isten); *csill* Mars *[bolygó]*
marsh ingovány, láp
marshal *kat* tábornagy, marsall
marshy ingoványos, lápos
martial katonás, harcias; ~ **art** harcművészet
martyr vértanú, mártír
martyrdom vértanúság; *átv* szenvedés
marvel ▾ *fn* csoda ▾ *ige* csodálkozik, elámul
marvellous csodálatos, bámulatos
Marxist *mn, fn* marxista
marzipan marcipán
mascot(te) szerencsefigura, kabala(figura)
masculine férfias; *nyelv* hímnemű *[szó]*
masculinity férfiasság
mash ▾ *fn biz* (burgonya)püré, pép ▾ *ige* péppé zúz, össze/áttör *[burgonyát]*
mask ▾ *fn* maszk, álarc ▾ *ige* álcáz, álarccal eltakar/elrejt
mason kőműves; szabadkőműves
masonry kőművesmesterség; kőművesmunka
masquerade ▾ *fn* álarcosbál, maszkabál ▾ *ige átv* komédiázik, szerepet játszik
mass[1] csomó, rakás; *fiz* tömeg; ~ **media** *tsz* tömegtájékoztatás(i eszközök); ~ **production** tömeggyártás, tömegtermelés
mass[2] mise
massacre ▾ *fn* mészárlás ▾ *ige* (le)mészárol
massage ▾ *fn* masszázs, masszírozás ▾ *fn* masszíroz, gyúr
masses a tömegek

masseur masszőr *[férfi]*
masseuse masszőz *[nő]*
massive masszív, erős
mass-produce tömegesen/nagy szériában gyárt
mast árboc; oszlop, torony *[antennáé]*
master ▾ *fn* úr, gazda *[cselédé, háziállaté]*; tanár, tanító; *[iparos, kézműves]* mester; ~ **of ceremonies** (*röv* MC) műsorvezető ▾ *ige [tökéletesen]* elsajátít, megtanul *[nyelvet stb.]*
masterly mesteri, kiváló
mastermind ▾ *fn* kitűnő koponya, lángész ▾ *ige* kiagyal, megtervez *[bűncselekményt]*
masterpiece mestermű
masterstroke mesterfogás
mastery alapos/teljes ismeret *[tárgyköré]*; (*of sg*) uralom (vmi fölött)
mat ▾ *fn* (durva) szőnyeg; lábtörlő; (edény)alátét ▾ *ige* fon
match[1] *fn* gyufa, gyújtó; kanóc
match[2] ▾ *fn* méltó párja (vkinek); egymáshoz illés; házasság, parti; *sp* mérkőzés, meccs ▾ *ige* (össze)illik, megy; felér, vetekszik; (*with sy*) összeházasít (vkivel)
mate ▾ *fn* társ, pajtás; segéd; *áll* pár ▾ *ige* pároztat, fedeztet; párosodik, párzik
material ▾ *mn* anyagi, tárgyi ▾ *fn* anyag; ~**s** *tsz* kellék, felszerelés
materialistic anyagias; materialista
materialise megvalósul, valóra válik
maternal anyai
maternity anyaság
math *US biz* matek, matematika
mathematical matematikai

mathematician matematikus

mathematics *esz* matematika

maths *esz biz* matek

matinee délutáni előadás *[színházban]*

matriculate egyetemre felvételizik, felvételt nyer; egyetemre felvesz/beír(at) *[diákot]*

matriculation (egyetemi) felvételi vizsga; beiratkozás *[egyetemre]*

matrimony házasság, házasságkötés

matrix mátrix

matron főnővér; családanya, matróna; felügyelőnő, gondnoknő *[kollégiumban stb.]*

matter ▾ *fn* ügy, dolog; anyag; tárgy *[könyvé, beszédé]*, téma; **what's the ~?** mi baj? ▾ *ige* fontos, számít

matter-of-fact tárgyilagos, száraz

matt(e) matt, fénytelen

mattress matrac

mature ▾ *mn átv* érett; *gazd* lejárt, esedékes *[betét stb.]* ▾ *ige* érlel *[sajtot, bort]*; megérik, kiforr; *átv* kidolgoz *[ötletet]*; *gazd* lejár, esedékessé válik

maturity érettség; *gazd* esedékesség, lejárat

mausoleum síremlék, mauzóleum

mauve mályvaszín(ű)

maximum ▾ *mn* legnagyobb ▾ *fn* maximum, legfelső fok/határ

may (might) lehet; szabad; bárcsak

May május; **~ Day** május elseje

maybe talán, esetleg

mayhem felfordulás, zűrzavar

mayonnaise majonéz

mayor polgármester

mayoress polgármesternő/né

maze labirintus, útvesztő
me engem; nekem; én
meadow rét
meagre sovány; *átv* soványka, csekély
meal étkezés, evés
mean[1] ▾ *mn* közepes, átlagos; középszerű; zsugori, fukar ▾ *fn* középút, átlag
mean[2] *ige* (meant, meant) jelent *[szó vmit]*, vmi értelme van; ért (vmit vhogyan); (*to do sg*) szándékozik, akar (tenni vmit); szán (vmire)
meander kanyarog, kígyózik *[folyó, út]*
meaning jelentés, értelem
meaningful értelmes, értelemmel bíró; jelentőségteljes, sokatmondó
meaningless értelmetlen, semmitmondó
meanness közepesség, átlagosság; zsugoriság, fösvénység
means *tsz* (anyagi) eszközök, vagyon
meant → **mean**[2]
meantime; in the ~ időközben
meanwhile ezalatt, ezenközben
measles *esz* kanyaró
measure ▾ *fn* intézkedés, rendszabály; mérték; méret; mérőedény, mérőrúd ▾ *ige* (meg)mér; *átv* felmér
measurement méret
meat hús
Mecca Mekka
mechanic szerelő
mechanical mechanikus, mechanikai; *átv* gépies, önkéntelen *[mozdulat]*
mechanics *esz* mechanika
mechanism szerkezet, mechanizmus
medal érem, kitüntetés
medallion (emlék)érem, medalion
meddle (*in/with sg*) bele-

avatkozik, beleártja magát (vmibe)
media *tsz* média, tömegtájékoztatás(i eszközök)
mediate közvetít *[felek között]*
mediator közvetítő, közbenjáró
medical orvosi, egészségügyi
medication gyógyítás, gyógykezelés; gyógyszer
medicinal gyógyító, gyógyhatású
medicine orvostudomány; orvosság
medieval középkori
mediocre középszerű, közepes
mediocrity középszerűség
meditate tervez, latolgat; meditál, elmélkedik
Mediterranean ▾ *mn* mediterrán; földközi-tengeri ▾ *fn* ~ (**Sea**) Földközi-tenger
medium ▾ *mn* közepes, közép- ▾ *fn* közép; közeg, közvetítő eszköz; *pszich* médium
medley keverék, *zene* egyveleg
meek szelíd, jámbor
meet (met, met) (*sy*) találkozik (vkivel), megismerkedik (vkivel); vár *[vkire állomáson]*; összecsap *[ellenséggel, ellenféllel]*, szembeszáll; kielégít *[szükségletet, követelményt]*
meeting megbeszélés, értekezlet
megalomaniac megalomán, nagyzási hóbortban szenvedő
megaphone szócső, hangosbeszélő
melancholy búskomorság, mélabú
mellifluous mézédes
mellow ▾ *mn* érett, ó *[bor]*; érett *[ember]*; puha, bársonyos *[hang]*;

kedélyes, derűs ▼ *ige* érlel; megérik, kiforr
melodic dallamos
melodrama melodráma
melodramatic melodrámai, hatásvadász
melody dal, dallam
melon dinnye
melt megolvaszt, felold; elolvad, megolvad; ellágyul, elérzékenyül
melting pot olvasztótégely
member tag *[szervezeté]*
membership tagság, taglétszám
membrane membrán, hártya
memo *biz* feljegyzés, emlékeztető
memoirs emlékiratok, emlékezések
memorable emlékezetes, nevezetes
memorandum emlékeztető, feljegyzés; memorandum, jegyzék
memorial emlékmű, szobor
memorise megjegyez, memorizál
memory memória, emlékezet
men → **man**
-men → **-man**
menace ▼ *fn* veszély, fenyegetés ▼ *ige* veszélyeztet, fenyeget; fenyegetőzik
menacing fenyegető
mend megjavít, rendbe hoz
menial ▼ *mn* alantas, szolgai ▼ *fn* szolga
meningitis agyhártyagyulladás
menopause klimax, kritikus kor
mental szellemi, elmebeli
mentality lelki alkat, mentalitás
mention ▼ *fn* említés, utalás ▼ *ige* megemlít, emleget

menu menü, étlap
MEP *röv [Member of the European Parliament]* európai parlamenti képviselő
mercenary *mn, fn* zsoldos *[katona]*
merchandise ▾ *fn* áru ▾ *ige* kereskedik, értékesít
merchant kereskedő; ~ **bank** kereskedelmi bank
merciful irgalmas, könyörületes
merciless irgalmatlan, könyörtelen
mercury higany
mercy irgalom, kegyelem
mere merő, puszta
merely pusztán, csupán
merge összevon, összeolvaszt; összeolvad, összekeveredik
merger *gazd* egybeolvadás, egyesülés
meringue habcsók, tojáshab
merit ▾ *fn* érdem; érték ▾ *ige* (meg)érdemel
mermaid sellő, hableány
merry vidám, jókedvű
merry-go-round körhinta
mesmerise megbabonáz, megigéz
mess ▾ *fn* rendetlenség, zűrzavar; ürülék *[háziállaté]* ▾ *ige* (be)piszkít, bepiszkol
message üzenet
messenger hírvivő, küldönc
messy rendetlen, piszkos
met → **meet**
metabolism anyagcsere
metal fém
metallic fémes
metamorphosis átalakulás, átváltozás
metaphor metafora, szókép
metaphorical metaforikus, átvitt értelmű
meteor hullócsillag, meteor
meteoric meteorikus

meteorite meteorit, meteorkő
meteorology meteorológia
meter mérőeszköz, mérőóra; *US* parkolóóra
method mód(szer), eljárás
methodic(al) módszeres, tervszerű
meticulous aprólékos, pedáns
metre méter; versmérték
metric metrikus, méterrendszerű
metropolitan fővárosi, világvárosi
mew ▾ *fn* nyávogás ▾ *ige* nyávog *[macska]*
Mexican *mn, fn* mexikói
Mexico Mexikó
miaow ▾ *fn* nyávogás ▾ *ige* nyávog
mice → **mouse**
microbe mikroba
microbiology mikrobiológia
microchip mikrocsip
microcosm mikrokozmosz
microphone mikrofon
microscope mikroszkóp
microwave ▾ *fn* mikrohullámú sütő, mikrosütő ▾ *ige* mikrohullámú sütőben főz, mikróz
mid középső, középen levő
midday dél
middle középső; **M~ Ages** *tsz* középkor; **M~ East** Közel-Kelet
middle-aged középkorú
middle-class középosztálybeli
middleman (*tsz* -men) közvetítő; *gazd* viszonteladó
middleweight *sp* középsúly
midget törpe
midnight éjfél
midst közép
midsummer nyárközép, nyári napforduló

midwife (*tsz* -wives) szülésznő, bába
midwives → **midwife**
might¹ *fn* erő, hatalom
might² *segédige* → **may**
mighty hatalmas, erős
migrant ▾ *mn* vándor(ló) ▾ *fn* kivándorló, emigráns
migrate kivándorol, emigrál; költözik *[madár]*
migration kivándorlás, népvándorlás
mike *biz* mikrofon
mild enyhe, szelíd
mile mérföld *[1609 m]*; *biz* nagy távolság
mileage mérföldteljesítmény *[járműé]*; fogyasztás *[járműé]*
milestone mérföldkő
militant harcos, küzdő
military katonai, hadi
milk tej; **~ chocolate** tejcsokoládé
milkman (*tsz* -men) tejesember, tejkihordó
milky tejes, tej-; **M~ Way** *csill* Tejút
mill ▾ *fn* malom; őrlőgép ▾ *ige* (meg)őröl, (le)darál
millennium évezred, millennium
miller molnár
milligramme milligramm
million millió
millionaire milliomos
milometer *gépk* kilométeróra *[mérfölben számláló]*
mime ▾ *fn* pantomim ▾ *ige* elmutogat; mutogat
mimic utánoz, majmol
mimicry utánzás, *biol* mimikri
mince ▾ *fn* vagdalt hús, fasírozott ▾ *ige* összevagdal, ledarál
mincer húsdaráló
mind ▾ *fn* elme, agy ▾ *ige* törődik (vmivel); figyel (vkire/vmire); bán, kifogásol
mindless értelmetlen

mine[1] *nm* enyém
mine[2] ▾ *fn* bánya; akna ▾ *ige* bányász; aláaknáz
minefield *kat* aknamező
miner bányász
mineral ▾ *mn* ásványi; ~ **water** ásványvíz ▾ *fn* ásvány, érc
mingle összekever, vegyít; (össze)keveredik, elvegyül *[emberek között]*
miniature ▾ *mn* miniatűr, apró ▾ *fn* miniatűr, miniatúra
minimal minimális, elenyésző
minimise minimalizál, a lehető legjobban lecsökkent; bagatellizál
minimum minimum, alsó határ
mining bányászat, fejtés *[bányában]*
miniskirt miniszoknya
minister miniszter; *vall* lelkész
ministry minisztérium
minor ▾ *mn* kicsi, jelentéktelen ▾ *fn jog* kiskorú; *zene* moll *[hangnem]; US* melléktantárgy, B-szak
minority kisebbség
mint[1] *fn* (illatos) menta
mint[2] ▾ *fn* pénzverde, pénzverő műhely ▾ *ige* ver *[pénzt]*
minuet menüett
minus ▾ *fn* mínusz *[fok fagypont alatt]; mat* mínuszjel ▾ *elölj mat* -ból/-ből; *biz* nélkül
minute perc; pillanat
minutes *tsz* jegyzőkönyv
miracle csoda
miraculous csodás, csodával határos
mirage délibáb
mirror ▾ *fn* tükör ▾ *ige* tükröz
mirth vidámság, öröm
misadventure szerencsétlenség, balszerencse
misapprehension tévedés, félreértés

misappropriate elsikkaszt, hűtlenül kezel *[pénzösszeget]*
misbehave rosszul/neveletlenül viselkedik
miscalculate rosszul számít ki, elszámol; téved, elszámítja magát
miscarriage meghiúsulás *[tervé]; orv* vetélés
miscarry kudarcot vall; *orv* elvetél
miscellaneous különböző, sokféle
mischief csíny; rosszindulat
mischievous huncut, csintalan *[gyerek];* rosszindulatú; kártékony, káros
misconception téveszme, téves elképzelés
misconduct neveletlenség, helytelen/illetlen viselkedés
miser fukar ember; szerencsétlen flótás
miserable szerencsétlen, nyomorúságos
miserly fukar, zsugori
misery nyomor, szenvedés; boldogtalanság
misfire kihagy *[gyújtás];* csütörtököt mond *[fegyver]*
misfit aszociális egyén, beilleszkedni képtelen ember
misfortune szerencsétlenség, balszerencse
misgiving kételkedés, gyanakvás
misguided félrevezetett; meggondolatlan *[cselekedet]*
mishandle (*sy*) rosszul bánik (vkivel), (*sg*) rosszul kezel (vmit)
mishap szerencsétlenség, baleset
misinform félretájékoztat, tévesen tájékoztat
misinterpret félreért, rosszul értelmez
misjudge rosszul ítél meg, félreismer
mislaid → **mislay**

mislay (mislaid, mislaid) elveszít, otthagy (vhol)
mislead (misled, misled) félrevezet, megtéveszt
misleading félrevezető, becsapó
misled → **mislead**
mismanage rosszul vezet *[céget]*, rosszul gazdálkodik *[pénzzel]*
misplace rossz helyre rak; elveszít, otthagy (vhol)
misprint *nyomd* ▾ *fn* sajtóhiba ▾ *ige* rosszul nyomtat, sajtóhibát ejt
mispronounce helytelenül ejt *[szót]*
misrepresent elferdít *[tényeket]*, rossz színben tüntet fel
Miss kisasszony
miss ▾ *fn* elhibázott lövés/ütés *[sportban, katonaságnál]* ▾ *ige* elhibáz, nem talál el; (*sg*) lekésik (vmit), lemarad (vmiről); hiányol, hiányzik (vki)
misshapen formátlan, torz
missile rakéta, lövedék
missing hiányzó, távollevő
mission küldetés, megbízatás; *vall* hittérítés, misszió; *US* nagykövetség
missionary hittérítő, misszionárius
mist ▾ *fn* pára, köd ▾ *ige* elhomályosít *[üveget]*; permetez *[növényt vízzel]*; elhomályosodik
mistake ▾ *fn* hiba, tévedés ▾ *ige* (mistook, mistaken) (*sy for sy*) eltéveszt, összetéveszt (vkit vkivel); félreért, rosszul ért
mistaken → **mistake**
mister (*röv* Mr, Mr.) úr *[megszólításban]*
mistletoe *növ* fagyöngy
mistook → **mistake**
mistranslation félrefor-

dítás, hibás/pontatlan fordítás

mistress úrnő, (*röv* Mrs, Mrs.) -né

mistrust ▾ *fn* bizalmatlanság ▾ *ige* bizalmatlan (vkivel), nem bízik (vkiben)

misty párás, ködös

misunderstand (misunderstood, misunderstood) félreért, rosszul ért; félreismer

misunderstanding félreértés, nézeteltérés

misunderstood → **misunderstand**

misuse rosszul bánik (vmivel); visszaél (vmivel)

mitigate csillapít *[érzést]*, enyhít *[fájdalmat]*

mitt(en) ujjatlan kesztyű; *US* baseballkesztyű, boxkesztyű

mix elkever, elvegyít; összezavar, összekever *[tényeket]*; összekeveredik; elvegyül *[társaságban]*, társaságba jár

mixed vegyes, kevert; koedukált

mixer konyhai robotgép; mixer *[bárban]*; hangmérnök

mixture keverék; orvosság

mix-up zűrzavar, kavarodás

moan ▾ *fn* nyögés, nyögdécselés ▾ *ige* elnyögdécsel (vmit), nyögdécselve elmond; nyög, sopánkodik

moat vizesárok, várárok

mob csőcselék

mobile mozgó, mozgatható *[tárgy]*; ~ **phone** mobiltelefon

mock ▾ *mn* utánzat, hamis ▾ *fn* gúny, gúnyolódás; utánzat, hamis dolog ▾ *ige* (ki)gúnyol, gúnyt űz (vkiből); csúfolódik, gúnyolódik

mockery gúnyolódás, kicsúfolás; majmolás, utánzás
mocking gúnyolódó, kicsúfoló
mode mód, módszer; divat
model ▾ *mn* (autó/hajó/vonat)modell; mintaszerű ▾ *fn* manöken; makett; mintapédány
moderate ▾ *mn* mérsékelt, szerény ▾ *ige* mérsékel, visszatart; mérséklődik, enyhül
moderation mértéktartás, önuralom
modern modern, korszerű
modernise modernizál, korszerűsít
modest szerény, igénytelen
modesty szerénység, igénytelenség
modify módosít, átalakít
moist nyirkos, nedves
moisten benedvesít; benedvesedik, nyirkossá válik
moisture nyirkosság, nedvesség
moisturiser hidratáló *[krém, kozmetikum]*
molar ▾ *mn* záp- *[fog]* ▾ *fn* zápfog, őrlőfog
mole[1] vakond; *biz* beépített ember, tégla
mole[2] anyajegy, szemölcs
mole[3] móló, hullámtörő gát
molecule molekula
molest molesztál, zaklat
molten (meg)olvadt
moment pillanat
momentary pillanatnyi, átmeneti
momentous jelentős, fontos
momentum *biz* lendület; *fiz* nyomaték
monarch uralkodó
monarchy monarchia
monastery kolostor, zárda
Monday hétfő

monetary pénzügyi, anyagi
money pénz, pénzdarab
mongrel *mn, fn* keverék, korcs *[kutya]*
monitor monitor, képernyő
monk szerzetes, barát
monkey majom
monochrome egyszínű, fekete-fehér *[képernyő]*
monogamy monogámia, egynejűség
monoplane monoplán, egyfedelű repülőgép
monopolise monopolizál, kisajátít
monopoly monopólium
monosyllable egytagú szó
monotone egyhangúság, monoton beszéd
monotonous egyhangú, monoton
monotony egyhangúság, monotónia
monsoon monszun
monster ▾ *mn* óriási, hatalmas ▾ *fn* szörny(eteg), szörnyszülött
monstrous szörnyű, borzasztó; hatalmas, óriási
month hó(nap)
monthly ▾ *mn* havi ▾ *fn biz* havi folyóirat, havilap ▾ *hsz* havonta, havonként
monument emlékmű, műemlék
moo bőg *[tehén]*
mood hangulat, kedély; rosszhangulat, rosszkedv
moody szeszélyes, változó hangulatú; rosszkedvű
moon *csill* hold
moonlight ▾ *mn* holdvilágos, holdsütötte ▾ *fn* holdvilág, holdfény
moonlit holdfényes, holdvilágos *[éjszaka]*
moor ▾ *fn* ingovány, láp ▾ *ige* kiköt *[vízi járművet]*, lehorgonyoz
moorings *tsz* hajólánc, hajókötél *[kikötéshez]*

moorland ingovány, láp

moose (amerikai) jávorszarvas

mop ▾ *fn* nyeles felmosórongy ▾ *ige* felmos, feltöröl

moped robogó, kismotor

moral ▾ *mn* erkölcsi, morális; erkölcsös ▾ *fn* tanulság, (erkölcsi) mondanivaló *[történetéé]*; **~s** *tsz* morál, erkölcs

morale szellem, hangulat, morál

moralistic moralista, erkölcsösséget hirdető

morality erény, erkölcsi érzék

morbid beteges, hátborzongató

more ▾ *szn* → **many**; → **much** ▾ *hsz* inkább, nagyobb mértékben; többé; *[segédszó kfok képzéséhez]* **~ interesting** érdekesebb

moreover sőt, mi több

morning reggel; délelőtt *[ebédig]*

Morocco Marokkó

morsel falat, ételdarab

mortal halandó; halálos, végzetes *[sérülés]*

mortality halálozás(i arány); halandóság

mortar mozsár; mozsár(ágyú); malter, habarcs

mortgage ▾ *fn* jelzálog ▾ *ige* jelzáloggal megterhel, jelzálogot bejegyez *[ingatlanra]*

mortuary ▾ *mn* halotti, temetkezési ▾ *fn* ravatalozó, halottasház

mosaic mozaik

Moscow Moszkva

Moslem *mn, fn* mohamedán, muzulmán

mosque mecset

mosquito szúnyog

moss moha

most ▾ *szn* → **many**; → **much** ▾ *hsz* módfelett, igencsak; legjobban; *[segédszó ffok képzésé-*

hez] ~ **interesting** a legérdekesebb

mostly javarészt, főként; leggyakrabban, legtöbbször

moth *áll* éjjeli lepke; (ruha)moly

mother anya, mama; ~ **tongue** anyanyelv

motherhood anyaság

mother-in-law (*tsz* mothers-in-law) anyós

motherly anyai

motion mozgás; mozdulat, gesztus; javaslat, indítvány; ~ **picture** mozgófilm

motionless mozdulatlan, megmerevedett

motivate motivál, késztet

motivated motivált, ösztönzött

motivation indíték, motiváció

motive ▾ *mn* hajtó, mozgató ▾ *fn* indíték, (indító)ok

motor motor, hajtómű; ~ **racing** autóversenyzés

motorbike motorkerékpár, motor(bicikli)

motorboat motorcsónak

motorcycle motorkerékpár, motor(bicikli)

motorcyclist motorkerékpáros, motoros

motoring autózás, autósport

motorist autós, autóvezető

motorway autópálya

motto mottó, jelige

mould penészgomba

mouldy penészes

mound halom, hant

mount ▾ *fn* domb, hegy ▾ *ige* felmászik *[hegyre];* felül(tet) *[hátaslóra];* növekszik *[pénzösszeg, bankbetét]*

mountain hegy; ~ **bike** mountain bike, hegyikerékpár; ~ **crystal** hegyi kristály, kvarc

mountaineer hegymászó

mountaineering hegymászás
mountainous hegyes *[vidék, ország];* hatalmas, óriási
mourn megsirat, (meg)gyászol
mourner gyászoló
mourning gyász
mouse (*tsz* mice, *számítógépes eszközként* mouses) egér
moustache bajusz
mouth száj; nyílás *[barlangé, üvegé stb.];* (folyó)torkolat; ~ **organ** szájharmonika
mouthful falat
mouthpiece mikrofon; szopóka *[szipkáé];* fúvóka *[fúvós hangszeré]*
mouthwash szájvíz
mouth-watering ínycsiklandó, nyálcsorgató *[gusztusos étel]*
movable mozgatható, elmozdítható
move ▾ *fn* mozgás; lépés *[sakkban, társasjátékban];* költözködés ▾ *ige* megmozdít; költöztet; megindít *[érzelmileg];* megmozdul, mozog; lép *[sakkban, társasjátékban];* elköltözik
movement mozgás, mozgatás; mozgalom
movie *biz* film; ~**s** *tsz US* mozi
moving mozgó, mozgatható; megható, megindító
mow (mowed, mown/mowed) lenyír *[füvet géppel]*
mown → **mow**
mower fűnyíró(gép)
MP *röv [Member of Parliament]* országgyűlési képviselő; *[military police]* katonai rendészet
Mr, Mr. *röv [Mister]* úr
Mrs, Mrs. *röv [Mistress]* -né
Ms *röv* «családi állapotot

fel nem tüntető megszólítás nőknek»

much ▾ *mn* (*kfok* more, *ffok* most) sok ▾ *hsz* sokkal, nagyon

muck trágya; *biz* piszok, rendetlenség

mud ▾ *fn* sár, iszap ▾ *ige* besároz, összesároz

muddle ▾ *fn* felfordulás, zűrzavar ▾ *ige* összezavar, összekuszál

muddy sáros, iszapos

mudguard sárhányó

muffle bebugyolál, beburkol *[hangszigetelő anyaggal]*; elnyel, (le)tompít *[hangot]*

muffler hangtompító; sál; *US* kipufogódob

mug bögre

mule öszvér

multiple ▾ *mn* többszörös, sokrészes ▾ *fn mat* többszörös

multiplication *mat* szorzás, sokszorozás

multiply többszöröz, megsokszoroz; szaporodik, megsokszorozódik; *mat* megszoroz

multistorey sokemeletes, többszintes

multitude sokaság, tömeg

mumble ▾ *fn* motyogás, dünnyögés ▾ *ige* motyog, dünnyög

mummy[1] múmia

mummy[2] anya, mama

mumps *esz* mumpsz

munch rágcsál, ropogtatva rág; zabál, fal

mundane földi, világi *[örömök stb.]*

municipal önkormányzati, városi

mural ▾ *mn* fali ▾ *fn* freskó, falfestmény

murder ▾ *fn* gyilkosság ▾ *ige* megöl, meggyilkol

murderer gyilkos

murderous gyilkos *[indulat, szándék]*

murky homályos, borongós

murmur ▾ *fn* morgás, zúgás; morajlás ▾ *ige* elmormol, elsuttog; mormol, morajlik
muscle izom
muscular izmos, erős
muse (*at sg*) ámul, csodálkozik (vmin); (*about/on/upon sg*) tűnődik, mereng (vmin)
museum múzeum
mushroom gomba
music zene; kotta
musical ▾ *mn* muzikális; dallamos, zenei; ~ **instrument** hangszer ▾ *fn* musical, zenés színdarab/film
musician zenész
musketeer muskétás
Muslim *mn, fn* mohamedán, muzulmán
mussel éti kagyló
must ▾ *fn* kötelező dolog ▾ *segédige* kell, muszáj; bizonyára, nyilván
mustard mustár, mustárfű
muster ▾ *fn* sorakozó, seregszemle; *gazd* minta ▾ *ige* összehív, felsorakoztat *[szemlére]*; összegyűlik, gyülekezik
mute ▾ *mn* néma, hangtalan ▾ *fn* néma *[személy]*
mutilate megcsonkít
mutiny ▾ *fn* lázadás, zendülés ▾ *ige* lázad, zendül
mutter motyog, dünnyög
mutton birkahús, juhhús
mutual kölcsönös, közös
muzzle ▾ *fn* szájkosár; orr, pofa *[állaté]*; torkolat *[fegyveré]* ▾ *ige* szájkosarat rárak *[kutyára]*; *biz* elhallgattat
my (az én) -m
myself saját magam; önmagam
mysterious rejtélyes, misztikus
mystery rejtély, titok
mystify ködösít, misztifikál; megtéveszt
myth mítosz, rege
mythology mitológia

N

nag nyaggat, szekál
nail ▾ *fn* köröm; szeg; ~ **scissors** *tsz* körömolló; ~ **varnish** körömlakk ▾ *ige* (rá/oda)szegez
nailbrush körömkefe
naive naiv, hiszékeny
naked csupasz, meztelen
name ▾ *fn* név, cím *[könyvé, filmé]*; hírnév ▾ *ige* elnevez; megnevez
namely mégpedig, nevezetesen
namesake névrokon
nanny dajka
nap ▾ *fn* szendergés, szundi(kálás) ▾ *ige* szundít, szundikál
napkin szalvéta
nappy pelenka
narcotic kábítószer; altatószer, érzéstelenítőszer
narration elbeszélés, elmesélés
narrative elbeszélő *[költemény]*
narrator narrátor, elbeszélő
narrow ▾ *mn* keskeny, szűk ▾ *ige* le/beszűkít, csökkent; leszűkül, elkeskenyedik
narrow-minded szűk látókörű
nasal orral kapcsolatos, orr-
nastiness komiszság, undokság
nasty undok, komisz; rossz, kellemetlen
nation nemzet, nép
national nemzeti, országos
nationalise államosít *[vállalatot]*

nationalism nacionalizmus, hazafiság
nationalist nacionalista, hazafi
nationality nemzetiség; állampolgárság
nationalise államosít *[vállalatot]*
nationwide országos
native ▾ *mn* odavalósi, bennszülött; belföldi, őshonos *[növény, állat];* szülő-, születési ▾ *fn* őslakos, bennszülött; **N~ American** *US* amerikai őslakos *[indián]*
Nativity *vall* Krisztus születése, karácsony
NATO *röv [North Atlantic Treaty Organization]* NATO *[Észak-atlanti Szerződés Szervezete]*
natural természeti, természetes; magától értetődő
naturalisation honosítás *[külföldié]*
naturalise honosít *[külföldit]*
naturalist természettudós, természetbúvár; a naturalizmus követője/híve
naturally természetesen
nature természet; (emberi) természet
naughty engedetlen, haszontalan
nausea émelygés, hányinger
nauseating émelyítő
nautical hajózási, tenger(észet)i
naval haditengerészeti, tengeri
nave főhajó *[templomban]*
navel köldök
navigate navigál, kormányoz *[hajót, repülőt];* térképpel tájékozódik; hajózik
navigation navigáció, kormányzás

navigator navigátor, kormányos *[hajón, repülőn]*

navvy földmunkás, kubikos

navy (hadi)tengerészet

near ▾ *mn* közeli, közel levő ▾ *hsz* közel; szinte, majdnem ▾ *elölj* (közvetlen) közel (vmihez) ▾ *ige* (*sg/sy*) közeledik (vmihez/vkihez)

nearby ▾ *mn* közeli ▾ *hsz* közel, a közelben

nearly majdnem, csaknem

neat csinos, ízléses; tiszta, ápolt; *US* remek, klassz

necessarily feltétlenül, szükségképpen

necessary nélkülözhetetlen, szükséges; szükségszerű

necessitate elkerülhetetlenné/szükségessé tesz

necessity szükség(esség)

neck nyak

necklace nyaklánc

neckline nyakkivágás *[ruhán]*

necktie nyakkendő

nectar nektár

need ▾ *fn* szükség(let); baj, nyomor ▾ *ige* (*sg/sy*) szüksége van (vmire/vkire)

needle tű

needless felesleges, szükségtelen

needlework kézimunka

needy szűkölködő, nyomorgó

negative ▾ *mn* negatív, nemleges ▾ *fn* negatív *[fényképé]*

neglect ▾ *fn* elhanyagolás, mulasztás ▾ *ige* elhanyagol, elmulaszt

negligence hanyagság, gondatlanság

negligent hanyag, gondatlan

negligible jelentéktelen, elhanyagolható

negotiable *gazd* értékesíthető, forgatható; alku tárgyát képező
negotiate megtárgyal; forgat *[pénzt]*
negotiation tárgyalás
neigh ▾ *fn* nyerítés *[lóé]* ▾ *ige* nyerít *[ló]*
neighbour szomszéd
neighbourhood környék, szomszédság
neighbouring közeli, szomszédos
neither *mn, hsz* (egyik) sem
neologism nyelvi újítás, neologizmus
neon neon
nephew unokaöcs
Neptune Neptunusz
nerve ideg; **~s** *tsz* idegesség, lámpaláz
nervous ideges, izgatott; **~ breakdown** idegösszeroppanás
nest ▾ *fn* fészek, odú; **~ egg** *biz* dugipénz ▾ *ige* fészket rak, fészkel
nestle fészkel, (meg)húzódik
net[1] *mn* nettó, tiszta
net[2] ▾ *fn* háló; *inform* hálózat ▾ *ige* hálóval elkap, *átv* behálóz
Netherlands *tsz* Hollandia
netting háló
nettle ▾ *fn növ* csalán ▾ *ige biz, átv* bosszant, (fel)hergel
network hálózat
neuralgia neuralgia, ideg-zsába
neurologist neurológus, ideggyógyász
neurosis neurózis, idegbaj
neurotic neurotikus, idegbeteg
neuter *nyelv* semleges nem
neutral semleges, üres *[sebességfokozat]*
neutrality semlegesség
neutralise semlegesít, közömbösít

neutron neutron
never soha, sosem
nevertheless mégis, mindazonáltal
new új; **N~ Year** újév
newborn újszülött
newcomer (*to sg*) újonc, kezdő (vmiben)
newly újonnan, frissen
news *esz* hír, újság; híradó; **~ agency** hírügynökség
newscaster *[médiában]* bemondó, hírolvasó
newsletter hírlevél
newspaper újság
newsreader bemondó, hírolvasó
newsreel (film)híradó *[moziban]*
next ▾ *mn* következő, legközelebbi; **~ door** szomszédbeli, a szomszédban lakó ▾ *hsz* legközelebb; a szomszédba(n); aztán, ezután
nibble ▾ *fn* harapás, falat ▾ *ige* majszol, rágcsál
nice szép, kedves
nicely jól, szépen
nicety részlet(kérdés), apróság
niche falmélyedés
nick ▾ *fn* rovátka, csorba; pillanat ▾ *ige* rovátkol, kicsorbít
nickel ▾ *fn* nikkel; *US biz* ötcentes (pénzérme) ▾ *ige* nikkelez
nickname ▾ *fn* becenév, gúnynév ▾ *ige* (*sy*) becenevet/gúnynevet ad (vkinek), elnevez *[gúnynéven]*
nicotine nikotin
niece unokahúg
niggling akadékoskodó, kicsinyeskedő *[ember]*
night éj(szaka), est
nightcap hálósapka
nightdress hálóing *[női, gyermek]*
nightfall szürkület, alkony
nightingale fülemüle
nightlife éjszakai élet

nightly ▾ *mn* esti, esténkénti ▾ *hsz* esténként, éjszakánként
nightmare rémálom, lidércnyomás
nil nulla, semmi
Nile Nílus
nimble mozgékony, fürge; gyors észjárású, eszes
nine kilenc
nineteen tizenkilenc
nineteenth tizenkilencedik; tizenkilenced
ninetieth kilencvenedik; kilencvened
ninety kilencven
ninth kilencedik; kilenced
nip ▾ *fn* belecsípés (vkibe/vmibe) ▾ *ige* (*sy*) megcsíp (vkit), odacsíp(tet) *[csipesszel]*
nipple mellbimbó
nitrate fémnitrát, salétrom
nitrogen nitrogén
no ▾ *nm* semmilyen, semmiféle ▾ *hsz* nem
nobility nemesség
noble ▾ *mn* nemes, nemes (lelkű) ▾ *fn* nemes(ember)
nobody senki
nocturnal éjszakai, éjjeli
nod ▾ *fn* bólintás, bólogatás ▾ *ige* bólint, bólogat
noise zaj, lárma; hang, zörej
noisy zajos, lármás
nomad nomád
nominal névleges, nominális; jelképes *[összeg, büntetés]; nyelv* névszói
nominate (*sy to sg*) kinevez (vkit vminek); jelöl *[vkit díjra]*
nominative ▾ *mn nyelv* alany- *[eset]* ▾ *fn nyelv* alanyeset
nonconformist nonkonformista
nondescript meghatározhatatlan, leírhatatlan
none egy(ik) sem *[kettőnél több közül]*

nonetheless mégis, mindazonáltal

nonsense nonszensz, zagyvaság

non-stop ▾ *mn* folyamatos, nonstop ▾ *hsz* megállás/leszállás nélkül

noodles *tsz* (metélt)tészta, nudli

nook zug, sarok

noon dél *[napszak]*

no-one senki

nor sem

norm norma, minta

normal normális, szabályos

normality szabályosság, szokásosság

normally normálisan, szabályosan

Norman ▾ *mn* normann, normandiai; román *[stílus]* ▾ *fn* normann, normandiai; román stílus

north ▾ *mn* északi; **N~ Africa** Észak-Afrika; **N~ America** Észak-Amerika; **N~ Sea** Északi-tenger ▾ *fn* észak ▾ *hsz* észak felé, északra

northeast ▾ *mn* északkeleti ▾ *fn* északkelet ▾ *hsz* északkelet felé, északkeletre

northerly északi

northern északi; **N~ Ireland** Észak-Írország; **N~ Pole** Északi-sark

northward(s) ▾ *mn* északi (irányú) ▾ *hsz* észak felé, északra

northwest ▾ *mn* északnyugati ▾ *fn* északnyugat ▾ *hsz* északnyugat felé, északnyugatra

Norway Norvégia

Norwegian *mn, fn* norvég

nose ▾ *fn* orr *[emberé, állaté, járműé]*, szimat, szaglás ▾ *ige átv* kiszimatol

nosebleed orrvérzés

nose-dive zuhanórepülés, bukórepülés

nostalgia nosztalgia, visszavágyódás

nostril orrlyuk
nosy *biz* kotnyeles, kíváncsiskodó
not nem
notable fontos, jelentős, figyelemre méltó
notably érzékelhetően; különösen
notary jegyző
notation jelölés, jelölési mód
note ▾ *fn* jegyzet, megjegyzés; hangjegy ▾ *ige* megjegyez; felír, feljegyez
notebook jegyzetfüzet; hordozható számítógép
noted elismert, híres
notepad jegyzettömb, írótömb
noteworthy említésre méltó, jelentős
nothing semmi
notice ▾ *fn* kiírás, felirat; értesítés, felszólítás; felmondás ▾ *ige* észrevesz
noticeable észrevehető, szemmel látható
notification értesítés, bejelentés
notify (*sy of sg*) értesít (vkit vmiről), bejelent *[hatóságnál]*
notion fogalom, elképzelés
notoriety közismertség, hírhedtség
notorious közismert, hírhedt
notwithstanding (vmi) ellenére/dacára
nougat nugát
nought semmi, nulla
noun főnév
nourish (*on/with sg*) táplál, etet (vmivel)
nourishing tápláló
nourishment táplálék, élelem
novel regény
novelist regényíró
novelty újdonság; eredetiség, újszerűség
November november
novice újonc, kezdő
now most, jelenleg

nowadays manapság
nowhere sehol, sehová
noxious káros, ártalmas
nozzle csővég, csőr *[kannáé]*
nuance nüansz, finom különbség
nuclear nukleáris, *összet* atom-
nucleus atommag; sejtmag
nude ▾ *mn* meztelen, ruhátlan ▾ *fn* akt, meztelen alak
nudge oldalba bök
nudist nudista
nugget aranyrög
nuisance nyűg, kellemetlenség; kellemetlenkedő ember
null *jog* semmis, érvénytelen
numb ▾ *mn* zsibbadt, elgémberedett ▾ *ige* elzsibbaszt, megdermeszt; elkábít
number ▾ *fn* szám(jegy); (folyóirat)szám ▾ *ige* be/megszámoz
numeral szám(jegy); *nyelv* számnév
numerical numerikus, számszerű
numerous számos, sok
nun apáca
nurse ▾ *fn* ápolónő, *[kórházi]* nővér; dajka ▾ *ige* ápol, gondoz; szoptat *[csecsemőt]*
nursery bölcsőde; **~ rhyme** gyermekvers; **~ school** óvoda
nursing home nyugdíjasotthon; magánkórház
nurture ▾ *fn* élelem, táplálék ▾ *ige* táplál
nut dió, mogyoró; anyacsavar; *biz* őrült, bolond
nutcracker(s) diótörő
nutmeg szerecsendió
nutrition táplálkozás, táplálás; élelmezéstudomány
nutshell *átv is* dióhéj
nylon nejlon; nejlonharisnya
nymph nimfa

O

oak tölgy(fa)

oar ▾ *fn* evező(lapát) ▾ *ige* evez

oasis oázis

oath fogadalom, eskü

oatmeal zabpehely; *US* zabkása

obedience engedelmesség, szófogadás

obedient engedelmes, szófogadó

obese elhízott, túlsúlyos

obey engedelmeskedik, betart *[szabályt]*

obituary nekrológ, gyászjelentés

object ▾ *fn* tárgy ▾ *ige* kifogásol; ellenez

objection kifogás, tiltakozás

objectionable kifogásolható

objective ▾ *mn* objektív, tárgyilagos ▾ *fn* cél

obligation kötelesség, (el)kötelezettség; adósság

obligatory kötelező

oblige kötelez; lekötelez

obliging előzékeny, lekötelező

oblique dőlt, ferde

obliterate kiirt, kitöröl

oblivion feledés

oblivious feledékeny

oblong ▾ *mn* téglalap alakú ▾ *fn* téglalap

obnoxious visszataszító, undorító

obscene szemérmetlen, obszcén

obscure ▾ *mn* érthetetlen, zavaros; homályos, elmosódott ▾ *ige* elhomályosít; összezavar

observation megfigyelés; észrevétel

observe megfigyel, észrevesz; betart *[szabályt]*; (*(up)on sg*) észrevételt tesz (vmire)

obsession megszállottság; rögeszme, kényszerképzet

obsessive rögeszmés

obsolete ósdi, idejétmúlt

obstacle akadály

obstinacy makacsság, csökönyösség

obstinate makacs, csökönyös

obstruct eltorlaszol, elzár; akadályoz, gátol

obstruction akadály, dugulás; akadályozás; *pol* obstrukció

obtain megszerez, hozzájut

obtrusive tolakodó, alkalmatlankodó *[ember]*; kellemetlen, zavaró

obvious magától értetődő, nyilvánvaló

obviously ▾ *hsz* nyilvánvalóan, magától értetődően ▾ *isz* naná!, még szép!

occasion alkalom, helyzet

occasional véletlen, alkalmi; időnkénti, esetenkénti

occasionally alkalomadtán, időnként

occupant lakó, bérlő

occupation foglalkozás, elfoglaltság; elfoglalás *[területé]*, beköltözés; *kat* megszállás

occupy birtokba vesz, elfoglal *[lakást, házat]*; betölt *[pozíciót]*; *kat* elfoglal, megszáll *[területet]*

occur bekövetkezik, megtörténik; előfordul, akad; (*sg to sy*) eszébe jut (vkinek vmi)

occurrence eset, esemény

ocean óceán

o'clock (kerek) óra *[időpont]*

octagon nyolcszög
octave *zene* oktáv
October október
octopus polip
odd furcsa, különös; páratlan *[szám]*
oddity különcség, hóbort
odds *tsz* valószínűség, esély *[fogadásnál stb.]*
of vkinek/vminek vkije/vmije; -ból/-ből, közül való; -tól/-től
off ▾ *mn* szabad *[nap]*; kikapcsolt *[készülék]*; elhalasztott *[találkozó]* ▾ *hsz* el, messz(ir)e; le, ki(kapcsolva) *[készülék]* ▾ *elölj* (le)-ról/-ről, -tól/-től; messze vmitől
offend megsért *[szabályt]*; megbánt (vkit); (*against sg*) megsért, megszeg (vmit)
offender tettes, vétkes
offensive ▾ *mn* sértő, bántó; *sp* támadó ▾ *fn* offenzíva, támadás
offer ▾ *fn* ajánlat, felajánlás ▾ *ige* (fel)kínál, (fel)ajánl; nyújt; kínálkozik *[alkalom]*
offering kínálat, ajánlat
offhand ▾ *mn* rögtönzött, spontán; fölényes ▾ *hsz* kapásból, előkészület nélkül; fölényesen
office iroda, hivatal; állás, hivatal(i pozíció)
officer (katona)tiszt, rendőr; köztisztviselő, közhivatalnok
official ▾ *mn* hivatalos, szolgálati ▾ *fn* tisztviselő, hivatalnok
off-licence italbolt *[csak palackozott italoké]*
offshoot hajtás, sarj *[növényé, családé]*
offshore part menti, part felőli; külföldön létesített *[bank, fiók stb.]*
offspring utód, sarj
offstage színpadon kívül(i)
often gyakran, sűrűn
oh Ó!, hű!; igazán?

oil ▾ *fn* olaj; olajfesték; ~ **painting** olajfestmény; ~ **rig** olajfúró torony; ~ **well** olajkút ▾ *ige* (meg/be)olajoz
oily olajos, zsíros
ointment gyógykenőcs, kence
old öreg, idős; régi, egykori; ~ **age** öregkor(i)
old-fashioned divatjamúlt, ódivatú
olive ▾ *mn* olívaszínű, olívazöld ▾ *fn* olíva, olajbogyó
Olympic olimpiai
omelet(te) omlett
omen ómen, előjel
ominous vészjósló, ominózus
omission kihagyás, elhagyás
omit kifelejt, kihagy
omnipotent mindenható
omnipresent mindenütt jelenlevő
on ▾ *hsz* fel; tovább; be(kapcsolt) *[készülék]*, megnyitott *[csap]* ▾ *elölj* -on/-en/-ön/-n; -án/-én; -kor; -ra/-re; -ról/-ről
once ▾ *hsz* egy alkalommal, egyszer; azelőtt ▾ *ksz* mihelyt, ha
oncoming szembejövő *[forgalom];* közelgő, közeledő
one ▾ *szn* egy ▾ *mn* egyetlen, egyik ▾ *nm* valaki, az ember *[általános alanyként]*
one-eyed félszemű
one-off *biz* kivételes, egyszeri
oneself (ön)maga
one-sided egyenlőtlen *[küzdelem];* részrehajló; egyoldalú
one-way egyirányú *[utca];* csak odaútra szóló *[jegy]*
ongoing (éppen) zajló, folyamatban levő
onion (vörös)hagyma
onlooker néz(előd)ő

only ▾ *mn* egyedüli, egyetlen ▾ *hsz* csak, csupán
onset kezdet
onslaught *átv* támadás, kirohanás
onto -ra/-re, vminek a tetejére
onward előre(haladó)
onyx ónix
ooze folyat *[seb váladékot];* nedvezik, (ki)szivárog; párolog, izzad
opal opál
opaque átlátszatlan, homályos
open ▾ *mn* nyitott; szabad; őszinte, nyílt ▾ *ige* (ki)nyit, megnyit; (ki)nyílik, megnyílik
opening (ki)nyitás, megnyitás; nyílás, rés
openly nyíltan, nyilvánosan
open-minded elfogulatlan, széles látókörű
opera opera
operate működtet *[gépet],* kezel; üzemel, működik; (*on sy*) *orv* operál, műt (vkit)
operatic operai, drámai *[hatású]*
operation műtét, operáció; működés, üzemeltetés; hadművelet; *mat* művelet
operative ▾ *mn* működő; érvényben levő, hatályos ▾ *fn* munkás, gépkezelő
operator (gép)kezelő, telefonközpontos
opinion vélemény, nézet; ~ **poll** közvéleménykutatás
opinionated makacs, véleményéhez ragaszkodó
opponent ellenfél, versenytárs
opportunity lehetőség, alkalom
oppose (*sg*) szembehelyezkedik (vmivel); szembe/ellentétbe állít (vmit)
opposing szemben álló, ellenséges *[csapatok, felek]*

opposite ▾ *mn* szemben levő; ellenkező ▾ *fn* ellentét(e vminek) ▾ *hsz* szemben, szemközt ▾ *elölj* szemben
opposition szembeállítás, szembenállás; ellenzék *[parlamentben]*, ellenállás *[mozgalom]*
oppress elnyom, nyomorgat
oppressive elnyomó
opt választ; (*for sg*) dönt (vmi mellett)
optical optikai, látási
optician látszerész
optimism optimizmus, derűlátás
optimist optimista
optimistic optimista, derűlátó
option választás, lehetőség; elővételi jog, opció *[részvényre]*
optional választható, fakultatív
or vagy
oral ▾ *mn* szóbeli; száj-, orális ▾ *fn* szóbeli (vizsga)
orange ▾ *mn* narancssárga ▾ *fn* narancs(fa)
orbit pálya *[űrhajóé, égitesté]*
orchard gyümölcsös-(kert)
orchestra zenekar
orchestral zenekari
orchid orchidea
ordain pappá szentel, püspökké avat
ordeal megpróbáltatás, kínszenvedés
order ▾ *fn* rend, jó állapot; sorrend; rendelet, parancs; megrendelés, rendelés *[étteremben]*; (szerzetes)rend ▾ *ige* elrendel, (meg)parancsol; (meg)rendel
orderly ▾ *mn* rendes, rendszerető ▾ *fn* beteghordozó
ordinary szokásos, mindennapos; közönséges, hétköznapi

ore érc
organ *biol* szerv; *zene* orgona
organic szervi, szerves
organism szervezet
organisation szervezet; (meg)szervezés
organise (meg)szervez, (meg)rendez
organiser szervező, rendező
orgasm orgazmus
orgy orgia
orient ▾ *fn* (nap)kelet *[égtáj]* ▾ *ige* betájol, (be)irányít
oriental ▾ *mn* keleti ▾ *fn* keleti ember
origin eredet, származás
original ▾ *mn* eredeti; *átv* egyéni, eredeti *[ötlet, elképzelés]* ▾ *fn* eredeti (példány)
originality eredetiség, eredeti volta vminek
originally eredetileg, kezdetben
originate származtat; *(from/in)* származik (vhonnan/vmiből)
ornament dísz(ítés), dísztárgy
ornamental dísz-, díszítő
ornate túldíszített, gazdagon díszített
ornithology ornitológia, madártan
orphan árva
orphanage árvaház
orthodox ortodox; hagyományos
ostrich strucc
other ▾ *mn* más, másik ▾ *nm* a másik(at), a másiknak
otherwise ▾ *mn* másmilyen ▾ *hsz* másképpen; máskülönben, egyébként
otter vidra
ouch au!, jaj!
ought kellene
ounce uncia *[=28,35 gramm]*
our (a mi) ...-unk
ours a miénk

ourselves (mi) magunk
out ki(felé), kinn
outbade → outbid
outbid (outbade/outbid, outbidden/outbid) túllicitál, *biz* felülmúl
outbreak kitörés *[járványé, háborúé]*
outburst kitörés *[érzelemé]*
outcast száműzött, kitaszított
outcome kimenetel, végeredmény
outcry felzúdulás
outdated elavult, idejétmúlt
outdid → outdo
outdo (outdid, outdone) felülmúl; (*sy/sg*) jobb (vkinél/vminél)
outdone → outdo
outdoor külső, szabadtéri
outdoors kinn, a szabadban
outer külső; ~ **space** világűr
outfit ▾ *fn* felszerelés, készlet; ruhakompozíció ▾ *ige* felszerel(éssel ellát)
outgoing kimenő *[posta]*, leköszönő *[vezető, kormány]*; társaságkedvelő, barátságos
outgrew → outgrow
outgrow (outgrew, outgrown) túlnő, *[növésben]* elhagy
outgrown → outgrow
outing kirándulás, séta
outlaw törvényenkívüli, földönfutó
outlet ki/lefolyó, kivezetés; fióküzlet
outline ▾ *fn* körvonal, vázlat ▾ *ige* körvonalaz, (fel)vázol
outlive (*sy*) tovább él (vkinél), (*sg/sy*) túlél (vmit/vkit)
outlook kilátás, látvány; szemlélet, perspektíva
outnumber létszámban felülmúl, (*sg*) több (vminél)

out-of-date idejétmúlt, elavult

outpatient járóbeteg

outpost *átv* előretolt állás

output kimenet *[számítógépé, műszeré]*; teljesítmény, termelés

outrage ▾ *fn* gyalázat, gaztett; felháborodás ▾ *ige* megbotránkoztat, felháborít

outrageous felháborító, gyalázatos; *átv* borzasztó, szörnyű

outright ▾ *mn* nyílt, őszinte; teljes, egész ▾ *hsz* nyíltan, egyenesen; teljesen, egészen

outset kezdet, eleje vminek

outside ▾ *mn* külső, kinti ▾ *hsz* (oda)kint, kívül ▾ *elölj* vmin kívül; vmi előtt

outsider kívülálló, beavatatlan

outskirts *tsz* külváros, peremváros

outspoken szókimondó, őszinte

outstanding kiemelkedő, kiugró *[tehetség]*

outward ▾ *mn* kifelé tartó *[áru, forgalom]*; külső, látszólagos ▾ *hsz* kifelé, ki

outweigh (*sg*) nehezebb (vminél), többet nyom (vminél)

outwit átver, túljár vki eszén

oval ovális

ovary petefészek

ovation éljenzés, ováció

oven sütő *[tűzhelyé]*

ovenproof hőálló

over ▾ *hsz* vége; át; újra, megint ▾ *elölj* fölött, fölé; át, keresztül *[időben is]*; vmin túl/felül, több mint

overall ▾ *mn* teljes, átfogó ▾ *fn* munkaruha, iskolaköpeny; ~s *tsz* overall, kezeslábas ▾ *hsz* összesen

overate → **overeat**
overboard ki *[hajóból vízbe]*
overbook túlfoglal *[szállást, repülőt]*, túl sok rendelést vesz fel
overcame → **overcome**
overcast ▾ *mn* borús, felhős ▾ *ige* (overcast, overcast) elhomályosít, elsötétít; elhomályosul, beborul
overcharge ▾ *fn* túlterhelés; túlkövetelés, túlzott ár ▾ *ige* túlterhel; túlszámláz, túlfizettet
overcoat felöltő, felsőkabát
overcome (overcame, overcome) legyőz; elönti, erőt vesz rajta *[vmilyen érzés]*
overcrowded túlzsúfolt
overcrowding túlnépesedés, túlzsúfoltság
overdaring vakmerő
overdid → **overdo**
overdo (overdid, overdone) túlzásba visz; túl/agyonsüt *[ételt]*
overdone ▾ *mn* túlzásba vitt; túlsütött ▾ *ige* → **overdo**
overdose túladagolás *[gyógyszeré, kábítószeré]*
overdraft hitel(keret)túllépés *[bankszámlán]*
overdraw (overdrew, overdrawn) túllép *[bankszámla keretét]*
overdrawn → **overdraw**
overdrew → **overdraw**
overdue (rég) esedékes *[törlesztés stb.]*
overeat (overate, overeaten) túl sokat eszik, betegre eszi magát
overeaten → **overeat**
overestimate túlértékel, túlbecsül
overflow eláraszt, kiönt *[folyó]*; kiömlik *[folyadék]*, kicsordul *[pohár, szív]*
overgrown (*with sg*) (vmivel) benőtt, gazos

overhead ▾ *mn* felső, fenti ▾ *hsz* a magasban, felül

overhear (overheard, overheard) kihallgat, (véletlenül) meghall

overheard → **overhear**

overheat túlfűt, túlhevít; túlmelegszik *[motor]*

overlap ▾ *fn* átfedés ▾ *ige* átfed

overload ▾ *fn* túlterhelés ▾ *ige* túlterhel

overlook néz *[szoba, ablak vmire]*; (*sg*) elkerüli a figyelmét (vmi), átsiklik (vmin); nem vesz figyelembe/tekintetbe (vmit)

overnight ▾ *mn* éjszakai ▾ *hsz* éjszakára; egyik napról a másikra

overpopulated túlnépesedett

overpower (*sy*) legyőz, fölényben van (vkivel szemben)

overpowering ellenállhatatlan, fojtogató

overrate túlértékel

overrule felülbírál, érvénytelenít

overseas ▾ *mn* külföldi, tengeren túli ▾ *hsz* külföldön, tengeren túl

overshadow beárnyékol, elsötétít

oversight tévedés *[figyelmetlenségből]*, elnézés

oversleep (overslept, overslept) későn ébred, elalszik

overslept → **oversleep**

overt szemmel látható, nyilvánvaló

overtake (overtook, overtaken) megelőz, lehagy

overtaken → **overtake**

overthrew → **overthrow**

overthrow (overthrew, overthrown) megdönt, megbuktat *[hatalmat, kormányt]*

overthrown → **overthrow**

overtime túlóra; *sp* hosszabbítás

overtook → **overtake**

overture *zene* nyitány
overturn felborít, felfordít; felborul, felfordul
overweight ▼ *mn* túlsúlyos ▼ *fn* súlytöbblet, túlsúly
overwhelming elsöprő *[győzelem, siker]*, megsemmisítő *[csapás]*
overwork ▼ *fn* túlhajtott munka ▼ *ige* agyondolgoztat; agyondolgozza/túlhajszolja magát
owe (*sy sg v. sg to sy*) tartozik (vkinek vmivel); (*sg to sy/sg*) köszönhet (vmit vkinek/vminek)
owl bagoly
own ▼ *mn* saját, tulajdon ▼ *ige* (*sg*) birtokol (vmit), van vmije
owner tulajdonos, birtokos *[vmié]*
ownership birtoklás, tulajdonjog
ox (*tsz* oxen) ökör
oxen → **ox**
oxygen oxigén
oyster osztriga
ozone ózon

P

pace ▼ *fn* tempó, iram; lépés ▼ *ige* fel-alá járkál (vhol)

pacemaker (szív)ritmusszabályozó

Pacific csendes-óceáni; **the ~ (Ocean)** Csendes-óceán

pacifist pacifista, békepárti

pacifism pacifizmus

pacify lecsillapít, megnyugtat

pack ▼ *fn* csomag; doboz *[cigaretta]*, pakli *[kártya]* ▼ *ige* (be/össze/el)csomagol (vmit); összezsúfol (vkit/vmit)

package *fn* csomag *ige* (be/össze)csomagol

packet csomag

packing (el/össze/be)csomagolás, csomagolóanyag

pact paktum, szerződés

pad ▼ *fn* (jegyzet/író)tömb: v[illegible]ömés, párna; *inform* **mouse ~** egéralátét ▼ *ige* kipárnáz

padding (ki)tömés

paddle ▼ *fn* evező, evezés; *áll* uszony ▼ *ige* evez, (evezővel) lapátol

padlock ▼ *fn* lakat ▼ *ige* lelakatol

paediatrics *esz* gyermekgyógyászat

pagan pogány

page oldal *[könyvé]*, lap

pager személyhívó

paid ▼ *mn összet is* (ki)fizetett ▼ *ige* → **pay**

pail *US* vödör

pain fájdalom, kín

painful fájdalmas, fájó

painkiller fájdalomcsillapító
painless fájdalommentes
pains *tsz* vajúdás, szülési fájdalmak
painstaking alapos, gondos, lelkiismeretes
paint ▾ *fn* festék, festés ▾ *ige* (be/ki/meg)fest
paintbrush (festő)ecset
painter festő(művész); (szoba)festő
painting festmény, festészet
paintwork fényezés *[autóé]*
pair ▾ *fn* pár, (vminek a) párja; (házas)pár ▾ *ige* párba állít, (össze)párosít
pajamas *tsz US* pizsama
Pakistan Pakisztán
Pakistani *mn, fn* pakisztáni
palace palota
palatable ízletes, finom, kellemes
pale sápadt *[ember]*, halvány *[szín]*
Palestine Palesztina
Palestinian *mn, fn* palesztin
palette paletta
palm[1] pálma(fa)
palm[2] tenyér
palpable kézzelfogható, megfogható
pamper kényeztet, babusgat, dédelget
pamphlet röpirat, pamflet
pan serpenyő, tepsi; **pots and ~s** (főző)edények
pancake palacsinta
pandemonium pokoli lárma, óriási zűrzavar
pane (üveg)tábla
panel (műszer)tábla/panel; bizottság, zsűri
pang maró/hasogató fájdalom
panic ▾ *fn* pánik ▾ *ige* pánikba esik
panicky könnyen pánikba eső, pánikra hajlamos, *biz* rémült

pant ▾ *fn* zihálás, lihegés ▾ *ige* zihál, liheg
panther párduc
panties *tsz biz* (női) bugyi
pantomime pantomim, némajáték
pantry (élés)kamra
pants *tsz* alsónadrág; *US* (hosszú)nadrág
papal pápai
paper ▾ *fn* papír; újság, (hír)lap; (iskolai) dolgozat ▾ *ige* tapétáz; papírba becsomagol
paperback puhafedelű (könyv)
papers személyi okmányok, iratok
paperweight levélnehezék
paperwork papírmunka, irodai munka
par egyenlőség; **be° on a ~** (*with sy/sg*) egy színvonalon van (vkivel/vmivel)
parachute ▾ *fn* ejtőernyő ▾ *ige* ejtőernyőzik, ejtőernyővel ugrik
parade ▾ *fn* parádé, díszfelvonulás ▾ *ige* felvonul, parádézik; fitogtat (vmit)
paradise paradicsom(kert), mennyország
paradox paradoxon
paradoxical paradox
paraffin petróleum, paraffin
paragraph bekezdés, *jog* paragrafus
parallel *mn, fn* párhuzamos
paralyse megbénít
paralysis (meg)bénulás
parameter paraméter
paramount mindennél fontosabb, kulcsfontosságú
paranoid paranoiás
parapet mellvéd, parapet
paraphernalia *tsz* kellékek
paraphrase ▾ *fn* körülírás ▾ *ige* átfogalmaz

parasite élősködő, parazita
parasol napernyő
paratrooper ejtőernyős katona
parcel ▾ *fn* postai csomag ▾ *ige* ~ **sg (up)** becsomagol (vmit)
parched kiszáradt, cserepes *[ajak]*, tikkadt
parchment pergamen
pardon ▾ *fn* bocsánat, megbocsátás; **I beg your ~!** bocsánat!, pardon!; **(I beg your) ~?** elnézést, mit mondott? ▾ *ige* megbocsát, megkegyelmez
parent szülő
parental szülői
parentheses → **parenthesis**
parenthesis (*tsz* parentheses) (kerek) zárójel
parenthood anyaság, apaság
Paris Párizs
parish plébánia, parókia; egyházközség
parity (rangbeli) egyenlőség, hasonlóság, paritás
park ▾ *fn* park ▾ *ige* (le)parkol
parking parkolás, várakozás; ~ **lot** parkoló; ~ **meter** parkolóóra
parliament parlament, országgyűlés
parliamentary parlamentáris, országgyűlési
parody ▾ *fn* paródia ▾ *ige* parodizál
parole ▾ *fn* **be° on ~** feltételesen szabadlábon van ▾ *ige* feltételesen szabadlábra helyez
parquet ▾ *fn* parkett ▾ *ige* parkettáz
parrot papagáj
parsley petrezselyem
parsnip paszternák
parson plébános, lelkész, pap

part ▾ *fn* rész, alkatrész; szerep *[színházban],* szólam ▾ *ige* elválaszt; kettéválik, elválik

partial részleges; elfogult, részrehajló

partially részben, részlegesen; elfogultan, részlehajlóan

participant résztvevő

participate (*in sg*) részt vesz (vmiben)

participation részvétel

participle melléknévi igenév

particle részecske

particular egyéni, különleges, saját(ság)os; egy bizonyos

particularly különösen, nagyon

particulars részletek; **personal ~** személyes adatok

parting elválás, búcsú; választék *[hajban]*

partisan partizán

partition ▾ *fn* köz/válaszfal; (f)elosztás ▾ *ige* (f)eloszt

partly részben

partner ▾ *fn* társ, partner, üzlettárs ▾ *ige* társul

partnership társulás, partneri viszony

partridge fogoly *[madár]*

part-time mellékállású, rész(munka)idős

party buli, parti; (politikai) párt; *jog* fél

pass ▾ *fn* belépő, bérlet; elégséges (osztályzat); (hegy/tenger)szoros; *sp* passz(olás), átadás ▾ *ige* (*sg*) elhalad (vmi mellett); átmegy *[vizsgán];* oda/átad, (le)passzol *[labdát];* **~ away** elhuny

passable járható *[út];* elég jó, tűrhető

passage átkelés, (át)utazás; folyosó, sikátor; szakasz *[szövegből],* (könyv)-részlet

passenger utas
passion szenvedély
passionate szenvedélyes
passive passzív, tétlen; *nyelv* szenvedő
passport útlevél
password jelszó
past ▾ *mn* (el)múlt, régi ▾ *fn* múlt, *nyelv* múlt idő ▾ *hsz* el ▾ *elölj* (vmi mellett) el; túl, után; ~ **the building** el az épület mellett; **it's ten ~ four** tíz perccel múlt négy
pasta (főtt) tészta
paste ▾ *fn* krém; tészta; ragasztó, csiriz ▾ *ige* (fel)ragaszt; *inform* beilleszt
pastel pasztell *[kép]*
pasteurise pasztőröz *[tejet]*
pastime időtöltés
pastry (sült) tészta
pasture legelő
pat ▾ *fn* veregetés ▾ *ige* (meg)vereget *[vkinek a vállát]*
patch ▾ *fn* folt; telek, veteményes(kert) ▾ *ige* megfoltoz; összeeszkábál
patchy foltos, foltozott
patent ▾ *mn* szabadalmazott ▾ *fn* szabadalom ▾ *ige* szabadalmaztat
paternal apai
paternity apaság
path ösvény, turistaút, kerékpárút
pathetic szánalmas
pathological kóros
pathologist patológus, kórboncnok
pathology kór(bonc)tan
pathway (gyalog)ösvény
patience türelem
patient ▾ *mn* türelmes ▾ *fn* beteg
patio terasz
patriot hazafi
patriotic hazafias
patriotism hazafi(as)ság
patrol ▾ *fn* járőr, őrjárat; ~ **car** járőrkocsi ▾ *ige* járőröz, őrjáraton van

patron pártfogó, védnök; ~ **saint** védőszent
patronise pártfogol, patronál; lekezel (vkit)
patronising lekezelő
pattern minta, motívum
pauper szegény (ember), *biz* koldus
pause ▾ *fn* szünet, megállás (vmi közben) ▾ *ige* megáll, szünetet tart
pave (ki)kövez
pavement járda, *US* kövezet
pavilion pavilon
paving kövezet; burkolat
paw mancs
pawn ▾ *fn* zálog ▾ *ige* zálogba tesz, elzálogosít
pawnbroker zálogkölcsönző
pawnshop zálogház
pay ▾ *fn* fizetség, bér; ~ **phone** nyilvános (érmés) telefon ▾ *ige* (paid, paid) (*for sg*) (ki/meg)fizet (vmit); kifizetődik
payable (ki)fizetendő, esedékes *[pénzösszeg]*; (ki)fizethető
payee kedvezményezett
payment (ki/be)fizetés
payroll fizetési jegyzék, bérlista
pea borsó
peace béke, békesség
peaceful békés, csendes, nyugodt
peacemaker békítő, béketeremtő, békéltető
peach őszibarack; barackszín
peacock páva
peak tető(pont), csúcs(pont); hegycsúcs
peanut földimogyoró
pear körte
pearl (igaz)gyöngy, *átv* gyöngyszem
peasant paraszt
pebble kavics
peck ▾ *fn* csípés *[madáré]*; *biz* puszi ▾ *ige* csipked, (meg)csíp; *biz* megpuszil

peculiar különös, különleges, saját(ság)os
peculiarity különlegesség, saját(os)ság, jellegzetesség
pedagogic(al) pedagógiai, nevelési; pedagógusi, nevelői
pedal ▾ *fn* pedál ▾ *ige* kerékpározik; pedáloz
pedantic *pejor* aprólékos, (túl) pedáns
pedestrian gyalogos; ~ **crossing** gyalogátkelőhely
pedigree pedigré, származás, törzskönyv; törzskönyvezett, faj(ta)tiszta
pee ▾ *fn biz* pisi, pisilés ▾ *ige* pisil
peek ▾ *fn* leskedlődés, kukucskálás ▾ *ige* leskelődik, kukucskál
peel ▾ *fn* héj *[gyümölcsé]* ▾ *ige* (meg)hámoz *[gyümölcsöt, burgonyát]*; lehámlik, lemállik
peep ▾ *fn* kukkolás, kukucskálás ▾ *ige* kukkol, kukucskál
peephole kémlelőnyílás *[ajtón]*
peer egyenrangú; főrend
peg pecek; fogas *[ruhaakasztó]*; ruhaszárító csipesz
pejorative pejoratív, becsmérlő
pelican pelikán
pelvis *orv* medence
pen toll *[íráshoz]*; ~ **name** írói álnév
penal büntető
penalise büntetéssel sújt, (meg)büntet
penalty büntetés, bírság; *sp* büntető(rúgás/dobás)
penance megbánás, bűnbánat, vezeklés
pence → **penny**
pencil ceruza; ~ **case** tolltartó
pending függő(ben lévő)
pendulum inga
penetrate áthatol, beha-

tol; átszúr(ódik), átfúr(ódik)
penetration áthatolás, behatolás; átszúr(ód)ás, átfúr(ód)ás
penguin pingvin
penicillin penicillin
peninsula félsziget
penis pénisz, hímvessző
penitent bűnbánó
penitentiary ▾ *mn* büntető, büntetőintézeti ▾ *fn US* büntetőintézet
penknife (*tsz* -knives) zsebkés
penknives → **penknife**
penniless nincstelen, szegény
penny (*tsz* pence) penny *[az angol font váltópénze]*
pension nyugdíj; ~ **fund** nyugdíjalap, nyugdíjpénztár
pensionable nyugdíjra jogosult; nyugdíjas *[állás]*, nyugdíjra jogosító
pensioner nyugdíjas
pentagon ötszög; **the P~** a Pentagon *[az USA védelmi minisztériuma]*
pentathlon öttusa
Pentecost pünkösd
penthouse luxuslakás *[magas épület legfelső szintjén]*
people *esz* nép(csoport); *tsz* emberek, személyek
pepper (fekete)bors; (piros)paprika
peppermint borsmenta
per -(e)nként; ~ **capita** fejenként; ~ **cent** százalék
perceive felfog, észlel
percent százalék
percentage százalék(os részarány)
perceptible felfogható, észlelhető
perception észlelés, érzékelés
perceptive figyelmes
percolate átszűr; átszűrődik
percolator kávéfőző

perennial évelő *[növény]*
perfect ▾ *mn* hibátlan, tökéletes, kifogástalan ▾ *fn* *nyelv* befejezett igealak
perfection tökély, tökéletesség; tökéletesítés
perfectionist maximalista
perfectly tökéletesen, kitűnően, teljesen
perforate kilyukaszt; kilyukad
perform előad; elvégez, végrehajt
performance előadás; teljesítmény, teljesítés, végrehajtás
performer előadó(művész), színész
perfume ▾ *fn* parfüm, illatszer ▾ *ige* (be)illatosít
perhaps talán, meglehet, lehet(séges, hogy)
peril (élet)veszély
perimeter kerület *[tárgyé]*
period időszak, korszak, időtartam; menstruáció; *US* (tan)óra; *US* *nyelv* pont *[írásjel]*
periodical ▾ *mn* időszakos, periodikus(an ismétlődő) ▾ *fn* folyóirat
peripheral periferikus, marginális
periphery periféria, határ(vonal/terület)
periscope periszkóp
perish tönkremegy, elpusztul, megsemmisül
perishable ▾ *mn* roml(and)ó ▾ *fn* ~s romlandó áru(cikke)k
perjury hamis tanúzás
perk *biz* kávét főz *[kávéfőző gépen]*
perks *tsz* *gazd*, *biz* (fizetésen felüli) juttatás
perm ▾ *fn* *biz* dauer ▾ *ige* bedauerol
permanence állandóság, tartósság
permanent állandó, tartós, végleges
permissible megengedhető

permission engedély, jóváhagyás, hozzájárulás
permissive elnéző, engedékeny, megengedő
permit ▾ *fn* engedély ▾ *ige* engedélyez, megenged
peroxide *biz* (hidrogénnel) szőkít, hidrogénez *[hajat]*
perpendicular merőleges; függőleges
perpetual állandó, örökös, örök
perplex meg/összezavar, zavarba hoz
persecute üldöz
persecution üldözés, üldöztetés
perseverance állhatatosság, kitartás
persevere (*in sg*) kitart (vmi mellett)
Persian *mn, fn* perzsa
persist (*in sg*) kitart (vmi mellett); folytatódik, tovább tart
persistence kitartás; fennmaradás, folytatódás
persistent kitartó; folytonos, állandó
person személy, egyén; **in ~** személyesen
personal személyes, személyi
personality személyiség, jellem
personalise megszemélyesít, megtestesít
personally személy szerint, (vki) részéről; személyesen
personnel személyzet
perspective ▾ *mn* távlati ▾ *fn* perspektíva, távlat
perspiration izzadás, verítékezés, izzadság, veríték
perspire izzad, verítékezik
persuade (*sy into sg*) rábeszél (vkit vmire); (*sy of sg*) meggyőz (vkit vmiről)
persuasion rábeszélés,

meggyőzés; meggyőződés, hitvallás
persuasive meggyőző, megnyerő
pertain (*to sg*) vonatkozik (vmire)
pertinent találó, odaillő
perverse perverz, természetellenes
perversion perverzió, eltévelyedés
pervert ▾ *fn* perverz (ember) ▾ *ige* megront (vkit); elferdít, kiforgat
pessimist pesszimista
pessimistic pesszimista, borúlátó
pest kártevő *[állat]*
pet ▾ *mn* legkedvesebb, kedvenc ▾ *fn* díszállat, házi kedvenc ▾ *ige* dédelget, simogat
petal szirom
petition ▾ *fn* kérvény; petíció, tiltakozás ▾ *ige* kér, kérvényez
petrified *átv* kővé dermedt
petrol benzin; ~ **can** benzinkanna; ~ **pump** benzinkút; benzinpumpa; ~ **station** benzinkút
petroleum kőolaj
petticoat alsószoknya
petty jelentéktelen, piti; kicsinyes
phantom fantom, kísértet, rém(alak)
pharmaceutic(al) gyógyszer(észeti)
pharmacist gyógyszerész, patikus
pharmacology farmakológia, gyógyszerészet
pharmacy gyógyszertár, patika
phase fázis, stádium, szakasz
pheasant fácán
phenomena → **phenomenon**
phenomenal *biz* tüneményes, fantasztikus, fenomenális
phenomenon (*tsz* phe-

nomena) jelenség; (csodálatos) tünemény

philanthropist emberbarát

philharmonic filharmonikus

philology filológia

philosopher filozófus

philosophic(al) filozófiai, bölcseleti; mélyenszántó *[gondolat]*

philosophy filozófia

phobia fóbia, beteges félelem

phone ▾ *fn biz* telefon ▾ *ige* (*sy*) felhív (vkit); *biz* telefonál

phone-in telefonos műsor *[tévében, rádióban]*

phonetics *esz* fonetika, hangtan

phoney ▾ *mn* nem igazi, hamis ▾ *fn* csaló, szélhámos

photo fénykép, fotó

photocopier fénymásoló (gép)

photocopy ▾ *fn* fénymásolat ▾ *ige* (le)fénymásol

photogenic fotogén

photograph ▾ *fn* fénykép ▾ *ige* (le)fényképez

photographer fényképész, fotós

photography fényképezés, fotózás, fényképészet

phrase ▾ *fn* kifejezés, frázis ▾ *ige* megfogalmaz *[gondolatot]*, kifejez(ésre juttat)

physical fizikai, testi

physician orvos

physicist fizikus

physics *esz* fizika

physiotherapy fizikoterápia, gyógytorna

physique testalkat, fizikum

pianist zongorista

piano zongora

pick ▾ *fn* csákány; fogpiszkáló ▾ *ige* (le)szed *[gyümölcsöt]*; eszeget, csipeget; (ki)választ, válogat; (*on sy*) pikkel (vkire); **~ up** felcsíp (vkit), fel/magára szed *[tudást]*

picket sztrájkőr(ség)

pickle ▾ *fn* pác(lé); **be° in a ~** pácban/bajban van; **~s** *tsz* savanyúság ▾ *ige* pácol, eltesz *[savanyúságot]*

pickpocket zsebtolvaj

pickup platós terepjáró/dzsip/kisteherautó

picnic ▾ *fn* piknik ▾ *ige* piknikezik

pictorial képes, illusztrált; képszerű

picture ▾ *fn* kép, fénykép; mozifilm; **in the ~** a képen ▾ *ige átv* leír, érzékeltet; elképzel

picturesque festői, képszerű *[leírás]*

pie[1] pástétom; pite, torta

pie[2] szarka

piece darab, (szín)darab; **a ~** (*of sg*) egy darab (vmi)

pier móló, hullámtörő (gát), (híd)pillér

pierce át/megszúr; hasogat *[fület, szívet]*

piercing ▾ *mn* éles, fülsértő *[hang]*, átható *[hideg, szél]* ▾ *fn* testékszer, piercing

pig disznó, malac, sertés; **~ in a poke** zsákbamacska

pigeon galamb

pigeonhole rekesz, fach

piggy bank malacpersely

pigheaded konok, makacs

pigmentation elszíneződés, pigmentáció

pigsty *átv is* disznóól

pigtail copf

pike[1] dárda, lándzsa; hegycsúcs

pike[2] csuka

pile ▾ *fn* halom, köteg, rakás ▾ *ige* **~ up** felhalmoz, felhalmozódik, összegyűlik; egymásba rohan *[autók]*

pilfering lopás
pilgrim zarándok
pilgrimage zarándoklat
pill tabletta; **the ~** fogamzásgátló
pillar pillér, oszlop; **~ box** postaláda
pillow párna
pilot ▾ *mn* próba-, kísérleti ▾ *fn* pilóta, révkalauz ▾ *ige* kormányoz, vezet *[repülőt, hajót]*; kipróbál, bejárat
pimple pattanás
pin ▾ *fn* (gombos)tű; **PIN(-code)** pin-kód ▾ *ige* oda/megtűz
pinball flipper *[játékautomata]*
pincers *tsz* harapófogó; olló(k) *[ráké]*
pinch ▾ *fn* csípés; (*of sg*) egy csipetnyi (vmi) ▾ *ige* (meg/bele)csíp
pincushion tűpárna
pine fenyő(fa)
pineapple ananász
ping-pong pingpong, asztalitenisz
pink rózsaszín
pinnacle csúcs, tetőpont
pinpoint pontosan eltalál, *átv* rámutat, meghatároz
pint pint *[GB = 0,568 l, US = 0,473 l]*
pioneer *átv is* úttörő, élharcos
pious jámbor, ájtatos
pipe cső(vezeték); pipa; (orgona)síp; **~s** *tsz [pl. skót]* duda *[hangszer]*
pipeline csővezeték
piper dudás
piquant fűszeres, *átv is* pikáns
piracy kalózkodás
pirate kalóz
Pisces Halak *[csillagkép]*
pistol pisztoly
piston dugattyú
pit gödör, verem, árok; akna *[bányában]*

pitch[1] ▾ *fn* (futball/jégkorong)pálya; hangmagasság ▾ *ige* (el)dob, (el)hajít; (fel)állít *[sátrat]*
pitch[2] *fn* szurok; ~ **black** szurokfekete
pitchfork vasvilla
pitfall *átv* kelepce, csapda, buktató
pitiful sajnálatra méltó, szánalmas, siralmas
pitiless kíméletlen, könyörtelen
pity ▾ *fn* szánalom, sajnálat; sajnálatos dolog; **it's a ~ (that) ...** kár, hogy ... ▾ *ige* (meg)szán, (meg)sajnál
pivot *átv* sarkpont, sarkalatos pont
pizza pizza
placard plakát
place ▾ *fn* hely, helység, tér; lakás, otthon; helyezés; **take° ~** megtörténik ▾ *ige* (el)helyez, rak, tesz
placement (el)helyezés
placid nyugodt, békés
plague pestis, *átv* csapás
plain ▾ *mn* világos, nyilvánvaló; sima, egyszerű; őszinte, egyenes ▾ *fn* alföld, síkság ▾ *hsz* világosan
plait copf, fonat
plan ▾ *fn* terv, tervrajz ▾ *ige* (meg/el)tervez
plane[1] *fn* repülőgép
plane[2] ▾ *mn* sík, sima ▾ *fn* sík (felület)
planet bolygó
plank deszka, palánk
planner határidőnapló; tervező
planning (meg/el)tervezés
plant ▾ *fn* növény; ipartelep, gyár, üzem ▾ *ige* (el/be)ültet
plantation ültetvény
plaque fogkő, lepedék; (emlék)tábla
plaster ▾ *fn* gipsz ▾ *ige* bevakol, begipszel *[pl. végtagot]*

plastic műanyag; ~ **surgery** plasztikai sebészet/műtét
plate ▾ *fn* tányér; *[fém]* lemez, lap; ~ **glass** síküveg ▾ *ige* (fémmel) bevon
plateau fennsík
platform peron; emelvény, dobogó; platform, (politikai) program
platinum platina
platoon *kat* szakasz
platter *[nagy]* tányér, tál(ca)
plausible elfogadható, valószínű, hihető
play ▾ *fn* színdarab; játék ▾ *ige* játszik; eljátszik, lejátszik; ~ **down** bagatellizál
playboy *biz* aranyifjú
player játékos; színész, zenész; lejátszó *[CD, DVD stb.]*
playful játékos
playground játszótér
playhouse babaház
play-off *sp* rájátszás
plaything *átv* játékszer
playwright drámaíró, színműíró
plea kérelem, kérvény
plead (pleaded/*US* pled, pleaded/*US* pled) állít, érvel (vmivel); mentségül felhoz; *jog* ~ **guilty** bűnösnek vallja magát
pleasant kellemes, megnyerő
please örömet okoz, tetszik (vkinek); legyen szíves
pleased (meg)elégedett, boldog
pleasing kellemes, megnyerő
pleasure élvezet, öröm, szórakozás
pled → **plead**
pledge ▾ *fn* ígéret, fogadalom ▾ *ige* ünnepélyesen megígér, fogadalmat tesz
plentiful gazdag, bőséges

plenty bőség
pliers *tsz* fogó
plight nehéz helyzet/sors
plod; ~ (along) cammog, baktat; **~ (away)** vesződik, küszködik
plot ▾ *fn* telek, parcella; cselekmény *[könyvé]*; összeesküvés ▾ *ige* (*sg*) tervez, megrajzol, ábrázol; (*against sy*) összeesküvést sző, konspirál (vki ellen)
plough ▾ *fn* eke, szántás ▾ *ige* (fel)szánt
pluck ▾ *fn biz* bátorság, merészség ▾ *ige* (le)tép, (le)szakít; megkopaszt *[baromfit]*
plug ▾ *fn* dugó, dugasz, csatlakozó; gyújtógyertya ▾ *ige* bedugaszol, eldugul; **~ in** bedug *[csatlakozót, konnektordugót]*
plum szilva
plumb ▾ *mn* függőleges ▾ *fn* függőón ▾ *hsz biz* pont(osan) teljesen; függőlegesen ▾ *ige* mélységet mér
plumber vízvezeték-szerelő
plumbing vízvezeték(-hálózat); vízvezeték-szerelés
plummet ▾ *fn* függőón, ólom(nehezék) *[horgászzsinóron]* ▾ *ige* (le)esik, (le)zuhan
plump ▾ *mn* dundi, kövérkés ▾ *ige* hizlal; meghízik
plunder ▾ *fn* fosztogatás; zsákmány ▾ *ige* fosztogat, kifoszt
plunge ▾ *fn* fejesugrás *[vízbe]*, lemerülés ▾ *ige* belelök *[vízbe]*; lemerül, lebukik *[víz alá]*
plunger vécépumpa
plural *nyelv* ▾ *mn* többes (számú) ▾ *fn* többes szám
plus ▾ *mn mat* plusz, pozitív ▾ *fn* előny ▾ *elölj* meg, plussz, és

plush ▾ *mn* plüss(ből készült), bársonyos ▾ *fn* plüss

plywood furnér(lemez)

pneumatic pneumatikus, sűrített levegővel működő

pneumonia tüdőgyulladás

poach orvvadászik, tilosban vadászik/halászik

poacher orvvadász, orvhalász, vadorzó

pocket ▾ *fn* zseb ▾ *ige* zsebre rak/tesz

pod hüvely

poem vers

poet költő

poetic költői

poetry költészet

poignant éles *[fájdalom]*, csípős *[megjegyzés]*

point ▾ *fn* pont; időpont, hely; hegy(e vminek), csúcs; részlet, lényeg, cél; **two ~ eight** 2,8 *[két egész nyolc tized]*; **there is no ~ in doing sg** nincs értelme megtenni (vmit); **~ of view** nézőpont ▾ *ige* (*at sg*) (meg/rá)mutat (vmire); ráirányít, (meg)céloz; **~ out** megállapít, *átv* rámutat

point-blank *biz* közvetlenül, nyíltan, kertelés nélkül

pointed csúcsos, hegyes

pointless céltalan, értelmetlen

poise ▾ *fn* higgadtság, egyensúly, nyugalom ▾ *ige* egyensúlyoz

poison ▾ *fn* méreg ▾ *ige* megmérgez

poisoning mérgezés

poisonous mérges *[pl. kígyó]*

poke ▾ *fn* bök(dös)és ▾ *ige* (meg)bök, (meg)piszkál *[tüzet]*

poker[1] póker *[kártyajáték]*

poker[2] piszkavas

Poland Lengyelország
polar *földr* sarki, sarkvidéki; ~ **bear** jegesmedve
polarise sarkít, *átv* kiélez
Pole lengyel *[férfi]*
pole[1] karó, rúd, pózna; ~ **vault** rúdugrás
pole[2] *földr* sark(pont); *fiz* sarok, pólus
police *tsz* rendőrség; ~ **station** rendőrőrs, (rendőr)őrszoba
policeman (*tsz* -men) rendőr
policewoman (*tsz* -women) rendőrnő
policy[1] vki politikája, gyakorlat, stratégia
policy[2] (biztosítási)kötvény
polio(myelitis) gyermekbénulás
polish ▾ *fn* (bútor)fény(ező); cipőkrém ▾ *ige* fényez *[bútort]*, (ki)pucol *[cipőt]*
Polish ▾ *mn* lengyel ▾ *fn* *esz/tsz* lengyel *[ember/nyelv]*
polished fényezett *[bútor]*; *átv* kifinomult *[stílus]*
polite udvarias, illemtudó
politeness udvariasság
political politikai
politician politikus
politics *esz* politika
poll ▾ *fn* szavazás; közvélemény-kutatás ▾ *ige* megkérdez *[közvélemény-kutatásban]*
pollen virágpor, pollen
polling; ~ **day** a választás napja; ~ **station** szavazóhely
pollute (be)szennyez
pollution (be)szennyezés
polo vízilabda; (lovas)póló
polyglot többnyelvű ember
polytechnic főiskola
polythene polietilén
pomegranate gránátalma

pomp pompa
pompous nagyképű; fellengzős *[stílus]*
pond (kis) tó, tavacska
ponder fontolgat; tűnődik
pontiff főpap
pontoon ponton(híd)
pony póni(ló)
ponytail lófarok *[haj]*
poodle uszkár, pudli
pool[1] *fn* úszómedence, tavacska
pool[2] ▾ *fn* közös készlet; *US* biliárd ▾ *ige* közös alapba összegyűjt *[pénzt]*
pools *tsz* totó
poor *átv is* szegény; silány, rossz (minőségű)
poorly rosszul, gyengén
pop[1] ▾ *fn* pop(zene); *US biz* szénsavas üdítőital ▾ *ige* durran, pukkan; pattogat *[kukoricát]*
pop[2] *fn US biz* papus, papa
popcorn pattogatott kukorica
pope pápa
poplar nyárfa
poppy mák
popular népszerű
popularity népszerűség
popularise népszerűsít
populate benépesít
population lakosság, népesség
porcelain porcelán
porch *US* veranda, tornác
porcupine (tarajos) sül
pork sertéshús
pornographic pornográf
pornography pornográfia
port[1] kikötő
port[2] portói (bor)
portable hordozható
porter hordár; kapus
portfolio aktatáska, *átv* (miniszteri) tárca; *gazd* portfolió
porthole hajóablak
portion ▾ *fn* adag, porció, rész ▾ *ige* (ki)adagol, kioszt
portrait portré, arckép

portray ábrázol, lefest
portrayal ábrázolás, arckép
Portugal Portugália
Portugese ▾ *mn* portugál ▾ *fn esz/tsz* portugál *[ember/nyelv]*
pose ▾ *fn* póz, (test)tartás ▾ *ige* pózol; okoz, jelent, felvet *[problémát]*; feltesz *[kérdést]*
poser *biz* fogós/ravasz kérdés
posh *pejor* felsőosztálybeli, flancos, puccos
position ▾ *fn* hely(zet); álláspont; állás *[munka]*, pozíció ▾ *ige* elhelyez, beállít
positive ▾ *mn* pozitív; igenlő, határozott *[válasz, tény]*; (maga)biztos, bizakodó ▾ *fn* pozitív fénykép
possess birtokol, bír
possession tulajdon, birtok; birtoklás; ~**s** *tsz* vagyon
possessive irigy; *nyelv* birtokos *[eset stb.]*
possibility (elvi) lehetőség
possible lehetséges
possibly esetleg, elképzelhető/lehetséges, hogy
post[1] ▾ *fn* posta, postahivatal ▾ *ige* felad *[postán]*
post[2] ▾ *fn* oszlop, pózna, kapufa ▾ *ige* kiplakátol, közzétesz
post[3] ▾ *fn* állás, pozíció, poszt; őrhely ▾ *ige* kinevez
postage postaköltség; ~ **stamp** (levél)bélyeg
postal postai
postbox postaláda *[utcán]*
postcard levelezőlap
poster poszter, plakát
posterity utókor
postgraduate ▾ *mn* posztgraduális ▾ *fn* posztgraduális (egyetemi) hallgató

posthumous poszthumusz, halál utáni
postman (*tsz* -men) postás, levélkihordó
postmark ▾ *fn* postabélyegző ▾ *ige* lebélyegez
post-mortem boncolás, halottszemle
postpone elhalaszt
postponement (el)halasztás
postscript utóirat *[levél végén]*
posture testtartás
postwar háború utáni
pot ▾ *fn* edény, fazék; virágcserép; bili ▾ *ige* cserépbe ültet *[virágot]*; biliztet *[gyereket]*
potassium kálium
potato burgonya, krumpli; ~ **peeler** krumplihámozó (kés)
potent hatékony, hatásos; nemzőképes, potens
potential ▾ *mn* lehetséges, potenciális, szóba jöhető ▾ *fn* potenciál
pothole gödör, kátyú *[úttesten]*; barlang
potholing *biz* amatőr barlangászat
potter fazekas
pottery fazekasmesterség; fazekasáru
potty *biz* bili
pouch erszény, zacskó
poultry *tsz* baromfi
pounce megragad, lecsap *[zsákmányra]*
pound[1] *fn* font *[pénzegység]*; font *[súlymérték = 453,6 g]*
pound[2] *ige* döngöl, dönget; összezúz
pour önt; dől *[víz]*, ömlik
poverty szegénység
powder ▾ *fn* por; púder; lőpor ▾ *ige* (porrá) tör; megszór *[pl. cukorral]*; bepúderoz
powdery porhanyós, porszerű; púderos
power ▾ *fn* erő, hatalom; (villamos) áram, ener-

gia; *mat* hatvány; ~ **steering** szervokormány ▾ *ige* meghajt *[motor járművet, gépet]*
powerful erős, befolyásos, hatalmas
powerless erőtlen, tehetetlen
practical praktikus, célszerű; gyakorlati; gyakorlatias
practicality praktikusság, célszerűség; gyakorlatiasság
practically tulajdonképpen, gyakorlatilag
practice gyakorlás, gyakorlat; praxis
practise gyakorol, praktizál
pragmatic pragmatikus, gyakorlati
prairie préri
praise ▾ *fn* dicséret ▾ *ige* (meg)dicsér
praiseworthy dicséretre méltó, dicséretes
prattle ▾ *fn* csacsogás, fecsegés; gügyögés *[csecsemőé]* ▾ *ige* csacsog, fecseg; gügyög *[csecsemő]*
pray imádkozik, könyörög(ve kér)
prayer ima, könyörgés
preach prédikál; *átv* papol
preacher prédikátor
prearrange előre elintéz
precarious kétes, bizonytalan
precaution óvatosság; óvintézkedés
precede megelőz (vkit/vmit)
precedence elsőbbség; megelőzés
precedent precedens, példa
preceding megelőző, előbbi
precious becses, *átv is* drága, értékes
precipice szakadék; *átv* veszélyes helyzet
precise precíz, pontos

precision precizitás, pontosság
preclude (előre/eleve) kizár
precocious koraérett
predator ragadozó
predecessor előd
predicament kellemetlenség, kínos helyzet
predict (meg)jósol, előre megmond
prediction jóslat, jóslás
predispose predesztinál, eleve hajlamossá tesz
predominant túlnyomó, túlsúlyban levő, meghatározó
preface előszó
prefect prefektus, elöljáró
prefecture prefektúra, elöljáróság
prefer (*sg to sg*) jobban kedvel/szeret (vmit vminél)
preferable jobb, kívánatosabb
preference (vminek) az előnyben részesítése, preferencia
preferential kedvező, kedvezményes *[bánásmód]*
prefix körzetszám *[telefonszámé]; nyelv* előtag
pregnancy terhesség
pregnant terhes
prehistoric(al) őskori; *átv* kőkorszaki
prejudice előítélet, elfogultság
preliminaries *tsz* előzetes intézkedések/tárgyalások; *sp* selejtező (futam), előfutam
preliminary előzetes, előkészítő
prelude *zene, átv is* előjáték
premature elhamarkodott, (túl) korai; koraérett *[gyerek]*; koraszülött *[csecsemő]*
premeditate előre elhatároz/eltervez
premier premier, bemutató

preoccupation belemélyedés, elmerülés *[tevékenységben]*; szórakozottság
preparation (el)készítés, készülés *[pl. tanórára]*; előkészítés, előkészület
prepare (el)készít; készül, készülődik; előkészít
preposition *nyelv* elöljáró(szó)
prerogative előjog
prescribe felír, rendel *[betegnek pl. gyógyszert]*; előír
prescription recept; előírás
presence jelenlét
present[1] ▾ *mn* jelenlévő; jelenlegi ▾ *fn* jelen, *nyelv* jelen idő
present[2] ▾ *fn* ajándék ▾ *ige* bemutat; benyújt; (*sy with sg*) megajándékoz (vkit vmivel)
presentable szalonképes
presentation előadás *[konferencián]*
presenter műsorvezető *[tévében, rádióban]*
presently rögtön, azonnal, mindjárt
preservation tartósítás; megőrzés, megóvás
preservative ▾ *mn* (meg)őrző, (meg)védő; tartósító ▾ *fn* tartósítószer
preserve ▾ *fn* befőtt, kompót, lekvár; természetvédelmi terület ▾ *ige* megóv, megőriz; eltesz *[télire]*, tartósít
preside elnököl
presidency elnökség
president elnök
presidential elnöki
press ▾ *fn* sajtó; nyomda; prés ▾ *ige* (meg)nyom *[pl. gombot]*, *átv is* (meg)szorít, (ki)présel; (ki)vasal; ~ **down** lenyom; ~ **for** követel, sürget (vmit)
pressing sürgős, sürgető
pressure nyomás; kényszer; ~ **cooker** kukta

[edény]; ~ **group** lobbi, érdekvédelmi csoport

pressurise nyomás alatt tart

prestige presztízs, tekintély

presumably valószínűleg, feltételezhetően, alighanem

presume feltesz, feltételez

presumption sejtés, feltételezés

presuppose előre feltételez

pretence látszat, ürügy, tettetés

pretend színlel, tettet

pretender színlelő, tettető

pretentious követelőző, nagyravágyó; hencegő, elbizakodott

pretty ▾ *mn* csinos, szép ▾ *hsz biz* eléggé, meglehetősen; ~ **good** elég jó

prevail túlsúlyban/fölényben van, uralkodik

prevailing uralkodó *[pl. szokás]*, elterjedt

prevalent uralkodó, elterjedt

prevent meghiúsít, (meg)akadályoz; elkerül, megelőz *[bajt]*; ~ **sy from doing sg** megakadályozza, hogy (vki vmit) megtegyen

prevention megakadályozás; megelőzés

preventive megelőző, preventív; ~ **measures** óvintézkedések

preview filmelőzetes; *inform* **print** ~ nyomtatási kép

previous (meg)előző, előbbi

previously előzőleg, korábban, régebben; azelőtt

pre-war háború előtti

prey ▾ *fn* préda, zsákmány ▾ *ige* ~ **on sg** zsákmányul ejt; **be°/fall°** ~ *(to sy/sg)* (vkinek/

vminek) *átv is* áldozatul esik

price ▾ *fn* ár, érték; **at any ~** bármi áron ▾ *ige* értékel, becsül

priceless felbecsülhetetlen (értékű), megfizethetetlen

prick ▾ *fn* tű, tüske, szúrás (helye) ▾ *ige* (át/meg)szúr; furdal *[lelkiismeret]*

prickle tüske, tövis, fullánk

prickly szúrós, tüskés; kényes *[kérdés]*, ingerlékeny *[ember]*

pride büszkeség, gőg

priest pap, lelkész

priesthood papság

primarily főleg, elsősorban

primary elsődleges, elemi, fő, alapvető; **~ school** általános iskola (alsó tagozata)

primate főemlős

prime ▾ *mn* fő-, elsőrendű ▾ *fn* csúcspont, tetőfok (vmié); *mat* prím(szám)

primeval ősi

primitive egyszerű, kezdetleges; ősi

primrose kankalin

prince herceg

princess hercegnő

principal ▾ *mn* lényeges, fontos, fő ▾ *fn* iskolaigazgató

principality fejedelemség, hercegség

principle (alap)elv; **in ~** elvileg, elvben

print ▾ *fn* nyomtatvány, nyomtatás; (fénykép)másolat, (le)nyomat *[festményé, lábé]* ▾ *ige* (ki)nyomtat

printer nyomdász; *inform* nyomtató

printing nyomtatás, másolás *[fényképé]*

prior ▾ *mn* előzetes, (vmi) előtti ▾ *hsz* (*to sg*) (vmit) megelőzően

priority prioritás, elsőbbség
prism prizma
prison börtön
prisoner fogoly, rab
privacy magánélet; titoktartás
private ▾ *mn* személyes, privát, magán-; bizalmas, titkos; **~s parts** nemi szervek ▾ *fn kat* közlegény
privilege ▾ *fn* privilégium, kiváltság, előjog ▾ *ige* előnyben részesít
prize ▾ *fn* díj, jutalom, nyeremény ▾ *ige* nagyra tart, megbecsül
pro *mn, fn biz* profi
probability valószínűség
probable valószínű, lehetséges
probably valószínűleg, alighanem
probation próbaidő; feltételes szabadláb(ra helyezés); **be° on ~** próbaidőn/feltételesen szabadlábon van
probe ▾ *fn* szonda ▾ *ige* fürkész, megvizsgál
problem probléma, kérdés
problematic(al) problémás, problematikus
procedure eljárás, folyamat, művelet
proceed továbbhalad, folytatódik; cselekszik, eljár *[hivatalból]*
proceedings *tsz* bírósági eljárás; közlemények *[pl. tudományos társaságé]*, (konferencia)-előadások írott gyűjteménye
proceeds *tsz* hozam, nyereség, bevétel
process ▾ *fn* folyamat ▾ *ige* feldolgoz *[adatokat]*, előhív *[filmet]*
processing feldolgozás
procession felvonulás, menet

proclaim kihirdet, kijelent

proclamation nyilatkozat, kihirdetés; kiáltvány

prod ▾ *fn* döfés ▾ *ige* döf(köd)

prodigy csodagyerek, őstehetség

produce ▾ *fn* termék, termény ▾ *ige* termel, termeszt, terem; be/felmutat *[igazolványt stb.]*

producer producer, (színházi) rendező; termelő

product termék, termény; *mat* szorzat

production gyártás, termelés; színrevitel *[darabé]*, produkció

productive produktív, termelékeny, *átv is* termékeny

productivity termelékenység

profane profán, világi, szentségtörő

profess állít, vall *[nézetet]*, kijelent

profession hivatás, foglalkozás

professional ▾ *mn* hivatásos; szakma(bel)i ▾ *fn* hivatásos *[pl. sportoló]*; szakértő

professionalism prof(eszszional)izmus, szakmai hozzáértés; hivatásszerű sport(olás)

professor professzor, egyetemi tanár

proficiency (*in sg*) jártasság (vmiben), hozzáértés

proficient jártas, hozzáértő

profile profil, arcél; jellemrajz

profit ▾ *fn* profit, nyereség, haszon ▾ *ige* (*by/from sg*) profitál, hasznot húz (vmiből)

profitability nyereségesség, jövedelmezőség

profitable nyereséges, jövedelmező

profound mély, alapos
prognoses → **prognosis**
prognosis (*tsz* prognoses) prognózis, előrejelzés
program(me) ▾ *fn* program, műsor; (számítógépes) program ▾ *ige* (be)programoz
progress ▾ *fn* fejlődés, haladás; **be° in ~** folyamatban van ▾ *ige* (előre)halad, fejlődik
progression haladás, fejlődés
progressive haladó (szellemű); *nyelv* folyamatos *[igeidő]*
prohibit (*sy from (doing) sg*) (meg/be)tilt (vkinek vmit)
prohibition tilalom; *US* szesztilalom
prohibitive (be/meg)tiltó, túlzottan drága
project ▾ *fn* projekt, terv(ezet); (nagy) beruházás ▾ *ige* tervez; (ki)vetít *[filmet, képet]*; kirepít, kilő
projection (ki)vetítés *[filmé]*; (előzetes) becslés; kilövés
projector vetítőgép, videokivetítő
prologue prológus, bevezető
prolong meghosszabbít *[időben]*
promenade sétány, korzó
prominence kiemelkedés, szembetűnő volta (vminek), jelentőség
prominent kimagasló, szembetűnő, kiemelkedő
promiscuity promiszkuitás, szexuális szabadosság
promiscuous (szexuálisan) szabados
promise ▾ *fn* ígéret ▾ *ige* (meg)ígér
promising ígéretes, reményteli, biztató

promote előléptet; elősegít, előmozdít; reklámoz, népszerűsít

promoter támogató *[tervé, ötleté]*; szervező *[vállalkozásé]*

promotion előléptetés; támogatás, előmozdítás; reklám

prompt ▾ *mn* azonnali, gyors ▾ *fn* súgás *[színházban]* ▾ *ige* ösztönöz, késztet; súg *[színházban]*

prompter (színházi) súgó

promptly rögtön, haladéktalanul, azonnal

promptness gyorsaság

prone (*to sg*) hajlamos (vmire)

pronoun *nyelv* névmás

pronounce (ki)ejt *[hangot]*; (vminek) nyilvánít; ~ **sy dead** holttá nyilvánít

pronounced *átv* határozott, jellegzetes *[vonás stb.]*

pronunciation kiejtés

proof ▾ *mn összet* -álló; **water~** vízálló ▾ *fn* bizonyíték

prop ▾ *fn* támaszték; kellék *[színházban]* ▾ *ige* (*against sg*) megtámaszt, nekitámaszt (vminek)

propaganda propaganda

propagate hirdet, propagál; szaporít *[állatot, növényt]*, szaporodik

propel (meg)hajt *[járművet]*

propeller propeller, légcsavar

proper megfelelő, helyes, illő; a szűkebb értelemben vett, a tulajdonképpeni

properly illően, rendesen, megfelelően

property tulajdon, ingatlan; tulajdonság, sajátság

prophecy jóslat, jóslás

prophesy (meg)jósol, (meg)jövendöl

prophet próféta, jövendőmondó
proportion arány, hányad, rész; **~s** *tsz* nagyság, méret
proportional arányos
proportionate arányos
proposal javaslat, indítvány; házassági ajánlat
propose javasol, indítványoz; megkéri a kezét (vkinek)
proposition javaslat, ajánlat
proprietary ▾ *mn* tulajdon(os)i ▾ *fn* tulajdonos
proprietor tulajdonos
propriety illendőség, illem
propulsion (meg)hajtás *[járműé]*
prosaic prózai
pros and cons érvek és ellenérvek
prose próza
prosecute vádat emel (vki ellen)
prosecution bűnvádi eljárás; **the P~** az ügyészség
prosecutor ügyész
prospect ▾ *fn átv* kilátás ▾ *ige* (*for sg*) kutat (vmi után)
prospective várható, leendő
prospectus prospektus, ismertető
prosper jól megy, virágzik
prosperity jólét, *átv* virágzás, fellendülés
prosperous jól menő, jómódú, virágzó
prostate prosztata
prostitute prostituált
prostitution prostitúció
protagonist főszereplő *[színdarabban]*
protect védelmez, (meg)véd, óv
protection védelem, pártfogás
protectionist *gazd* protekcionista, védővámos *[politika]*

protective véd(elmez)ő, védelmi
protector véd(elmez)ő, oltalmazó, pártfogó
protein protein, fehérje
protest ▾ *fn* (*against sg*) tiltakozás (vmi ellen) ▾ *ige* (*against sg*) tiltakozik (vmi ellen), kifogásol
Protestant *mn, fn* protestáns
protester tiltakozó
protocol protokoll
prototype prototípus
protrude kiáll, előreugrik
proud (*of sg*) büszke (vmire)
prove (proved, proved/ *US* proven) (be)bizonyít; (be)bizonyosodik, bizonyul
proven → **prove**
proverb közmondás
provide (*with sg*) felszerel, ellát (vmivel); (*for sg*) gondoskodik (vmiről)
providence előrelátás, óvatosság; a gondviselés
province tartomány, provincia
provincial ▾ *mn* vidéki, provinciális, parlagi ▾ *fn* szűk látókörű/provinciális ember
provision ▾ *fn* (*with sg*) ellátás (vmivel); (*for sg*) gondoskodás (vmiről); ~s *tsz* élelem ▾ *ige* élelemmel ellát, élelmez
provisional ideiglenes, átmeneti, előzetes
provocation provokáció
provocative provokatív, (fel)ingerlő, kihívó
provoke provokál, felizgat, ingerel; felébreszt/kelt *[kíváncsiságot]*
prowl ▾ *fn* portya, portyázás ▾ *ige* barangol (vhol), ró *[utcákat]*
proximity közelség
proxy *jog* meghatalmazás, meghatalmazott

prudent körültekintő, óvatos
prudish prűd, szemérmes(kedő)
prune (meg)metsz *[fát]*, nyes
pry szimatol, kíváncsiskodik
PS *röv [postscript]* ui. *[utóirat]*
psalm zsoltár
pseudonym írói álnév
psyche lélek, psziché
psychiatric pszichiátriai
psychiatrist pszichiáter
psychiatry pszichiátria
psychoanalysis pszichoanalízis
psychological pszichés (alapú) *[pl. betegség]*; pszichológiai
psychologist pszichológus
psychology pszichológia
PTO *röv [please turn over]* fordíts, ford.
pub *biz* bár, pub
puberty serdülőkor, pubertás
public ▾ *mn* nyilvános, köz-; ~ **convenience** nyilvános illemhely/vécé; ~ **holiday** hivatalos ünnepnap, munkaszüneti nap; ~ **opinion** közvélemény, közvélekedés; ~ **relations, PR** „piár"; ~ **school** előkelő magániskola, *US* ingyenes állami iskola; ~ **servant** közalkalmazott, köztisztviselő ▾ *fn átv* közönség, nyilvánosság; **in** ~ nyilvánosan, nyilvánosság előtt
publication kiadás *[könyvé]*, publikálás, közzététel; kiadvány
publicity nyilvánosság, reklám(ozás), hírverés
publicise reklámoz
publicly nyilvánosan, nyilvánosság előtt
publish megjelentet, ki-

ad *[pl. könyvet, újságot]*; nyilvánosságra hoz
publisher (könyv/lap)kiadó
publishing megjelentetés, (könyv)kiadás
pucker ▾ *fn* redő, ránc ▾ *ige* (össze)ráncol; (összes)ráncolódik
pudding puding
puddle pocsolya, tócsa
puff ▾ *fn* lihegés, lehelet, szusz, pöfékelés *[dohányzás közben]* ▾ *ige* pöfékel, fújtat
puff-pastry leveles tészta
puffy elhízott, hájas, dagadt
pull ▾ *fn* húzás; vonzás, vonzerő ▾ *ige* (meg)húz, von(z); ~ **sy's leg** ugrat; ~ **over** lehúzódik *[autóval padkára]*; ~ **up** felhúz; megáll *[jármű]*
pulley csiga *[emelőé]*
pullover pulóver
pulmonary *orv* tüdő-; ~ **disease** tüdőbaj
pulp ▾ *fn* pép, kása, gyümölcshús; *pejor* kommersz, ponyva *[írásmű]* ▾ *ige* péppé zúz
pulpit pulpitus, emelvény, szószék
pulse pulzus, érverés
pump ▾ *fn* szivattyú; pumpa ▾ *ige* szivattyúz; pumpál
pumpkin (sütő)tök
pun szójáték
punch[1] ▾ *fn* lyukasztó ▾ *ige* (át/ki)lyukaszt
punch[2] ▾ *fn* (ököl)csapás ▾ *ige* (*sy*) (ököllel meg) üt (vkit), bepancsol (vkinek)
punch[3] *fn* puncs *[szeszesital]*
punctual pontos
punctuality pontosság
punctuation *nyelv* központozás
puncture ▾ *fn* defekt,

lyuk ▾ *ige* kilyukaszt; kilyukad

punish (meg)büntet

punishment büntetés

puny satnya, apró, gyenge

pup kutyakölyök, (állat)kölyök

pupil[1] tanuló, iskolás

pupil[2] pupilla

puppet báb(u)

puppy kutyakölyök

purchase ▾ *fn* (meg)vétel, (meg)vásárlás ▾ *ige* (meg)vesz, (meg)vásárol

purchaser vevő, vásárló

pure (szín)tiszta, 100%-os

purely tisztán; pusztán

purge ▾ *fn* (politikai) tisztogatás, kitisztítás ▾ *ige* (politikailag) tisztogat; *átv* (*of sg*) megtisztít (vmitől)

purify (meg)tisztít

puritan puritán

purity tisztaság, romlatlanság

purple bíbor(színű), mályvaszínű

purpose cél; **on ~** szándékosan, direkt

purr dorombol *[macska]*, búg *[gép]*

purse ▾ *fn* erszény, (női) pénztárca ▾ *ige* **~ one's lips** összehúzza az ajkát

pursue üldöz, űz *[pl. sportot, hobbit]*, *[tanulmányokat]* folytat

pursuer üldöző

pursuit hajsza, üldözés; (*of sg*) törekvés (vmire)

push ▾ *fn* tolás, nyomás, lökés ▾ *ige* (meg)tol *[járművet]*, (meg)nyom *[gombot]*, (meg)lök *[ajtót]*; **~ through** *átv is* keresztülnyom, elfogadtat *[javaslatot]*; áttolakszik

push-chair (sport) babakocsi *[ülő]*

push-up fekvőtámasz

pushy rámenős

puss cica, macska, kandúr
pussy cica, macska
put (put, put) rak, tesz, helyez; kifejez, leír, megfogalmaz; **to ~ it simply** egyszerűen szólva; **~ down** letesz; leír; elaltat *[állatot]*; **~ forward** javasol, indítványoz; **~ off** elhalaszt, halogat; **~ on** felvesz *[ruhát, arckifejezést]*; be/felkapcsol *[lámpát, készüléket]*; feltesz *[lemezt]*; **~ on weight** (meg)hízik; **~ out** kiolt *[tüzet, cigarettát]*; **~ through** kapcsol *[vkit telefonközpontos]*; **~ up** felállít *[sátrat]*, felhúz *[épületet]*; felemel *[árakat]*; **~ up** (***with sg***) belenyugszik (vmibe), elvisel, eltűr (vmit)
putty gitt
puzzle ▾ *fn* rejtvény, fejtörő; kirakó(s játék) ▾ *ige* zavarba ejt, elgondolkodtat
pyjamas *tsz* pizsama
pylon villanyoszlop
pyramid piramis, *mat* gúla
python piton *[kígyó]*

Q

quack ▾ *fn* háp(ogás) ▾ *ige biz* locsog *[beszél]*

quadrangle négyszög

quadruple ▾ *mn* négyszeres ▾ *fn* vminek a négyszerese ▾ *ige* (meg)négyszerez; megnégyszereződik

quaint különös, fura

quake ▾ *fn* remegés, (föld)rengés ▾ *ige* remeg, reng *[föld]*

qualification minősítés, képesítés; megszorítás, korlátozás

qualified (*for sg*) képesített (vmire), képzett

qualifier *sp* selejtező (futam/mérkőzés)

qualify minősít, képesít; képesítést/minősítést szerez; *sp* továbbjut, bejut *[következő futamba]*

quality minőség(i); jellemző, tulajdonság

qualm kétely, aggály

quantity (nagy) mennyiség, volumen

quarantine karantén, elkülönítés

quarrel ▾ *fn* vita, veszekedés ▾ *ige* vitázik, veszekedik

quarter ▾ *fn* negyed(rész); városnegyed, városrész; negyedóra; *sp* negyed *[mérkőzésé]; US* negyeddolláros (pénzérme) ▾ *ige* negyedel, négy részre oszt; elszállásol

quarterly ▾ *mn* negyedévi ▾ *fn* negyedévi folyóirat ▾ *hsz* negyedévenként

quarters *tsz kat* szállás

quartet *zene* kvartett, négyes

quartz kvarc *[ásvány]*
quay rakpart
queasy émelygő *[gyomor],* hányingerrel küzdő *[ember]*
queen királynő; dáma *[kártyában],* vezér *[sakkban]*
queer ▾ *mn* furcsa, különös; gyanús, sötét *[ügy, alak]* ▾ *ige* elront, megzavar
quench csillapít, olt *[szomjat]*
querulous nyafogó, siránkozó
query ▾ *fn* tudakozódás, kérdés; *inform* lekérdezés ▾ *ige* tudakol, kérdez (vkit); megkérdőjelez; tudakozódik, kérdezősködik
quest ▾ *fn* (*for sg*) keresés ▾ *ige* (*for sg*) keres; kutat (vmi után)
question ▾ *fn* kérdés ▾ *ige* kikérdez, kihallgat; megkérdőjelez
questionable kérdéses, vitatható
questionnaire kérdőív
queue ▾ *fn* sor *[emberekből stb.]* ▾ *ige* sorba állít
quick fürge, gyors, eleven, élénk
quicken (meg)gyorsít; serkent *[érdeklődést];* (meg)gyorsul; megélénkül
quicksand folyós homok
quicksilver higany
quiet ▾ *mn* csendes, nyugodt ▾ *ige* lecsendesít, lecsillapít
quieten lecsendesít, lecsillapít
quinine kinin
quintuple ▾ *mn* ötszörös ▾ *fn* ötszöröse (vminek) ▾ *ige* (meg)ötszöröz; megötszöröződik
quirk szeszély, bogár *[jellem furcsasága]*
quit abbahagy, otthagy; felmond, leköszön; *inform* kilép

quite teljesen, egészen

quits *tsz* kvittek, egálban vannak

quiver ▾ *fn* remegés, reszketés ▾ *ige* rezegtet; remeg, reszket

quiz ▾ *fn* kvíz, rejtvény; *US* dolgozat, vizsga ▾ *ige* faggat, kikérdez

quizzical kihívó, kötekedő

quota kvóta, kontingens

quotation idézet; árfolyam, árjegyzés *[tőzsdén]*; árajánlat; ~ **marks** *tsz* idézőjel

quote ▾ *fn* árfolyam, árjegyzés *[tőzsdén]*; árajánlat; *biz* idézet; ~s *tsz* idézőjel ▾ *ige* idéz, példaként felhoz; jegyez *[árfolyamot]*

R

rabbi rabbi
rabbit házinyúl
rabble (ember)tömeg, csőcselék
rabid veszett *[kutya, róka]*; vad, tomboló
rabies *esz* veszettség
race[1] *fn* faj(ta)
race[2] ▾ *fn* verseny; lóverseny ▾ *ige* versenyez; száguld
racecourse (ló)versenypálya
racehorse versenyló
racer versenyző; versenyló; versenyautó/motor
racetrack (autó)versenypálya
racial faji; ~ **discrimination** faji megkülönböztetés
racing (ló)versenyzés; ~ **driver** autóversenyző
racism rasszizmus, fajüldözés
racist rasszista, fajgyűlölő
rack tartó, állvány
racket[1] *sp* (tenisz)ütő
racket[2] *US* csalás, svindli
racy íz(let)es, pikáns *[étel, történet]*
radar radar
radiance sugárzás, ragyogás, csillogás
radiant ragyogó, fénylő *[arc]*, *fiz* sugárzó
radiate (ki)sugároz; sugárzik
radiation (ki)sugárzás
radiator radiátor, fűtőtest; *gépk* hűtő *[motorban]*
radical ▾ *mn* radikális, gyökeres ▾ *fn pol* radikális

radii → **radius**
radio rádió
radioactive radioaktív
radiologist radiológus
radiology radiológia
radiotherapy sugárkezelés, radioterápia
radish retek
radius (*tsz* radii) *mat* sugár
raffle tombola
raft tutaj
rag rongy
rage ▾ *fn* düh, harag; **fly° into a ~** dühbe gurul ▾ *ige* tombol *[vihar]*, őrjöng *[ember]*
ragged rongyos, lerongyolódott
raging tomboló, őrjöngő
raid ▾ *fn* rajtaütés; razzia ▾ *ige* le/megrohan; razziát tart (vhol); kifoszt
rail sín; korlát, rúd, rács; **by ~** vasúton
railroad *US* vasút
railway vasút; **~ station** vasútállomás
railwayman (*tsz* -men) vasutas
rain ▾ *fn* eső; **~ forest** esőerdő ▾ *ige* esik *[eső]*
rainbow szivárvány
raincoat esőkabát
raindrop esőcsepp
rainfall esőzés, felhőszakadás; csapadékmennyiség
rainstorm zivatar
rainy esős
raise ▾ *fn US* fizetésemelés ▾ *ige* (fel)emel *[árat, fizetést]*, növel; felnevel; felvet *[problémát]*; felébreszt
raisin mazsola
rake ▾ *fn* gereblye ▾ *ige* gereblyéz; átfésül *[területet]*
rally ▾ *fn* (autós) rallye(verseny); labdamenet *[teniszben]*; gyülekezés, *US* nagygyűlés ▾ *ige* összegyűjt, összegyűlik
ram ▾ *fn* kos, faltörő kos

▾ *ige* bever; (*into sg*) teljes erőből belehajt *[másik autóba]*

RAM *röv, inform [random-access memory]* RAM, közvetlen elérésű memória

ramble ▾ *fn* bolyongás; csapongás *[beszédben]* ▾ *ige* bolyong; csapong *[beszéd közben]*

rambler bolyongó, kószáló; csapongó ember

ramp rámpa, feljáró, felhajtó; fekvőrendőr

rampage ▾ *fn biz* őrjöngés, dühöngés ▾ *ige biz* őrjöng, dühöng

rampant féktelen, vad, heves

ran → **run**

ranch *US* farm, tanya

random véletlen(szerű), találomra történő

rang → **ring**

range ▾ *fn* tartomány, skála, választék *[áruból]*; lőtávolság, hatótávolság; lőtér; sor(ozat) *[pl. épületből, emberből]* ▾ *ige* (*from sg to sg*) (ki)terjed (vmitől vmeddig)

ranger erdőkerülő, erdőőr

rank ▾ *fn* rang, (rend)-fokozat; **the ~s** *tsz* a legénység ▾ *ige* rangsorol, besorol; (*among sg/sy*) tartozik (vmik/vkik közé)

ransack kifoszt; turkál (vhol), tűvé tesz (vmit)

ransom váltságdíj

rap ▾ *fn* koppantás, kopogás; rap(zene) ▾ *ige* kopog(tat); rappel, rapzenét játszik

rape ▾ *fn jog* nemi erőszak ▾ *ige* megerőszakol

rapid ▾ *mn* gyors, sebes ▾ *fn* **~s** *tsz* zuhatag, zúgó *[folyó]*

rapidity gyorsaság, sebesség

rapport kapcsolat, összhang, egyetértés
rapture mámor, elragadtatás; **be° in ~s** el van ragadtatva
rapturous mámoros, elragadtatott
rare ritka; félig sült *[steak]*
rarely ritkán
rascal *tréf* gézengúz, csirkefogó
rash[1] *mn* meggondolatlan, elhamarkodott
rash[2] *fn* (bőr)kiütés
rasp ▾ *fn* ráspoly, reszelő; nyikorgás, csikorgás ▾ *ige* reszel; nyikorog, csikorog
raspberry málna
rasping nyikorgó, reszelős *[hang]*
rat patkány; **~ race** *esz biz* (hétköz)napi küzdelmek/harcok
rate ▾ *fn* arány(szám), mérték; árfolyam *[valutáé]*, kamatláb ▾ *ige* értékel; besorol, osztályoz
rates közterhek
rather inkább; elég(gé)
ratify ratifikál, jóváhagy *[egyezményt]*
rating értékelés, minősítés; **~s** *tsz* nézettség(i mutató) *[tévéműsoré]*
ratio arány
ration ▾ *fn* fejadag ▾ *ige* jegyre ad *[pl. élelmiszert]*
rational racionális, ésszerű; értelmes, okos *[ember]*
rationale elgondolás, vmi értelme
rationalise racionalizál, ésszerűsít
rattle ▾ *fn* csörgő *[játék]*; zörgés, zaj ▾ *ige* csörget, zörget; csörög, zörög
rattlesnake csörgőkígyó
ravage ▾ *fn* pusztítás ▾ *ige* (el)pusztít
rave ▾ *fn biz* eksztázis, lelkesedés; rave(zene)

▾ *ige* dühöng, tombol; félrebeszél
raven holló
ravenous (*for sg*) kiéhezett (vmire), falánk
raw nyers *[étel, hús]*; nyílt, be nem hegedt *[seb]*; ~ **material** nyersanyag
ray[1] sugár
ray[2] rája
razor borotva; ~ **blade** borotvapenge
re[1] *összet* újra-; ~**-read** újra elolvas
re[2] *elölj* (vmi) tárgyában *[levél elején]*; ~ **your complaint** az Ön panaszának tárgyában
reach ▾ *fn* (ható)távolság; elérhetőség; **be° out of** ~ nem érhető el (vki) ▾ *ige átv is* elér (vkit/vmit); elér (vhová)
react reagál
reaction reakció, válasz(lépés)
reactionary reakciós
reactor (atom)reaktor
read (read, read) (el/le)olvas; hangzik *[szöveg]*; ~ **out** (hangosan) felolvas
readable (el)olvasható
reader olvasó; olvasókönyv; *okt* kb. docens
readily szívesen, készségesen; azonnal
readiness készség, hajlandóság
reading (fel/le)olvasás; olvasmány
readjust újra beállít, helyreigazít, rendbe hoz
ready kész; készséges; (*to do sg*) hajlandó (vmit megtenni)
ready-made kész *[áru]*, készen kapható
ready-to-wear konfekció *[ruha]*, készen vett
real ▾ *mn* valódi, igazi; ~ **estate** ingatlan ▾ *hsz US biz* nagyon
realisation megvalósítás, megvalósulás; felismerés, megértés

realise megvalósít; ráébred (vmire), rájön, felfog
realism realizmus
realistic élethű, valószerű
reality valóság, realitás
really valóban, igazán, tényleg; ~? csakugyan?, tényleg?
realm birodalom, királyság
reap (le)arat
reappear újra feltűnik
rear[1] ▾ *mn* hátsó, hátulsó ▾ *fn* hátsó része/fele (vminek)
rear[2] *ige* (fel)nevel *[gyereket]*; tenyészt *[állatot]*
rearmament újrafegyverkezés
rearrange átrendez, újra elrendez
rear-view mirror visszapillantó tükör
reason ▾ *fn* indok; értelem, (józan) ész; **for this** ~ ezen oknál fogva ▾ *ige* érvel, okoskodik
reasonable elfogadható, méltányos *[ár]*; ésszerű
reassurance megnyugtatás, biztatás
reassure (*sy about/on sg*) megnyugtat (vkit vmi felől)
rebate ▾ *fn* árengedmény ▾ *ige* árengedményt ad
rebel ▾ *mn, fn* lázadó, felkelő ▾ *ige* (*against sy/sg*) fellázad (vki/vmi ellen)
rebellion felkelés, lázadás
rebellious lázadó, felkelő
rebirth újjászületés
reborn újjászületett
rebound ▾ *fn sp* lepattanó (labda) ▾ *ige* visszaugrik; visszapattan
rebuild átépít, újjáépít
rebuke ▾ *fn* szidás, dorgálás ▾ *ige* (meg)szid, (meg)dorgál

recall visszahív; (*sg*) (visszа)emlékszik (vmire)
recapitulate (röviden) összefoglal, összegez *[elhangzottakat]*
recapitulation (rövid) összefoglalás, összegzés
recapture ▾ *fn* visszafoglalás ▾ *ige* visszafoglal
recede visszavonul, visszahúzódik; ritkul *[haj]*
receding ritkuló *[haj]*, kopaszodó *[fej]*; visszavonuló, visszahúzódó
receipt ▾ *fn* nyugta, számla; ~s *tsz* bevétel ▾ *ige* nyugtáz
receive (meg)kap, átvesz; fog, vesz *[rádió- v. tévéadást]*; fogad (vkit/vmit)
receiver vevő(készülék); telefonkagyló
recent új(keletű), nem régi, friss
recently nemrég, a közelmúltban
reception fogadás *[estély]*; fogadtatás; recepció, (szálloda)porta; vétel *[tévével, rádióval]*
receptionist recepciós *[hotelben]*
receptive fogékony
recess szünet; (be)mélyedés
recession recesszió, (gazdasági) visszaesés
recharge ▾ *fn* feltöltés *[akkumulátoré]*, utántöltés ▾ *ige* feltölt *[akkumulátort]*, feltöltődik
recipe recept *[ételé, gyógyszerre]*
recipient címzett *[levélé]*, átvevő
reciprocal ▾ *mn* viszonos, kölcsönös; fordított ▾ *fn* fordítottja (vminek)
reciprocate viszonoz
recital előadói est
recite elszaval, előad, eljátszik

reckless meggondolatlan, vakmerő

reckon (ki)számít; (*with sy/sg*) *átv* számol (vkivel/vmivel); *US biz* gondol

reckoning (ki)számítás, (el)számolás

reclaim visszakövetel; termővé tesz *[területet]*

reclamation kártalanítási igény; (terület) termővé tétele

recline hátradönt, lehajt; (*on/upon sg*) hátradől, (neki)támaszkodik (vminek)

reclining hátrahajló, lehajtható *[támlájú ülés]*

recognition felismerés; elismerés

recognise felismer; elismer

recollect (vissza)emlékszik

recollection emlék(ezet), (vissza)emlékezés

recommend javasol, ajánl

recommendation javaslat, ajánlás; **letter of ~** ajánlólevél

recompense ▾ *fn* kártérítés, kárpótlás ▾ *ige* (*for sg*) kárpótol (vmiért), megtérít *[kárt]*; (meg)jutalmaz

reconcile ki/összebékít; elsimít *[vitát]*, összeegyeztet *[véleményeket]*

reconnaissance *kat* felderítés

reconsider újból megfontol, újragondol

reconstruct újjáépít; rekonstruál *[épületet, eseményt]*, helyreállít

reconstruction újjáépítés; rekonstrukció, helyreállítás

record ▾ *fn* feljegyzés, jegyzőkönyv; (hang)lemez, (hang)felvétel; priusz, büntetett előélet; *sp* rekord, csúcs; **~ player** lemezjátszó ▾ *ige* rögzít, felvesz *[han-*

got, képet]; feljegyez, leír

recorder (video)magnó, (hang/kép)felvevő

recording (hang/kép)-felvétel

recover (*from sg*) felgyógyul *[vmilyen betegségből],* magához tér; visszaszerez

recovery felépülés *[betegségből],* (fel)gyógyulás; visszaszerzés(e vminek)

recreate felfrissül, pihen, szórakozik

recreation (fel)üdülés, pihenés, szórakozás

recruit ▾ *fn* újonc *[katona]* ▾ *ige* (be)soroz *[katonának],* toboroz

recruitment sorozás, toborzás

rectangle téglalap

rectangular négyszögletes, derékszögű

rectify jóvátesz, helyrehoz

rector pap, plébános; rektor; igazgató *[katolikus középiskoláé]*

rectory parókia, paplak

recur (meg)ismétlődik

recurrence ismétlődés

recurrent ismétlődő, visszatérő

recycle újra hasznosít

recycled paper újrapapír

red ▾ *mn* piros, vörös; **R~ Cross** (Nemzetközi) Vöröskereszt; **~ herring** félrevezető nyom ▾ *fn* piros (szín); **be° in the ~** túllépi a hitel(keret)ét

redden elpirul; (be)pirosít

redeem megvált *[bűnöket];* kivált *[zálogot]*

redemption megváltás

redeploy átcsoportosít

red-haired vörös hajú

redhead vörös hajú ember

red-hot heves, forró *[érzelem];* vörösen izzó, *átv is* tüzes

redid → **redo**
redirect átirányít *[telefonhívást]*, utánaküld *[levelet]*
redo (redid, redone) rendbe hoz, átalakít; *inform* mégis
redone → **redo**
redskin rézbőrű (indián)
reduce csökkent *[pl. árakat]*, mérsékel, redukál
reduced csökkentett, mérsékelt, redukált
reduction árengedmény; csökken(t)és, mérsékl(őd)és
redundancy felesleg
redundant felesleges, létszám feletti *[munkás]*, nélkülözhető
reed nád, fúvóka *[fúvós hagszeré]*
reef zátony
reel ▾ *fn* tekercs, orsó ▾ *ige* csévél, gombolyít
re-enter újból belép, visszatér
re-examine újból (meg)vizsgál, újra vizsgáztat
refer (*to sy/sg*) utal (vkire/vmire), hivatkozik; (*sy to sy*) küld, utasít (vkit vkihez)
referee ▾ *fn sp* játékvezető; *jog* döntőbíró ▾ *ige sp* (mérkőzést) vezet
reference (*to sy/sg*) hivatkozás, utalás (vkire/vmire); referencia, jellemzés; ~ **book** kézikönyv; ~ **number** hivatkozási szám
refill ▾ *fn* utántöltés, utánpótlás; repeta *[ételből, italból]* ▾ *ige* feltölt, megtölt *[benzintankot]*, (meg)tankol
refine finomít, finomodik
refined kifinomult *[pl. ízlés]*, finomított
refinement finomítás, tökéletesítés

refinery finomító(üzem)
reflect (vissza)tükröz, visszatükröződik; (*on sg*) töpreng (vmin)
reflection tükörkép, (vissza)tükröződés; észrevétel, megjegyzés
reflector reflektor
reflex reflex
reform ▾ *fn* reform, újítás ▾ *ige* (meg)reformál, megújít
reformation megújítás; a reformáció
reformatory ▾ *mn* reform- ▾ *fn US* javítóintézet
reformer reformer, újító
refrain[1] *fn* refrén
refrain[2] *ige* (*from sg*) tartózkodik (vmitől)
refresh felfrissít, felfrissül
refreshing (fel)frissítő, üdítő
refreshment üdítő(ital); felfrissítés, felfrissülés; **~s** frissítők
refrigerate lehűt, (le)fagyaszt
refrigerator hűtőszekrény
refuel tankol, újratölt *[üzemanyaggal]*
refuge menedék, óvóhely
refugee menekült
refund ▾ *fn* visszafizetés ▾ *ige* visszafizet
refurbish kitisztít, rendbehoz
refusal elutasítás, visszautasítás
refuse ▾ *fn* hulladék ▾ *ige* elutasít, visszautasít; (*sy sg*) megtagad (vkinek vmit)
refute (meg)cáfol
regain visszanyer
regal királyi
regard ▾ *fn* szempont; **in this ~** ebben a tekintetben; **~s** *tsz* üdvözlet; **best ~s!** szívélyes üdvözlettel *[levél végén]* ▾ *ige* tekint, tart (vminek/vmilyennek)

regardless mégis, mindennek ellenére; (*of sg*) tekintet nélkül (vmire)
regenerate regenerálódik
region térség, vidék
regional területi, térségi
register ▾ *fn* jegyzék, nyilvántartás; pénztárgép ▾ *ige* regisztrál, nyilvántartásba vesz, bejegyez; bejelentkezik *[szállodába];* beiratkozik *[iskolába]*
registered bejegyzett; ~ **trademark** bejegyzett védjegy
registrar anyakönyvvezető; a tanulmányi osztály vezetője *[egyetemen]*
registration bejegyzés; bejelentkezés *[szállodába];* beiratkozás
registry bejegyzés, iktatás; ~ **office** anyakönyvi hivatal
regret ▾ *fn* megbánás, sajnálat ▾ *ige* megbán (vmit); sajnál (vkit)
regretfully sajnálkozva
regular ▾ *mn* rendszeres, szabályos, szokásos ▾ *fn* sorkatona; törzsvendég
regularity rendszeresség, szabályosság
regulate szabályoz
regulation szabály(ozás), előírás; szabályzat
rehabilitate rehabilitál
rehabilitation rehabilitáció
rehearsal (színházi) próba
rehearse próbál *[színdarabot]*
reign ▾ *fn* uralkodás ▾ *ige* uralkodik
reimburse megtérít *[pénzösszeget],* visszafizet
reindeer rénszarvas
reinforce megerősít, támogat
reinstate visszahelyez *[tisztségébe]*

reject ▾ *fn* selejt ▾ *ige* elutasít, visszautasít; elvet
rejection elutasítás, visszautasítás
rejoice örvendezik, örül
relate (*to sg*) összefüggésbe hoz, összefügg (vmivel); elmesél
related rokon(i); összefüggő, kapcsolódó
relation kapcsolat, viszony; rokon(ság); ~s *tsz* (politikai) kapcsolatok; szerelmi/szexuális élet
relationship kapcsolat, összefüggés; (szerelmi) viszony
relative ▾ *mn* relatív, viszonylagos ▾ *fn* rokon
relatively viszonylag, aránylag
relativity relativitás, viszonylagosság
relax (el)lazít, pihen, kikapcsolódik
relaxation (el)lazítás, (ki)pihenés, kikapcsolódás
relaxed laza, kipihent
relay ▾ *fn* relé; *sp* váltó(verseny) ▾ *ige* sugároz *[adást]*, közvetít
release ▾ *fn* szabadon bocsátás; kiadás, megjelentetés *[filmé, lemezé]* ▾ *ige* szabadon enged; bemutat *[filmet, lemezt]*, forgalomba hoz; nyilvánosságra hoz *[hírt]*
relevance jelentőség, fontosság
relevant lényeges, a tárgyhoz tartozó
reliability megbízhatóság
reliable megbízható
reliance bizalom, bizakodás; (*on sg*) függőség (vmitől)
relic relikvia, ereklye
relief megkönnyebbülés, enyhülés; segítség, segély
relieve (meg)könnyít, enyhít; (*of sg*) megszabadít (vmitől)
religion vallás

religious vallásos

relish ▾ *fn* íz; fűszer; gusztus ▾ *ige* fűszerez; ízlik neki (vmi), ínyére van

relocate áttelepít, áthelyez

reluctance vonakodás

reluctant kelletlen, vonakodó

reluctantly kelletlenül, vonakodva

rely (*on/upon sy/sg*) támaszkodik, számít (vkire/vmire)

remain ▾ *fn* **~s** maradványok ▾ *ige* (ott)marad, hátravan, megmarad *[pl. étel]*

remainder maradvány, maradék

remark ▾ *fn* megjegyzés, észrevétel ▾ *ige* (*on sy/sg*) megjegyzést tesz (vkire/vmire), észrevesz

remarkable figyelemre méltó

remarkably figyelemre méltóan

remarry újraházasodik

remedy ▾ *fn átv is* orvosság, gyógyszer ▾ *ige* orvosol *[problémát]*

remember (*sy/sg*) emlékszik (vkire/vmire), nem felejt el (vkit/vmit)

remembrance emlékezés, emlékezet; emléktárgy

remind (*sy of sy/sg*) emlékeztet (vkit vkire/vmire)

reminder emlékeztető

reminiscence (vissza)-emlékezés

reminiscent múltat idéző; **be° ~ of sg** (vmire) emlékeztet

remit átutal *[pénzt]*; elenged *[tartozást]*, megbocsát *[bűnt]*

remittance átutalás, átutalt összeg

remnant maradék *[ételé]*, maradvány *[épületé stb.]*

remorse bűntudat, lelkifurdalás
remorseful lelkifurdalást érző, bűntudatos
remorseless irgalmatlan, könyörtelen
remote távol eső, távoli, *összet* táv-; ~ **control** távirányító
remotely távolról; halványan *[emlékeztet]*
remoteness távolság
removable hordozható, levehető *[alkatrész]*
removal elvitel, eltávolítás; elköltözés, költözködés
remove elmozdít *[állásából]*, eltávolít; leszerel *[alkatrészt]*
Renaissance reneszánsz
render tesz (vkit/vmit vmilyenné); ~ **sy harmless** ártalmatlanná tesz (vkit)
rendezvous találka, randevú
renew meg/felújít, megújul; meghosszabbít *[kölcsönzést]*
renewable meg/felújítható; meghosszabbítható *[kölcsönzés]*
renewal meg/felújítás, megújulás; meghosszabbítás *[kölcsönzésé]*
renounce (*sg*) lemond (vmiről)
renovate renovál, tataroz
renown hírnév
renowned híres
rent ▾ *fn* bérleti díj ▾ *ige* (ki)bérel, bérbe vesz; kiad *[pl. lakást]*, bérbe ad
rental bérleti díj; bérlés; **car** ~ gépkocsikölcsönzés
renunciation (*of sg*) lemondás (vmiről)
repair ▾ *fn* (ki/meg)javítás; karbantartási költség; ~ **kit** szerszámosláda, javítókészlet ▾ *ige*

(ki/meg)javít, helyrehoz

reparation (ki/meg)javítás

repay *átv is* visszafizet, megad *[kölcsönt]*

repayment visszafizetés, viszonzás

repeat (el/meg)ismétel; ismétlődik

repeatedly ismételten, újra meg újra

repel visszaver *[támadást]*, visszataszít

repellent ▾ *mn* visszataszító ▾ *fn* rovarirtó (szer)

repent (*of sg*) megbán (vmit)

repentance bűnbánat, megbánás

repercussion (kellemetlen) következmény, utózönge, utóhatás

repertoire repertoár

repetition (meg/el)ismétlés, (meg)ismétlődés; (iskolai) felelés

repetitive ismétlő(dő)

replace helyére tesz, visszatesz; kicserél, helyettesít

replacement visszahelyezés; kicserélés, helyettesítés

replay ▾ *fn* lejátszás, visszajátszás *[felvételé]*; újrajátszás *[mérkőzésé]* ▾ *ige* (újra) lejátszik *[felvételt]*; újrajátszik *[mérkőzést]*

replenish teletölt

replica másolat

reply ▾ *fn* válasz, felelet ▾ *ige* válaszol, felel

report ▾ *fn* riport, tudósítás, jelentés; (iskolai) bizonyítvány ▾ *ige* (*sg to sy*) tudósít (vmiről), jelent(ést tesz) (vkinek); (be/fel)jelent; jelentkezik (vkinél)

reporter riporter, tudósító

represent képvisel, jelképez; ábrázol

representation képvise-

let; ábrázolás, reprezentáció
representative ▾ *mn* jellegzetes, tipikus, reprezentatív; képviselő, képviseleti ▾ *fn* képviselő
repress elnyom
repression elnyomás
repressive elnyomó
reprimand ▾ *fn* megrovás, dorgálás ▾ *ige* megró, megdorgál
reproach ▾ *fn* szemrehányás ▾ *ige* (*sy about sg*) szemrehányást tesz (vkinek vmi miatt)
reproachful szemrehányó
reproduce (élethűen) visszaad, reprodukál; sokszorosít; szaporodik
reproduction sokszorosítás; szaporodás
reproductive reproduktív, szaporító *[szerv]*
reprove rosszall, elítél
reptile hüllő
republic köztársaság
republican *mn, fn* republikánus, köztársaságpárti
repugnant ellenszenves, visszataszító
repulse ▾ *fn* elutasítás, visszaverés ▾ *ige* visszautasít; visszaver
repulsion irtózás, undor, iszony(odás)
repulsive undorító, visszataszító
reputable jó nevű
reputation hírnév
repute hírnév
reputed híres; állítólagos
request ▾ *fn* kérés, kívánság, kérelem ▾ *ige* (*sg of sy*) kér (vmit vkitől), folyamodik (vmiért)
require (*sg of sy*) megkíván, megkövetel, elvár (vmit vkitől)
requirement követelmény, kívánalom
requisite ▾ *mn* kellő, szükséges ▾ *fn* kellék, követelmény

requisition felszólítás, követelés

rescue ▾ *fn* (meg)mentés, (ki)szabadítás ▾ *ige* megment, kiszabadít

research ▾ *fn* kutatás ▾ *ige* kutatást végez, kutat

researcher (tudományos) kutató

resell újra elad

resemblance hasonlóság

resemble (*sy/sg*) emlékeztet (vkire/vmire), hasonlít (vkire/vmire)

resent rossz néven vesz, neheztel

resentful neheztelő, megbántott

resentment neheztelés, megbántódás

reservation hely/szobafoglalás; fenntartás; rezervátum, *US* természetvédelmi terület

reserve ▾ *fn* tartalék, tartalékjátékos; *US* természetvédelmi terület ▾ *ige* (előre) lefoglal, fenntart *[asztalt, szobát, jogot]*

reserved (előre le)foglalt, fenntartott *[asztal, szoba]*; tartózkodó, zárkózott

reservoir víztározó

reset (reset, reset) beállít *[órát, készüléket]*; újraindít *[számítógépet]*

reshuffle ▾ *fn* újrakeverés *[kártyáké]* ▾ *ige* újrakever *[kártyákat]*

reside lakik, székel *[cég, hatóság]*

residence lakhely, székhely; rezidencia; tartózkodás (vhol); ~ **permit** tartózkodási engedély

resident ▾ *mn* (benn)lakó ▾ *fn* (benn)lakó, (állandó) lakos, vendég *[szállodában]*

residential tartózkodási, lakó-; ~ **area** lakónegyed

residue hátralék; maradvány, maradék
resign fel/lemond, leköszön *[tisztségről]*
resignation fel/lemondás, leköszönés
resigned rezignált, beletörődő
resin gyanta
resist (*sg*) ellenáll (vminek), ellenkezik
resistance (elektromos) ellenállás, ellenállás(i mozgalom)
resolute határozott, elszánt
resolution határozat, döntés, elhatározás; elszántság, határozottság; megoldás; (kép)felbontás *[pl. monitoré]*
resolve ▾ *fn* határozottság, eltökéltség ▾ *ige* (el)határoz(za magát), (el)dönt; megold *[problémát]*
resonant visszhangzó, zengő, rezonáns
resort ▾ *fn* üdülőhely, menedék ▾ *ige* (*to sg*) folyamodik (vmihez)
resource lelemény; erőforrás
resourceful leleményes, találékony
respect ▾ *fn* tisztelet; szempont, tekintet; **~s** *tsz* üdvözlet; **in this ~** ebben a tekintetben ▾ *ige* tisztel
respectability tiszteletreméltóság
respectable tiszteletre méltó; becsületes, tisztességes
respectful tisztelettelјes, tisztelettudó
respective megfelelő, illető, saját
respiration légzés, lélegzés, lélegzet
respond (*to sg*) reagál, válaszol (vmire)
response reagálás, válasz, felelet
responsibility felelősség

responsible (*for sy/sg*) felelős (vkiért/vmiért); felelősségteljes *[munka]*

responsive (*to sg*) fogékony, érzékeny (vmire)

rest¹ *fn* maradék, többi; **the ~** a többi

rest² ▾ *fn* nyugalom, pihenés; pihenő(hely); támaszték; **have°/take° a ~** lepihen; **~ room** *US* nyilvános illemhely ▾ *ige* pihen, pihentet; nyugszik, nyugtat (vmit vhol); (*on sy/sg*) múlik (vmi vkin/vmin)

restaurant étterem; **~ car** étkezőkocsi *[vonaton]*

restful nyugalmas

restive nyugtalan

restless izgatott, nyugtalan, türelmetlen

restlessness izgatottság, nyugtalanság, türelmetlenség

restoration helyreállítás, restaurálás

restore helyreállít, restaurál

restrain korlátoz, megfékez, visszatart

restrained korlátozott, visszatartott

restraint korlátozás, megszorítás; önuralom, önmérséklet

restrict korlátoz

restriction korlátozás, megszorítás

restrictive korlátozó

result ▾ *fn* eredmény ▾ *ige* (*from sg*) következik, származik (vmiből/vhonnan); (*in sg*) végződik (vmiben)

resume folytat, újrakezd

résumé rezümé, összefoglaló

resurrect feltámaszt, feltámad

resurrection feltámadás, feltámasztás

resuscitate feléleszt, újraéleszt

resuscitation felélesztés, újraélesztés

retail ▾ *fn* kiskereskedelem; ~ **price** kiskereskedelmi ár ▾ *ige* kicsiben árusít

retailer kiskereskedő

retain megtart, megőriz

retaliate bosszút áll, megtorol

retaliation bosszú, megtorlás

retarded értelmi fogyatékos; lassított, késleltetett

retire (*from sg*) visszavonul (vmitől); nyugdíjba megy

retired visszavonult, nyugdíjas

retirement nyugdíjazás, nyugállomány

retiring nyugdíjazás; ~ **age** nyugdíjkorhatár

retort ▾ *fn* visszavágás ▾ *ige* visszavág, megtorol (vmit)

retract behúz *[karmot]*; visszavon *[kijelentést]*

retractable behúzható *[futómű]*; visszavonható *[állítás]*

retrain továbbképez, átképez

retraining továbbképzés, átképzés

retreat ▾ *fn* menedék(hely); *kat* visszavonulás ▾ *ige kat* visszavonul

retribution büntetés

retrieval visszanyerés, *inform* visszakeresés

retrieve visszanyer; *inform* visszakeres

retrospect ▾ *fn* visszapillantás ▾ *ige* visszatekint

retrospect(ion) visszatekintés

retrospective visszatekintő, visszamenő hatályú *[törvény]*

return ▾ *fn* visszaérkezés, visszatérés; visszatevés, visszaadás; viszonzás; retúrjegy, menettérti jegy *[vonaton]*; **in ~** viszonzásképp(en); **many happy ~s of the day!** sok boldogságot! *[születésnapon]* ▾ *ige* visszaad, visszaküld; viszonoz; visszatér, visszajön

reunion *[pl. érettségi]* találkozó, összejövetel

reunite (újra)egyesít, (újra)egyesül

rev ▾ *fn biz* fordulatszám *[motoré]* ▾ *ige* felpörget *[motort]*

reveal felfed, leleplez

revealing jellemző, leleplező

revelation reveláció, (valóságos) felfedezés

revenge ▾ *fn* bosszú; **take° ~** (*for sg*) bosszút áll (vmiért) ▾ *ige* megbosszul

revenue *gazd* állami bevétel

reverence nagyrabecsülés, tisztelet

reverend tiszteletre méltó, nagytiszteletű, tisztelendő

reversal megfordulás, megfordítás

reverse ▾ *mn* ellenkező, fordított ▾ *fn* ellenkezője (vminek); rükverc, hátramenet ▾ *ige* megfordít; tolat *[autóval]*

reversible megfordítható, kifordítható *[pl. ruha]*

revert (*to sg*) visszatér (vmihez)

review ▾ *fn* visszapillantás, felülvizsgálat; szemle; recenzió, kritika *[könyvről]* ▾ *ige* visszapillant, felülvizsgál; ismertet *[könyvet]*

reviewer bíráló *[könyvé]*

revise átnéz, átismétel; átdolgoz, kijavít

revision átnézés, ismétlés; átdolgozás, revízió

revival feléledés, felújítás *[színdarabé]*
revive feléleszt, feléled; felújít *[színdarabot]*
revoke visszavon
revolt ▾ *fn* lázadás, felkelés ▾ *ige* (*against sy/sg*) (fel)lázad (vki/ vmi ellen)
revolting felháborító
revolution forradalom
revolutionary ▾ *mn* forradalmi ▾ *fn* forradalmár
revolutionise forradalmasít
revolve forog, kering
revolver revolver, forgópisztoly
revolving forgó, keringő; **~ door** forgóajtó
reward ▾ *fn* jutalom ▾ *ige* megjutalmaz
rewarding kifizetődő, érdemes, hálás *[feladat]*
rewind (rewound, rewound) visszateker, visszacsévél *[kazettát, filmet]*
rewound → **rewind**
rewrite (rewrote, rewritten) átfogalmaz, átír
rewritten → **rewrite**
rewrote → **rewrite**
rhapsody rapszódia
rhetoric szónoklat; retorika, szónoklattan
rhetorical szónoki, retorikai
rheumatic reumás
rheumatism reuma
Rhine Rajna
rhinoceros rinocérosz, orrszarvú
rhubarb rebarbara
rhyme ▾ *fn* rím ▾ *ige átv is* rímel, összecseng
rhythm ritmus, ütem
rhythmic(al) ritmusos, ütemes
rib borda
ribbon szalag
rice rizs
rich ▾ *mn* gazdag *[ember]*; bőséges *[étel]*; termékeny *[talaj]* ▾ *fn*

~s *tsz* vagyon, gazdagság

richly gazdagon, bőségesen; *biz* nagyon

richness gazdagság

rid (rid, rid) (*of sg*) megszabadít (vmitől)

ridden → **ride**

riddle rejtvény, *biz* talány, rejtély

ride ▾ *fn* lovaglás, kocsikázás ▾ *ige* (rode, ridden) (meg)lovagol; **~ a bicycle/bike** kerékpározik

rider lovas

ridge hegy/tetőgerinc, hegylánc

ridicule ▾ *fn* gúny, nevetség ▾ *ige* kigúnyol, nevetségessé tesz

ridiculous nevetséges

rifle (vadász)puska

rig fúrótorony

right ▾ *mn* jobb(oldali); helyes, igaz(i), megfelelő; **all ~!** rendben!; **~ angle** derékszög ▾ *fn* jog; **the ~ to vote** szavazati jog ▾ *hsz* jobbra, jobb oldalon; jól, helyesen; pont, éppen; **~ next to you** pont melletted

righteous becsületes, igazságos

rightful törvényes, jogos

right-handed jobbkezes

rightly helyesen, jogosan

right-wing jobboldali *[politika]*

rigid merev, rideg

rigorous rideg, túl szigorú

rim perem, szél, karima, (kosárlabda)gyűrű

rind ▾ *fn* héj *[gyümölcsé]* ▾ *ige* meghámoz

ring[1] ▾ *fn* gyűrű; szorító *[boxban]*, ring ▾ *ige* meggyűrűz *[madarat]*

ring[2] ▾ *fn* csengés, csengetés; **give° sy a ~** felhív *[telefonon]* ▾ *ige* (rang, rung) csenget, cseng, szól *[telefon, ha-*

rang]; felhív *[telefonon];* **does it ~ a bell?** emlékeztet valamire?

rink (fedett) jégpálya

rinse ▾ *fn* öblítés ▾ *ige* (ki)öblít

riot ▾ *fn* zavargás, lázadás ▾ *ige* fellázad; zajong, lármázik

rioter lázadó, rendbontó

riotous lázadó; zajongó

rip ▾ *fn* hasadás, repedés ▾ *ige* (fel)hasít, (fel)hasad, szakít, szakad

ripe érett

ripen (meg)érlel, (meg)érik

ripeness érettség

rise ▾ *fn* emelkedés, növekedés, béremelés ▾ *ige* (rose, risen) (fel)emelkedik, felmegy *[ár];* fellázad; (fel)kel *[ember, nap]*

risen → **rise**

risk ▾ *fn* rizikó, kockázat ▾ *ige* kokáztat, veszélyeztet

risky rizikós, kockázatos

rite rítus, szertartás

ritual ▾ *mn* rituális ▾ *fn* rituálé, rítus

rival ▾ *fn* riválís, vetélytárs ▾ *ige* rivalizál, versenyez

rivalry rivalizálás, vetélkedés

river folyó

riverbank folyópart

riverside folyópart

rivet ▾ *fn* szegecs ▾ *ige* szegecsel, *átv* odaszegez

Riviera Riviéra

road út, országút

roadblock úttorlasz

roadside ▾ *mn* országúti, út menti *[fogadó, telefon stb.]* ▾ *fn* út széle

roadsign (közúti) jelzőtábla

roadway úttest

roadworks *tsz* útépítés, útkarbantartás

roam kószál, (be)barangol

roar ▾ *fn* ordítás *[oroszláné]*, zúgás *[tengeré]*, bömbölés *[motoré]* ▾ *ige* ordít, zúg, bömböl

roast ▾ *mn, fn* pecsenye, sült ▾ *ige* (meg)süt *[húst]*, pörköl *[kávét]*; (meg)sül *[hús]*

rob kirabol

robber rabló, tolvaj

robbery rablás

robe köntös, talár; *US* pongyola

robin vörösbegy

robot robot

robust robusztus, erős, izmos

rock[1] *fn* szikla; **on the ~s** (ital) jéggel

rock[2] ▾ *fn* rock(zene); **~ and roll** *zene* rock and roll ▾ *ige* ringat, ring

rocker rocker, rock rajongó; *US* hintaszék

rocket ▾ *fn* rakéta ▾ *ige* felrepül *[gyorsan, egyenesen]*

rocking ringó, ringató, lengő; **~ chair** hintaszék; **~ horse** hintaló

rocky sziklás; **the R~ Mountains, the Rockies** *tsz* a Sziklás-hegység

rod rúd, pálca, vessző; horgászbot

rode → **ride**

rodent rágcsáló

roe[1] őz, őztehén

roe[2] (hal)ikra

role *átv is* szerep

roll ▾ *fn* zsemle, kifli; tekercs; jegyzék; gurítás, gurulás ▾ *ige* gurít, gördít, gurul, gördül

roller henger; hajcsavaró; *US* görkorcsolya; **~ coaster** hullámvasút

rolling guruló, gördülő; **~ pin** sodrófa

Roman római; római katolikus; **~ Catholic** római katolikus

romance románc, lovagregény; romantika; *biz* románc, szerelem

Romanesque román stílus(ú)

Romania Románia

Romanian *mn, fn* román

romantic romantikus *[művész]*

romanticism romantika *[művészeti irányzat]*

romp hancúrozik *[gyerek]*, pajkoskodik

rompers *tsz* rugdalózó, kezeslábas

roof háztető, (vminek) a teteje; ~ **rack** tetőcsomagtartó *[autón]*

rook vetési varjú; bástya *[sakkfigura]*

room ▾ *fn* szoba, helyiség; hely, tér; ~ **mate** szobatárs; ~ **service** szobapincér-szolgálat ▾ *ige* (*with sy*) együtt lakik (vkivel) *[albérletben]*

roomy tágas, nagy *[helyiség]*

roost ▾ *fn* kakasülő; hálóhely ▾ *ige biz* elszállásol

rooster *US, Ausz* kakas

root ▾ *fn* gyökér; *nyelv* (szó)tő ▾ *ige* gyökeret ver; **be°** ~**ed** (*in sg*) *átv* (vmiben) gyökerezik *[probléma]*

rope ▾ *fn* kötél; **learn° the** ~**s** beletanul/belejön (vmibe) ▾ *ige* odakötöz, összekötöz

rosary rózsafüzér

rose ▾ *mn* rózsaszínű ▾ *fn* rózsa ▾ *ige* → **rise**

rosebud rózsabimbó

rosemary rozmaring

rosy rózsaszínű

rot ▾ *fn* rothadás ▾ *ige* (meg)rothad, korhad

rotary ▾ *mn* forgó ▾ *fn US* körforgalom

rotate (körben) forgat, (körben) forog

rotating forgó

rotation forgás, forgatás, fordulat

rotor rotor, forgórész

rotten (meg)rothadt *[fa]*, (meg)romlott *[étel]*

rouble rubel
rough durva *[felület]*; goromba; zord *[idő]*, háborgó *[tenger]*; hozzávetőleges *[becslés]*; ~ **copy** piszkozat
roughen eldurvít, eldurvul
roughly durván, nagyjából, körülbelül, hozzávetőlegesen
roughness durvaság, nyerseség
roulette rulett
round ▾ *mn* kerek; ~ **trip** oda-vissza út/utazás; menettérti/retúr jegy ▾ *fn* forduló *[sportban]*, kör *[játékban]* ▾ *hsz* körül; körbe ▾ *elölj* (vmi) körül *[térben, időben]*; ~ **the house** a ház körül; ~ **the clock** éjjel-nappal ▾ *ige* kerekít *[számot]*; befejez
roundabout ▾ *mn* kerülő *[út]* ▾ *fn* körforgalom
roundly kereken; gyorsan, fürgén; *biz* őszintén
roundness kerekség; őszinteség
roundup (hír)összefoglaló, összegzés
rouse (*sy/sg*) (fel)ébreszt (vkit/vmit), (fel)kelt *[érdeklődést, érzést]*
route út(vonal), (út)irány
routine ▾ *mn* rutin(szerű), szokásos, rendszeres ▾ *fn* rutin, ismétlődő/megszokott dolog
rove kószál, bejár *[erdőt]*
roving kószáló, kóborló
row[1] *fn* sor, széksor *[moziban, színházban]*
row[2] ▾ *fn* evezés ▾ *ige* evez
row[3] *fn* veszekedés; zaj, zenebona
rowdy kötekedő, duhaj
rowing evezés; ~ **boat** evezőshajó
royal ▾ *mn* királyi ▾ *fn* *biz* a királyi család tagja

royalty a királyi család tagja; szerzői jogdíj
rub ▾ *fn* dörzsölés ▾ *ige* dörzsöl, (meg)dörgöl
rubber gumi; radír; *biz* gumi(óvszer); ~ **band** gumiszalag; ~ **plant** gumifa, szobafikusz
rubbish hulladék, *átv* szemét, ócskaság; butaság, buta beszéd, ostobaság; ~ **bin** szemetes(láda)
ruby rubin
rucksack hátizsák
rudder kormány(lapát) *[hajón]*, oldalkormány *[repülőn]*
ruddy pirospozsgás, vörös(es)
rude goromba, *átv is* durva, nyers
rudeness gorombaság, durvaság
rudimentary kezdetleges, fejletlen; alapvető, elemi
ruffle ▾ *fn* fodrozódás *[tengeré]*, fodor *[ruhán]* ▾ *ige* fodroz *[vizet]*, (fel/össze)borzol *[hajat, kedélyt]*
rug (rongy)szőnyeg, pokróc
rugged göröngyös *[talaj]*, markáns *[arc, vonás]*
ruin ▾ *fn* rom, omladék ▾ *ige* lerombol, romba dönt, tönkretesz
rule ▾ *fn* szabály; uralkodás, uralom ▾ *ige* uralkodik *[országon, érzelmeken]*, kormányoz; rendelkezik, dönt *[bíróság]*; ~ **out** *átv* kizár
ruler uralkodó; vonalzó
ruling ▾ *mn* kormányzó *[párt]*, uralkodó ▾ *fn* (bírósági) döntés
rum rum
Rumanian *mn, fn* román
rumble ▾ *fn* (ég/ágyú)dörgés, korgás *[gyomoré]* ▾ *ige* dörög *[ég, ágyú]*; korog *[gyomor]*
rummage turkál, kurkász, átkutat

rump far; fartő
rumple összegyűr, összegyűrődik
run ▾ *fn* futás; **in the long ~** hosszú távon ▾ *ige* (ran, run) fut, rohan, szalad; közlekedik, jár *[jármű, motor],* üzemel *[gép];* folyik *[folyó, vkinek az orra];* futtat *[állatot, programot];* vezet, irányít, üzemeltet; **~ out** (*of sg*) kifut; kifogy (vmiből); **~ over** elgázol
runaway ▾ *mn* (el)menekülő; szökött ▾ *fn* szökevény
rung → **ring**
runner futár, *sp* futó
running commentary (folyamatos) helyszíni közvetítés
runny folyó(s) *[orr],* nyúlós *[tészta]*
run-of-the-mill középszerű, átlagos
runway kifutópálya
rupture sérv, szakadás *[izomé];* (meg)szakítás, (meg)szakadás
rural falusi(as), vidéki
rush ▾ *fn* sietség, rohanás; hajsza; **gold ~** aranyláz; **~ hour**(s) csúcsforgalom ▾ *ige* siet, rohan; siettet, sürget, hajszol
rusk kétszersült
Russia Oroszország
Russian *mn, fn* orosz
rust ▾ *fn* rozsda ▾ *ige* (be/meg)rozsdásodik
rustic rusztikus, falusias, népies
rustle ▾ *fn* zizegés, susogás ▾ *ige* (meg)zizzent *[leveleket a szél];* susog, zizeg
rusty rozsdás; rozsdavörös; *biz* vörös hajú
rut *átv* megszokott kerékvágás; **move in a ~** a megszokott kerékvágásban halad
ruthless kegyetlen, könyörtelen
rye rozs

S

sabotage ▾ *fn* szabotázs ▾ *ige* (el)szabotál, (szándékosan) megrongál
saboteur szabotőr
saccharin szaharin
sachet (kis) zacskó
sack ▾ *fn* zsák ▾ *ige biz* elbocsát, kirúg *[vkit állásból]*
sacrament szentség
sacred szent
sacrifice ▾ *fn átv is* áldozat ▾ *ige* (fel)áldoz
sad (*about sg*) szomorú, bánatos (vmi miatt)
sadden elszomorít
saddle nyereg
sadness szomorúság, bánat
safari szafari
safe ▾ *mn* biztonságos ▾ *fn* széf, páncélszekrény
safeguard ▾ *fn* biztosíték, garancia; védelem ▾ *ige* megőriz, megvéd *[vkinek az érdekeit]*
safekeeping megóvás
safety biztonság; sértetlenség, épség; **~ belt** biztonsági öv; **~ pin** biztosítótű
saffron sáfrány
sag meghajlik, megereszkedik, (be)lóg
sage[1] *mn, fn* bölcs
sage[2] *fn* zsálya
Sagittarius Nyilas *[csillagkép]*
Sahara Szahara
said → **say**
sail ▾ *fn* vitorla ▾ *ige* vitorlázik, hajózik
sailboat *US* vitorlás(hajó)

sailing vitorlázás, hajózás; ~ **boat** vitorlás (hajó); ~ **ship** (vitorlás) hajó
sailor tengerész
saint szent
sake; for sy's ~, for the ~ (*of sy/sg*) (vki/vmi) kedvéért
salad saláta *[mint fogás]*
salary fizetés
sale kiárusítás, akció; árusítás, eladás; **for/on ~** eladó *[feliratként]*; **~s** *tsz* értékesítés(i osztály) *[vállalatnál]*, eladott árumennyiség
salesman (*tsz* -men) eladó, elárusító; ügynök
saleswoman (*tsz* -women) eladónő, elárusítónő
saliva nyál
salmon lazac
salon divatszalon, szépségszalon; szalon, fogadószoba
saloon szedán, lépcsőshátú autó; *US* mulató
salt ▾ *fn* só ▾ *ige* megsóz, besóz
salty sós (ízű)
salute ▾ *fn* tisztelgés, üdvözlés ▾ *ige* tiszteleg, szalutál; üdvözöl
salvage ▾ *fn* (meg)mentés ▾ *ige* megment *[beteget]*, kiment *[tűzből]*
salvation üdvözítés, üdvözülés, megváltás; **S~ Army** üdvhadsereg
same ugyanaz, azonos
sample ▾ *fn* minta, (minta)példány ▾ *ige* mintát vesz, megkóstol
sanction ▾ *fn* szankció, megtorlás; jóváhagyás, szentesítés ▾ *ige* jóváhagy, szentesít
sanctity szentség
sanctuary szentély; menedék
sand homok
sandglass homokóra
sandal szandál
sandpaper dörzspapír, *biz* smirgli

sandpit homokozó *[játszótéren]*; homokbánya
sandwich ▾ *fn* szendvics ▾ *ige* beszorít, benyom *[két dolog közé]*
sandy homokos *[tengerpart]*; vörösesszőke *[haj]*
sane épeszű, épelméjű
sang → sing
sanitary egészségügyi, egészségi
sanity józan ész, épelméjűség
sank → sink
Santa (Claus) Mikulás
sapling facsemete, fiatal fa
sapphire zafír
sarcasm szarkazmus, maró gúny
sarcastic szarkasztikus, gúnyos
sardine szardínia
Sardinia Szardínia *[sziget]*
sash tolóablak
sat → sit
Satan sátán
satanic(al) sátáni
satchel iskolatáska
satellite műhold; **~ dish** parabolaantenna
satin szatén
satire szatíra
satiric(al) szatirikus
satirise (*sy*) gúnyolódik (vkin), kigúnyol
satisfaction megelégedés, kielégülés, kielégítés *[szükségleté]*
satisfactory kielégítő
satisfy kielégít *[szükségletet]*; teljesít *[feltételt]*
satisfying kielégítő
saturate telít
saturation telítettség, telítés
Saturday szombat
sauce mártás, szósz
saucepan (nyeles) serpenyő
saucer csészealj
Saudi Arabia Szaúd-Arábia
sauerkraut savanyú káposzta

sauna szauna
sausage virsli, kolbász
savage ▾ *mn* vad, barbár *[nép];* kegyetlen ▾ *fn* vadember
save ▾ *fn sp* védés *[lövé-sé]* ▾ *ige* (meg)véd/ment/óv, (el)ment *[fájlt számítógépen];* megtakarít, (meg)spórol
savings *tsz* megtakarítás, spórolt/megtakarított pénz; ~ **account** takarékszámla; ~ **bank** takarékpénztár
savoury sós *[keksz]*
saw[1] ▾ *fn* fűrész ▾ *ige* (sawed, sawn/*US* sawed) (el)fűrészel
saw[2] *ige* → **see**
sawdust fűrészpor
sawn → **saw**
saxophone szaxofon
say ▾ *fn* beleszólás ▾ *ige* (said, said) (el/ki/meg)-mond
saying szólás, közmondás
scaffold ▾ *fn* vesztőhely; állvány(zat) ▾ *ige* felállványoz *[épületet]*
scaffolding állvány(zat)
scale[1] (mérleg)serpenyő; skála(beosztás), arány, lépték; **do° sg on a small/large ~** (vmit) kicsiben/nagyban csinál/űz
scale[2] pikkely; vízkő
scalp ▾ *fn* skalp, (hajas) fejbőr ▾ *ige* megskalpol
scan (át)vizsgál; beolvas, beszkennel *[képet számítógépbe]*
scandal botrány, skandalum, szégyen
scandalise felháborít, megbotránkoztat
scandalous botrányos, felháborító
Scandinavia Skandinávia
Scandinavian *mn, fn* skandináv(iai)
scanty hiányos *[öltözék, tudás],* elégtelen *[mennyiség]*

scapegoat bűnbak
scar ▾ *fn* heg, forradás, sebhely ▾ *ige* megsebez; elcsúfít
scarce ritka, kevés
scarcely alig, aligha
scarcity szűkösség, hiány, ritkaság
scare ▾ *fn* rémület, ijedelem ▾ *ige* megijeszt, megrémít
scarecrow *átv* madárijesztő
scared ijedt, (meg)rémült
scarf (*tsz* scarves) sál, vállkendő
scarlet skarlátvörös; ~ **fever** skarlát
scarves → **scarf**
scatter (el/szét)szór, (el/szét)szóródik; (el)terjeszt, terjed
scatter-brain(ed) szétszórt *[ember]*, kelekótya
scattered (el/szét)szórt; ritkás, gyér *[haj, szakáll]*
scavenger guberáló; dögevő állat
scenario forgatókönyv, szövegkönyv *[színdarabé]*
scene szín *[színdarabban]*, jelenet; színhely
scenery látvány, panoráma; díszlet(ek) *[színházban]*
scenic festői; színpadi(as)
scent ▾ *fn* illat, illatszer; szaglás, szimat ▾ *ige* (be)illatosít, (be)parfümöz; ki/megszimatol
sceptical két(el)kedő, szkeptikus
schedule ▾ *fn* terv, időbeosztás, menetrend ▾ *ige* (be)ütemez, tervbe vesz
scheme séma, vázlat, rend(szer), terv(ezet); cselszövés, mesterkedés
scholar tudós
scholarship ösztöndíj

school iskola
schoolboy iskolásfiú
schoolgirl iskoláslány
schoolmaster tanár; iskolaigazgató
schoolmistress tanárnő; iskolai igazgatónő
schoolroom tanterem
schoolteacher tanító(nő)
science (természet)tudomány; ~ **fiction** sci-fi, tudományos-fantasztikus irodalom/film
scientific tudományos
scientist (természet)tudós
scissors *tsz* olló
scold (le/össze)szid, megdorgál
scooter robogó *[kismotor]*; roller
scope kiterjedés, terület, (működési) kör
score ▾ *fn* pont(szám), eredmény ▾ *ige* pontot/gólt szerez
scoreboard eredményjelző tábla
scorn ▾ *fn* lenézés, megvetés ▾ *ige* lenéz, megvet
scornful lenéző, megvető
Scorpio Skorpió *[csillagkép]*
scorpion skorpió
Scot skót *[ember]*
Scotch ▾ *mn* skót ▾ *fn* skót whisky
Scotland Skócia
Scotsman (*tsz* -men) skót *[férfi]*
Scottish ▾ *mn* skót ▾ *fn* *esz/tsz* skót *[ember, nyelvjárás]*
scoundrel gazember, csirkefogó
scout ▾ *fn* felderítő, járőr; **S~** cserkész ▾ *ige* felderít
scramble összekever, habar *[tojást]*; kódol *[adást]*; **~d eggs** *tsz* (tojás)rántotta
scrap ▾ *fn* darabka, (kis) darab; ~ **paper** firkapapír ▾ *ige* el/félredob

scrape ▾ *fn* karcolás, vakarás, kaparás; nyekergés ▾ *ige* (meg)karcol, (le)vakar, (meg)kapar; (le)dörzsöl
scratch ▾ *fn* vakar(óz)ás, kaparás; **start from ~** a nulláról/semmiből kezdi ▾ *ige* (meg)karcol, (meg)karmol, (meg)vakar
scrawl ▾ *fn* firkálás, macskakaparás *[csúnya kézírás]* ▾ *ige* (le/tele)firkál
scream ▾ *fn* sikoly, sikítás ▾ *ige* sikolt, sikít
screech ▾ *fn* csikorgás *[féké]*, sikoltás ▾ *ige* csikorog *[fék]*, sikolt
screen ▾ *fn* képernyő, vetítővászon; szúnyogháló ▾ *ige* árnyékol, leplez; filmre/televízióra visz; szűr
screenplay forgatókönyv
screw ▾ *fn* csavar ▾ *ige* (oda)csavaroz, (be)csavar
screwdriver csavarhúzó
scribble ▾ *fn* firka ▾ *ige* firkál
script szövegkönyv *[filmé]*, kézirat
scripture szent könyv; **the S~s** *tsz* a Szentírás
scroll ▾ *fn* papírtekercs, kézirattekercs ▾ *ige inform* (fel/le) mozgat *[kurzort]*
scrub ▾ *fn* bozót, cserjés; bőrradír ▾ *ige* (fel/meg)súrol, sikál; kopik *[autógumi]*
scruple aggály, kétely
scrupulous lelkiismeretes
scrutinise (tüzetesen) átvizsgál, tűvé tesz
scrutiny (alapos) vizsgálat
scuba diving könnyűbúvárkodás
scuff csoszog; lehorzsol
scuffle ▾ *fn* dulakodás ▾ *ige* dulakodik
sculptor szobrász

sculpture szobor; szobrászat
scythe ▾ *fn* kasza ▾ *ige* kaszál
sea tenger; **by ~** hajóval *[utazik/szállít]*
seafood tengeri hal, rák, kagyló *[ételként]*
seagull sirály
seal[1] *fn* fóka
seal[2] ▾ *fn* pecsét; tömítés ▾ *ige* lepecsétel; tömít, (vízmentesen) lezár
seam ▾ *fn* varrás, varrat ▾ *ige* (be)szeg *[ruhát]*
seaport tengeri kikötő
search ▾ *fn* keresés, (át)kutatás, (meg)motozás ▾ *ige* (*for sg*) keres (vmit), (át)kutat, átvizsgál, (meg)motoz
seashore tengerpart
seasick tengeribeteg
seaside tengerpart
season ▾ *fn* évszak, szezon, idény; **~ ticket** bérlet ▾ *ige átv is* (meg)fűszerez
seasonal idényjellegű
seasoned fűszeres, megfűszerezett
seasoning fűszer(ezés)
seat ▾ *fn* ülés, ülőhely; székhely; **~ belt** biztonsági öv ▾ *ige* (le)ültet
seaweed hínár
secluded magányos, visszavonult *[élet]*, félreeső *[hely]*
seclusion elkülönülés, visszavonultság
second[1] *mn* második
second[2] *fn* másodperc, *biz* pillanat
secondary másodlagos, mellék(es); **~ school** középiskola
second-class másodosztályú
second-hand ▾ *mn* használt ▾ *hsz* használtan
secondly másodszor
second-rate másodosztályú
secrecy titoktartás

secret ▾ *mn* titkos, titokzatos ▾ *fn* titok, rejtély
secretarial titkári
secretary titkár; **Home/ Foreign S~** bel/külügyminiszter; **S~ of State** *US* külügyminiszter
secretive titkoló(zó), titokzatoskodó
sect szekta
section rész, szekció, szakasz
sector szektor, övezet
secular világi
secure ▾ *mn* biztonságos, biztos ▾ *ige* (*against sg*) biztosít (vmi ellen), megvéd
securities értékpapírok
security biztonság; (pénzügyi) biztosíték, kaució
sedan *US* lépcsőshátú/négyajtós autó
sedate *orv* nyugtat, (le)csillapít
sedateness komolyság
sedative *orv* nyugtató(szer)
seduce (el)csábít, megront
seduction (el)csábítás, megrontás
seductive csábító
see (saw, seen) lát, megnéz *[filmet]*; felfog, (meg)ért; meglátogat
seed mag *[növényé]*
seek (sought, sought) keres
seem tűnik, látszik
seen → **see**
see-saw mérleghinta, libikóka
see-through átlátszó
segment rész, szegmens, (kör)cikkely
segregate elkülönít
segregation elkülönítés, elkülönülés, *pol* faji megkülönböztetés
seize megfog, megragad; elfoglal *[várost]*; *jog* lefoglal, elkoboz
seizure *jog* lefoglalás, elkobzás; *orv* agyvérzés, roham

seldom ritkán
select ▾ *mn* válogatott ▾ *ige* (ki)választ, (ki)válogat
selection (ki)választás, (ki)válogatás; kiválasztódás
selective válogatós, szelektív
self (*tsz* selves) (saját) maga
self-assured magabiztos
self-confidence önbizalom
self-conscious öntudatos
self-control önuralom
self-employed (egyéni) vállalkozó
self-evident magától értetődő
self-interest önérdek, önzés
selfish önző
selfishness önzés
self-portrait önarckép
self-respect önérzet, önbecsülés
self-satisfied önelégült, öntelt
self-service ▾ *mn* önkiszolgáló ▾ *fn* önkiszolgálás
self-sufficient önellátó, önálló
sell (sold, sold) árusít, árul, elad; elkel, fogy *[áru]*
sell-by date «„minőségét megőrzi" dátum»
seller eladó *[szerződésben]*
Sellotape cellux
selves → self
semester szemeszter, (iskolai) félév
semi *összet* fél-
semicircle félkör
semicolon pontosvessző
semifinal *sp* középdöntő
seminar szeminárium
senate szenátus, felsőház
senator szenátor, felsőházi tag
send (sent, sent) (el)küld
sender (el)küldő

senior ▾ *mn* idős, idősebb; rangidős; **~ citizen** nyugdíjas ▾ *fn* *US* végzős hallgató

seniority rangidősség; (vkinek) az idősebb volta

sensation szenzáció; érzékelés, érzés

sensational szenzációs

sense érzék, érzés, felfogás; jelentés; **it doesn't make ~** nincs értelme

senseless értelmetlen; eszméletlen, öntudatlan

senses *tsz* józan ész

sensible értelmes, okos, ésszerű

sensitive (*to sg*) érzékeny, kényes (vmire)

sensual érzéki

sent → **send**

sentence ▾ *fn nyelv* mondat; *jog* ítélet ▾ *ige* *jog* (el)ítél *[vkit bíróságon]*

sentiment érzés, érzelem

sentimental érzelgős, érzelmes

sentry *kat* őr(szem), őrség

separate ▾ *mn* külön(álló), elválasztott ▾ *ige* el/különválaszt; elválik

separately külön(-külön)

separation el/különválasztás; *jog* (el)válás, különélés

September szeptember

septic elfertőződött *[seb]*

sequel folytatás *[filmé, könyvé]*

sequence sor(ozata vmiknek), sorrend

sergeant őrmester

serial (regény/képregény/film)sorozat; **~ number** sorszám, gyártási szám

series *esz/tsz* sor(ozat); filmsorozat *[tévében]*

serious komoly *[ember]*, súlyos *[betegség]*

seriousness komolyság, súlyosság

sermon prédikáció, szentbeszéd

serum védőoltás, szérum

servant szolga, alkalmazott

serve ▾ *fn sp* szerva, adogatás ▾ *ige* szolgál, kiszolgál; felszolgál, tálal; *sp* szervál, adogat

server *sp* adogató(játékos); *inform* szerver

service ▾ *fn* szolgálat, szolgáltatás; (autóbusz stb.) járat; javítás, szerviz; istentisztelet; kiszolgálás, felszolgálás; *sp* szerva, adogatás; ~ **charge** felszolgálási díj; **S~s** fegyveres erők; ~ **station** *gépk* benzinkút ▾ *ige* javít, szervizel

serviette szalvéta, asztalkendő

serving (étel)adag

session ülés(szak)

set ▾ *mn* előírt, kötelező *[olvasmány]* ▾ *fn* szett, készlet; (tévé/rádió)készülék; *sp* szett, játszma ▾ *ige* (set, set) beállít *[órát],* igazít; kijelöl, felad *[leckét];* (le)nyugszik *[nap];* összeforr *[csont];* ~ **the table** megteríti az asztalt; ~ **up** összerak/szerel; létesít, alapít; *inform* telepít *[programot]*

setback visszaesés, hanyatlás, kudarc

settee kanapé

setting szín(hely), (el)helyezés; foglalat *[ékszeré]; inform* **~s** beállítások

settle megold, elintéz *[ügyet];* kiegyenlít, kifizet *[számlát];* megnyugtat; letelepszik; lecsillapodik

settlement település, letelepedés; kifizetés, kiegyenlítés *[számláé];* megoldás, elintézés *[ügyé]*

settler telepes

setup felépítés *[szervezeté],* elrendezés; *inform* telepítés

seven hét
seventeen tizenhét
seventeenth tizenhetedik; egytizenheted
seventh hetedik; egyheted
seventieth hetvenedik; egyhetvened
seventy hetven
several számos, több
severe szigorú; súlyos
severity szigor(úság); súlyosság *[betegségé]*
sew (sewed, sewn/sewed) (meg)varr
sewage szennyvíz
sewer *fn* (szennyvíz)csatorna
sewing varrás; **~ machine** varrógép
sewn → **sew**
sex szex(ualitás); (biológiai) nem
sexual szexuális, nemi
shabby ócska, kopott *[ruha]*
shackles *tsz* bilincs, béklyó
shade árnyék; lámpaernyő; *átv is* (szín)árnyalat; *US* redőny
shadow ▾ *fn* árny(ék); szemfesték ▾ *ige átv* beárnyékol; (árnyékként) követ
shadowy árnyékos, árnyas
shady árnyékos, árnyas
shaft nyél *[szerszámé, ütőé];* tengely *[keréké];* akna *[liftév]*
shake ▾ *fn* (fel/meg)rázás, rázkódás; turmix ▾ *ige* (shook, shaken) (meg)ráz; (meg)remeg, reszket, reng *[föld]*
shaken → **shake**
shaky roskatag, bizonytalan
shall (should) fogok/fogunk *[tenni vmit]*
shallow sekély; sekélyes, felszínes
shame szégyen(kezés); **what a ~!** milyen kár!; **~ on you!** szégyelld magad!

shameful gyalázatos, szégyenletes
shameless arcátlan, szégyentelen
shampoo ▾ *fn* sampon ▾ *ige* (be)samponoz
shamrock lóhere
shape ▾ *fn* forma, alak ▾ *ige* (meg)formál, (ki)alakít
shapely formás, jó alakú
share ▾ *fn* rész, részesedés; részvény ▾ *ige* (*sg with sy*) megoszt (vmit vkivel); (*in sg*) részesedik (vmiből)
shareholder részvényes
shark cápa
sharp ▾ *mn* éles, hegyes ▾ *hsz* pontosan
sharpen (meg)élesít, kihegyez *[ceruzát]*
sharpener ceruzahegyező
sharply élesen, hirtelen
sharpness élesség
shatter *átv is* összetör/zúz, darabokra tör/zúz
shave ▾ *fn* (meg)borotválás, (meg)borotválkozás ▾ *ige* (shaved, shaved/shaven) (meg)borotvál; (meg)borotválkozik; ~ **off** leborotvál
shaven → **shave**
shaver villanyborotva
shaving brush borotvapamacs
shawl kendő
she ▾ *mn* nőstény *[állat]* ▾ *nm* ő *[nő, lány]*
shear (meg)nyír *[juhot]*
shed (shed, shed) (le)vedlik; hullat *[könnyet]*, (ki)ont *[vért]*
sheep *esz/tsz* birka, juh
sheepish szégyenlős, félénk, mamlasz
sheepskin báránybőr, birkabőr
sheer puszta, merő, teljes
sheet lepedő; (papír)lap, ív
sheik(h) sejk
shelf (*tsz* shelves) polc

shell ▾ *fn* kagyló; héj; (töltény)hüvely, gránát ▾ *ige* ágyúz, bombáz

shellfish kagyló, rákféle

shelter ▾ *fn* menedék(hely); fedett buszmegálló; óvóhely ▾ *ige* (meg)véd, menedéket nyújt

shelve polcra (fel)tesz; *biz* lezár, ad acta tesz *[ügyet]*

shelves → **shelf**

shepherd pásztor, juhász

sherry sherry *[ital]*

shield ▾ *fn* pajzs ▾ *ige* (*from sy/sg*) (meg)óv, (meg)véd (vkitől/vmitől)

shift ▾ *fn* műszak; eltolódás, elmozdulás; *inform* váltóbillentyű; ~ **work** több/váltott műszakban végzett munka ▾ *ige* elmozdít, elmozdul, eltolódik

shimmer pislákol, csillámlik, vibrál *[fény]*

shine ▾ *fn* ragyogás, fény, fényesség ▾ *ige* (shone, shone) fénylik, ragyog, süt *[nap]*

shiny fényes, ragyogó

ship ▾ *fn* hajó ▾ *ige* hajóra rak; szállít

shipbuilding hajógyártás, hajóépítés

shipment szállítmány, (hajó)rakomány; fuvarozás, szállítás

shipping szállítás

shipwreck ▾ *fn* hajóroncs ▾ *ige átv is* **be°** **~ed** hajótörést szenved

shipyard hajógyár

shirt ing

shiver ▾ *fn* remegés, reszketés, borzongás; **~s** *tsz* hideglelés ▾ *ige* remeg, reszket, borzong

shock ▾ *fn* sokk, megrázkódtatás, megdöbbenés; rázkódás, (össze)ütközés; ~ **absorber** lengéscsillapító ▾ *ige* sokkol, megráz, megdöbbent

shocking sokkoló, megdöbbentő

shoddy gyenge minőségű, vacak, hitvány

shoe cipő; **a pair of ~s** egy pár cipő; **~ polish** cipőkrém

shoelace cipőfűző

shoestring cipőfűző

shone → **shine**

shook → **shake**

shoot ▾ *fn* hajtás *[növényé]*; vadászat ▾ *ige* (shot, shot) (*at sy*) (ki)lő (vkire); forgat *[filmet]*

shooting (film)forgatás; lövöldözés, lövés; **~ star** hullócsillag

shop ▾ *fn* bolt; műhely *[iparosé]*; **~ assistant** eladó; **~ window** kirakat ▾ *ige* (be)vásárol

shopkeeper üzlettulajdonos, kereskedő

shopping bevásárlás; **~ bag** bevásárlószatyor

shore (tenger)part

short ▾ *mn* rövid; alacsony *[ember]*; **be° ~** (*of sg*) (vminek) híján van; **~ story** novella; **~ wave** rövidhullám ▾ *hsz* röviden

shortage hiány, elégtelenség

short-circuit rövidzárlat

shortcut rövidebb út, átvágás *[vmin, utat lerövidítendő]*; *inform* parancsikon; **~ key** *inform* gyorsbillentyű

shorten megrövidít, (meg)rövidül

shortening megrövidítés, (meg)rövidülés

shortfall hiány

shorthand gyorsírás

short-lived rövid életű

shortly rövidesen

short-sighted rövidlátó

short-term rövid távú/lejáratú

shot ▾ *fn* lövés, lövedék; injekció; *sp* lövés, rúgás

[futballban] ▾ *ige* → **shoot**

shotgun vadászpuska

should kell, kellene; → **shall**

shoulder váll; *US* útpadka; ~ **bag** válltáska; ~ **blade** lapocka(csont)

shout ▾ *fn* kiáltás ▾ *ige* (fel)kiált, kiabál, ordít

shouting kiáltás, kiabálás, ordítás

shove ▾ *fn* taszítás, lökés ▾ *ige* taszít, (meg)lök; lökdösődik, tolakodik

shovel ▾ *fn* lapát ▾ *ige* lapátol

show ▾ *fn* műsor, show; ~ **business** szórakoztatóipar; ~ **jumping** *sp* díjugratás ▾ *ige* (showed, shown/showed) (be/meg)mutat, kiállít; megmutat, magyaráz; látszik, előtűnik; ~ **off** dicsekszik, felvág (vmivel); ~ **round** körbevezet (vkit vhol); ~ **up** *biz* felbukkan, megjelenik

shower ▾ *fn* zuhany, zuhanyozás; zápor; **have°/take° a ~** (le)zuhanyozik ▾ *ige* szór (vkire vmit)

shown → **show**

showroom bemutatóterem

shrank → **shrink**

shred ▾ *fn* darabka, foszlány ▾ *ige* (shred, shred) darabokra tép, lereszel *[sajtot, zöldséget]*

shrewd ravasz, éles eszű, agyafúrt

shriek ▾ *fn* sikoly, sikoltás ▾ *ige* sikolt, visít

shrimp garnélarák

shrine szentély, ereklyetartó

shrink (shrank/shrunk, shrunk) összemegy *[ruhadarab]*, összezsugorodik

shrinking összezsugorodó, összehúzódó

shrub cserje, bokor
shrubbery bozót, bokor
shrug ▾ *fn* vállrándítás ▾ *ige* ~ **one's shoulder** vállat von
shrunk → **shrink**
shudder ▾ *fn* borzongás, reszketés ▾ *ige* borzong, (meg)remeg
shuffle ▾ *fn* csoszogás; keverés *[kártyában]* ▾ *ige* csoszog; (meg/össze)-kever *[kártyát]*
shun (el)kerül
shut ▾ *mn* (be)zárt, (be)-csukott ▾ *ige* (shut, shut) bezár, becsuk; (be)zárul, (be)csukódik; ~ **down** bezár, lezár, *inform* kilép *[programból]*; ~ **up** elhallgat, befogja a száját
shutter spaletta, zsalu-(gáter); zár *[fényképezőgépé]*
shuttle ingajárat; **space** ~ űrrepülőgép
shy félénk, szégyenlős
Sicily Szicília
sick beteg; **be°** ~ hány; **feel°** ~ hányingere van, émelyeg; ~ **bay** betegszoba, gyengélkedő; ~ **leave** betegszabadság
sicken émelyít, hányingert okoz; undort kelt
sickle sarló
sickly beteges, gyenge, satnya
sickness betegség; hányinger, émelygés
side oldal; ~ **by** ~ egymás mellett; ~ **effect** mellékhatás; ~ **street** mellékutca, keresztutca
sideboard tálaló(asztal)
sideline *sp* oldalvonal
sidetrack mellékvágányra terel *[vonatot, kérdést]*; *biz* kitér *[válasz elől]*
sidewalk *US* járda
sideways oldalt, oldalról, oldalra
siding mellékvágány *[vasúton]*

siege ostrom
sieve ▾ *fn* rosta, szita, szűrő ▾ *ige átv is* (meg)rostál, (meg)szitál, (át)szűr
sift *átv* (meg)rostál, (át)szűr; (át)szűrődik
sigh ▾ *fn* sóhaj, sóhajtás ▾ *ige* (fel)sóhajt
sight ▾ *fn* látás; látvány, látnivalók ▾ *ige* meglát, észlel
sightseeing városnézés
sign ▾ *fn* jel, jelzés; (forgalmi) jelzőtábla; tünet; ~ **language** jelnyelv ▾ *ige* aláír, szignál; ~ **up** (*for sg*) feliratkozik (vmire)
signal ▾ *fn* jel, jelzés ▾ *ige* jelez
signature aláírás
significance jelentősség, fontosság
significant jelentős, fontos
signpost jelzőtábla, jelzőkaró
silence ▾ *fn* csend; hallgatás ▾ *ige* elhallgattat (vkit/vmit)
silent halk, csendes; szótlan, hallgatag *[ember]*; ~ **partner** csendestárs *[vállalkozásban]*
silhouette sziluett, árnykép, körvonal
silicon chip szilíciumchip
silk selyem
silky selymes
silly buta, ostoba
silo (gabona/rakéta)siló
silt iszap, üledék, hordalék
silver ezüst, ezüstpénz; (asztali) ezüst(nemű), evőeszköz; *sp* ezüstérem
silversmith ezüstműves
silverware ezüstnemű
silvery ezüstös, ezüstözött
similar (*to sg*) hasonló, hasonlatos (vmihez)
similarity hasonlóság, hasonlatosság

similarly hasonlóan, ugyanúgy
simmer párol
simple egyszerű
simplicity egyszerűség
simplify (le)egyszerűsít
simply egyszerűen
simultaneous (*with sg*) egyidejű, szimultán (vmivel)
sin ▾ *fn* bűn, vétek ▾ *ige* vétkezik, bűnt követ el
since ▾ *ksz* amióta; mivel, mert, minthogy ▾ *elölj* (vmi) óta, azóta, hogy, (vmitől) fogva
sincere őszinte
sincerely őszintén; **Yours S~** szívélyes üdvözlettel
sincerity őszinteség
sinew ín
sing (sang, sung) énekel, dalol, el/megénekel
Singapore Szingapúr
singe (meg)perzsel, (meg)pörköl
singer énekes(nő)
singing éneklés, dalolás
single ▾ *mn* egyes, egyedüli, egyetlen, egyszeri; egyedülálló, hajadon *[nő]*, nőtlen *[férfi]*, facér ▾ *fn* kislemez *[egy vagy két zeneszámmal]*; csak odaútra szóló jegy; **~s** *tsz* egyes *[versenyszám pl. teniszben]* **in ~s** egyesével
single-handed(ly) fél kézzel, egyedül, segítség nélkül
singular *nyelv* egyes számú *[pl. főnév, igealak]*
sinister baljós, vészjósló, gonosz
sink ▾ *fn* (konyhai) mosogató, (szennyvíz)lefolyó ▾ *ige* (sank, sunk) (el)süllyeszt, (el)süllyed
sinner bűnös, vétkes
sip ▾ *fn* korty, kortyintás ▾ *ige* kortyol(gat), szürcsöl(get)
siphon (szódás) szifon; bűzelzáró szifon *[csap lefolyójában]*

sir úr; ~! uram!, tanár úr!
siren sziréna; szirén
sirloin hátszín, vesepecsenye
sister (lány)testvér; nővér *[apáca]*; **elder/younger ~** nővér/húg
sister-in-law (*tsz* sisters-in-law) sógornő
sit (sat, sat) ül; ülésezik; **~ for an exam** vizsgázni megy
sitcom *röv [situation comedy]* tévékomédia
site telek, házhely; helyszín
sitting ülés, ülésezés; **~ room** nappali (szoba)
situated; be° ~ elterül, fekszik *[város, épület vhol]*
situation szituáció, helyzet; fekvés, elhelyezkedés
six hat
sixteen tizenhat
sixteenth tizenhatodik; tizenhatod
sixth hatodik; hatod
sixtieth hatvanadik; hatvanad
sixty hatvan
size ▾ *fn* méret, nagyság, szám *[ruha/cipőméretnél]* ▾ *ige* felbecsül, felmér
siz(e)able nagy, jókora, terjedelmes
sizzle ▾ *fn* sercegés, sistergés ▾ *ige* sistereg; *biz* melege van, „megsül"
skate ▾ *fn* korcsolya, *biz* görkorcsolya ▾ *ige* korcsolyázik, *biz* görkorcsolyázik
skateboard gördeszka
skateboarding gördeszkázás
skater korcsolyázó, görkorcsolyázó
skating korcsolyázás, görkorcsolyázás; **~ rink** korcsolyapálya, görkorcsolyapálya
skeleton csontváz; váz, vázlat

skeptic két(el)kedő, szkeptikus
skeptical két(el)kedő, szkeptikus
skepticism két(el)kedés, szkepticizmus
sketch ▾ *fn* vázlat, skicc ▾ *ige* (fel)vázol, skiccel
sketchy *biz* vázlatos, hevenyészett *[rajz, válasz]*
ski ▾ *fn* sí, síléc; ~ **lift** sífelvonó, sílift; ~ **pole** síbot; ~ **tow** sífelvonó ▾ *ige* síel, sízik
skid ▾ *fn* megfarolás, megcsúszás *[autóval]* ▾ *ige* megfarol, megcsúszik *[autóval]*
skier síelő, síző
skiing síelés, sízés
skilful ügyes
skill ügyesség, jártasság, szakértelem
skilled ügyes, képzett, gyakorlott
skim lefölöz *[tejet]*; gyorsan átolvas
skin ▾ *fn* *[kikészített]* bőr; héj *[gyümölcsé]*; föl *[tejé]*; ~ **diver** könynyűbúvár ▾ *ige* (meg)nyúz; (meg)hámoz
skinny sovány, csontos, vézna
skintight feszes, testre tapadó *[ruha]*
skip ugrik, szökdécsel; kihagy, átugrik
skipper (hajós)kapitány; *sp, biz* csapatkapitány
skipping rope ugrókötél, ugrálókötél
skirt szoknya
skittle tekebábu
skull koponya
skunk bűzös borz
sky ég, égbolt
skylight tetőablak, padlásablak; mennyezetvilágítás
skyscraper felhőkarcoló
slab (kő)lap
slack ▾ *mn* laza, ernyedt, petyhüdt ▾ *fn* lazaság *[kötélé]*; pangás
slacken meglazít, megla-

zul; pang *[üzlet, piac]*, lanyhul

slacks *tsz* bő nadrág, pantalló

slain → **slay**

slam ▾ *fn* (be)csapódás *[pl. ajtóé]* ▾ *ige* becsap *[pl. ajtót]*, bevág, becsapódik, bevágódik *[pl. ajtó]*

slander ▾ *fn* rágalom, rágalmazás ▾ *ige* (meg)rágalmaz

slanderous rágalmazó

slang szleng

slant ▾ *fn* lejtő, dőlés ▾ *ige* megdönt; elferdít; lejt, dől

slanting ferde, lejtős, dőlt

slap ▾ *fn* ütés, pofon, (arcon)legyintés ▾ *ige* (meg)üt, pofon üt, (arcon) legyint

slash ▾ *fn* vágás, hasíték; *inform* „per"jel ▾ *ige* (be/fel)hasít, összeszabdal; csökkent, megnyirbál

slate pala *[kőzet, tetőfedő anyag]*, palatábla

slaughter ▾ *fn* (le)mészárlás, (le)vágás *[állaté]* ▾ *ige* (le)mészárol, (le)vág *[állatot]*

slaughterhouse vágóhíd

Slav *mn, fn* szláv

slave rabszolga

slavery rabszolgaság

slay (slew, slain) (meg)öl, meggyilkol

sleek sima *[haj, modor]*, simulékony

sleep ▾ *fn* alvás ▾ *ige* (slept, slept) (el)alszik

sleeping; ~ **bag** hálózsák; ~ **car** hálókocsi *[vonaton]*; ~ **pill** altató *[tabletta]*

sleepless álmatlan, éber

sleepy álmos, (el)álmosító

sleet havas eső, *US* ónos eső

sleeve (ruha)ujj; borító *[könyvé, hanglemezé]*

sleigh szán, *US* szánkó

slender karcsú, vékony
slept → **sleep**
slew[1] ▼ *fn* csavarodás ▼ *ige* (el)csavar, (el)fordít, (el)csavarodik, (el)fordul
slew[2] *ige* → **slay**
slice ▼ *fn* szelet, gerezd *[narancs]* ▼ *ige* (fel)szel(etel), (fel)vág
slick ravasz, ügyes, dörzsölt; sima, síkos
slid → **slide**
slide ▼ *fn* csúszás; (föld)csuszamlás; csúszda; dia(pozitív) ▼ *ige* (slid, slid) (meg)csúszik, csúsztat, csúszkál *[jégen]*
slight kicsi, kevés, csekély
slim karcsú, vékony; kevés, csekély *[esély, valószínűség]*
slime váladék, nyál(ka); híg iszap
slimy nyálkás; iszapos
sling ▼ *fn* parittya; kenguru *[gyerek hordozására]* ▼ *ige* (el)hajít, (parittyából) kilő
slink (slunk, slunk) lopakodik, ólálkodik
slip ▼ *fn* (el/meg)csúszás; hiba, botlás; cédula, papírszelet; ~ **road** gyorsítósáv *[autópályán]* ▼ *ige* (be)csúsztat; (ki/meg)csúszik
slipper papucs
slippery csúszós, síkos; sikamlós *[történet]*
slipshod hanyag, rendetlen, trehány
slip-up *biz* melléfogás, baklövés
slit ▼ *fn* rés, nyílás, hasíték ▼ *ige* (slit, slit) (fel)vág, (fel)hasít
sliver forgács, szilánk
slob sár, iszap
slog ▼ *fn biz* robotolás, gürcölés ▼ *ige biz* robotol, gürcöl
slope ▼ *fn* lejtő, emelkedő, lejtés, emelkedés ▼ *ige* lejt, dől

sloping lejtős, meredek, ferde

sloppy rendetlen, trehány; felületes, pongyola *[stílus]*

slot rés, (bedobó)nyílás *[pl. automatán]*; ~ **machine** pénzbedobós automata; szerencsejáték-automata

slouch csoszog, kullog, vonszolja magát

Slovak *mn, fn* szlovák

Slovakia Szlovákia

Slovene szlovén *[ember, nyelv]*

Slovenia Szlovénia

Slovenian ▾ *mn* szlovén ▾ *fn* szlovén *[nyelv]*

slovenly rendetlen, gondozatlan, trehány

slow ▾ *mn* lassú, vontatott; ~ **motion** lassított (film)felvétel ▾ *ige* (le)lassít, (le)lassul

slowly lassan, nehézkesen

sludge sár, lucsok

sluggish lassú, lomha, rest

slum nyomornegyed, szegénynegyed

slumber ▾ *fn* alvás, szendergés ▾ *ige* alszik, szendereg, szunyókál

slump ▾ *fn gazd* hirtelen visszaesés, pangás, gazdasági válság ▾ *ige gazd* hirtelen nagyot esik *[ár, árfolyam]*

slunk → **slink**

slur ▾ *fn* szégyen(folt), gyalázat ▾ *ige* (*sg*) átsiklik (vmi felett); becsmérel, gyaláz

slush latyak, hólé

sly alattomos, ravasz, sunyi

smack ▾ *fn* pofon; cuppanós puszi/csók ▾ *ige* cuppant *[szájával]*, csettint *[nyelvével]*; csattint, csattan

small kis, kicsi, apró; kevés, csekély; ~ **change** aprópénz, váltópénz; ~

talk (báj)csevegés, könnyed társalgás

smallpox himlő

smart okos, ügyes, szellemes; elegáns, divatos

smarten kicsinosít, feldíszít

smash ▾ *fn* összeütközés; *biz* (erős) ütés, *sp* lecsapás *[teniszben]* ▾ *ige* összetör/zúz, tönkretesz, összetörik; *sp* lecsap (labdát) *[teniszben]*

smear ▾ *fn* maszat, szennyfolt; ~ **campaign** rágalomhadjárat ▾ *ige* be/elken, összemaszatol; *átv is* bemocskol, rágalmaz

smell ▾ *fn* szag, illat; szaglás, szimat ▾ *ige* (smelt, smelt) (meg)szagol; érzi (vminek) a szagát/illatát; szaga/illata van

smelly *biz* büdös, rossz szagú

smelt → **smell**

smile ▾ *fn* mosoly ▾ *ige* (*at sy/sg*) (rá)mosolyog (vkire/vmire)

smith kovács

smog szmog, füstköd

smoke ▾ *fn* füst ▾ *ige* füstöl *[pl. kémény]*; elszív *[cigarettát stb.]*, dohányzik; (fel)füstöl *[pl. sonkát]*

smoked füstölt *[étel]*

smoker dohányos

smoking ▾ *mn* dohányzó, füstölő ▾ *fn* dohányzás; (fel)füstölés

smoky füstös

smooth ▾ *mn* sima, bársonyos *[anyag]* ▾ *ige* (el/ki/le)simít, el/ki/lesimul

smother megfojt, elfojt

smoulder hamvad, parázslik

smudge ▾ *fn* (szenny)folt, pecsét *[ruhán]* ▾ *ige* összemaszatol, bepiszkít, bepiszkolódik

smug önelégült

smuggle csempészik
smuggler csempész
smuggling csempészet, csempészés
snack gyors étkezés, könnyű hideg étel, *kb.* tízórai, uzsonna
snail csiga
snake kígyó
snap ▾ *fn* kattanás, csattanás; fényképfelvétel, pillanatfelvétel ▾ *ige* csattogtat *[fogat]*, csettint; lekap *[vkit/vmit fényképezőgéppel]*
snappy elegáns, divatos; *biz* szellemes, eleven
snapshot fényképfelvétel, pillanatfelvétel
snare ▾ *fn* csapda, hurok *[csapdaként]* ▾ *ige* csapdát állít
snarl ▾ *fn* vicsorgás ▾ *ige* vicsorog
snatch ▾ *fn* (oda)kapás (vmi után); foszlány *[hangé, beszélgetésé]*, töredék ▾ *ige* (*at sg*) kap(kod) (vmi után), megragad, megkaparint
sneak oson, settenkedik
sneaky sunyi
sneer ▾ *fn* vigyor, gúnyos mosoly ▾ *ige* (*at sy/sg*) gunyorosan mosolyog/vigyorog (vkire/vmire)
sneeze ▾ *fn* tüsszentés ▾ *ige* tüsszent
sniff ▾ *fn* szippantás; *átv is* szaglászás ▾ *ige* szippant; (bele)szagol, szaglászik
snigger ▾ *fn* kuncogás ▾ *ige* kuncog
snip ▾ *fn* lemetszés, nyisszantás; lenyisszantott darab; *biz* jó vétel *[olcsón vett minőségi dolog]* ▾ *ige* (le)nyiszszant, (le)metsz
sniper orvlövész
snob sznob
snobbery sznobság
snobbish sznob

snooker sznúker *[biliárdjáték]*
snoop ▾ *fn biz* spicli, hekus ▾ *ige* szimatol, szaglászik
snooze ▾ *fn biz* szundítás, szundikálás ▾ *ige* szundít, szundikál
snore ▾ *fn* horkolás ▾ *ige* horkol
snort ▾ *fn* horkantás, fújtatás ▾ *ige* (fel)horkan, fújtat
snout orr *[állaté]*, pofa, ormány
snow ▾ *fn* hó, hóesés ▾ *ige* havazik, esik *[hó]*
snowball hógolyó, hógolyózás
snowdrift hófúvás, hóakadály, hótorlasz
snowdrop hóvirág
snowfall havazás, hóesés; hómennyiség
snowflake hópihe, hópehely
snowman (*tsz* -men) hóember
snowstorm hóvihar
snub pisze *[orr]*
snuff ▾ *fn* tubák ▾ *ige* tubákol, (fel)szippant
so ▾ *hsz* ilyen, olyan, annyira; így, úgy; ~ **far** eddig, ezidáig; ~ **do I** én is (így teszek); **and ~ on** és így tovább ▾ *ksz* tehát
soak ▾ *fn* (be)áztatás, (át)ázás ▾ *ige* (át/be)áztat, átitat, (át)ázik
soaking wet csuromvizes
soap szappan; ~ **opera** szappanopera
soapy szappanos
soar szárnyal
sob ▾ *fn* zokogás ▾ *ige* zokog
sober józan, higgadt
so-called úgynevezett
soccer labdarúgás, foci, futball
sociable barátságos, barátkozó
social társadalmi, szociális, társas; ~ **security**

társadalombiztosítás; ~ **worker** szociális munkás
socialism szocializmus
socialist *mn, fn* szocialista
socialise társaságba jár; (*with sy*) összejár (vkivel); szocializál(ódik), társadalomba beilleszt/beilleszkedik
society társadalom; egyesület, társaság
sociologist szociológus
sociology szociológia
sock zokni
socket dugaszolóaljzat, konnektor
soda szóda(víz); *US* (szénsavas) üdítőital
sofa pamlag, dívány
soft puha, lágy; ~ **drink** alkoholmentes üdítő(ital)
soften (meg)puhít, (meg)lágyít, (meg)puhul; (le)halkít, (le)tompít
software szoftver
soggy nedves, át/felázott, nyirkos
soil ▾ *fn* talaj, föld ▾ *ige* (be)szennyez, bepiszkol
soiled piszkos, szennyes, (be)szennyezett
solar *csill* nap-; ~ **eclipse** napfogyatkozás
sold → **sell**
solder (meg)forraszt
soldier katona
sole[1] *mn* egyetlen, egyedüli
sole[2] *fn* talp, cipőtalp
sole[3] *fn* nyelvhal
solemn ünnepélyes, fennkölt
solemnity ünnepélyesség
sol-fa ▾ *fn zene* szolfézs, szolmizálás ▾ *ige* szolmizál
solicit (*sy for sg/sg from sy*) folyamodik (vkihez vmiért)
solicitor ügyvéd
solid szilárd; tömör
solidarity szolidaritás, összetartás

solidify megszilárdít, megszilárdul
solitary magányos, elhagyatott; ~ **confinement** magánzárka
solo ▾ *mn* szóló, egyes ▾ *fn* szóló ▾ *hsz* szólóban, egyedül
soloist szólista
soluble (fel)oldható *[anyag];* megoldható *[kérdés]*
solution megoldás, megfejtés; (fel)oldás, oldat
solve megold
solvency fizetőképesség
solvent ▾ *mn* fizetőképes ▾ *fn* oldószer
some ▾ *mn* néhány, valamennyi; ~ **Mr Smith** egy bizonyos/valamilyen Kovács úr ▾ *hsz* körülbelül, mintegy
somebody valaki
somehow valahogy(an)
someone valaki
somersault bukfenc, (előre)szaltó
something valami
sometime valamikor, egykor
sometimes néha
somewhat némileg
somewhere valahol, valahová
son (vkinek) a fia, fiú(gyermek)
song dal, ének
son-in-law (*tsz* sons-in-law) vő
sonnet szonett
soon hamarosan, nemsokára, gyorsan, korán; **as ~ as possible** (*röv* a.s.a.p.) amint lehet; **~er or later** előbb vagy utóbb
soot ▾ *fn* korom ▾ *ige* (be)kormoz
soothe megnyugtat, (le)csillapít
sophisticated kifinomult, finom; bonyolult *[műszer, módszer],* fejlett
soprano szoprán (hang/énekes)

sorcerer varázsló

sore fájó, fájdalmas, (be)gyulladt; **have° a ~ throat** fáj a torka

sorrow ▾ *fn* bánat, szomorúság ▾ *ige* (*over sy/sg*) bánkódik, búsul (vki/vmi miatt)

sorrowful bánatos, szomorú, bús

sorry sajnálkozó, szomorú; **(I am) ~!** bocsánat!, elnézést!, sajnálom!; **be°/feel° ~** (*for sy/sg*) sajnál (vkit/vmit)

sort ▾ *fn* faj(ta), féle ▾ *ige* kiválogat, osztályoz; **~ out** kiválogat, elintéz, rendbe hoz

SOS *röv [save our souls]* S. O. S., segélykérő jelzés

so-so ▾ *mn biz* olyan amilyen, nem túl jó ▾ *hsz* úgy ahogy, nem túl jól

sought → **seek**

soul lélek; soul-zene

soulful érzelmes, érzelgős; lélekkel teli, lelkes

sound[1] *mn* ép, egészséges, sértetlen; teljes, alapos

sound[2] ▾ *fn* hang, zaj, hangzás; **~ barrier** hanghatár; **break° the ~ barrier** eléri a hangsebességet ▾ *ige* megszólaltat; hangoztat, kimond; hangzik

soundproof ▾ *mn* hangszigetelt ▾ *ige* hangszigetel

soundtrack filmzene; hangsáv *[filmen]*

soup leves

sour savanyú; **~ cream** tejföl

source forrás, eredet

south ▾ *mn* déli; **S~ Africa** Dél-Afrika; **S~ America** Dél-Amerika; **S~ Pole** Déli-sark ▾ *fn* dél *[égtáj]* ▾ *hsz* délre, dél felé

southeast ▾ *mn* délkeleti ▾ *fn* délkelet ▾ *hsz* délkeletre, délkelet felé

southern déli

southwest ▾ *mn* délnyugati ▾ *fn* délnyugat ▾ *hsz* délnyugatra, délnyugat felé

souvenir szuvenír, emléktárgy

sovereign ▾ *mn* legfelső, legfőbb; szuverén, független ▾ *fn* uralkodó, fejedelem

sovereignty szuverenitás; felségjog

sow[1] *fn* koca

sow[2] *ige* (sowed, sown/sowed) (magot el)vet, bevet *[földet]*

sown → **sow**[2]

soya szója(bab)

spa gyógyfürdő

space tér, hely, férőhely; (világ)űr; szóköz, helyköz *[nyomtatott szövegben]*; ~ **capsule** űrkabin

spaceman (*tsz* -men) űrhajós

spaceship űrhajó

spacesuit űrruha

spacing elosztás *[térben]*; távolság; (betű/sor/szó)köz

spacious tágas

spade[1] ásó

spade[2] pikk *[kártyaszín]*

Spain Spanyolország

span ▾ *fn* arasz *[22,86 cm]*; fesztáv(olság); **(average) life** ~ átlagéletkor ▾ *ige* áthidal

Spaniard spanyol *[ember]*

spaniel spániel

Spanish ▾ *mn* spanyol ▾ *fn esz/tsz* spanyol *[ember, nyelv]*

spank elfenekel, tenyérrel rácsap

spanner villáskulcs, csavarkulcs

spare ▾ *mn* tartalék, pót-; felesleges; ~ **part** (pót)alkatrész; ~ **time**

szabadidő ▾ *ige* megtakarít, (meg)kímél; nélkülözni tud

spark ▾ *fn* szikra ▾ *ige* gyújt *[motort]*, felgyújt *[képzeletet]*

sparkle szikrázik; habzik *[ital]*

sparkler csillagszóró

sparkling szikrázó, ragyogó; pezsgő, habzó *[ital]*

sparrow veréb

sparse ritka, gyér

Spartan spártai, egyszerű

spasm görcs(ös összehúzódás)

spat → **spit**

spatial térbeli

speak (spoke, spoken) beszél, (ki)mond; beszédet mond/tart; szól, megszólal; ~ **up** hangosabban beszél, felemeli a hangját

speaker szónok; hangszóró

spear dárda, lándzsa, szigony

special speciális, különleges; **nothing** ~ semmi különös

specialist specialista, szakember, szakorvos

speciality specialitás, különlegesség, sajátosság

specialise (*in sg*) szakosodik (vmire)

specially különlegesen, különösen

species *esz/tsz biol* faj

specific sajátságos, jellegzetes, különleges; specifikus, (meg)határozott

specifically jellegzetesen, különösen, kifejezetten

specification részletezés, részletes leírás

specify részletez, megszab, pontosan meghatároz

specimen példány, minta(darab)

speck petty, folt; (homok/por)szem
speckled pettyes
spectacle látvány(osság), látnivaló
spectacles *tsz* szemüveg
spectacular látványos
spectator néző, szemlélő; ~s nézőközönség
speculate tűnődik, töpreng, spekulál
speculation tűnődés, feltevés, spekuláció
sped → **speed**
speech beszéd; ~ **therapy** logopédia, beszédterápia
speechless szótlan, elnémult, néma
speed ▼ *fn* sebesség; sebesség(fokozat) *[járműé]*; ~ **limit** sebességkorlátozás, megengedett (legnagyobb) sebesség ▼ *ige* (sped/speeded, sped/speeded) (fel)gyorsít, (fel)gyorsul; gyorsan hajt, száguld; ~ **up** felgyorsít, felgyorsul
speeding gyorshajtás
speedometer kilométeróra, sebességmérő
speedy gyors, sebes
spell[1] *fn* bűvölet, varázslat
spell[2] *fn* idő(szak); **a hot ~** forróság, forró időszak *[nyáron]*
spell[3] *ige* (spelt/spelled, spelt/spelled) (le)betűz; **how do you ~ it?** hogy írják (helyesen)?
spellbound megbabonázott, megigézett, elbűvölt
spelling helyesírás
spelt → **spell**[3]
spend (spent, spent) (el)költ; (el)tölt *[időt]*
spendthrift költekező, pazarló
spent → **spend**
sphere gömb, golyó; *átv* (működési) kör, (érdek)szféra

spheric(al) gömb alakú, gömbölyű
spice ▾ *fn* fűszer ▾ *ige* (meg)fűszerez
spicy fűszeres, *átv is* pikáns
spider pók
spike hegyes vasrúd *[kerítésen]*; stopli *[sportcipőn]*
spill ▾ *fn* kilöttyintés, kiöntés ▾ *ige* (spilt/spilled, spilt/spilled) kilöttyint, kilöttyen
spilt → **spill**
spin ▾ *fn* forgás, pörgés ▾ *ige* (spun, spun) (meg)forgat, (meg)pörget, forog, pörög; fon; sző
spinach spenót, paraj
spinal *orv* gerinc-
spine gerinc
spineless *átv is* gerinctelen
spinster hajadon, *biz* vénlány
spiral ▾ *mn* spirális; ~ **staircase** csigalépcső ▾ *fn* spirál, csigavonal
spire (csúcsos) templomtorony
spirit szellem, lélek; kedv; tömény (szeszes) ital; **high ~s** *tsz* jókedv; **~s** röviditalok
spiritual szellemi, lelki
spit[1] ▾ *fn* köpés ▾ *ige* (spat/*US* spit, spat/*US* spit) köp, köpköd
spit[2] *fn* nyárs *[sütéshez]*
spite rosszindulat, rosszakarat; **in ~ of sg** (vmi) ellenére
spiteful rosszindulatú
splash ▾ *fn* lubickolás, loccsanás; folt, paca ▾ *ige* be/lefröcsköl; (fel/ki)fröccsen; pancsol *[vízben]*
spleen *orv* lép
splendid nagyszerű, ragyogó
splint *orv* sín, rögzítőkötés
splinter szilánk *[fáé,*

csonté], szálka, repesz *[bombáé]*

split ▾ *mn* meg/szétosztott, (szét)hasított ▾ *fn* (szét)hasadás, (fel/szét)hasítás; (párt)szakadás; hasíték, hasadék, rés ▾ *ige* (split, split) (fel/szét)hasít/repeszt, (fel/szét)hasad/reped; ~ **up** felbomlik, szétválik *[pár],* szétdarabol

splitting hasogató *[fejfájás]*

spoil (spoilt/spoiled, spoilt/spoiled) elront, elkényeztet, elkapat

spoils *tsz* zsákmány

spoilsport *biz* ünneprontó

spoilt → **spoil**

spoke[1] *fn* küllő

spoke[2] *ige* → **speak**

spoken ▾ *mn* beszélt *[nyelv],* (ki)mondott ▾ *ige* → **speak**

spokesman (*tsz* -men) szóvivő

spokesperson szóvivő

spokeswoman (*tsz* -women) szóvivő *[nő]*

sponge ▾ *fn* szivacs ▾ *ige* szivaccsal letöröl/felitat

spongy szivacsos

sponsor ▾ *fn* szponzor, támogató ▾ *ige* szponzorál, támogat

sponsorship támogatás, szponzorálás

spontaneity spontaneitás, spontán jelleg

spontaneous spontán

spooky kísérteties

spool orsó

spoon ▾ *fn* kanál ▾ *ige* kanalaz

spoon-feed kanállal etet

spoonful kanálnyi

sporadic szórványos

sport sport, sportág

sports; ~ **car** sportautó, sportkocsi; ~ **jacket** sportzakó

sportsman (*tsz* -men) sportember, sportoló

sportswoman (*tsz* -women) sportolónő

spot ▼ *fn* hely, helyszín; pattanás, kiütés, folt; ~ **check** szúrópróba(szerű ellenőrzés) ▼ *ige* bepiszkol, beszennyez; *biz* észrevesz, kiszúr (vkit)

spotless makulátlan, ragyogóan tiszta

spotlight reflektor, fényszóró, reflektorfény

spotted pettyes, foltos

spotty pattanásos

sprain ▼ *fn* ficam, rándulás *[ízületé]* ▼ *ige* kificamít, megrándít

sprang → **spring**

sprawl ▼ *fn* (el)terpeszkedés ▼ *ige* (szét)terpeszt *[lábat]*; (el)terpeszkedik

spray ▼ *fn* permet, spray ▼ *ige* befúj, (be)permetez; befúj *[autót]*, dukkóz

spread ▼ *fn* (el)terjedés, (el)terjesztés; kiterjedés; szendvicskrém ▼ *ige* (spread, spread) (el)terjeszt, (el)terjed, (szét)szóródik; kitár *[kart, szárnyat]*, kiterít *[terítőt, térképet]*; (*with sg*) (meg)ken *[kenyeret]* (vmivel)

spreadsheet táblázat, *inform* táblázatkezelő program

spring ▼ *fn* tavasz; ugrás; rugó; forrás ▼ *ige* (sprang, sprung) (fel)ugrik; ered, fakad, kinő *[növény]*; ~ **up** felpattan *[ültéből]*

springy ruganyos, rugós; rugózott

sprinkle ▼ *fn* (*of sg*) egy kevés/kicsi (vmiből) ▼ *ige* (meg)hint *[fűszerrel]*; (*sy/sg with sg*) (meg)locsol (vkit/vmit vmivel)

sprinkler locsoló, öntözőgép

sprint ▼ *fn* vágta, *sp* rövidtávfutás ▼ *ige* sprintel, vágtázik, vágtat

sprout ▼ *fn* bimbó, csíra;

brussels ~ kelbimbó ▾ *ige* bimbózik, kicsírázik

sprung → **spring**

spun ▾ *mn* fonott ▾ *ige* → **spin**

spur ▾ *fn* sarkantyú; **on the ~ of the moment** a pillanat hevében ▾ *ige* (meg)sarkantyúz, ösztönöz

spurious hamis, ál-

spy ▾ *fn* kém ▾ *ige* (*on sy/sg*) kémkedik (vki/vmi után)

squander (el)pazarol, (el)herdál

square ▾ *mn* négyzet alakú, négyzet-; kiadós *[étel]*; tisztességes, egyenes; **~ metre** négyzetméter ▾ *fn* négyzet; tér *[négyszög alakú]*; négyzet *[hatvány]* ▾ *hsz* tisztességesen, egyenesen

squash ▾ *fn* tolakodás, tumultus; gyümölcslé, szörp; *sp* fallabda ▾ *ige* kásává/péppé zúz; összenyom(ódik), péppé zúz(ódik); tolakodik, furakodik

squat ▾ *mn* tömzsi, zömök ▾ *ige* (le)guggol

squeak ▾ *fn* nyikorgás, nyüszítés, cincogás ▾ *ige* nyikorog, nyüszít, cincog

squeaky nyikorgó, nyüszítő, cincogó

squeal ▾ *fn* visítás ▾ *ige* visít

squeamish émelygős; **feel° ~** hányingere van

squeeze ▾ *fn* összenyomás; (kifacsart) gyümölcslé ▾ *ige* (össze)nyom, (össze)présel; (ki)facsar *[gyümölcs levét]*; (*sg out of sy*) kicsikar (vkiből vmit); furakodik

squint ▾ *mn* kancsal ▾ *fn* kancsalság ▾ *ige* kancsalít

squire földesúr, földbirtokos

squirrel mókus

stab ▾ *fn* szúrás, döfés ▾

ige (meg/le)szúr, (meg)-döf

stabilise stabilizál, megszilárdít

stable[1] *mn* stabil, szilárd

stable[2] *fn* (ló)istálló

stack ▾ *fn* kazal, rakás ▾ *ige* kazalba rak

stadium stadion

staff személyzet

stag szarvas(bika)

stage ▾ *fn* színpad, emelvény; szakasz, fokozat, stádium ▾ *ige* színpadra állít *[darabot]*

stagger ▾ *fn* imbolygás, tántorgás ▾ *ige* imbolyog, tántorog

staggering imbolygó, tántorgó; *biz* megdöbbentő, elképesztő

stagnate stagnál, pang, áll

stain ▾ *fn* folt; **~ remover** folttisztító (szer) ▾ *ige* bepiszkol, *átv is* foltot ejt

stained glass window festett üvegablak

stainless steel rozsdamentes acél

stair lépcsőfok; **~s** *tsz* lépcső

staircase lépcsőház

stairway lépcsőház

stake[1] ▾ *fn* karó, pózna ▾ *ige* kicövekel, karóz

stake[2] ▾ *fn* tét *[szerencsejátékban]* ▾ *ige* (meg)tesz *[tétet]*

stale állott, áporodott *[levegő]*, száraz *[kenyér]*

stalemate patt *[sakkban]*, patthelyzet

stallion csődör

stalls *tsz* zsöllye *[színházban]*

stamina állóképesség, kitartás

stammer ▾ *fn* dadogás, hebegés-habogás ▾ *ige* dadog, hebeg-habog

stamp ▾ *fn* bélyeg; pecsét, bélyegző ▾ *ige* felbélyegez; lepecsétel; felülbélyegez; dobbant *[lábával]*

stand ▾ *fn* állás, állvány; (el)árusítóhely ▾ *ige* (stood, stood) áll, fel/megáll; (oda)állít; elvisel, (el)tűr; **can't ~** (*sy/sg*) ki nem állhat (vkit/vmit); **~ by** készenlétben áll; **~ down** visszalép

standard ▾ *mn* sztenderd, szabványos; **~ lamp** állólámpa; **~ of living** életszínvonal ▾ *fn* szabvány, minta

stand-by tartalék, segítség

stand-in helyettes, dublőr

standing álló, felállított; állandó

standpoint álláspont

standstill leállás, megállás

stank → **stink**

staple ▾ *fn* fémkapocs ▾ *ige* összekapcsol *[papírlapokat]*, összetűz

stapler tűzőgép

star ▾ *fn* csillag; *[film, pop stb.]* csillag, sztár; **S~s and Stripes** az amerikai lobogó ▾ *ige* főszerepet játszik; **~ring X. Y.** a főszerepben X. Y.

stardom sztárság, hírnév

stare ▾ *fn* bámulás ▾ *ige* (*at sy/sg*) bámul (vkire/vmire)

starlet *[pl. film]* csillagocska, sztárjelölt

start ▾ *fn* (el)indulás, *sp* rajt, start, kezdés ▾ *ige* (el)kezd, (el/meg)kezdődik; (be/el)indít; (be/el)indul

starter előétel; önindító *[motorban]*

startle fel/megriaszt; meghökkent, meglep

starvation éhezés, éhínség

starve éhezik, (ki)éheztet

state ▾ *fn* állam; állapot, helyzet ▾ *ige* állít, be/kijelent

stately fenséges, felséges, előkelő; ~ **home** (főúri) kastély *[Angliában]*

statement be/kijelentés, nyilatkozat, állítás, megállapítás; **bank** ~ számlakivonat

statesman (*tsz* -men) államférfi

static statikus, nyugvó; elektrosztatikus

station ▾ *fn* állomás, (rendőr)őrs; *vasút* megálló, pályaudvar; ~ **wagon** *US* kombi ▾ *ige kat [csapatokat]* állomásoztat

stationary álló, mozdulatlan

stationer papírkereskedő

stationery írószer, irodaszer, papíráru

statistic(al) statisztikai

statistics *esz* statisztika(tudomány); *tsz* statisztika(i adatok)

statue szobor

stature termet, alak

status státusz, helyzet, állapot; ~ **symbol** státusszimbólum

statute rendelet, törvény

stay ▾ *fn* tartózkodás, ottlét (vhol) ▾ *ige* (ott)marad, tartózkodik (vhol); megszáll *[szállodában stb.]*, lakik *[ideiglenesen]*

steadfast kitartó, állhatatos

steadily szilárdan, kitartóan; állandóan, egyenletesen

steady szilárd, biztos; állhatatos, kitartó; egyenletes, állandó

steak bifsztek, marhapecsenye, (hús)szelet

steal (stole, stolen) (el)lop

stealing lopás

stealthy titokban végrehajtott, titkos

steam ▾ *fn* gőz, pára; ~

engine gőzgép; gőzmozdony ▾ *ige* párol, gőzöl; párolog, gőzölög
steamer pároló *[edény]*; *biz* gőzhajó
steamroller úthenger, gőzhenger
steamship gőzhajó
steel acél
steep meredek; *biz* igen/túl magas, csillagászati *[árak]*
steer ▾ *fn US* kormányzás, irányítás ▾ *ige* kormányoz, irányít
steering kormányzás, irányítás; **power ~** szervokormány; **~ wheel** kormány(kerék)
stem ▾ *fn* törzs *[fáé]*, szár; talp *[poháré]*; *nyelv* szótő ▾ *ige* (*from swhere*) ered, származik (vhonnan)
stencil stencillel sokszorosít, stencilez
step ▾ *fn* lépés; lépcső(fok), lépcsősor; **~ by ~** lépésről lépésre, fokozatosan ▾ *ige* lép, lépked, lépdel; **~ up** fokoz, növel
stepbrother mostohafivér
stepchild (*tsz* -children) mostohagyermek
stepdaughter mostohaleány
stepfather mostohaapa
stepladder kis állólétra
stepmother mostohaanya
stepping stone *átv* ugródeszka *[jobb álláshoz]*
stepsister mostohanővér
stepson mostohafiú
stereo ▾ *mn* sztereó ▾ *fn* hifi-berendezés/torony
stereotype sztereotípia
sterile steril, fertőtlenített; meddő, terméketlen *[föld, ember]*
sterling sterling
stern[1] *mn* komoly
stern[2] *fn hajó* tat
stew ▾ *fn* ragu, pörkölt, párolt étel ▾ *ige* pá-

rol(ódik), (lassú tűzön) fő(z)

steward hajópincér, (légi) utaskísérő *[férfi]*; rendező *[ünnepségé]*

stewardess (légi) utaskísérő *[nő]*

stick ▾ *fn* bot, (séta)pálca, gyeplabdaütő, nyél ▾ *ige* (stuck, stuck) döf, szúr; (rá/oda)ragaszt, (rá/oda)ragad; el/megakad, beszorul; **be°/get° stuck** beszorul, elakad; **~ out** kiáll *[felületből]*; **~ to** ragaszkodik, tartja magát (vmihez)

sticker matrica, öntapadós címke

sticking plaster sebtapasz

sticky ragadós, nyúlós; izzadt

stiff merev, kemény; fárasztó, nehéz *[munka]*

stiffen (meg)merevít, (meg)keményít, megmerevedik

still ▾ *mn* nyugodt, mozdulatlan; **~ life** csendélet ▾ *fn* nyugalom; állókép ▾ *hsz* még (mindig); csendesen, mozdulatlanul ▾ *ksz* mindazonáltal, ennek ellenére, mégis

stimulate stimulál, serkent, ösztönöz

stimuli → **stimulus**

stimulus (*tsz* stimuli) inger, ösztönzés

sting ▾ *fn* csípés *[rovaré]*, szúrás; fullánk ▾ *ige* (stung, stung) (meg)csíp *[rovar]*, (meg)szúr; ég, csíp, szúr *[seb, fájdalom]*

stingy zsugori, fösvény, smucig

stink ▾ *fn* bűz ▾ *ige* (stank/stunk, stunk) (vmi) büdös; (*of sg*) bűzlik (vmitől)

stinking büdös, bűzös

stir ▾ *fn* (meg)keverés, (fel)kavarás; kavarodás, sürgölődés, izgalom ▾ *ige* (meg)kever(get); *átv* felkavar; ~ **up** *átv is* felkavar, (fel)szít

stitch ▾ *fn* öltés, szem *[kötésben]* ▾ *ige* (össze)ölt *[pl. sebet]*, összevarr

stock ▾ *fn* raktár, készlet, (állat)állomány; *gazd* részvény, értékpapír; ~ **exchange** értéktőzsde; ~ **market** értéktőzsde, értékpapírpiac ▾ *ige* raktároz, raktáron tart

stockbroker bróker, tőzsdeügynök

stocking harisnya, térdzokni

stockpile tartalékol, felhalmoz

stocktaking leltárfelvétel, leltár(ozás)

stole → **steal**

stolen → **steal**

stomach ▾ *fn* gyomor, *biz* has ▾ *ige átv is* megemészt, lenyel, eltűr

stone kő; mag *[csonthéjasé]*

stone-deaf teljesen süket

stoneware kőedény

stony köves; kőkemény

stood → **stand**

stool (támlátlan) szék, zsámoly

stoop lehajol, előrehajol

stop ▾ *fn* megállás, megálló(hely) ▾ *ige* megállít, megáll; abbahagy, megszüntet, megszűnik

stopover útmegszakítás

stoppage fennakadás, leállás

stopper dugó, dugasz

stopwatch stopper(óra)

storage tárolás, (el)raktározás; *inform* tár

store ▾ *fn* raktár; készlet; áruház, *US* bolt, üzlet ▾ *ige* (el)raktároz, tárol

storeroom raktár(helyiség)

storey szint, emelet

stork gólya

storm ▾ *fn* vihar; *kat, orv* roham ▾ *ige* megrohamoz
stormy *átv is* viharos
story történet, elbeszélés, mese
storybook mesekönyv
stout ▾ *mn* tömzsi, testes ▾ *fn* (erős) barna sör
stove kályha, tűzhely, kemence
stow megpakol, megrak *[rakománnyal]*
stowaway potyautas
straddle lovaglóülésben ül (vmin), terpeszállásban áll
straight ▾ *mn* egyenes (irányú); becsületes, őszinte ▾ *hsz* egyenesen, közvetlenül; őszintén, nyíltan; *US* tisztán *[hígítás nélkül]*
straighten kiegyenesít, kiegyenesedik; helyrehoz, rendbe rak, rendbe jön
straightforward őszinte, egyenes; egyértelmű
strain ▾ *fn* megerőltetés, erőfeszítés, igénybevétel; *orv* húzódás ▾ *ige* (meg)erőltet; meghúz *[ínt, izmot]*
strained feszült, erőltetett, meghúzódott *[ín, izom]*
strait (tenger)szoros
strand megfeneklik, zátonyra fut; **be° ~ed** ottragad (vhol)
strange fur(cs)a, különös; idegen, ismeretlen
stranger külföldi, idegen *[ember]*
strangle megfojt, fojtogat
strap ▾ *fn* pánt *[ruhán]*, szíj, heveder ▾ *ige* be/összeszíjaz
strata → **stratum**
strategic stratégiai, hadászati
strategy stratégia, hadászat

stratum (*tsz* strata) réteg
straw szalma; szívószál
strawberry (földi) eper
stray kóbor, elkóborolt
streak sáv, csík, (fény)sugár
stream ▾ *fn* ér, patak; özön(lés), ár(adat), áramlás ▾ *ige* ömlik, folyik, áramlik
streamer lobogó; szerpentin *[papírszalag]*
streamlined áramvonalas, modern
street utca, út
strength erő
strengthen megerősít, megerősödik
strenuous kimerítő, fárasztó
stress ▾ *fn* stressz, feszültség; *nyelv* hangsúly ▾ *ige átv is* hangsúlyoz
stressful stresszes
stretch ▾ *fn* nyúlás, nyújtózkodás, rugalmasság ▾ *ige* (ki)nyújt, nyúlik; (ki)feszít, kifeszül
stretcher hordágy
strict szigorú
strictly szigorúan, pontosan; ~ **speaking** szigorúan véve
stride nagy lépés
strife harc, küzdelem
strike ▾ *fn* sztrájk; csapás, ütés; **go° on** ~ sztrájkba lép ▾ *ige* (struck, struck) (meg)üt; nekiütközik, nekiütődik, be/lecsap; üt *[óra]*; ~ **back** visszavág; ~ **down** lesújt, leüt
striker sztrájkoló; csatár *[futballban]*
striking feltűnő, meglepő
string kötél, madzag, zsinór; húr; (gyöngy)sor; *inform* jelsorozat; ~ **bean** zöldbab; ~**s** vonósok, vonós hangszerek
stringent szigorú, kemény, szoros *[költségvetés]*
strip ▾ *fn* sáv, csík, szalag; sztriptíz, (le)vetkő-

zés; ~ **cartoon** (vidám) képregény *[újság hátoldalán]* ▾ *ige* levetkőztet, levetkőzik; lehámoz, lehánt; (*sy/sg of sg*) megfoszt (vkit/vmit vmitől)

stripe ▾ *fn* csík, sáv, szalag ▾ *ige* csíkoz

striped csíkos

strive (strove, striven) (*for/after sg*) törekszik (vmire); (*against/with sg*) küzd (vmi ellen)

striven → **strive**

stroke ▾ *fn* csapás, ütés, (evező/kar)csapás; simogatás, simítás; (toll)vonás; *orv* agyvérzés, szélütés ▾ *ige* simogat, végigsimít

stroll ▾ *fn* séta ▾ *ige* sétál

strong erős, erőteljes *[kifejezés]*

stronghold erőd

strongroom páncélterem

strove → **strive**

struck → **strike**

structural strukturális, szerkezeti, szervezeti

structure struktúra, szerkezet, szervezet

struggle ▾ *fn* küzdelem, harc ▾ *ige* küzd, harcol

stubble tarló; *biz* borosta

stubborn csökönyös, makacs, konok

stuck ▾ *mn* beragadt, megakadt ▾ *ige* → **stick**

student diák, tanuló

studio stúdió, műterem

studious igyekvő, szorgalmas

study ▾ *fn* tanulás; tanulmány; dolgozószoba ▾ *ige* tanul (vmit), tanulmányoz

stuff ▾ *fn* dolog, anyag, *biz* cucc ▾ *ige* (ki/meg)töm, *gaszt is* (meg)tölt

stuffy dohos, levegőtlen, áporodott

stumble megbotlik; *átv* belebotlik

stun elkábít; *biz* megdöbbent, meglep

stung → **sting**
stunk → **stink**
stunning *biz* elképesztő, meglepő
stunt *biz* kaszkadőrmutatvány, kunszt
stupid buta, hülye, ostoba
stupidity butaság, hülyeség, ostobaság
sturdy erős, tartós, strapabíró
stutter dadog
sty *átv is* disznóól
style stílus, mód
stylish divatos
stylist fodrász; divattervező
stylistic stilisztikai, fogalmazási
subconscious tudat alatti
subdivide alcsoportokra oszt/oszlik
subdue leigáz; (le)tompít *[fényt]*
subject ▾ *mn* (*to sg*) kitett, alávetett (vminek), (vmi) alá eső ▾ *fn* téma, tárgy; tantárgy; állampolgár, alattvaló; *nyelv* alany; ~ **matter** tárgy, téma ▾ *ige* (*sy/sg to sg*) kitesz, alávet (vkit/vmit vminek)
subjective szubjektív
subjunctive *nyelv* kötőmód
sublime magasztos, fenséges
submarine tengeralattjáró
submerge (alá/le)merít, (alá/le)merül; *átv is* eláraszt
submission engedelmesség, behódolás; beadvány, benyújtás
submissive engedelmes, alázatos
submit benyújt, bead, előterjeszt; engedelmeskedik, behódol
subordinate ▾ *mn, fn* alárendelt ▾ *ige* alárendel
subpoena *jog* megidéz *[tanút]*

subscribe aláír *[nevet];* (*to sg*) előfizet (vmire)

subscription aláírás; előfizetés, feliratkozás *[listára]*

subsequent (rá)következő, azutáni

subsequently később, azután

subsidiary kisegítő, tartalék-, segéd-, pót-

subsidise pénzel, (pénzzel) támogat, dotál

subsidy segély, (anyagi) támogatás

substance anyag; lényeg

substantial anyagi; alapvető, lényeges; laktató, kiadós *[étel]*

substantiate igazol, (be)bizonyít

substitute ▾ *fn* helyettes; pótlék, pótszer; *sp* cserejátékos ▾ *ige* helyettesít

substitution helyettesítés, *sp* csere

subterranean föld alatti, *átv* titkos

subtitle felirat *[filmen];* alcím *[könyvé, filmé]*

subtle finom, nüánsznyi

subtlety finomság, apró különbség

subtly finoman

subtract kivon *[számot],* levon

subtraction kivonás *[számé],* levonás

suburb külváros, elôváros

suburban külvárosi, elővárosi

suburbia külvárosi/elővárosi övezet

subway (gyalogos) aluljáró; *US* metró, földalatti (vasút)

succeed (*in doing sg*) sikerül (vmit megtenni); örökébe lép (vkinek)

succeeding következő, egymást követő

success siker

successful sikeres

succession sorrend, egymásutániság; utódlás, öröklés
successive egymást követő
successor (trón)örökös
succinct rövid, tömör
succulent lédús *[gyümölcs]*, szaftos *[hús]*
succumb (*to sg*) enged (vminek)
such ilyen(fajta), olyan(fajta)
suck ▾ *fn* (ki)szívás, szop(ogat)ás ▾ *ige* (ki)szív, szop(ik)
suction szívás, szívóhatás
sudden hirtelen, gyors
suddenly hirtelen
sue *jog* (be)perel, pereskedik
suffer (*from sg*) szenved (vmitől), elvisel (vmit)
suffering szenvedés
sufficient elég(séges), elegendő
sufficiently eléggé, megfelelő mértékben
suffocate megfojt, megfullad
suffocation megfojtás, (meg)fulladás
sugar cukor; *biz* drágám, aranyom; ~ **beet** cukorrépa; ~ **cane** cukornád
sugary *átv is* édes(kés), cukrozott
suggest javasol, ajánl, tanácsol; utal (vmire)
suggestion javaslat, ajánlat, indítvány
suggestive ösztönző, stimuláló; (*to sg*) utaló (vmire)
suicidal öngyilkosságra hajló
suicide öngyilkosság
suit ▾ *fn* öltöny, kosztüm; (kártya)szín; *jog* per ▾ *ige* (*sy*) megfelel (vkinek), alkalmas; (*sy*) jól áll (vkinek) *[ruha]*
suitability alkalmasság
suitable (*for sg*) megfelelő, alkalmas (vmire)

suitably megfelelően, alkalomhoz illően
suitcase bőrönd
suite (bútor)garnitúra; lakosztály *[szállodában]; zene* szvit
suitor kérő *[házassághoz]*
sulky mogorva, morcos, duzzogó
sullen morcos, mogorva, komor
sulphur kén
sultana mazsola
sultry fülledt, rekkenő *[meleg],* tikkasztó
sum ▾ *fn* összeg, összegzés ▾ *ige* összead *[számokat],* összefoglal *[lényeget]*
summarise összegez, összefoglal *[lényeget]*
summary összefoglalás, áttekintés
summer nyár; ~ **house** nyaraló, nyári lak
summertime nyár(idő)
summit (hegy)csúcs, orom; csúcspont
summon *jog* beidéz, magához hívat
summons *jog* (be)idézés *[okmány]*
sun nap *[égitest],* napfény
sunbathe napozik, napoztat
sunbeam napsugár
sunburn lesülés, leégés *[bőré]*
sunburnt lesült, leégett *[a napon]*
Sunday vasárnap
sundial napóra
sundry ▾ *mn* különféle, különböző ▾ *fn* **sundries** egyéb/vegyes tételek *[listán]*
sunflower napraforgó
sung → **sing**
sunglasses *tsz* napszemüveg
sunk → **sink**
sunlight napfény
sunlit napsütötte, napfényes
sunny napos, napfényes; vidám, derűs

sunrise napkelte
sunset napnyugta
sunshade napernyő *[asztal fölött]*; napellenző *[autóban]*
sunshine napsütés, napfény
sunstroke napszúrás
suntan lesülés, barnaság *[naptól]*; ~ **oil** napolaj
super ▾ *mn* szuper, klassz ▾ *isz* szuper!, klassz!
superb remek, nagyszerű
superbly nagyszerűen
superfluous felesleges
superhuman emberfeletti
superintendent (fő)felügyelő
superior ▾ *mn* jobb, felsőbb(rendű) ▾ *fn* felettes
superiority felsőbb(rendű)ség, fölény
superlative *nyelv* felsőfok *[mn-é, hsz-é]*
superman (*tsz* -men) felsőbbrendű ember
supermarket ABC, élelmiszerüzlet
supernatural természetfeletti
superpower szuperhatalom, nagyhatalom
supersede pótol, helyettesít; meghalad
supersonic szuperszonikus, hangsebesség feletti
superstition babona
superstitious babonás
supervise felügyel, irányít
supervision felügyelet, irányítás
supervisor felügyelő, ellenőr
supper vacsora
supple *átv is* rugalmas, hajlékony
supplement kiegészítés, pótlás; melléklet *[újságé]*, függelék *[könyvé]*
supplementary pót-, kiegészítő
supplier szállító

supply ▾ *fn* ellátás; **supplies** *tsz* ellátmány, utánpótlás; *gazd* kínálat ▾ *ige* (*with sg*) ellát (vmivel), biztosít (vmit); (le)szállít, szolgáltat *[pl. közműveket]*
support ▾ *fn* támogatás, segítség; támasz ▾ *ige* támogat; alátámaszt; szurkol *[csapatnak];* eltart *[családot],* fenntart
suppose feltételez, feltesz; hisz, képzel, gondol
supposed feltételezett, állítólagos; **we were ~ to meet here** itt kellett volna találkoznunk
supposing feltéve, hogy
supposition feltételezés, feltevés
suppress lever *[felkelést],* elnyom, elfojt
suppression elnyomás, elfojtás
supremacy felső(bb)rendűség, fölény
supreme legfőbb, legfelső(bb); **~ court** legfelsőbb bíróság
surcharge túlterhelés; pótdíj
sure biztos, bizonyos
surely bizonyára, biztosan, hogyne
surf szörfözik
surface ▾ *fn* felszín, felület ▾ *ige* felszínre bukkan
surfboard szörfdeszka
surfing szörfözés, hullámlovaglás
surge ▾ *fn átv is* nagy hullám, (hirtelen) felerősödés; *átv* roham ▾ *ige* felerősödik, nekilódul, özönlik
surgeon sebész
surgery sebészet; műtét; rendelő, műtő
surgical sebész(et)i
surly mogorva, zsémbes, goromba
surname vezetéknév
surpass túlszárnyal, meghalad, felülmúl

surplus felesleg, többlet
surprise ▾ *fn* meglepetés, elképedés ▾ *ige* meglep (vkit)
surprisingly meglepő módon
surrealist szürrealista
surrender ▾ *fn* megadás *[háborúban]*, fegyverletétel ▾ *ige* megadja magát
surrogate helyettes, pót-; **~ mother** béranya
surround körülvesz, körülfog, bekerít
surrounding ▾ *mn* környező, körülvevő ▾ *fn* **~s** *tsz* környék, környezet
surveillance őrizet, felügyelet, (meg)figyelés
survey ▾ *fn* közvéleménykutatás; vizsgálat, áttekintés; földmérés ▾ *ige* felmér, megvizsgál, áttekint
surveyor földmérő
survival túlélés
survive túlél, életben marad (vki), megmarad (vmi)
survivor túlélő
susceptible (*to sg*) fogékony, érzékeny (vmire)
suspect ▾ *fn* gyanúsított (személy) ▾ *ige* (*of sg*) gyanúsít (vmivel), gyanít (vmit)
suspend felfüggeszt, félbeszakít
suspenders *tsz* harisnyatartó, *US* nadrágtartó
suspense (izgatott) várakozás, feszültség
suspension felfüggesztés
suspicion gyanakvás, gyanú
suspicious gyanús; gyanakvó
suspiciously gyanúsan; gyanakodva, gyanakvóan
sustain (fenn)tart; (el)tűr, (el)szenved
sustainable fenntartható; kibírható, elviselhető

swagger henceg, dicsekszik, hetvenkedik
swallow[1] *fn* fecske
swallow[2] ▾ *fn* falat, korty ▾ *ige* (le)nyel (vmit)
swam → **swim**
swamp mocsár
swan hattyú
swap ▾ *fn* csere(ügylet), csere(bere) ▾ *ige* (*for sg*) (el)cserél (vmire)
swarm ▾ *fn* (méh)raj(zás), (nyüzsgő) sokaság, tömeg ▾ *ige* nyüzsög; (*with sg*) hemzseg (vmitől); rajzik
sway ▾ *fn* ring(atóz)ás, himbál(óz)ás, lengés ▾ *ige* ring(at), himbál(ózik), leng(et)
swear ▾ *fn* szitok, káromkodás ▾ *ige* (swore, sworn) (*to sg*) (meg)esküszik (vmire); szitkozódik, káromkodik
swearword káromkodás, szitok
sweat ▾ *fn* izzadság, veríték ▾ *ige* (meg)izzad, (meg)izzaszt
sweater (kötött) pulóver
sweatshirt (sport)pulóver
sweaty (át)izzadt, izzadó
Swede svéd *[ember]*
Sweden Svédország
Swedish ▾ *mn* svéd ▾ *fn esz/tsz* svéd *[ember, nyelv]*
sweep ▾ *fn* (fel/ki)söprés; átfésülés *[területé]*; kéményseprő ▾ *ige* (swept, swept) (ki/le-) söpör; végigsöpör, végigszáguld (vmin)
sweeping (ki/fel)seprő; elsöprő *[lendület]*, sodró
sweet ▾ *mn* édes; kedves, aranyos; ~ **corn** csemege kukorica ▾ *fn* édesség, desszert
sweeten (meg)édesít
sweetheart kedves(e vkinek)
sweetly édesen, kedvesen

sweetness édesség *[vmié],* édes íz; aranyosság, kedvesség

swell ▼ *fn* hullámzás ▼ *ige* (swelled, swollen/swelled) (fel)duzzaszt; megdagad *[testrész];* árad *[víz]*

swelling duzzanat *[testen],* daganat, dudor

sweltering fullasztó *[meleg],* tikkasztó

swept → **sweep**

swerve félrerántja a kormányt; csavarodik *[labda],* megcsavar *[labdát]*

swift fürge, gyors, sebes

swill *átv is* moslék

swim ▼ *fn* úszás ▼ *ige* (swam, swum) úszik

swimmer úszó *[személy];* úszó *[horgászáshoz]*

swimming ▼ *mn* úszó ▼ *fn* úszás; ~ **costume** fürdőruha; ~ **pool** uszoda; ~ **trunks** *tsz* fürdőnadrág

swimsuit fürdőruha

swindle ▼ *fn* csalás ▼ *ige* becsap (vkit), csal

swine disznó, sertés

swing ▼ *fn* (ki)lengés, lendület; hinta, hintázás; szving *[tánc]* ▼ *ige* lenget, (ki)leng; hintázik, hintáztat

swirl ▼ *fn* örvény(lés) ▼ *ige* örvénylik, kavarog

Swiss ▼ *mn* svájci ▼ *fn esz/tsz* svájci *[ember]*

switch ▼ *fn* kapcsoló; váltás, átállás (vmire) ▼ *ige* kapcsol; (át)vált, átáll (vmire); ~ **off** ki/lekapcsol, leolt; ~ **on** be/felkapcsol

switchboard telefonközpont, kapcsolótábla

Switzerland Svájc

swollen ▼ *mn* meg/feldagadt *[testrész],* megduzzadt ▼ *ige* → **swell**

sword kard

swordfish kardhal

swore → **swear**

sworn ▾ *mn* esküdt, esküt tett ▾ *ige* → **swear**
swum → **swim**
swung → **swing**
sycamore szikomor(fa), hegyi jávor(fa)
syllable szótag
syllabus tanmenet, tanterv
symbol szimbólum, jel(kép)
symbolic(al) szimbolikus, jelképes
symbolise szimbolizál, jelképez
symmetric(al) szimmetrikus
symmetry szimmetria
sympathetic (*to sy*) együttérző (vkivel)
sympathise (*with sg*) együttérez (vkivel)
sympathiser szimpatizáns
sympathy együttérzés
symphony szimfónia
symptom tünet
synagogue zsinagóga
syndicate szindikátus, konzorcium
syndrome szindróma, tünetcsoport
synonym szinonima
synthesis szintézis, összegzés
synthetic ▾ *mn* összegző; *vegy* szintetikus ▾ *fn* műanyag
Syria Szíria
Syrian *mn, fn* szír(iai)
syringe fecskendő
syrup szirup, szörp
system rendszer
systematic(al) szisztematikus, módszeres, rendszeres
systematically szisztematikusan, módszeresen, rendszeresen

T

tab tabulátor
table asztal; táblázat; ~ **tennis** asztalitenisz, pingpong
tablecloth terítő
tablespoon evőkanál
tablet tabletta
tabloid bulvárlap
taboo tabu, tiltott dolog
tacit hallgatólagos
tackle (*sg*) megküzd *[feladattal]; sp* szerel
tact tapintat
tactful tapintatos
tactical taktikai; *kat* harcászati
tactics *esz* taktika; *kat* harcászat
tactless tapintatlan
tadpole ebihal
tag cédula, címke; *nyelv* ~ **question** „ugye”-utókérdés
tail farok; írás *[érmén]*
tailor ▾ *fn* szabó ▾ *ige* szab
taint (*sg*) beszennyez, foltot ejt (vmin)
take (took, taken) (el)vesz, megfog, megszerez, elragad (vmit); használ (vmit), -(o)zik/-(e)zik; (el)visz; él *[lehetőséggel]*; igényel *[kapacitást, időt]*; ~ **a shower** zuhanyozik
taken → **take**
take-off felszállás *[repülőgépé]*; paródia
takeover átvétel *[hatalomé]*
tale mese
talent tehetség
talk ▾ *fn* beszélgetés; (kis)előadás, beszéd; *pol* tárgyalás ▾ *ige* beszél(get)

talkative beszédes
tall magas
tambourine csörgődob
tame ▾ *mn* szelíd ▾ *ige* (meg)szelídít
tamper (*with sg*) megpiszkál, megbuherál (vmit)
tampon tampon
tan ▾ *fn* barnaság, (jó) szín *[bőré]* ▾ *ige* lebarnít *[bőrt]*
tangerine mandarin
tangible (meg/ki)tapintható, megfogható
tangle összegubancolódik
tank tartály; *kat* tank
tankard söröskorsó
tanker tartálykocsi; olajszállító hajó
tap[1] *fn* vízcsap
tap[2] *ige* (finoman) kocogtat, ütöget
tape ▾ *fn* szalag; ~ **recorder** magnó ▾ *ige* (magnó)szalagra rögzít
tapestry hímzett/szőtt mintás textília, falikárpit
tar aszfalt; kátrány
target ▾ *fn* cél ▾ *ige átv is* megcéloz, célba vesz
tariff díjszabás, tarifa; vám
tarmac aszfaltút
tarragon tárkony
tart gyümölcsös sütemény
tartan skót kockás minta/ruha
tartar fogkő
task feladat
taste ▾ *fn* íz; ízlés ▾ *ige* (meg)ízlel, kóstol; (vmilyen) ízű
tasteful ízléses
tasteless íztelen, ízetlen; ízléstelen
tasty jóízű, finom *[étel]*
tattoo ▾ *fn* tetoválás ▾ *ige* tetovál
taught → **teach**
Taurus Bika *[csillagkép]*
tax ▾ *fn* adó; ~ **evasion** adóelkerülés; ~ **return** adóbevallás ▾ *ige* megadóztat
taxation adózás
taxi taxi

tea tea; ~ **bag** teafilter; ~ **towel** konyharuha
teach (taught, taught) (meg)tanít
teacher tanár
teacup teáscsésze
team csapat
teapot teáskancsó
tear[1] *fn* könny(csepp); ~ **gas** könnygáz
tear[2] ▼ *fn* szakadás ▼ *ige* (tore, torn) (el/össze)tép
tease ugrat, cukkol
teaspoon kávéskanál
teat csecs; cucli *[cumisüvegen]*
technical műszaki; technikai
technicality részletkérdés
technician technikus
technique technika *[művészé, sportolóé]*
technological technikai
technology technika, technológia
tedious unalmas, fárasztó
teenage tizenéves
teeth → **tooth**
telegram távirat
telegraph távíró(készülék)
telepathy telepátia
telephone ▼ *fn* telefon ▼ *ige* telefonál
telescope teleszkóp
televise közvetít *[televízión]*
television televízió; ~ **set** tévékészülék
tell (told, told) (meg/el)mond; megkülönböztet *[egymástól]*
telling sokatmondó
temper kedély(állapot)
temperament vérmérséklet, temperamentum
temperamental temperamentumos; szeszélyes
temperate visszafogott; mérsékelt *[éghajlat]*
temperature hőmérséklet
tempest vihar
temple templom

tempt csábít, kísértésbe ejt
temptation kísértés
tempting csábító
ten tíz
tenant bérlő
tend; ~ to do (*sg*) jellemzően/általában tesz (vmit), az a tendencia, hogy…
tendency hajlam (vmire); tendencia
tender[1] *mn* lágy, puha; fiatal
tender[2] *fn gazd* ajánlat
tennis tenisz; **~ court** teniszpálya
tenor tenor
tense[1] *mn* feszes; feszült *[légkör]*
tense[2] *fn* igeidő
tension feszültség *[szemben álló felek között]*
tent sátor
tentative előzetes, tervezett
tenth tizedik; tized
tenuous *átv* ingatag, gyenge lábakon álló *[érv]*
tenure *jog* birtoklás; *US* véglegesítés *[egyetemi oktatóé]*
term időtartam, időszak; (szak)kifejezés; *okt* félév/harmadév; **~s** feltételek
terminal ▾ *mn* gyógyíthatatlan, végstádiumos *[beteg]* ▾ *fn* terminál *[repülőtéren]*; *inform* (számítógép-)terminál
terminate megszüntet, felbont *[szerződést]*; végállomáshoz ér *[jármű]*
terminology terminológia, szakkifejezések
terminus végállomás
terrace terasz
terraced house sorház
terrain terep, terület
terrestrial földi
terrible rettenetes
terribly rettenetesen, rettentően
terrific félelmetesen jó, eszméletlen(ül jó)
terrify megrémít

territorial területi
territory terület
terror rémület; terror
terrorise rettegésben tart
terrorism terrorizmus
terrorist terrorista
tertiary harmadlagos, harmadfokú
test ▾ *fn* vizsgálat, próba, teszt; ~ **tube** kémcső ▾ *ige* (ki)próbál, tesztel; *okt* vizsgáztat
testament bizonyság; végrendelet; *vall* **Old T~** Ószövetség; **New T~** Újszövetség
testify bizonyít; tanúvallomást tesz
testimony tanúvallomás
text szöveg
textbook tankönyv
textile szövet, textil
Thames Temze *[folyó]*
than mint *[hasonlításban]*
thank ▾ *fn* kösz(i)! ▾ *ige* megköszön; ~ **you!** köszönöm szépen!
thankful hálás
thankless hálátlan *[feladat]*
that ▾ *nm* (*tsz* those) az *[mutató nm]*; aki, amely *[vonatkozó nm]* ▾ *ksz* hogy
thatch zsúp(tető), nádfedél
the a(z)
theatre színház
theatrical szín(ház)i
theft lopás
their (az ő ...) -(j)uk/-(j)ük
theirs az övék
them őket, azokat; nekik
theme téma; ~ **park** vidámpark
themselves (ők/saját) maguk(at/nak)
then ▾ *mn* akkori ▾ *hsz* akkor; aztán
theology hittudomány
theoretic(al) elméleti
theory elmélet
therapy kezelés(sorozat), terápia

there ott; oda
thereby ezáltal, azáltal
therefore ezért, ennélfogva
thermal termál-
thermometer hőmérő
thermostat hő(fok)szabályozó, termosztát
thesaurus szinonimaszótár
these → **this**
theses → **thesis**
thesis (*tsz* theses) állítás, feltételezés; *okt* (doktori) értekezés
they ők, azok
thick vastag; nehéz felfogású
thicken vastagít; *gaszt* (be)sűrít
thief (*tsz* thieves) tolvaj
thieves → **thief**
thigh comb
thimble gyűszű
thin vékony; sovány
thing dolog
think (thought, thought) gondol (vmit); vél, hisz; gondolkodik
thinker gondolkodó
third harmadik; harmad; **T~ World** a harmadik világ *[a fejlődő országok]*
third-rate harmadrendű
thirst *átv is* szomj
thirsty szomjas
thirteen tizenhárom
thirteenth tizenharmadik; tizenharmad
thirtieth harmincadik; harmincad
thirty harminc
this ▾ *mn* (*tsz* these) ez a(z) (vmi), ezen (vmi) ▾ *nm* ez
thistle bogáncs
thorn tüske, tövis
thorough alapos
thoroughbred telivér *[ló]*
those → **that**
though bár
thought ▾ *fn* gondolat ▾ *ige* → **think**
thoughtful figyelmes
thousand ezer
thousandth ezredik; ezred

thrash üt; megver, legyőz; hánykolódik
thread cérna; *átv is* fonál
threat fenyegetés
threaten (meg)fenyeget
three három
three-dimensional háromdimenziós, térbeli
threshold küszöb
threw → throw
thrifty takarékos
thrill ▾ *fn* izgalom, borzongás ▾ *ige* megborzongat
thriller thriller *[hátborzongató film/könyv]*
thrive (thrived/throve, thrived) *átv* virágzik
throat torok
throb ▾ *fn* dobogás, lüktetés ▾ *ige* dobog, lüktet
throne trón
through keresztül, át; végig
throughout mindenütt, keresztül-kasul; (véges)végig
throve → thrive
throw ▾ *fn* dobás ▾ *ige* (threw, thrown) dob; dobál
thrown → throw
thrush rigó
thrust ▾ *fn* lökés; döfés ▾ *ige* (thrust, thrust) lök
thud (tompa) puffanás
thumb hüvelykujj
thump ▾ *fn* ütés; puffanás ▾ *ige* (*sy*) behúz (vkinek); puffan; lüktet, ver
thunder mennydörgés
thunderbolt dörgés-villámllás
thunderstorm vihar
Thursday csütörtök
thus így
thyme kakukkfű
tick ▾ *fn* pipa *[kipipáláskor]* ▾ *ige* ketyeg
ticket (belépő/menet)jegy
tickle (meg)csiklandoz
ticklish csiklandós
tide árapály
tidy ▾ *mn* rendes; *biz* csinos (kis) *[összeg]* ▾ *ige* rendbe rak, rendezget

tie ▾ *fn* nyakkendő; *pol* kapcsolat *[országok között]; sp* döntetlen ▾ *ige* (meg)köt; *átv* (le)köt
tier szint, réteg
tiger tigris
tight ▾ *mn* szoros, feszes ▾ *hsz* szorosan, erősen
tighten szorosabbra vesz, szorít rajta; megfeszül, megszorul
tight-fisted *biz* szűkmarkú
tights *tsz* harisnyanadrág
tile ▾ *fn* csempe; tetőcserép, zsindely ▾ *ige* csempéz; cseréppel fed *[tetőt]*
till[1] *fn* pénztárgép
till[2] *elölj* -ig *[időben]*
tilt (meg)billen(t)
timber fa(anyag); gerenda
time ▾ *fn* idő; -szor/-szer/-ször; **four ~s** négyszer; **~ bomb** *átv is* időzített bomba ▾ *ige* időzít
timely időszerű
timer időkapcsoló
timetable ▾ *fn* menetrend; órarend ▾ *ige* órarendbe beiktat/betervez
timid félénk
timing időzítés
tin bádog; konzerv(doboz)
tinker (meg)bütyköl, szerel
tint (szín)árnyalat
tinted színezett
tiny (ici)pici, apró
tip[1] *fn* csúcs(a), hegy(e) (vminek)
tip[2] ▾ *fn* borravaló; tanács, tipp; szemétdomb ▾ *ige* kiborít, kiönt; felbukik; borravalót ad
tipsy (kissé) becsípett
tiptoe ▾ *fn* lábujjhegy ▾ *ige* lábujjhegyen jár
tire[1] *fn* gumiabroncs
tire[2] *ige* elfáraszt
tired fáradt
tiresome idegesítő, fárasztó

tiring fárasztó, kimerítő
tissue papírzsebkendő; *biol is* szövet
title cím
to ▾ *elölj [fn előtt]* -ba, -be; -nak, -nek; -hoz, -hez, -höz; -ig ▾ *elölj [fn ign előtt]* -ni (vmit); azért, hogy ...-jon/-jen/ -jön (vmit)
toad varangyosbéka
toast pirítós; pohárköszöntő
toaster kenyérpirító
tobacco dohány
toboggan ▾ *fn* bob *[szánkó]* ▾ *ige* bobszánkózik
today ma
toddler *[1-2 éves]* kisgyerek
toe lábujj
toffee vajkaramella
together együtt
toil ▾ *fn* kemény munka ▾ *ige* keményen dolgozik, robotol
toilet vécé
token ▾ *mn* jelképes, szimbolikus ▾ *fn* jelkép; játékpénz, zseton
told → **tell**
tolerable tűrhető, elviselhető
tolerance tűrőképesség; *pol is* tolerancia, türelem
tolerant toleráns
tolerate eltűr, megtűr
toll[1] *fn* vám; *US* útdíj; *esz* áldozatai (vminek); **death ~** *esz* halálos áldozatok
toll[2] *ige* harangozik; zúg *[harang]*
tomato *növ* paradicsom
tomb sír
tombstone sírkő
tomcat kandúr
tomorrow holnap
ton tonna
tone hangszín; színárnyalat
tone-deaf botfülű
tongue nyelv
tongue-twister nyelvtörő

tonic tonik
tonight ma éjjel/este
tonsil mandula
too túl(zottan); is
took → **take**
tool szerszám; *inform* eszköz
tooth (*tsz* teeth) fog
toothache fogfájás
toothbrush fogkefe
toothpaste fogkrém
toothpick fogpiszkáló
top ▾ *mn* (a leg)felső; csúcs-; ~ **secret** szigorúan titkos ▾ *fn* felső része/teteje (vminek); ~ **hat** cilinder
topic téma
topical aktuális
topography domborzat
torch fáklya; zseblámpa
tore → **tear**
torment ▾ *fn* gyötrelem, gyötr(őd)és, kín(zás) ▾ *ige* (meg)kínoz, (meg)gyötör
torn → **tear**
tornado tornádó
torpedo ▾ *fn kat* torpedó ▾ *ige átv is* megtorpedóz
torrent özön
tortoise szárazföldi teknős
torture ▾ *fn* kínzás ▾ *ige* (meg)kínoz
Tory *mn, fn* tory *[konzervatív párti]*
toss (fel)dob
tot kisgyerek
total ▾ *mn* összes; teljes ▾ *fn* (vég)összeg
totally teljesen
touch ▾ *fn* érintés; **a** ~ (*of sg*) egy hangyányi, egy csipet (vmi); **be° in** ~ kapcsolatban van (vkivel) ▾ *ige* (meg)érint; meghat
touchdown földetérés *[repülőgépé]*
touching megható
touchy sértődős
tough kemény, erős
toughen (meg/be)keményít; (meg)keményedik

tour ▾ *fn* utazás; megtekintés(e), (kör)bejárás(a vminek); turné ▾ *ige* turnézik; bejár *[vidéket],* körutazást tesz
tourism turisztika; idegenforgalom
tourist turista
tournament bajnokság
tousled zilált *[haj]*
tow vontat
towards (vmi/vki) felé; (vmi/vki) iránt
towel törülköző
tower ▾ *fn* torony; ~ **block** toronyház ▾ *ige* tornyosul
town város; ~ **hall** városháza
toxic mérgező
toy játék(szer)
trace ▾ *fn* nyom ▾ *ige* lekövet, nyomára bukkan
track ▾ *fn* (láb)nyom; ösvény; sínpár; szám *[hang CD-n]; sp* (verseny)pálya ▾ *ige* (nyomon) követ
tracksuit szabadidőruha
traction húzás, feszítés
tractor traktor
trade ▾ *fn* mesterség, ipar; kereskedelem; ~(s) **union** szakszervezet ▾ *ige* elad; kereskedik
tradition hagyomány
traditional hagyományos
traffic forgalom; ~ **jam** forgalmi dugó; ~ **lights** *tsz* közlekedési (jelző)lámpa; ~ **warden** közterület-felügyelő
tragedy tragédia
tragic tragikus, végzetes
trail ▾ *fn* nyom ▾ *ige* nyomon követ
trailer[1] pótkocsi
trailer[2] filmelőzetes
train[1] *fn* vonat
train[2] *ige okt* képez; *sp* edz
trained szakképzett, képesített
trainee gyakornok, (be)tanuló
trainer *sp* edző; edzőcipő

training *okt* képzés; *sp* edzés

trait jellemvonás

traitor áruló

tram villamos

tramp csavargó

tranquil nyugodt

tranquilliser nyugtató(szer)

transaction *gazd* ügylet, tranzakció

transcript átirat, leirat *[magnóról]*

transfer ▾ *fn* áthelyezés; átszállás *[másik járműre]*; *jog* átruházás; *gazd* átutalás ▾ *ige* áthelyez; átszáll *[másik járműre]*; *jog* átruház; *gazd* átutal

transform átalakít; átalakul

transformation átalakítás; átalakulás

transformer transzformátor

transfuse átömleszt *[vért]*

transient múló, futó, átmeneti

transistor tranzisztor

transit átutazás, (át)szállítás

transition *átv* átmenet

transitive *nyelv* tárgyas

translate (le)fordít

translation fordítás

translator (mű)fordító

transmission továbbadás; *távk* adás; *gépk* sebességváltó

transmit továbbad, átad; *távk* ad, sugároz

transmitter átadó; *távk* jeltovábbító, adó(készülék)

transparency írásvetítő fólia; átlátszóság; *átv* átláthatóság, áttekinthetőség

transparent átlátszó; *átv* átlátható

transplant ▾ *fn orv is* átültetés ▾ *ige orv is* átültet

transport ▾ *fn* szállítás ▾ *ige* szállít

transportation szállítás

trap ▾ *fn* csapda ▾ *ige* csapdába ejt
trash lom, kacat; *US* szemét
trauma *pszich* megrázkódtatás
travel ▾ *fn* utazás; ~ **agency** utazási iroda ▾ *ige* utazik; *fiz* halad, terjed
tray tálca
treacherous (élet)veszélyes
tread (trod, trodden/trod) (rá)tapos, (rá)lép
treason árulás
treasure ▾ *fn* kincs ▾ *ige* (nagy) becsben tart
treasurer pénztáros *[közösségé]*
treasury kincstár
treat (*sy/sg*) bánik (vkivel/vmivel); megvendégel, jól tart (vkit); *orv* kezel
treatment bánásmód; kezelés
treaty szerződés
treble ▾ *mn* háromszor(os); *zene* szoprán ▾ *ige* (meg)háromszoroz(ódik)
tree fa; *inform* fa-diagram
trellis rács(ozat)
tremble (meg)remeg
tremendous hatalmas, óriási
tremor *orv* reszketés, remegés; *geol* rengés
trend irányzat
trendy divatos, menő
trespass ▾ *fn* birtokháborítás ▾ *ige* tilosba/magánterületre téved
trial próba; megpróbáltatás; *jog* per
triangle háromszög; *zene* triangulum
tribe törzs
tribute kegyelet, tisztelgadás, tisztelgés *[halott előtt]*
trick ▾ *fn* (csel)fogás, trükk; mutatvány ▾ *ige* becsap

trickle csörgedez, csurog, legurul *[könnycsepp]*
tricky becsapós, nem (is) olyan egyszerű
tricycle tricikli
trifle (apró) semmiség; gyümölcstorta vaníliaöntettel; **a ~** (egy) csöppet, (egy) hangyányit
trigger ▾ *fn* elsütő billentyű, ravasz *[fegyveré]*; kiváltó ok ▾ *ige* okoz, kirobbant, kivált
trilogy trilógia
trim levág, körülvág, trimmel
trip ▾ *fn* kirándulás ▾ *ige* elgáncsol; megbotlik
tripe pacal
triple ▾ *mn* hármas, háromszoros ▾ *ige* (meg)háromszoroz(ódik)
tripod foto/videoállvány *[három lábú]*
triumph ▾ *fn* győzelem ▾ *ige* győzedelmeskedik
triumphant győztes, győzedelmes; dicsőséges
trivial jelentéktelen; egyszerű, primitív
trod → **tread**
trodden → **tread**
trolley bevásárlókocsi; zsúrkocsi; betegszállító kocsi *[kórházban]*
troop csapat
trophy trófea
tropical trópusi
trot ▾ *fn* ügetés ▾ *ige* üget
trouble ▾ *fn* baj ▾ *ige* nyugtalanít; kellemetlenséget okoz (vkinek)
troublemaker bajkeverő
troubleshooting *US* hibaelhárítás
troublesome gondot okozó; bonyodalmas, körülményes
trousers *tsz* nadrág
trout pisztráng
truant iskolakerülő
truce fegyverszünet
truck teherautó; tehervagon
true igaz(i)

trump ▾ *fn ját* adu ▾ *ige* aduval üt
trumpet trombita
trunk fatörzs; törzs *[testrész]*, torzó; ormány *[elefánté]*; **swimming ~s** *tsz* úszónadrág
trust ▾ *fn* bizalom; *gazd* közalapítvány ▾ *ige* (*in sy*) (meg)bízik (vkiben); (*sg*) remél (vmit); (*to sg*) bízik (vmiben)
trustworthy megbízható
truth igazság
try ▾ *fn* próbálkozás ▾ *ige* kipróbál; megpróbál; *jog* bíróság elé állít
T-shirt póló
tub (fürdő)kád
tube cső; metró
tuck betűr *[ruhát]*; betakar *[ágyban]*
Tuesday kedd
tuft csomó *[haj, fű]*
tug ▾ *fn* (meg)rántás ▾ *ige* (meg)ránt
tuition tanítás; ~ **fee** tandíj
tulip tulipán
tumble ▾ *fn* ~ **dryer** ruhaszárító gép ▾ *ige* (le)zuhan; elesik, a földre zuhan
tumbler pohár
tumult ricsaj, zsivaj; kavarodás
tuna tonhal
tune ▾ *fn* dallam ▾ *ige zene* (fel)hangol *[hangszert]*; *elektr* (be)hangol *[rádiót, tévét]*; *műsz* beállít *[gépet]*
tuner állomáskereső *[gomb]*; (erősítő nélküli) rádióvevő, tuner
tunnel alagút
turban turbán
turbine turbina
turbulence zavar; légörvény
turbulent viharos, zűrzavaros
tureen levesestál
turf gyeptégla
Turkey Törökország
turkey pulyka

Turkish ▾ *mn* török ▾ *fn esz/tsz* török *[ember, nyelv]*
turmoil zűrzavar, kavarodás
turn ▾ *fn* fordulat; **it's your ~!** te jössz! ▾ *ige* (el)forgat, (el)fordít; forog, fordul; változtat (vmit vmivé); **~ on/off** be/kikapcsol
turning point fordulópont
turnip tarlórépa
turnout *esz* létszám
turnover *gazd* (éves) forgalom
turntable *US* lemezjátszó
turpentine terpentin
turquoise türkizkék *[színű]*
turtle tengeri teknőc
tusk agyar
tutor ▾ *fn okt* tutor, magántanár ▾ *ige* tanít
tutorial *okt* különóra; *inform* oktatóprogram
tuxedo *US* szmoking
TV *röv [television]* televízió, tévé
twelfth tizenkettedik; tizenketted
twelve tizenkettő, tizenkét
twentieth huszadik; huszad
twenty húsz
twice kétszer
twig gally
twilight (alkonyi) szürkület
twin ▾ *mn* iker-; kettős ▾ *fn* iker; **T~s** Ikrek *[csillagkép]*
twine madzag, kötél
twinkle ragyog *[csillag]*
twist ▾ *fn* csavar(od)ás; tviszt ▾ *ige* kicsavar; kificamít; csavarodik
two kettő, két
two-faced kétarcú, kétszínű
twofold ▾ *mn* kétszeres ▾ *hsz* kétszeresen
two-way kétirányú
tycoon iparmágnás

type ▾ *fn* típus ▾ *ige* (író)-gépel
typeface betűtípus
typewriter írógép
typhoon tájfun
typical tipikus
typist gépíró(nő)
typographer nyomdász
typography tipográfia
tyrant zsarnok
tyranny zsarnokság
tyre gumiabroncs

U

U-bend 180 fokos kanyar/fordulat
udder tőgy *[tehéné]*
UFO *röv [unidentified flying object]* ufó *[azonosítatlan repülő tárgy]*
uglify elcsúfít
ugliness rondaság, csúnyaság
ugly ronda, csúnya
UK *röv [United Kingdom]* Egyesült Királyság
ulcer fekély
ultimate végső, utolsó
ultimately végül (is), végtére (is)
ultraviolet ibolyántúli *[sugárzás]*, ultraibolya
umbilical cord köldökzsinór
umbrella esernyő; védőernyő; *kat* légvédelem
umpire *sp* bíró, játékvezető
UN *röv [United Nations]* ENSZ *[Egyesült Nemzetek Szervezete]*
unable képtelen
unacceptable elfogadhatatlan
unaccompanied kísérő nélküli, *zene* kíséret nélküli
unaccustomed (*to sg*) járatlan *[személy]* (vmiben), nem szokott hozzá (vmihez)
unaffected természetes, nem színlelt
unafraid (*of sg*) nem félő (vmitől)
unanimity egyhangúság *[szavazásé]*, vélemények egyezése
unanimous egyhangú, egybehangzó

unannounced be nem jelentett, bejelentetlen
unanswerable megválaszolhatatlan *[kérdés]*
unanswered megválaszolatlan *[kérdés],* viszonzatlan *[érzelem]*
unapproachable megközelíthetetlen
unarmed fegyvertelen
unasked kéretlen, hívatlan
unassuming szerény, igénytelen
unattached egyedülálló, facér; (*to sg*) nem kötött (vmihez)
unattainable megközelíthetetlen, elérhetetlen
unattractive nem vonzó, nem szép
unauthorised illetéktelen, jogosulatlan
unavailable nem elérhető, nem beszerezhető
unavoidable elkerülhetetlen
unaware (*of sg*) tudatában nem levő (vminek), vmiről nem tudó
unbalanced kiegyensúlyozatlan, (lelki) egyensúlyát vesztett
unbearable elviselhetetlen, kibírhatatlan
unbeatable legyőzhetetlen, (meg)verhetetlen
unbeaten veretlen *[játékos, csapat],* megdöntetlen *[rekord]*
unbelievable hihetetlen
unbias(s)ed elfogulatlan, pártatlan
unborn (még) meg nem született, megvalósulatlan *[terv]*
unbreakable (el)törhetetlen
unbroken ép, sértetlen *[edény];* megszakítatlan, zavartalan *[csend]*
unbuckle ki/lecsatol *[övet, cipőt]*
unbutton kigombol
uncertain bizonytalan, meghatározatlan

uncertainty bizonytalanság, kétség
unchanged változatlan, ugyanolyan
unchecked akadálytalan, ellenőrizetlen
uncivilised civilizálatlan, műveletlen
uncle nagybáty, *biz* bácsi *[megszólításban]*
uncomfortable kényelmetlen, kellemetlen
uncommon szokatlan, ritka
uncompromising hajthatatlan, meg nem alkuvó
unconditional feltétel nélküli, feltétlen
unconscious öntudatlan *[ember]*, tudattalan
unconsciousness öntudatlanság, eszméletlenség
unconstitutional alkotmányellenes
uncontrollable fegyelmezhetetlen *[gyerek]*, irányíthatatlan *[ország]*
unconventional nem hagyományos, szokatlan
unconvincing nem meggyőző *[érv]*
uncork felnyit *[üveget]*, dugót kihúz *[üvegből]*
uncountable megszámlálhatatlan
uncouth faragatlan, durva
uncover (*sy/sg*) felfed, leleplez (vkit/vmit); megmutatkozik, láthatóvá válik
uncut levágatlan *[fű]*; megszegetlen *[kenyér]*; csiszolatlan *[drágakő]*; vágatlan, cenzúrázatlan *[film, könyv]*
undecided eldöntetlen *[ügy]*, határozatlan *[ember]*
undeniable (le)tagadhatatlan, kétségbevonhatatlan
under alatt, alá
underage kiskorú
undercarriage futómű *[repülőgépé]*

undercharge nem eléggé tölt fel *[akkumulátort]*
underclothes *tsz* alsónemű, alsóruha
undercoat kiskabát *[nagykabát alatt hordott]*
undercover titkos, álcázott
underdeveloped elmaradott, fejletlen *[ország, régió]*
underdone (meg)sületlen, félig nyers *[étel]*
underestimate alábecsül, lebecsül
underfed alultáplált
underfoot láb/talp alatt
undergo (underwent, undergone) *átv* átesik *[műtéten]*, aláveti magát (vminek)
undergone → **undergo**
undergraduate hallgató *[egyetemi, főiskolai]*
underground ▾ *mn* föld alatti; *pol* földalatti *[mozgalom]*; *műv* újhullámos, underground ▾ *fn* metró, földalatti; *műv* underground irányzat ▾ *hsz* föld alatt; illegalitásban, titokban
undergrowth bozót, aljnövényzet
underline aláhúz, *átv* kiemel
undermine aláás
underneath lent, alul
underpants *tsz* alsónadrág
underpass aluljáró
underpay rosszul fizet (vkit)
underprivileged hátrányos helyzetű
underrate lebecsül, alábecsül
undershirt *US* (atléta)-trikó, alsóing
understand (understood, understood) (meg)ért
understandable érthető, világos
understanding ▾ *mn* megértő ▾ *fn* értelem, megértés

understatement *átv* enyhe kifejezés
understood → understand
undertake (undertook, undertaken) (*sg*) belekezd (vmibe); (magára) vállal *[felelősséget stb.]*
undertaken → undertake
undertaker temetkezési vállalkozó
undertaking vállalkozás, vállalat; ígéret, kötelezettség
undertook → undertake
undervalue alulértékel, lebecsül
underwater víz alatti
underwear alsónemű, alsóruházat
underwent → undergo
underworld az alvilág; túlvilág
underwrite (underwrote, underwritten) kezességet/jótállást vállal
underwriter jótállást vállaló személy, kezes
underwritten → underwrite
underwrote → underwrite
undesirable nem kívánatos
undetected észrevétlen
undid → undo
undisciplined fegyelmezetlen
undiscriminating disztingválni képtelen *[személy]*
undisputed vitathatatlan, vitán felül álló
undisturbed nyugodt, zavartalan
undo (undid, undone) kibont, kioldoz *[csomót]*
undone ▾ *mn* kioldódott, kibomlott *[csomó]*; elvégzetlen *[munka]* ▾ *ige* **→ undo**
undoubted kétségtelen, vitathatatlan
undress levetkőztet; levetkőzik
undue túlzott, indokolatlan

unduely túlzottan, indokolatlanul
unearth ki/előás
unearthly nem evilági/földi, mennyei
uneasy kényelmetlen *[érzés]*, nyugtalan
uneducated tanulatlan, műveletlen
unemployed munkanélküli
unemployment munkanélküliség
unending vég nélküli, szüntelen
unequal egyenlőtlen, aránytalan
uneven göröngyös, egyenetlen
uneventful eseménytelen
unexpected váratlan
unexpectedly váratlanul
unexplored ismeretlen, felderítetlen
unfair igazságtalan, tisztességtelen
unfairness igazságtalanság, tisztességtelenség
unfaithful hűtlen, illojális
unfamiliar ismeretlen, idegen
unfashionable nem divatos, divatjamúlt
unfasten kinyit, kikapcsol *[csatot, övet]*; kinyílik, eloldódik
unfavourable kedvezőtlen, előnytelen
unfeeling érzéketlen, könyörtelen
unfinished befejezetlen
unfit (*for sg*) nem alkalmas (vmire); nem fitt, rossz formában van
unfold szétnyit, szétbont; kibontakozik, szem elé tárul
unforeseen váratlan, előre nem látott
unforgettable emlékezetes, feledhetetlen
unforgiving engesztelhetetlen, kérlelhetetlen
unfortunate szerencsétlen, peches
unfortunately sajnos

unfounded megalapozatlan, alaptalan
unfriendly barátságtalan, rideg
unfurnished bútorozatlan
ungainly esetlen, suta
ungodly istenkáromló, istentelen; *biz* szörnyű, lehetetlen *[időpont]*
ungrammatical nyelvtanilag helytelen/hibás
ungrateful hálátlan
unhappiness boldogtalanság
unhappy boldogtalan
unharmed baj nélkül, bántatlan(ul)
unhealthy egészségtelen, beteges
unheard-of soha nem hallott, hallatlan
unhurt sértetlen, baj nélkül
unidentified azonosítatlan, ismeretlen
unification egyesítés, egyesülés
uniform ▾ *mn* egyforma, (meg)egyező ▾ *fn* egyenruha
uniformity egyformaság, egyöntetűség
unify egyesít
unilateral egyoldalú
unimaginable elképzelhetetlen
unimportant jelentéktelen, nem fontos
uninhabitable lakhatatlan
uninhabited lakatlan
unintelligible érthetetlen
unintentional önkéntelen, nem szándékos
uninteresting érdektelen, unalmas
uninviting nem vonzó *[hely]*, nem étvágygerjesztő *[étel]*
union szakszervezet; egyesítés, egyesülés
unique egyedi, egyedülálló
unison *zene, átv* összhang(zás), egyetértés

unit egység; lecke, fejezet *[tankönyvben]*; *kat* alakulat, egység
unite (*with sy/sg*) egyesít; egyesül (vkivel/vmivel)
united egysített, egyesült; **U~ Kingdom** Egyesült Királyság *[Nagy-Britannia és Észak-Írország]*; **U~ Nations (Organization)** *tsz* ENSZ, Egyesült Nemzetek Szervezete; **U~ States (of America)** Amerikai Egyesült Államok
unitedly egységesen
unity egység(esség)
universal univerzális, egyetemes
universe világ(egyetem)
university (tudomány)-egyetem
unjust igazságtalan, méltánytalan
unjustified indokolatlan
unkempt fésületlen
unkind barátságtalan, rideg
unkindness barátságtalanság, ridegség
unknown ismeretlen
unlawful törvénytelen
unless hacsak nem, kivéve ha
unlike ▾ *mn* más, eltérő ▾ *elölj* vmivel szemben/ellentétben
unlikelihood valószínűtlenség
unlikely valószínűtlen, nem valószínű
unlimited határtalan, korlátlan
unlined béleletlen *[ruha]*; (meg)vonalazatlan *[lap, füzet]*
unload kirak, kirakodik *[árut]*
unlock kinyit *[kulccsal]*
unlucky szerencsétlen, peches
unmarried hajadon, nőtlen
unmentionable ki/elmondhatatlan, megnevezhetetlen

unmistakable félreérthetetlen, összetéveszthetetlen
unnatural természetellenes, nem természetes
unnecessary felesleges, szükségtelen
unnerve elbátortalanít, megingat
unnoticed észrevétlen
unobtrusive nem feltűnő *[hely]*, szerény *[ember]*
unofficial nem hivatalos, félhivatalos *[hír stb.]*
unorthodox újszerű, szokatlan *[gondolkodásmód]*
unpack kicsomagol
unparalleled páratlan, példa nélküli
unpleasant kellemetlen, bántó *[hang]*
unplug kihúzza (vminek) a dugóját (a konnektorból)
unpopular népszerűtlen
unpopularity népszerűtlenség
unprecedented példátlan, példa nélkül álló
unpredictable megjósolhatatlan, kiszámíthatatlan
unprepared (fel)készületlen
unproductive eredménytelen, improduktív
unprofessional szakszerűtlen, nem szakszerű
unprofitable eredménytelen, hasznot nem hozó
unpublished kiadatlan *[mű]*, nyilvánosságra nem hozott
unqualified képzetlen, (szak)képzettség nélküli; fenntartás nélküli, feltétlen
unquestionable vitathatatlan, kétségbevonhatatlan
unravel *átv is* kibogoz; megoldódik *[csomó, rejtély]*
unreal valószerűtlen, irreális

unrealistic valószínűtlen, irreális
unreasonable ésszerűtlen, esztelen; túlzott, mértéktelen
unrecognisable felismerhetetlen
unrelated össze nem függő, rokonságban nem álló
unreliable megbízhatatlan
unrest nyugtalanság, elégedetlenség
unrestricted korlátozatlan, korlátlan
unrivalled utolérhetetlen, páratlan
unroll ki/legöngyöl *[zászlót, vmilyen tekercset]*; letekeredik
unruly engedetlen, rakoncátlan
unsafe kockázatos, veszélyes
unsaid kimondatlan, ki nem mondott
unsatisfactory nem kielégítő, elégtelen *[dolgozat]*
unsatisfied elégedetlen, kielégítetlen
unsavoury rossz, kellemetlen *[íz, szag]*
unscrew meglazít, kicsavar
unscrupulous gátlástalan, lelkiismeretlen
unselfish nagylelkű, önzetlen
unsettled változékony, bizonytalan; kifizetetlen, rendezetlen *[számla]*
unshaken rendületlen
unshaven borotválatlan
unskilled szakképzetlen, tapasztalatlan
unsocial túl késői, nem emberi *[időpont]*
unsolved megoldatlan *[probléma]*, megfejtetlen *[rejtély]*
unspeakable kimondhatatlan, leírhatatlan
unstable ingatag, labilis
unsteady ingatag, bizonytalan

unsuccessful sikertelen, eredménytelen
unsuitable (*for sg*) alkalmatlan, nem megfelelő (vmilyen célra)
unsure (*about sg*) határozatlan, bizonytalan (vmi felől/vmiben)
unsympathetic közönyös, nem együttérző
unthinkable elgondolhatatlan, elképzelhetetlen
untidy rendetlen *[lakás, szoba]*, ápolatlan *[ember]*
untie kibont, kioldoz *[csomót, nyakkendőt]*; kibomlik *[csomó]*
until -ig *[időben]*
untimely korai, idő előtti
untoward kellemetlen, kínos *[esemény, viselkedés]*
untranslatable lefordíthatatlan
untrue hamis, valótlan; (*to sy*) hűtlen (vkihez)
unused (fel)használatlan, üres *[épület]*
unusual különös, szokatlan
unveil *átv is* leleplez
unwanted felesleges, nem kívánt
unwary gondatlan, elővigyázatlan
unwelcome nem szívesen látott *[vendég]*
unwell rosszul
unwilling húzódozó, vonakodó
unwind (unwound, unwound) leteker, lecsavar; letekeredik, lecsavarodik; lazít
unwise ostoba, esztelen
unwitting akaratlan, nem szándékos
unworthy (*of sg*) nem méltó, méltatlan (vmire)
unwound → **unwind**
unwrap kicsomagol, kibont; kibomlik *[csomagolás]*

unwritten íratlan

up ▾ *hsz* fel(felé); fent; közel, oda ▾ *elölj* vmin felfelé

upbringing neveltetés, felnevelés *[gyereké]*

update ▾ *fn* frissítés; korszerűbb verzió *[szoftveré]* ▾ *ige* korszerűsít, felfrissít

upgrade ▾ *fn* előrelépés, előléptetés; *inform* feljavított változat ▾ *ige* előléptet (vkit); feljavít

upheaval kavarodás, felfordulás

upheld → **uphold**

uphill ▾ *mn* (hegynek) felfelé haladó; nehéz, fárasztó ▾ *hsz* hegynek fel(felé)

uphold (upheld, upheld) fenntart *[kapcsolatot]*; jóváhagy, megerősít *[döntést]*

upholsterer kárpitos

upholstery kárpit, kárpitozás

upkeep üzemeltetés, fenntartás

upon -on/-en/-ön, -ra/-re

upper felső

uppermost legfelső, legmagasabb

upright ▾ *mn* függőleges; *átv* egyenes, őszinte ▾ *hsz* függőlegesen; *átv* egyenesen, őszintén

uprising lázadás, felkelés

uproar lárma, zsivaj

uproot gyökerestül kitép *[növényt]*, *átv* gyökerestül kiirt *[eszmét stb.]*

upset ▾ *mn* ideges, izgatott *[ember]* ▾ *fn* izgatottság, zűrzavar; kavargó gyomor ▾ *ige* (upset, upset) felborít *[kocsit]*; felkavar, felizgat

upshot következmény, eredmény

upside-down fejjel lefelé, felfordítva

upstairs ▾ *mn* emeleti ▾

hsz fel (az emeletre), fent (az emeleten)
upstart ▾ *mn* felkapaszkodott, feltörekvő ▾ *fn* újgazdag, jöttment
upstream árral szemben, folyásirány ellen
uptight (*about sg*) feszült, ideges (vmi miatt)
up-to-date *biz* modern, naprakész
upward felfelé
uranium urán, uránium
urban városi
urbanization (el)városiasítás, (el)városiasodás, urbanizáció
urchin *biz* csirkefogó, csibész
urge ▾ *fn* kényszer, ösztönzés ▾ *ige* ösztönöz, buzdít
urgency sürgősség
urgent sürgős *[eset]*
urinate vizel
urine vizelet
urn urna, hamvveder
us bennünket, minket; nekünk; mi
US *röv [United States (of America)]* USA *[(Amerikai) Egyesült Államok]*
USA *röv [United States of America]* USA *[Amerikai Egyesült Államok]*
usage használat, szóhasználat
use ▾ *fn* használat, felhasználás; haszon, hasznosság ▾ *ige* használ, felhasznál
used ▾ *mn* használt *[nem új]*, felhasznált; használatban levő, használatos; hozzászokott ▾ *segédige* **~ to do sg** szokása volt/szokott csinálni vmit
useful hasznos
usefulness hasznosság
useless használhatatlan, haszontalan
user felhasználó, használó
user-friendly *inform* felhasználóbarát

usher ▾ *fn* jegyszedő ▾ *ige* bevezet, helyére kísér *[színházban, moziban]*
usherette jegyszedőnő
USSR *röv, tört [Union of Soviet Socialist Republics]* Szovjetunió
usual szokásos, megszokott
usually általában, rendszerint
utensil (háztartási) eszköz, szerszám
uterus *orv* (anya)méh
utility használhatóság, hasznosság
utilise hasznosít, felhasznál
utmost ▾ *mn* legvégső; legnagyobb ▾ *fn* a lehető legtöbb
utter[1] *mn* végső, teljes
utter[2] *ige* kiejt *[szót]*, kimond

V

vacancy megüresedett állás; üresedés, kiadó szoba/szobák
vacant üres *[állás]*; szabad, kiadó *[szoba]*
vacate felszabadít, kiürít *[szobát]*
vacation vakáció, szabadság
vaccinate (*sy*) beolt, oltást ad (vkinek)
vaccination (*for sg*) oltás (vmi ellen)
vaccine vakcina, oltóanyag
vacillate habozik; inog
vacuum ▾ *fn* vákuum, űr ▾ *ige* (ki)porszívóz
vague határozatlan *[elképzelés]*, pontatlan *[fogalom]*
vaguely határozatlanul, pontatlanul
vain hasztalan, hiábavaló; hiú *[ember, ábránd]*
valiant merész, bátor
valid érvényes, hatályos
validate érvényesít
validity érvényesség, hatály(osság)
valley völgy
valuable ▾ *mn* értékes, drága ▾ *fn* ~**s** értéktárgyak, értékek
valuation (fel)becslés, (fel)értékelés *[vagyontárgyé]*
value ▾ *fn* érték ▾ *ige* (*sy/sg*) (fel)becsül, (fel)értékel; nagyra tart, méltányol (vkit/vmit)
valve szelep; *orv* (szív)billentyű
van furgon, kisteherautó
vandal *biz* vandál, barbár
vandalise vandál módon tönkretesz, megrongál

vandalism vandalizmus, értelmetlen pusztítás
vanguard élcsapat, élgárda
vanilla vanília
vanish elenyészik, eltűnik *[hirtelen];* szertefoszlik
vanishing eltűnés, köddé válás
vanity önteltség, hiúság
vantage point kilátó
vaporiser párologtató
variable változó, változtatható
variance változékonyság; **at ~** (*with sy*) nézeteltérésben (vkivel)
variant ▾ *mn* különböző, eltérő ▾ *fn* variáns, változat
variation variáció
varicose visszeres
varied sokféle, változatos
variety változatosság; fajta, változat; varieté
various több, számos; különböző, különféle
varnish ▾ *fn* lakk, politúr ▾ *ige* (be)lakkoz *[pl. körmöt]*, fényez
varnishing lakkozás, politúrozás
vary módosít, (meg)változtat; (meg)változik; (*from sg*) különbözik, eltér (vmitől)
vase váza
vast hatalmas, óriási
VAT *röv [value-added tax]* hozzáadottértékadó, áfa
Vatican Vatikán
vault[1] *fn* boltív, boltozat; páncélterem *[bankban]*
vault[2] ▾ *fn sp* ugrás ▾ *ige* átugrik *[akadályt]*
VCR *röv [video cassette recorder]* videomagnó
veal borjúhús
veer ▾ *fn* fordulat, fordulás ▾ *ige* elfordul, irányt változtat
vegan laktovegetariánus
vegetable ▾ *mn* növényi (eredetű), zöldség- ▾ *fn*

zöldség; ~s zöldségfélék, főzelékfélék
vegetarian vegetariánus
vegetate nő, tenyészik *[növény]*; *biz* vegetál, tengődik
vegetation növényzet; *biz* vegetálás, tengődés
vehemence hevesség, hév
vehement vehemens, heves
vehicle jármű; *átv* közvetítő/továbbító közeg/médium
veil fátyol, lepel
vein véna, ér; adottság, tehetség
velocity sebesség, gyorsaság
velvet ▾ *mn* bársony(ból készült) ▾ *fn* bársony
vending machine (árusító) automata
vendor árus; (árusító) automata
veneer ▾ *fn* furnér, furnérozás ▾ *ige* furnéroz
venerable tisztelendő, tiszteletre méltó
venereal disease nemi (úton terjedő) betegség
vengeance bosszú
venison szarvashús, őzhús
venom méreg *[állaté]*
ventilate (ki)szellőztet
ventilation szellőzés, szellőztetés
ventilator ventilátor, szellőző
ventriloquism hasbeszélés
ventriloquist hasbeszélő
venture ▾ *fn* (üzleti) vállalkozás ▾ *ige* megkockáztat, megreszkíroz; (ki)merészkedik (vhová)
venue helyszín
veranda(h) tornác, veranda
verb ige
verbal szóbeli; igei
verbally (élő)szóban
verbatim ▾ *mn* szó sze-

rinti ▾ *hsz* szóról szóra, szó szerint
verbose szószátyár, bőbeszédű
verdict (bírósági) ítélet
verge perem, szél
verification megerősítés *[állításé]*, ellenőrzés
verify megerősít *[állítást]*, igazol
vernacular köznyelv, népnyelv
versatile sokoldalú
versatility sokoldalúság
verse vers; versszak
version verzió, változat
versus ellen, kontra
vertebra (*tsz* vertebrae) csigolya
vertebrae → vertebra
vertebrate ▾ *mn* gerinces *[állat]* ▾ *fn* gerinces
vertical *mn, fn* függőleges
verve lelkesedés, hév
very ▾ *mn* az a bizonyos, maga az a ▾ *hsz* nagyon
vessel hajó; edény
vest trikó, atléta; *US* mellény
vestige maradvány, nyom
vet *biz* állatorvos
veteran *mn, fn* veterán
veto ▾ *fn* vétó, tiltakozás ▾ *ige* megvétóz
vex ingerel, zaklat
vexed ingerült, bosszús
VHF *röv [very high frequency]* URH *[ultrarövidhullám]*
via át, keresztül (vmin)
viability megvalósíthatóság *[tervé]*; életképesség *[csecsemőé]*
viable megvalósítható *[terv stb.]*; életképes *[csecsemő]*
viaduct völgyhíd, viadukt
vibrant vibráló, rezgő
vibrate (meg)rezegtet; rezeg, remeg
vibration rezgés, remegés
vicar plébános, lelkész *[anglikán]*
vicarage parókia, paplak

vice[1] *fn* vétek, bűn; (jellem)hiba; ~ **squad** erkölcsrendészet

vice[2] *összet* al-, helyettes

viceroy alkirály

vicinity környék, szomszédság

vicious rosszindulatú; *biz* erős *[szél, támadás]*; ~ **circle** ördögi kör

victim áldozat

victor győző, győztes

victorious győzedelmes, győztes

victory győzelem

video ▾ *fn* videofilm, videomagnó; *összet* video- ▾ *ige* videóra felvesz

Vienna Bécs

view ▾ *fn* látvány, kilátás (vhonnan); (lát)kép *[tájról]*; vélemény, nézet ▾ *ige* megtekint, (meg)néz; tart/tekint (vmilyennek)

viewer (tévé)néző

viewpoint szempont, nézőpont

vigil virrasztás

vigorous élénk, élettel teli

vigorously élénken, életerősen

vile alávaló, aljas; *biz* pocsék, vacak

villa villa *[ház]*, nyaraló

village falu, község

villager falusi (ember)

villain a rossz, negatív hős *[színdarabban, regényben]*; *biz* gazfickó, semmirekellő *[gyerek]*

vindicate megvéd, igazol

vindictive haragtartó, bosszúálló

vine szőlőtő(ke); inda, kúszónövény

vinegar ecet

vineyard szőlő(skert)

vintage szüret; szőlő/bortermés; évjárat

vinyl hanglemez; *vegy* PVC, vinil

viola brácsa, mélyhegedű

violate megsért, megszeg *[szerződést, törvényt]*

violation megsértés, megszegés *[törvényé, szerződésé]*
violence erőszak; hév, hevesség
violent erőszakos *[ember];* heves, erős *[szél, vihar]*
violet ▾ *mn* ibolyaszínű ▾ *fn* ibolya
violin hegedű
violinist hegedűművész, hegedűs
VIP *röv [very important person]* nagyon fontos személy(iség)
viper vipera
virgin ▾ *mn* szűz, érintetlen; meg nem művelt *[föld]* ▾ *fn* szűz
Virgo Szűz *[csillagkép]*
virile férfias, férfi-
virtual gyakorlatilag (el)mondható, lényegében megtörtént; *inform* látszólagos, virtuális; ~ **reality** *inform* virtuális valóság
virtually gyakorlatilag, tulajdonképpen
virtue erény
virtuous erényes
virus vírus
visa vízum
viscous tapadós, ragadós
visibility láthatóság; látási viszonyok *[meteorológiában]*
visible *átv is* (szemmel) látható
vision látás; vízió, látomás
visionary látnok
visit ▾ *fn* látogatás, vizit; tartózkodás (vhol) ▾ *ige* meglátogat (vkit); ellátogat (vhová); látogatást tesz
visiting hours *tsz* látogatási idő *[kórházban]*
visitor látogató, turista
visor (szem)ellenző *[sapkán, bukósisakon],* napellenző *[autóban]*
visual látási, vizuális; ~ **aid** szemléltetőeszköz

visualise elképzel; megjelenít; láthatóvá válik
vital életbevágó, létfontosságú
vitality elevenség, élénkség
vitamin vitamin
vivacious eleven, élénk
vivacity elevenség, élénkség
vivid élénk *[szín, kép]*, (élet)erős
vividly élénken, életszerűen
vivisection élveboncolás
vixen nőstény róka
vocabulary szókincs, szókészlet
vocal vokális, hanggal kapcsolatos
vocation hivatás
vocational hivatási; szakmai
vociferous zajos, hangos
vogue divat
voice ▾ *fn* hang; *zene* szólam ▾ *ige* kimond, hangoztat
void ▾ *mn* üres; *jog* érvénytelen, semmis ▾ *ige* *jog* érvénytelenít *[szerződést]*
volatile illó *[olaj]*, illékony
volcano vulkán, tűzhányó
volition akarat, akarás
volleyball röplabda
volt *fiz* volt
voltage feszültség *[áramé]*
volume hangerő; térfogat; (nagy) mennyiség; kötet *[könyvé]*
voluntarily önszántából, önként
voluntary önkéntes; szándékos
volunteer ▾ *fn* önként jelentkező, önkéntes ▾ *ige* ajánlkozik, önként jelentkezik
voluptuous érzéki, buja
vomit ▾ *fn* hányás ▾ *ige* (ki)hány; *átv* okád *[pl. füstöt, tüzet]*, ont

voracious mohó, falánk
vortex örvény, *átv* kavargás
vote ▾ *fn* szavazat, voks; szavazás; szavazati jog ▾ *ige* (meg)szavaz; szavaz
voter szavazó, választó(polgár)
voucher bon, (vásárlási) utalvány
vow ▾ *fn* eskü, fogadalom ▾ *ige* megesküszik (vmire), megfogad (vmit)
vowel magánhangzó
voyage ▾ *fn* hajóút, tengeri utazás ▾ *ige* utazást tesz, utazik *[hajón]*
vulgar trágár, vulgáris
vulgarian közönséges
vulgarity trágárság, közönségesség; trágár megjegyzés
vulnerable sebezhető, *átv* gyenge *[pontja vkinek/vminek]*
vulture keselyű

wad ▾ *fn* (rongy/vatta)csomó; egy köteg *[pénz]* ▾ *ige* összegyúr *[galacsinná]*

waddle ▾ *fn* tipegés, totyogás ▾ *ige* tipeg, totyog

wade ▾ *fn* átkelés *[gázlón]*, átgázolás ▾ *ige* átgázol *[vízen]*; gázol *[vízben]*

wafer ostya

waffle[1] *fn* gofri

waffle[2] *biz* ▾ *fn* mellébeszélés, süketelés ▾ *ige* mellébeszél, süketel

waft ▾ *fn* (szél)fuvallat ▾ *ige* lobogtat, fúj *[vmit a szél]*; lobog, sodródik

wag ▾ *fn* (fark)csóválás, mozgatás ▾ *ige* csóvál, mozgat *[végtagot]*

wage munkabér, kereset

wager fogad *[vmire v. vmiben]*

wag(g)on szekér; tehervagon; *US* kombi(autó)

wail ▾ *fn* siránkozás, sírás *[csecsemőé]* ▾ *ige* elpanaszol, elsír (vmit); (*over sg*) siránkozik (vmi miatt); üvölt, süvít *[szél]*

waist derék

waistband övszalag *[szoknyán]*

waistcoat mellény

waistline derékbőség, derékvonal

wait ▾ *fn* várakozás, várás ▾ *ige* (*for sy/sg*) vár (vkire/vmire)

waiter pincér, felszolgáló

waiting vár(akoz)ás; ~ **list** várólista; ~ **room** váróterem

waitress pincérnő

waive (*sg*) lemond (vmiről), felad (vmit)
wake ▾ *fn* virrasztás ▾ *ige* (woke, woken) (fel)kelt, (fel)ébreszt; (fel)ébred
wakeful álmatlan; éber
Wales Wales
walk ▾ *fn* séta, járás; sétány, gyalogút ▾ *ige* megy, jár, sétál; sétáltat
walker sétáló, gyalogló; járókeret
walkie-talkie hordozható adó-vevő
walking; ~ shoes *tsz* turistacipő/bakancs; **~ stick** sétabot
walkout *US* sztrájk, munkabeszüntetés
walkway *US* sétány *[parkban]*, járda
wall ▾ *fn* fal ▾ *ige* befalaz, körbefalaz
wallet pénztárca, levéltárca
wallop elver (vkit); *sp* erősen üt *[labdát]*
wallpaper ▾ *fn* tapéta ▾ *ige* (ki)tapétáz
walnut dió, diófa
walrus rozmár
waltz ▾ *fn* keringő ▾ *ige* keringőzik
wand pálca, bot
wander ▾ *fn* kóborlás, vándorlás ▾ *ige* kóborol, vándorol; (*from sg*) letér, *átv* eltér (vmitől)
wanderer csavargó, kóborló
wane ▾ *fn* fogyás ▾ *ige* csökken, fogy
want ▾ *fn* szükséglet, hiány ▾ *ige* akar, kíván
wanted körözött *[személy]*
wanton ▾ *mn* féktelen, szertelen; bolondos, könnyelmű; indokolatlan, oktalan; buja, szemérmetlen ▾ *ige* bolondozik, pajzánkodik
war ▾ *fn* háború, harc ▾ *ige átv* háborúzik, harcol

ward ▾ *fn* (kórházi) osztály, kórterem; választókerület; *[gyámság alatt álló]* védenc, gyámolt ▾ *ige* ~ **off** (*sg*) távol tart (vmit), védekezik (vmi ellen)
warden igazgató *[intézményé]*; gondnok *[ingatlané]*
warder börtönőr
wardrobe gardrób, ruhásszekrény
warehouse ▾ *fn* (áru)raktár; nagykereskedés, raktáráruház ▾ *ige* (*sg*) raktároz (vmit), raktárba tesz
wares árucikkek, áruk
warfare hadviselés
warily körültekintően, óvatosan
wariness körültekintés, óvatosság
warlike háborús, harcias
warm ▾ *mn* meleg ▾ *ige* (fel)melegít; *átv is* (fel)melegedik; *biz* felélénkül, felenged *[társaságban]*
warm-hearted melegszívű
warming felmelegedés, felmelegítés
warmly melegen, lelkesen
warmth meleg(ség), hév
warn figyelmeztet, óva int
warning figyelmeztetés, intés; felszólítás
warp ▾ *fn* (el)görbülés, vetemedés *[faanyagé]* ▾ *ige* elhajlít, meggörbít; meghajlik, megvetemedik
warrant ▾ *fn* garancia, jótállás; kezes; fel/meghatalmazás ▾ *ige* (*sg*) garantál (vmit), jótáll (vmiért)
warranty garancia, szavatosság
warrior harcos, katona
Warsaw Varsó
warship hadihajó

wart szemölcs, bibircsók

wartime *mn, fn* háborús (időszak)

wary körültekintő, óvatos

was → **be**

wash ▾ *fn* mosás, mos(ako)dás; (arc)lemosó, kozmetikum ▾ *ige* (el/ki/le/meg)mos; (meg)mosdik

washable mosható *[ruha]*

washbasin mosdókagyló, mosdótál

washbowl *US* lavór, mosdótál

washer mosógép *[háztartási]*; autómosó; *műsz* alátét, tömítőgyűrű

washhouse mosókonyha

washing mosás; szennyes; mosott ruha; ~ **machine** mosógép; ~ **powder** mosópor

washing-up (el)mosogatás; ~ **liquid** mosogatószer

washroom *US* illemhely, mosdó

wasp darázs

wastage pazarlás, pocsékolás; hulladék, veszteség

waste ▾ *mn* selejtes, hulladék; parlag, puszta ▾ *fn* pocsékolás, pazarlás; hulladék, selejt; szennyvíz; ~ **disposal unit** konyhai hulladékaprító, „konyhamalac" ▾ *ige* (el)pocsékol, (el)pazarol

wasteful tékozló, pazarló

watch ▾ *fn* (kar)óra; őr(ség) ▾ *ige* néz; (meg)figyel; figyel, vigyáz

watchdog házőrző kutya

watchful óvatos, éber

watchmaker órás(mester)

watchman (*tsz* -men) őr(szem)

water ▾ *fn* víz; ~ **lily** tündérrózsa ▾ *ige* (meg)öntöz *[növényt]*; (meg)itat *[állatot]*; vizez, hígít *[italt]*; megnedvesedik, könnyezik;

nyáladzik *[száj]*, folyik a nyála
waterfall vízesés
watering can locsolókanna, öntözőkanna
watermark vízjel
watermelon görögdinnye
waterproof ▾ *mn* vízhatlan, vízálló ▾ *fn* vízhatlan kabát/ruha ▾ *ige* vízhatlanná tesz, vízhatlanít
watershed *átv is* vízválasztó (vonal)
water-skiing vízisí(zés)
watertight vízhatlan
waterway vízi út
waterworks vízművek
watery esős; vizes, gyenge *[kávé]*; könnybe lábadt, könnyező *[szemek]*
watt watt
wave ▾ *fn* hullám; int(eget)és ▾ *ige* lenget *[kezet]*, lobogtat *[zászlót]*; int(eget); lobog, leng
wavelength hullámhossz
waver meginog, ingadozik
wavy hullámos *[haj]*
wax ▾ *fn* viasz ▾ *ige* viaszol, gyantáz *[szőrtelenít]*
way út(vonal); irány; távolság; mód(szer)
wayward csökönyös, akaratos; szeszélyes
we mi *[személyes nm]*
weak gyenge
weaken (el)gyengít, (el)gyengül
weakness gyengeség; gyengéje (vkinek)
wealth vagyon, gazdagság
wealthy vagyonos, jómódú
weapon fegyver
wear ▾ *fn* viselet, divat; kopás, használat ▾ *ige* (wore, worn) visel, hord *[ruhát]*; elkopik
weariness fáradtság, kimerültség

weary ▾ *mn* fárasztó *[dolog]*, fáradt *[ember]* ▾ *ige* elfáraszt; elfárad

weasel menyét

weather idő(járás); ~ **forecast** időjárás-jelentés

weathercock szélkakas

weave (wove, woven) sző, fon

weaver takács

web (pók)háló; háló(zat); **world-wide** ~ *inform* világháló

wed (wedded/wed, wedded/wed) (*sy*) feleségül vesz (vkit), egybekel (vkivel); összead *[jegyespárt]*

wedding esküvő; ~ **day** esküvő napja; házassági évforduló; ~ **ring** jegygyűrű

wedge ▾ *fn* szelet *[kör alakú dologból, pl. sajtból, tortából]; átv is* ék ▾ *ige* (ki)ékel

Wednesday szerda

weed ▾ *fn* gyom, gaz ▾ *ige* (ki)gyomlál

week hét *[naptári]*

weekday munkanap, hétköznap

weekend *mn, fn* hétvégi, hétvége

weekly ▾ *mn* heti ▾ *fn* hetilap ▾ *hsz* hetente

weep ▾ *fn* sírás ▾ *ige* (wept, wept) könnyezik, sír; (*for/over sy/sg*) megsirat (vkit/vmit)

weigh (le)mér *[súlyra]*; nyom *[súlyra vmenynyit]; átv* mérlegel

weight (test)súly; befolyás

weighty súlyos, nehéz

weird különös, fur(cs)a; természetfeletti, kísérteties

welcome ▾ *mn* szívesen látott *[vendég]* ▾ *fn* fogadtatás ▾ *ige* üdvözöl; szívesen lát

weld hegeszt; összeforr

welfare (nép)jólét

well[1] *hsz* (*kfok* better, *ffok* best) jól

well[2] *fn* kút, forrás

well[3] *isz* hát, nos, lássuk csak

well-behaved jó magaviseletű, illedelmes

well-being jólét, jó egészség

well-groomed jól öltözött, ápolt

well-known híres, neves

well-mannered jól nevelt, illedelmes

well-meaning jó szándékú, jóindulatú

well-off tehetős, gazdag

well-read tájékozott, olvasott

well-to-do vagyonos, jómódú

well-wisher jóakaró

Welsh ▾ *mn* walesi ▾ *fn esz/tsz* walesi *[ember, nyelv]*

Welshman (*tsz* -men) walesi *[férfi]*

wept → **weep**

were → **be**

west ▾ *mn* nyugati; ~ **Indies** Közép-amerikai szigetek *[Bahama szk. és Antillák]* ▾ *fn* nyugat ▾ *hsz* nyugatra

westerly nyugati *[szél]*

western ▾ *mn* nyugati ▾ *fn* western(film)

westerner nyugati ember

wet ▾ *mn* nedves, vizes ▾ *fn* nedvesség, esős idő ▾ *ige* (wet/wetted, wet/wetted) megnedvesít, benedvesedik

whale bálna

wharf (*tsz* wharves) rakpart, móló

wharves → **wharf**

what ▾ *nm* mi(csoda)?, mit?; ami; milyen? ▾ *isz* mi(csoda)?

whatever ▾ *mn* bármilyen, akármilyen ▾ *nm* bármi(t), akármi(t)

wheat búza

wheel ▾ *fn* kerék ▾ *ige* gördít, gördül

wheelbarrow talicska
wheelchair tolókocsi, tolószék
wheeze ▾ *fn* zihálás ▾ *ige* zihál
when ▾ *nm* mikor?, amikor ▾ *ksz* mialatt; pedig; (feltéve) ha, amikor
whenever bármikor, akármikor
where hol?, hová?; ahol, ahová
whereabouts ▾ *fn tsz* tartózkodási hely, hollét ▾ *hsz* (nagyjából) hol?, (körülbelül) merre?
whereas míg, ezzel szemben; habár, noha
wherever akárhol, bárhol; akárhová, bárhová
whether vajon, -e
which melyik?, melyiket?; amely(et), amelyek(et)
whichever bármelyik(et), akármelyik(et)
while ▾ *fn* kis időtartam ▾ *ksz* mialatt, amíg; ellenben, míg
whim hóbort, szeszély
whimsical hóbortos, szeszélyes
whine ▾ *fn* nyafogás, nyüszítés ▾ *ige* nyafog, nyüszít
whip ▾ *fn* ostor, korbács; tojáshab ▾ *ige* (meg)-korbácsol, ostoroz; felver, felverődik *[hab]*
whirl ▾ *fn* forgás, örvény-(lés) ▾ *ige* felkavar *[port]*; kavarog, pörög
whirlpool örvény
whirlwind forgószél
whirr ▾ *fn* búgás, zúgás *[gépé]* ▾ *ige* zümmög, zúg *[gép]*
whisk ▾ *fn* legyintés; habverő ▾ *ige* felver *[habot]*, csapkod
whiskers *tsz* bajusz *[állaté]*
whisper ▾ *fn* suttogás, susogás ▾ *ige* odasúg (vmit), suttog

whistle ▾ *fn* fütty(szó), fütyülés; síp(szó) ▾ *ige* (el)fütyül; sípol; sivít

white ▾ *mn* fehér; ~ **coffee** tejeskávé; ~ **lie** füllentés, kegyes hazugság ▾ *fn* fehér szín, fehér ember; fehérje *[tojásé, szemé];* világos *[sakkban]*

whiten (ki)fehérít; kifehéredik

whitener fehérítő

whiteness fehérség, sápadtság

whitewash ▾ *fn* meszelés, mész(festék) ▾ *ige* kimeszel *[falat, szobát]*

Whitsun pünkösd

who ki(csoda)?, kik?, kit?, kiket?; aki(k), akit, akiket

whodun(n)it *biz* krimi

whoever bárki(t), akárki(t)

whole ▾ *mn* teljes, egész; ép ▾ *fn* az egész

wholehearted szívből jövő, őszinte

wholemeal korpás, teljes őrlésű lisztből készült

wholesale ▾ *mn* nagybani *[kereskedelem]* ▾ *fn* nagykereskedelem

wholesaler nagykereskedő

wholesome egészséges *[étel]*

wholewheat teljes kiőrlésű búza

wholly teljesen, egészen

whom kit?, kinek?

whooping cough szamárköhögés

whose ki(k)é?, kinek a(z)

why ▾ *hsz* miért?, amiért ▾ *isz* nini, nocsak; nos

wick kanóc

wicked rosszindulatú, gonosz

wide ▾ *mn* széles, tág(as) ▾ *hsz* szélesen; ~ **open** szélesre tárt *[ajtó]*, tágra nyílt *[szem, száj]*

wide-awake éber, teljesen ébren levő

widely széles körben
widen kiszélesít, kibővít; kiszélesedik, kitágul
widespread (széles körben) elterjedt
widow özvegy(asszony)
widower özvegyember
width szélesség, bőség [*ruháé*]
wife (*tsz* wives) feleség
wig paróka
wiggle ▾ *fn* kígyózás, ide-oda mozgás ▾ *ige* kígyózik, tekergőzik
wild ▾ *mn* vad, heves ▾ *fn* vadon; ~s *tsz* vadon, pusztaság ▾ *hsz* vadul, féktelenül
wilderness vadon
wildlife vadvilág
wildly vadul, féktelenül
wildness vadság, féktelenség
will ▾ *fn* akarat, hajlandóság; végrendelet, végakarat ▾ *ige* akar ▾ *segédige* (would) fog [*tenni vmit*]
willing (*to do sg*) kész, hajlandó (vmire)
willingly készségesen
willingness hajlandóság, készség(esség)
willow fűzfa
win (won, won) (el/meg)nyer, győz; elnyer [*ösztöndíjat*], szerez [*barátot*]
wind[1] ▾ *fn* szél, szellő; ~ **instrument** fúvós hangszer ▾ *ige* szellőztet; kifullaszt
wind[2] *ige* (wound, wound) (fel)teker, (fel)csavar; kanyarog [*út*], kígyózik
winder (óra)felhúzó; ablakfelhúzó kar [*autóban*]; csigalépcső
winding ▾ *mn* kanyargó(s) ▾ *fn* kanyargás
windmill szélmalom
window ablak; ~ **cleaner** ablaktisztító
window-shopping kirakatnézegetés
windowsill ablakpárkány

windpipe légcső
windscreen szélvédő
windshield *US* szélvédő
windswept szeles *[hely],* szélborzolta *[haj]*
windy szeles
wine bor; ~ **cellar** borospince; ~ **glass** borospohár; ~ **list** borlap *[étteremben]*
wing szárny; ~**s** kulisszák *[színházban],* színfalak
wink ▼ *fn* hunyorítás, kacsintás ▼ *ige* (rá)hunyorít, hunyorgat, kacsint
winner győztes, nyertes
winning ▼ *mn* nyerő, győztes; megnyerő, vonzó ▼ *fn* ~**s** *tsz* pénznyeremény
winter tél
wint(e)ry télies, *átv is* fagyos
wipe ▼ *fn* törlés ▼ *ige* (meg)töröl, (le)töröl
wire ▼ *fn* drót, kábel; távirat ▼ *ige* (össze)drótoz; táviratozik, megsürgönyöz
wireless ▼ *mn* vezeték/drót nélküli ▼ *fn* rádió, drótnélküli távíró
wiring (villany)vezeték, drót
wiry sprőd, drótszerű *[haj]*
wisdom bölcsesség, okosság; ~ **tooth** bölcsességfog
wise bölcs, okos
wisely bölcsen, okosan
wish ▼ *fn* óhaj, kívánság ▼ *ige* kíván, akar
wishful vágyakozó, sóvár(gó)
wit szellem(esség), ész
witch boszorkány, banya
witchcraft varázslat, boszorkányság
with -val/-vel; -nál/-nél
withdraw (withdrew, withdrawn) kivesz, felvesz *[pénzt];* visszavon; visszalép, visszavonul

withdrawal (pénz)kivét; visszavonás; visszalépés, visszavonulás; ~ **symptoms** *orv* elvonási tünetek
withdrawn → **withdraw**
withdrew → **withdraw**
wither (el)sorvaszt; elsorvad, elszárad, elhervad
withering hervasztó, lesújtó *[pillantás]*; elszáradó
withheld → **withhold**
withhold (withheld, withheld) visszafog (vkit), visszatart *[adatot, pénzt]*
within ▾ *hsz* benn, belül ▾ *elölj* vmin belül
without ▾ *hsz* kívül, kint ▾ *elölj* nélkül
withstand (withstood, withstood) (*sg*) ellenáll (vminek), (ki)bír (vmit)
withstood → **withstand**
witness ▾ *fn* tanú ▾ *ige* tanúsít, tanúskodik; (szem)tanúja (vminek)
witticism elmés/szellemes megjegyzés, aranyköpés
witty szellemes, elmés
wives → **wife**
wizard varázsló, mágus
woe baj, bánat
woeful szomorú, bánatos; szánalomra méltó, szánalmas
woke → **wake**
woken → **wake**
wolf ▾ *fn* (*tsz* wolves) farkas ▾ *ige* felfal
wolves → **wolf**
woman (*tsz* women) nő, asszony
womb (anya)méh
women → **woman**
-women → **-woman**
won → **win**
wonder ▾ *fn* csoda, csodálat ▾ *ige* szeretné tudni, kíváncsi, hogy; csodálkozik, ámul
wonderful csodálatos, csodás
woo (*sy*) udvarol (vkinek)

wood fa(anyag), tűzifa; ~(s) erdő

wooden fából készült, fa-; kifejezéstelen, merev *[arc]*

woodland erdőség

woodpecker harkály, fakopáncs

woodwork famunka, asztalosmunka

woody fás, erdős

wool gyapjú, gyapjúfonal

word ▾ *fn* szó; üzenet; ~s *tsz* szöveg *[dalé]* ▾ *ige* (meg)szövegez, megfogalmaz

wording szövegezés, (meg)fogalmazás

wordy szószátyár, bőbeszédű

wore → **wear**

work ▾ *fn* munka; mű; ~s *tsz* üzem, gyár(telep) ▾ *ige* dolgozik; üzemel, működik; működtet, üzemeltet

workable megvalósítható, keresztülvihető *[terv]*

worker dolgozó, munkás

workman (*tsz* -men) (kétkezi) munkás

workmanship szakmai tudás, mesterségbeli felkészültség

workshop műhely

world világ, föld

world-wide világszerte/ az egész világon elterjedt

worm giliszta, féreg

worn ▾ *mn* (el/meg)kopott, elnyűtt ▾ *ige* → **wear**

worried aggódó, gondterhelt

worry ▾ *fn* gond, aggodalom ▾ *ige* nyugtalanít, aggaszt; (*about/over sy/ sg*) nyugtalankodik, aggódik (vki/vmi miatt)

worrying aggasztó, nyugtalanító

worse ▾ *mn* rosszabb; → **bad** ▾ *hsz* rosszabbul; → **badly**

worship ▾ *fn* istentisztelet; imádás ▾ *ige* imád, imádkozik *[vallásosan]*

worst ▾ *mn* legrosszabb; → **bad** ▾ *hsz* legrosszabbul; → **badly**

worth ▾ *mn* be° ~ ér (vmit/vmennyit) ▾ *fn* érték

worthless haszontalan, értéktelen

worthy (*of sg*) érdemes, méltó (vmire)

would -na/-ne *[segédige feltételes alakokhoz]*; fog *[tenni vmit]*; → **will**

would-be leendő, reménybeli

wound¹ ▾ *fn* seb(esülés), sebhely ▾ *ige* megsebez, megsebesít

wound² → **wind**²

wove → **weave**

woven → **weave**

wrap ▾ *fn* sál, pongyola ▾ *ige* beburkol, becsomagol

wrapper csomagolás, csomagolóanyag

wrapping csomagolás

wreath koszorú

wreck ▾ *fn* roncs ▾ *ige* hajótörést szenved; *átv* tönkretesz

wrench villáskulcs, csavarkulcs

wrestle ▾ *fn* birkózás ▾ *ige* (meg)birkózik

wrestler birkózó

wrestling birkózás

wretched nyomorult, szerencsétlen *[ember]*; pocsék, rossz *[pl. időjárás]*

wrinkle ▾ *fn* ránc ▾ *ige* (össze)ráncol(ódik)

wrist csukló

wristwatch karóra

writ *[bírósági]* idézés

write (wrote, written) (meg)ír, leír

write-off leírás *[veszteségé]*; totálkáros autó

writer író

writhe ▾ *fn* vonaglás ▾ *ige* vonaglik

writing írás(mű), mű *[íróé]*; ~ **paper** írólap, írópapír

written ▼ *mn* írott, írásos *[pl. engedély]* ▼ *ige* → **write**

wrong ▼ *mn* rossz, helytelen ▼ *fn* rossz (tett), tévedés ▼ *hsz* rosszul, helytelenül

wrongful törvénytelen, jogtalan

wrongly jogtalanul, törvénytelenül; helytelenül, rosszul

wrote → **write**

wrought megmunkált, kidolgozott

wry *átv* savanyú *[arc]*, fanyar *[mosoly, humor]*

Xmas *röv [Christmas]* karácsony

X-ray ▼ *mn* röntgen- ▼ *fn* röntgenfelvétel ▼ *ige* megröntgenez

xylophone xilofon

Y

yacht ▾ *fn* jacht ▾ *ige* vitorlázik, jachttal hajózik
yachting vitorlázás, vitorlássport
yachtsman (*tsz* -men) vitorlázó *[ember]*, jachtozó
yank gyorsan mozog; *US* (meg)ránt, rángat
Yankee *biz* jenki *[egyesült államokbeli ember]*
yard[1] yard *[91,4 cm]*
yard[2] telep
yardstick *biz, átv* mérce, rőf
yarn fonal; *biz* történet
yawn ▾ *fn* ásítás ▾ *ige* ásít; *átv* tátong *[barlang, szakadék]*
yawning ásító, ásítozó; *átv* tátongó *[barlang, szakadék]*
yeah *biz* ja *[igen]*
year év; évfolyam *[iskolában]*
yearly ▾ *mn* éves, év(enként)i ▾ *hsz* évenként, évente (egyszer)
yearn (*for/after sg*) sóvárog, vágyik (vmire)
yearning ▾ *mn* sóvárgó, epedő ▾ *fn* sóvárgás, epekedés
yeast élesztő
yell ▾ *fn* kiáltás, sikoltás ▾ *ige* ordít, üvölt; (fel)ordít, (fel)sikolt
yellow ▾ *mn* sárga ▾ *fn* sárga szín ▾ *ige* megsárgít; megsárgul
yellowish sárgás
yelp ▾ *fn* vakkantás, csaholás ▾ *ige* ugat, csahol
yeoman (*tsz* -men) *tört* kisgazda

yes igen

yesterday tegnap

yet ▾ *hsz* még; már ▾ *ksz* mégis

yew tiszafa

yield ▾ *fn* hozam, hozadék ▾ *ige* hoz, terem; *gépk* (*to sy/sg*) elsőbbséget ad, enged (vkinek/vminek)

yoke ▾ *fn* iga, járom ▾ *ige* igába fog *[állatot]*

yolk tojássárgája

you ön(t), maga; önnek, magának; az ember *[általános alany]*

young ifjú, fiatal

youngster gyerek; *biz* fiatal, ifjú

your (az ön v. a maga) -(j)a, (az önök v. a maguk) -a, a te -d; *[általános alanyként]* az ember …-je

yours az öné(i), a magáé(i), a tie(i)d

yourself (ön)maga, (ön)magad

yourselves (ők) maguk, (ti) magatok

youth fiatalkor, ifjúság; fiatalember, ifjú; ~ **hostel** ifjúsági szálló

youthful fiatalos; fiatalkori

Yugoslav *mn, fn* jugoszláv

Yugoslavia Jugoszlávia

yuppie *pejor* ifjú újgazdag, juppi

Z

zany *biz* bolondos, őrült

zap *biz* sutty!, huss! *[gyors mozgás érzékeltetésére]*

zeal igyekezet, hév

zealot fanatikus rajongó

zealous lelkes, buzgó

zebra *áll* zebra; ~ **crossing** gyalogátkelőhely, zebra

zenith tetőpont, csúcspont *[karrieré stb.]*

zero nulla, zéró; *átv* semmi

zest öröm, élvezet; zamat, aroma

zigzag ▾ *mn* cikcakkos, zegzugos ▾ *hsz* cikcakkosan, zegzugosan ▾ *ige* cikcakkban halad, cikázik

zinc cink

zip ▾ *fn biz* erő, lendület; *inform* zip-tömörítés ▾ *ige inform* tömörít *[fájlt]*

zipper cipzár

zodiac *csill* állatöv, zodiákus

zone zóna, övezet; *földr* égöv

zoo állatkert

zoologist zoológus, állattantudós

zoology zoológia, állattan

zoom ▾ *fn* közeli felvétel *[fényképen, filmen],* nagyítás *[számítógépen]* ▾ *ige* süvít, repeszt *[gyorsan mozog];* közelít *[fényképezőgéppel, kamerával]*

zucchini cukkini

RÖVIDÍTÉSEK

áll	állattan
ált	általában
átv	átvitt értelemben
bány	bányászat
biol	biológia
biz	bizalmas szóhasználat
csill	csillagászat
elektr	elektronika
épít	építészet
esz	egyes szám
fényk	fényképészet
fil	filozófia
film	filmművészet
fiz	fizika
fn	főnév
földr	földrajzi név
gazd	gazdaság
geol	geológia
gépk	gépkocsizás
hajó	hajózás
hiv	hivatalos nyelven
hsz	határozószó
inform	informatika
irod	irodalmi, választékos
isz	indulatszó
ját	játékok
jog	jogtudomány
kat	katonaság
kb.	körülbelül
kém	kémia
közl	közlekedés
ksz	kötőszó
mat	matematika
mezőg	mezőgazdaság
mn	melléknév
msz	mondatszó
műsz	műszaki kifejezés
műv	művészet
nm	névmás
növ	növénytan
nu	névutó